АМ
АЛЕКСАНДРА МАРИНИНА

ВСЕ РОМАНЫ АЛЕКСАНДРЫ МАРИНИНОЙ: ЖИЗНЬ НАСТИ КАМЕНСКОЙ ОТ «СТЕЧЕНИЯ ОБСТОЯТЕЛЬСТВ» ДО НАШИХ ДНЕЙ

СТЕЧЕНИЕ ОБСТОЯТЕЛЬСТВ
ИГРА НА ЧУЖОМ ПОЛЕ

УКРАДЕННЫЙ СОН

УБИЙЦА ПОНЕВОЛЕ

СМЕРТЬ РАДИ СМЕРТИ

ШЕСТЕРКИ УМИРАЮТ ПЕРВЫМИ

СМЕРТЬ И НЕМНОГО ЛЮБВИ

ЧЕРНЫЙ СПИСОК
ПОСМЕРТНЫЙ ОБРАЗ

ЗА ВСЕ НАДО ПЛАТИТЬ

ЧУЖАЯ МАСКА

НЕ МЕШАЙТЕ ПАЛАЧУ

СТИЛИСТ

ИЛЛЮЗИЯ ГРЕХА

СВЕТЛЫЙ ЛИК СМЕРТИ

ИМЯ ПОТЕРПЕВШЕГО НИКТО

МУЖСКИЕ ИГРЫ

Я УМЕР ВЧЕРА

РЕКВИЕМ

ПРИЗРАК МУЗЫКИ

СЕДЬМАЯ ЖЕРТВА

КОГДА БОГИ СМЕЮТСЯ

Александра МАРИНИНА

За все надо платить

ЭКСМО

Москва, 2002

УДК 882
ББК 84(2 Рос-Рус)6-4
М26

Разработка серийного оформления
художников *А. Старикова, С. Курбатова* («ДГЖ»)

Маринина А. Б.
М 26 За все надо платить: Роман. — М.: Изд-во Эксмо, 2002. — 416 с.

ISBN 5-04-004463-1
ISBN 5-04-000407-9

Расследуя убийство менеджера агентства «Лозанна», сотрудник уголовного розыска Анастасия Каменская обнаруживает странную цепь скоропалительных смертей творческих и научных работников. Ей приходится столкнуться с таинственной «конторой», имеющей своих людей во всех правоохранительных органах. По инициативе «конторы» Каменскую отстраняют от работы и проводят служебное расследование обстоятельств ее сотрудничества с крупным мафиози Эдуардом Денисовым.

УДК 882
ББК 84(2Рос-Рус)6-4

ISBN 5-04-004463-1
ISBN 5-04-000407-9

ДАЛЬШЕ... ДАЛЬШЕ?.. ДАЛЬШЕ!

Если бы не было Насти Каменской — майора милиции, аналитика отдела по борьбе с особо опасными преступлениями, а в последних романах Александры Марининой уже подполковника оперативной службы, умудренной опытом женщины, нелегкий труд которой связан с самыми ужасными преступлениями против человечности, — ее следовало бы выдумать. Наблюдая милицейских чинов, порой не в самых их лучших человеческих проявлениях — например, «трясущих» «лиц кавказской национальности» или штрафующих любого, спустившегося в метро с неподъемным баулом, «забывая» при этом выдать квитанцию на сто-двести рублей, — так хочется верить, что это далеко не вся милиция, что эти молодчики лишь досадное недоразумение, «издержки производства», и что на самом деле «моя милиция — меня бережет».

Кто же она — Настя Каменская? Не подполковник ли милиции Марина Алексеева, много лет отдавшая нелегкому труду в правоохранительных органах, прежде чем взяться за перо и рассказать читателю о далеко не радостных буднях человека в милицейском мундире. Человека, не знающего ни нормального отдыха, ни нормированного рабочего дня, постоянно вынужденного иметь дело с убийцами, ворами, грабителями и бандитами и при этом обязанного постоянно помнить о том, что все они, несмотря на их грязное ремесло, прежде всего люди. И понятно стремление профессионального писателя-детективщика Александры Марининой дать своему читателю героиню, которая не только обладала бы всеми положительными и отрицательными качествами автора (в конце концов, каждый из пишущих стремится максимально использовать собственную биографию и собственные человеческие качества, сполна наделяя ими своего героя), но и являла бы собой некий идеал милиционера, человека, женщины, которую эта профессия не ожесточила, не огрубила, не приземлила.

В этом смысле Настя Каменская, конечно же, выдумана. Хотя бы потому, что в ней одной собрано слишком много человеческих достоинств — пять языков, которыми она владеет, тонкое знание и понимание музыки, живописи, мировой литературы... плюс к этому еще и женские качества — кокетство, умение быть красивой (если ей этого хочется), стремление любить самой и особенно — быть любимой! Но дабы мы не подумали, что героиня слишком уж положительна, автор наделяет ее и кое-какими недостатками. Она фантастически ленива (если речь не идет о ее работе), лишена умения создавать уют, ей явно незнакома зна-

менитая поговорка о том, что путь к сердцу мужчины лежит через его желудок, она частенько пренебрегает заботой о собственной внешности.

Но зато Настя — человек патологически верный своим профессиональным принципам. Для нее борьба с преступностью — смысл жизни, и мне кажется, если перед нею встанет выбор: отказаться ли ей от личного счастья или отступить от своего профессионального долга, она откажется от первого в пользу второго.

Идеальный персонаж? Да. Лакированный литературный образ? И да, и нет! Потому что в жизни — как это ни парадоксально! — и не такое возможно. Ведь существует множество примеров как политического, так и профессионального, и чисто житейского фанатизма.

Но нельзя и не отметить при этом, что у читателей весьма остро ощущается тяга к подобному идеальному герою. Жизнь ежедневно являет столько мерзости, что душа поневоле взыскует идеального.

Настя Каменская — тот самый искомый вариант «идеального» героя, умело задрапированный различными мелкими человеческими недостатками и слабостями, что делает ее еще более привлекательной. Ведь, смотрите-ка, она и от безденежья страдает, и боли различные ее мучают, и домашнее хозяйство она терпеть не может... Но ведь везет она свой воз, не ропщет, не стремится найти себе местечко в какой-нибудь частной структуре, где и работы поменьше, и платить будут намного больше. Все ради того, чтобы в городе ее родном, Москве, а по возможности и во всей России вывести, вырубить, выжечь на корню все то, что не дает нам возможности безбоязно пройти от электрички до дачного участка через березовый лес, подниматься по лестнице на свой этаж, не опасаясь, что обчистили твою квартиру, не боясь, что из-за угла выскочит киллер и всадит в тебя обойму из «глока» или «магнума», а то и просто полоснет по глотке ножом.

И в этом смысле героиня романов Марининой — кумир читателей. И тут уж нет разницы — мужчины ли это, женщины ли. Мы все — и мужчины и женщины — одинаково единодушны в желании жить мирно и спокойно...

На страницах последнего романа А. Марининой «Седьмая жертва» мы как бы расстаемся с прежней Настей Каменской. Мы видим, что она выступает уже в ином звании, на новом месте работы. Естественно и наше желание знать, что же будет с этой женщиной дальше? Ведь жизнь ее продолжается, она находится на самом пике своей профессиональной деятельности, она полна сил и планов.

Не ошибусь, если возьму на себя смелость утверждать, что читатель ждет от Александры Марининой не только служебного, но и человеческого роста ее героини.

Валико МИЗАНДАРИ

Глава 1

Ручка легко бежала по листу бумаги, испещренному формулами и крошечными, нарисованными без линейки графиками и диаграммами. Герман Мискарьянц работал уже девять часов без перерыва, но усталости не чувствовал. Мысль текла ровно, может быть, излишне торопливо, и он, чтобы поспеть за ней, писал с сокращениями, заменяя отдельные слова стенографическими символами, которые сам же и придумывал на ходу. На тумбочке возле кровати стояли тарелки с давно остывшей едой — обедом, который ровно в два часа приносила медсестра Олечка. Теперь она придет только в семь, эти тарелки заберет, новые, с ужином, оставит, и слова не скажет, не посетует на то, что Мискарьянц целый день ничего не ел. Разговаривать с пациентами, когда они работают, строго запрещалось. Вернее, запрещалось отвлекать пациентов от работы. А уж если они сами захотят перекинуться несколькими словами с персоналом, тогда — пожалуйста. Но только если сами. В противном случае — ни-ни. Работа для людей, находящихся в отделении, — это святое. Это самое главное. Для этого они и лежат здесь.

В последние дни Герман Мискарьянц стал чувствовать себя немного хуже, появилась неприятная слабость в ногах, кружилась голова при ходьбе, но зато работалось ему на удивление хорошо. Его лечащий врач Александр Иннокентьевич оказался прав: здесь, в отделении, созданы все условия для плодотворной работы, а все, что ей мешает, осталось за толстой стальной дверью. Дома. На работе. На улице. Одним словом — ТАМ. А здесь — тишина, покой, вкусная калорийная пища, глубокий сон, витамины. Единственное, чего, может быть, не хватало Мискарьянцу, это прогулок. Но Александр Иннокентьевич объяснил ему, что главное для работы — это возможность сосредоточиться, отсутствие отвлекающих моментов. Поэтому и живут пациенты в отдельных одноместных палатах, чтобы не мешать друг другу. Поэтому и гулять не ходят. Люди же все разные, один помолчать любит, а другой, наоборот, разговорчив не в меру, суетлив, вот и будет допекать своим назойливым вниманием и общением тех, кто гуляет по парку одновременно с ним. Мискарьянц тогда согласился с врачом и вполне удовлетворялся тем, что дышал свежим воздухом, распахнув настежь окна.

Вероятно, все-таки он чем-то болен, поэтому и работа не ладилась в последние месяцы. Не случайно он стал чувствовать себя хуже. Но это сейчас неважно, сейчас главное — закончить наконец программу, принципиально новую программу защиты компьютерной информации, которую так ждут в десятках банков. Компьютерный центр, в котором работал Мискарьянц, уже получил сотни заказов под этот программный продукт, прибыль ожидается огромная, а у Германа работа застопорилась. Застряла на одном месте — и все. Ни в какую. Как говорится, ни тпру ни ну. Начальство подгоняет, заказчики обрывают телефон, мол, мы вам сделали предоплату, а где обещанная программа? Герман начал нервничать, но от этого работа быстрее не стала двигаться, даже наоборот. Будто ступор какой-то нашел на него. Вот тогда ему и посоветовали обратиться к Александру Иннокентьевичу Бороданкову, заведующему отделением в одной из московских клиник. Как оказалось, не зря посоветовали.

Герман хорошо помнил свой первый визит к Бороданкову. Александр Иннокентьевич оказался приятным чуть полноватым человеком в очках с толстыми стеклами и с крупными, хорошей формы, холеными руками.

— Наверное, я зря вас побеспокоил, — смущенно начал Мискарьянц, — у меня ничего не болит, жалоб нет никаких, просто...

— Просто вы чувствуете, что с вами что-то не так? — пришел ему на помощь врач.

— Да-да, — обрадованно подхватил Герман. — Понимаете, я стал хуже работать. Если совсем честно говорить, то я стал плохо работать. Если бы я был писателем или, к примеру, композитором, я бы сказал, что у меня наступил твор-

ческий кризис. Но я математик, программист, у меня не может быть кризисов, а вот...

Он как-то по-детски развел руками, словно ребенок, разбивший чашку и не понимающий, как это она могла упасть, если только что стояла на самой середине стола.

— Вы не правы, Герман, — ласково сказал Бороданков. — Творчество — это совсем не обязательно искусство. Любое создание нового — творчество. А вы устали. Да-да, голубчик, я это отчетливо вижу. Вы просто очень устали, вы истощили себя непомерной нагрузкой, слишком интенсивной работой и невниманием к своему здоровью. И вот результат.

— Значит, вы полагаете, что я чем-то болен? — испугался Герман.

— Я этого не утверждаю, но и не исключаю. Давайте вернемся к вашим проблемам. Что вас беспокоит больше всего? Самочувствие? Или что-то другое?

— Меня беспокоит работа, которую я никак не могу закончить. А я должен сделать это в кратчайшие сроки. И я подумал, что, может быть, мне мешает какая-то болезнь...

— Хорошо, я понял. У нас с вами два пути. Первый: вы ложитесь на обследование, и врачи выясняют, что же это за хворь вас гложет. Мы этим не занимаемся, у нас другой профиль, но я с удовольствием порекомендую вас в клинику мединститута, там прекрасные специалисты по диагностике и самая современная аппаратура. По моей протекции вас туда положат, у меня в этой клинике множество знакомых. Обследование займет не меньше двух месяцев...

— Нет-нет, — испуганно замахал руками Герман. — Об этом и речи быть не может. Вы что! Я должен закончить программу самое большее за две недели.

— И есть второй путь. Я кладу вас к себе. Лечить вас я не буду, в том смысле, какой вы привыкли вкладывать в слово «лечить». Я создам вам условия для нормальной работы и назначу курс общеукрепляющей терапии. В основном витамины. Ну и легкое успокоительное на ночь, чтобы мозг отдыхал. Правильно составленную диету. Полный покой. Вам, наверное, сказали, что мои научные исследования лежат в области психотерапии, и вы теперь ожидаете, что я, подобно некоторым известным специалистам, посажу вас перед собой и начну внушать вам, что вы гениальный математик, что вам ничто не мешает закончить работу и вообще вы ее уже закончили, так что и волноваться не о чем. Верно?

Бороданков легко и весело рассмеялся, подняв руки и пошевелив в воздухе крупными длинными пальцами.

— Так вот, голубчик, это не так. Я буду заходить к вам один раз в день, вечером, и справляться о вашем самочувствии. Этим наше общение и будет ограничено. У меня есть собственная теория, я назвал ее «медицина интеллектуального труда». Поэтому у меня в отделении лежат люди, которые хотят лечиться не от болезни, а от проблем, возникающих в области интеллектуальной деятельности.

— Значит, я не один такой?

— Ну что вы, голубчик. У меня в отделении тридцать палат, и все они постоянно заняты.

При мысли о том, что «проблемы в области интеллектуальной деятельности» возникли не только у него, Герману стало почему-то легче. Значит, ничего особенного с ним не происходит.

— А кто у вас лежит? — с детским любопытством спросил он.

— Скажите, голубчик, вы хотели бы, чтобы у вас на работе узнали, что вы выработались и вам пришлось лечиться, чтобы написать вашу программу? Ответ очевиден, можете ничего не говорить. А известный композитор? Художник? Разве захочет он, чтобы почитатели его таланта узнали, что написать прекрасную песню или замечательный портрет ему помогли врачи? Вот то-то же. Анонимность — один из принципов лечения в моем отделении. Никто не узнает, что вы у меня лежали. Но и вы никогда не узнаете, кто еще, кроме вас, здесь находится. Ну так как, устраивает вас мое предложение или вы хотите лечь на обследование?

— Устраивает. Только... — Герман замялся. — Сколько это будет стоить?

— Это зависит от того, сколько времени вам понадобится, чтобы написать программу. Один день пребывания здесь

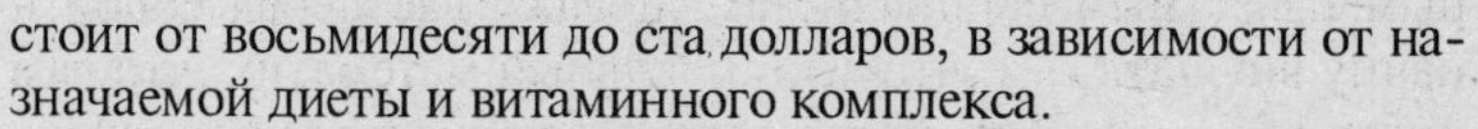

стоит от восьмидесяти до ста долларов, в зависимости от назначаемой диеты и витаминного комплекса.

Герман прикинул, какую сумму он может позволить себе потратить на лечение. Выходило впритык, но все-таки выходило.

— Когда вы сможете меня положить? К вам, наверное, очередь?

— Очередь, конечно, существует, — лукаво улыбнулся Бороданков, — но ведь насчет вас мне звонила Наталья Николаевна, а для людей, за которых она просит, у меня очереди нет. Если хотите, могу положить вас прямо сегодня. Поезжайте домой, возьмите все, что вам необходимо для работы, и возвращайтесь. Я буду здесь до половины седьмого.

— Но если я буду здесь работать, мне понадобится компьютер.

— Пожалуйста, привозите, поставим его в палате. Никаких проблем.

— А жена может меня навещать? У вас разрешается?

— Конечно, пусть приходит. Но у меня, в соответствии с моей методикой, такое правило: первые несколько дней пациент входит в тот режим, который я ему рекомендую, а потом уже решает, вписываются ли визиты родственников и друзей в этот режим. Видите ли, мой метод основан на том, что человек должен полностью погрузиться в то дело, которым он занимается, и ничто не должно его отвлекать. Любой отвлекающий момент, даже несущий положительный заряд, может помешать продуктивному творчеству. Поэтому вы сами посмотрите, как пойдет дело, и потом решите, хотите ли вы, чтобы вас навещали.

Через три дня Герман понял, что ничьи визиты ему не нужны. Работа пошла так успешно и легко, что отрываться от нее хотя бы на минуту казалось ему кощунственным. Он сначала попытался закончить ту работу, над которой трудился уже два месяца, но вдруг понял, что все это ерунда, что делать нужно совсем не так, и начал все заново. Теперь, по прошествии десяти дней пребывания в отделении у доктора Бороданкова, новый вариант программы близился к завершению, и Герман испытывал необычайный творческий подъем, который с каждым днем делался все более мощным. На его фоне усиливающееся недомогание казалось ерундой, не стоящей внимания.

* * *

Александр Иннокентьевич Бороданков обернулся на скрип открывающейся двери и увидел Ольгу. Она была уже без халата, ее смена закончилась, и она стояла на пороге его кабинета в красивом темно-зеленом костюме с короткой юбкой и длинным пиджаком. С гладко зачесанными назад темными волосами и большими очками с голубоватыми стеклами она напоминала сейчас не медсестру, а деловитую секретаршу большого начальника.

— Саша, Мискарьянц опять ничего не ел, — сказала она озабоченно и почему-то грустно. — Похоже, дело идет к концу.

— Второй день?

— Да. Работает как бешеный, а тарелки все нетронутые. Неужели ничего нельзя сделать?

— Глупый вопрос, детка. Раз он не испытывает чувства голода, значит, начались необратимые изменения. Но он хотя бы продержался дольше других, сегодня десять дней, как он у нас, а другие едва неделю выдерживали. Может, нам все-таки удалось нащупать методику, как тебе кажется?

— Вряд ли, — вздохнула Ольга. — Просто Герман оказался здоровее других. Саша, так больше нельзя, ты сам видишь, ничего у нас не выходит. Без архива Лебедева мы с места не сдвинемся. Давай наконец признаем это.

— Нет.

Ответ Бороданкова был тверд, как и его кулак, которым он стукнул в этот момент по колену.

— Нет, я не отступлюсь. Если Лебедев смог придумать, то и я смогу. Мискарьянц, конечно, не старая развалина, но у него наверняка наличествуют все болячки, которые и должны быть у тридцатилетнего мужика. Он не может быть абсолютно здоров. Гастрит, бронхит курильщика, немножко сердечко. Ты видела, какие у него мышцы ног? Играл в футбол

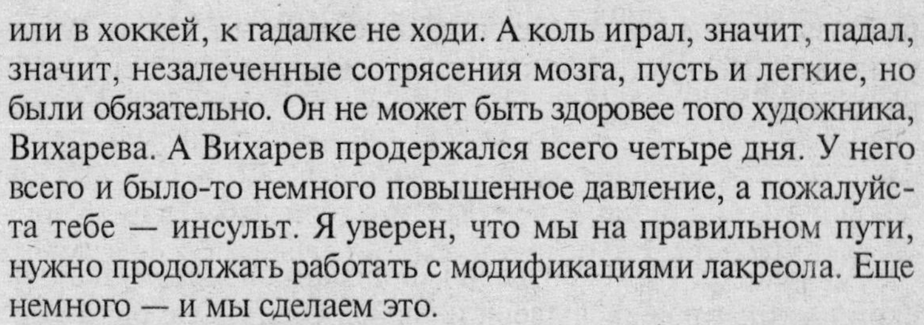

или в хоккей, к гадалке не ходи. А коль играл, значит, падал, значит, незалеченные сотрясения мозга, пусть и легкие, но были обязательно. Он не может быть здоровее того художника, Вихарева. А Вихарев продержался всего четыре дня. У него всего и было-то немного повышенное давление, а пожалуйста тебе — инсульт. Я уверен, что мы на правильном пути, нужно продолжать работать с модификациями лакреола. Еще немного — и мы сделаем это.

— Не знаю, Саша.

Ольга бросила сумочку на кресло и подошла к Бороданкову. Александр Иннокентьевич обнял ее и усадил к себе на колени.

— Ну что ты, Олюшка? Руки опускаются? Так всегда бывает, это нужно перетерпеть. Зато представь только, что нас ждет, когда мы разработаем методику. Считай, докторская у тебя в кармане. Слава, почет, деньги. Ты сама подумай, ты же целый год работаешь медсестрой со своей кандидатской степенью. Ну неужели тебе не обидно приносить такую жертву впустую?

— Не знаю, Саша, — повторила она, обнимая его за шею и утыкаясь подбородком в густые светлые волосы мужа. — Мне почему-то кажется, что ничего у нас не выйдет, они так и будут умирать, и мы с тобой ничего не сможем с этим поделать. Иногда я ловлю себя на том, что перестаю понимать, что ты делаешь. Наверное, у меня просто не хватает мозгов на эту работу. Даже если у тебя получится, докторскую я все равно не напишу.

— У нас получится, — мягко поправил ее Бороданков. — Не у меня, а у нас с тобой. У всех нас. Ты способная, Олюшка, ты талантливая, ты обязательно защитишься. Мы запатентуем изобретение и уедем отсюда к чертовой матери, откроем собственную клинику, станем богатыми и уважаемыми людьми. Вот увидишь, все будет отлично. Сейчас я обойду палаты, и мы с тобой поедем домой. Давай сегодня сходим куда-нибудь поужинать. Ты такая красивая в этом костюме, жалко, если ты его снимешь и начнешь возиться у плиты. Давай?

— Давай, — кивнула Ольга, вставая и поправляя юбку. — Иди, Саша, я тебя здесь подожду.

Бороданков снял с вешалки ослепительно белый халат, аккуратно застегнул его на все пуговицы и отправился с вечерним обходом. Идя по светлому длинному коридору отделения, он думал о том, что Ольга, конечно же, права, без разработок Лебедева они с места не сдвинутся. Это он перед женой корчит из себя гения, утверждая, что если Лебедев смог придумать, то и он, Бороданков, сможет. На самом деле Александр Иннокентьевич прекрасно отдавал себе отчет в том, что с Лебедевым ему не равняться. Он всегда мог то, чего не могли другие. Это Бороданков понимал еще тогда, когда был аспирантом Лебедева. И почему он так не вовремя умер! И черт дернул старого дурака незадолго до смерти жениться на молоденькой женщине! Был бы женат на своей старухе, никуда б она из России не делась и проблем бы не было. Отдала бы все бумажки до единой, даже не заглянув в них. А Вероника тут же нашла себе спонсора и свалила за границу вместе со всеми архивами мужа. Ищи ее теперь.

К Мискарьянцу Александр Иннокентьевич зашел в последнюю очередь. Герман сидел за компьютером, погруженный в работу.

— Добрый вечер, голубчик. Я вижу, работа идет полным ходом, — весело приветствовал его врач.

— Да, все получается. Просто удивительно, как хорошо мне работается здесь! Кажется, всю жизнь здесь провел бы, — засмеялся в ответ программист.

— И как скоро вы закончите?

— Думаю, послезавтра. А может быть, даже завтра. Скажите, Александр Иннокентьевич, я смогу уйти домой сразу же, как только закончу программу?

— В ту же минуту, — заверил его Бороданков. — Вот видите, домой все-таки хочется, а ведь только что говорили, что провели бы здесь всю жизнь. Хорошо, с работой, я вижу, полный порядок. А самочувствие? Что-нибудь беспокоит?

— Так, — Герман пожал плечами, — слабость какая-то, но это ерунда, я вас уверяю. Это оттого, что я все время сижу, не хожу совсем, не двигаюсь. Вернусь домой и сразу восстановлюсь, дело двух-трех дней.

От врача не укрылось, что лоб Германа был покрыт испариной, волосы прилипли ко лбу, хотя в комнате благодаря открытому окну было довольно прохладно. Вокруг губ залегли синюшные тени. Он прав, подумал Бороданков, дело двух-трех дней. А то и меньше.

— Как давно вы чувствуете слабость?

— Дня четыре, наверное. Может быть, пять.

Герман пожал плечами и радостно засмеялся.

— Я так много работаю, что все дни слились в один. Если вы мне скажете, что я у вас уже целый месяц, я вам поверю.

— Так не годится, голубчик, — укоризненно покачал головой Александр Иннокентьевич. — Даже самая продуктивная работа требует перерывов. Отвлекаться, конечно, нельзя, это моя методика запрещает, а вот спать нужно обязательно. Не забывайте, во сне мозг продолжает работать, и, между прочим, намного лучше, чем когда вы бодрствуете. Вы целый день заставляете его действовать в определенном направлении, которое вам самому кажется правильным. Вы загружаете свой биологический компьютер информацией, а потом начинаете указывать ему, как он должен эту информацию перерабатывать. Но в ваших указаниях зачастую отсутствует логика, в них масса вкусовщины, начиная с того, что вам лично глубоко неприятен какой-то ученый или специалист и поэтому вы, сами того не замечая, избегаете подходов, которые этот специалист предлагает, и кончая тем, что вы раздражены и вам нездоровится, оттого что вы съели на обед что-то не то. А когда вы спите, все подобные глупости спят вместе с вами, а мозг, нагруженный информацией и чистыми, не замутненными никакими эмоциями теоретическими постулатами, работает четко и спокойно, в том темпе и том режиме, который наиболее ему удобен. Ведь не случайно, когда вы пришли к нам, отвлеклись от всего и успокоились, вам пришлось начать всю работу заново. Ведь признайтесь, в последнее время дома вы почти не спали?

— Верно, — удивленно протянул Мискарьянц. — Какой уж тут сон, когда сроки поджимают, начальство торопит, заказчики теребят, а у меня ничего не получается... И захочешь уснуть, а не получится.

— Вот видите. Спать нужно обязательно и помногу, иначе

ни о каком продуктивном творчестве и речи быть не может. Пока вы бодрствуете, вы сами себя насилуете, пытаетесь руководить собственным мыслительным процессом. А руководите вы им не всегда правильно. Только не каждый находит в себе силы в этом признаться. Что ж, голубчик, прощаюсь с вами до завтра и еще раз напоминаю: сон, сон, сон.

Выйдя из палаты, которую занимал Герман Мискарьянц, Александр Иннокентьевич зашел в комнату, на двери которой красовалась табличка: «Лаборатория». В обычных больницах за дверью с таким названием занимаются тем, что исследуют взятые на анализ кровь, мочу, желудочный сок. В кризисном же отделении, которое возглавлял Александр Иннокентьевич Бороданков, в лаборатории сидели фармацевты.

— Кто готовит комплекс для восьмой палаты?

— Я.

Молодой парень лет двадцати пяти, крепкий, круглоголовый, с внимательными темно-серыми глазами, повернулся на своем крутящемся стуле и вежливо встал.

— Исключите из комплекса все успокоительные и снотворные препараты, — приказал врач. — Оставьте только лакреол и витамины.

— Хорошо, Александр Иннокентьевич.

От фармацевтов он вернулся в свой кабинет. Ольга сидела за его письменным столом и читала дневник наблюдений, который Бороданков вел на каждого пациента. На тетради, которая лежала перед Ольгой, была наклеена бумажка с надписью: «Палата 8. Мужчина, 30 лет, жалоб нет, хронические заболевания отрицает. Математик-программист».

Услышав, как открывается дверь, она обернулась и вопросительно посмотрела на мужа.

— Ну как там дела?

— Ничего нового, Олюшка. Ты же разносила ужин, все сама видела. Писатель дрыхнет без задних ног, как поступил к нам вчера, так и отсыпается с тех пор. Художница работает, света белого не видит. Ей нужно было по договору проиллюстрировать двадцать томов детской энциклопедии, она четыре тома сделала, и наступил кризис. Помнишь, она жалова-

лась, когда первый раз приходила, что ей хочется к каждому тому найти свое образное решение, свой стиль, а не получается. Рисовать же просто иллюстрации к тексту ей неинтересно. Сейчас она, по-моему, отоваривает по одному тому в день.

— А Мискарьянц?

— С ним не так просто, детка. Налицо все признаки острой сердечной недостаточности, по-видимому, от нее он и скончается. Но жить ему осталось как минимум еще дня два, а то и три, а свою программу он может закончить уже завтра. После этого у меня не будет оснований задерживать его здесь, он уйдет домой и умрет в своей постели. А этого, как ты понимаешь, допускать никак нельзя.

— И что ты предлагаешь?

— Я отменил ему снотворные и успокоительные, оставил только лакреол и витамины. Это либо замедлит его работу над программой, либо приблизит конец. Ты не видела мой зонт? Черт, куда я его засунул? А, вот он. Все, детка, я готов. Пошли.

Александр Иннокентьевич своим ключом открыл тяжелую дверь служебного входа и тщательно запер ее за собой. В кризисное отделение без ведома и разрешения заведующего пройти не мог никто, даже главный врач клиники.

* * *

Ольга Решина, жена Александра Иннокентьевича Бороданкова, была очень счастлива в браке. Своего мужа она завоевывала долго и трудно, целых семь лет, и теперь дорожила им, как некоторые дорожат автомобилем, на который копили деньги многие годы.

Ставку на симпатичного холостого доцента кафедры психиатрии Ольга сделала уже на первом курсе. Ей, приехавшей из далекого Ворошиловграда и жившей в студенческом общежитии, казалось, что такое замужество будет очень удачным ходом, полезным и для дальнейшей жизни в Москве, и для карьеры. Она тут же объявила, что будет специализироваться на этой кафедре, посещала все факультативы и научные кружки, ходила на консультации, при этом стараясь попадаться на глаза доценту Бороданкову и выбирая часы, когда он находится на кафедре. Александр Иннокентьевич, конечно же, не был столь наивен и маневр разгадал сразу. В романах со студентками для него не было ничего нового, и он достаточно ловко умел получать удовольствие и при этом не попадаться на крючок. Но в этот раз ситуация была несколько иной. Дело было в том, что Оля Решина ему не нравилась. Вкус у Бороданкова оригинальностью не отличался, он любил стройных длинноногих блондинок с пышной грудью и узкими бедрами. Ольга же была совсем другой — темноволосой, широкой в кости, с аппетитными округлыми ягодицами и небольшим аккуратненьким бюстом. Одним словом, типичное не то. К тому же она была близорука и носила очки, но справедливости ради следует отметить, что очки ей шли. Глаза у Ольги были хорошей формы, но небольшие, и дорогая оправа с затемненными стеклами вполне эффективно этот дефект скрывала.

Ольга же подошла к решению поставленной задачи поделовому и без ненужных эмоций. На ее глазах стройные длинноногие блондинки добивались благосклонности Александра Иннокентьевича, но девицы эти все сплошь были со старших курсов, и краткие бурные романы заканчивались, как только проходила экзаменационная сессия или миновало страшное мероприятие под названием «распределение». Девицы с первых трех курсов Бороданковым не интересовались, ибо психиатрию на младших курсах еще не преподавали. Поэтому в течение первых двух лет Ольга присматривалась к удачливым конкуренткам, составляя их обобщенный образ и стараясь вычленить то, что их всех объединяло, чтобы потом определить для себя те черты и особенности, которых в них не было. Она не стала перекрашивать волосы, худеть и прилагать усилия к наращиванию бюста. Она решила «взять» вожделенного доцента своей необычностью, непохожестью на других.

Задача оказалась не так проста, как представлялось вначале. Изучаемые блондинки были в основной своей массе неглупыми, а некоторые даже отличались яркой индивидуальностью, остроумием и способностями к избранной специаль-

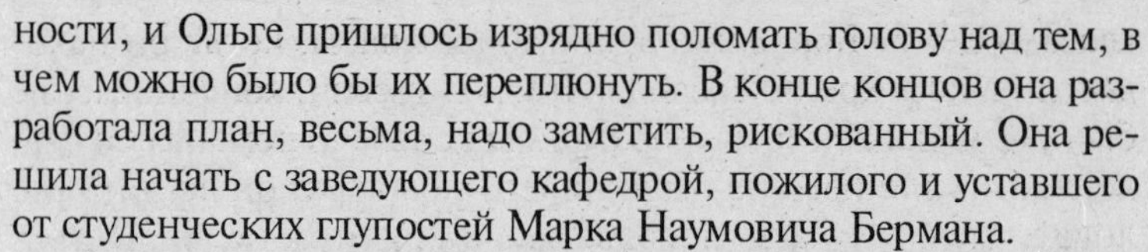

ности, и Ольге пришлось изрядно поломать голову над тем, в чем можно было бы их переплюнуть. В конце концов она разработала план, весьма, надо заметить, рискованный. Она решила начать с заведующего кафедрой, пожилого и уставшего от студенческих глупостей Марка Наумовича Бермана.

В один прекрасный день второкурсница Оля Решина явилась к Берману, заливаясь румянцем смущения и робости, и спросила, когда Марк Наумович сможет принять ее для консультации. Завкафедрой назначил ей прийти в субботу, во время «окна» между первой и третьей парой. На консультацию Оля пришла в строгом деловом костюме, держа в руках красивую кожаную папку. Она хотела выглядеть не юной восторженной студенточкой, а человеком, готовящимся к серьезной научной работе.

— Мне удалось достать материалы конференции по психиатрии катастроф, — начала она, открывая «молнию» на папке и извлекая оттуда аккуратно отпечатанные листы. — Конференция проходила в Пекине, и все тезисы изданы на китайском языке. К сожалению, английский вариант я не смогла достать. Вот, Марк Наумович, я сделала перевод, но мне бы хотелось, чтобы вы его посмотрели. Я не уверена, что правильно перевела некоторые места.

— Вы знаете китайский язык? — вздернул брови Берман.

— Нет, — зарделась Ольга. — Я нашла переводчика и заплатила ему, но, видите ли, переводчик этот не знает медицины, поэтому он сделал подстрочный перевод, очень грубый, а я уже потом переписала текст более правильно. Но все равно у меня кое-где остались сомнения. Я на полях пометила трудные места. Может быть, вы посмотрите?

Берман молча надел очки и придвинул к себе сколотые скрепкой листы. Ольга поняла, что удар попал в цель. Шел 1987 год. Психиатрия катастроф была в тот период совсем новым направлением, толчок к ее развитию в России дала авария на Чернобыльской АЭС, а с тех пор прошло всего два года, и материалов было еще совсем мало. Постоянно крутясь на кафедре, Ольга знала, что вокруг конференции в Пекине было много разговоров, обсуждалось, поедет ли туда советская делегация, и если поедет, то в каком составе. И будет ли наше участие в конференции означать, что данное научное направление станет разрабатываться и в нашей стране. Назывались громкие имена известных ученых, которые могли бы достойно представить советскую психиатрию на этом научном собрании и которые в дальнейшем могли бы возглавить развитие психиатрии катастроф... Но все было впустую, ибо на китайскую конференцию наша делегация не поехала. Как раз в это время разразился скандал, Всемирная организация здравоохранения предъявила нашей стране претензии в негуманных методах лечения и использовании психиатрии для борьбы с диссидентами...

— Где вы это достали? — спросил завкафедрой, не отрываясь от текста.

— Не спрашивайте меня, Марк Наумович, — очень серьезно ответила Ольга. — Это было очень трудно.

Она выразительно вздохнула и опустила глаза. Она не собиралась рассказывать Берману во всех подробностях, каких усилий ей это стоило и в скольких койках ей понадобилось побывать, чтобы какой-то знакомый ее школьной приятельницы попросил какого-то своего знакомого... Ну и так далее. А потом она еще платила за перевод, и поскольку китайский язык относился к группе редких, то и перевод этот влетел ей в копеечку. Но и скрывать тот факт, что трудности были, она не собиралась. Пусть Марк Наумович поймет, что перед ним стоит человек, не останавливающийся ни перед чем во имя интересующей его науки.

Марк Наумович именно так все и понял. Он внимательно прочел перевод и одобрительно кивнул.

— Что ж, могу вас поздравить, вы весьма лихо разобрались в предмете, который является для вас новым. Давайте договоримся так. Вы оставите мне ваш перевод, я дома посмотрю его более тщательно, подредактирую — там есть ряд неточностей и даже небольшие ошибки. Но в целом — хорошо, очень хорошо. Приходите ко мне...

Он задумался, достал расписание, потом полистал перекидной календарь, стоящий перед ним на столе.

— В четверг. Да, в четверг, в четыре часа у меня начнется

экзамен, я посажу первую группу готовиться, и мы с вами поговорим.

Ольга на крыльях вылетела из помещения кафедры. Он клюнул! Она ни минуты не сомневалась, что Берман оставил перевод у себя не для того, чтобы его редактировать, вернее, не только для этого. Он снимет копию и оставит ее у себя, а Ольге ничего не скажет. Наверняка в ближайшее время в каком-нибудь медицинском журнале появится его статья с анализом существующих подходов к психиатрии катастроф. А может быть, какой-то из этих подходов будет выдан за его собственный. Но это пускай. Главное, чтобы он во всеуслышание заявил на кафедре, что среди студентов, посещающих научный кружок, появился наконец человек, не похожий на других, человек по-настоящему заинтересованный, думающий, энергичный, предприимчивый. А что касается статьи, то Ольга заблаговременно проштудировала специальные издания за последние пять лет и убедилась, что все свои статьи Марк Наумович Берман пишет в соавторстве. И соавтор у него все эти годы был постоянный — Александр Иннокентьевич Бороданков. Теперь оставалось только набраться терпения и ждать.

Такой маневр Бороданкову разгадать не удалось, и он попался. Через неделю он сам подошел к Ольге, когда та собиралась уходить после очередного заседания студенческого научного кружка.

— Я слышал, у вас есть возможности доставать материалы, которые простым смертным недоступны? — иронично спросил он, старательно пряча свой интерес. — Поделитесь секретом, как вы это делаете?

Ольга подняла на Бороданкова ясные серые глаза и постаралась сделать свою улыбку как можно более грустной.

— С трудом, — ответила она. — Это бывает очень противно, но зато эффективно. К сожалению, я пока еще в том возрасте, когда мужчины видят молодое тело и не замечают мозгов.

Все было сказано предельно ясно. И Александр Иннокентьевич намек понял.

— Жаль, — огорченно развел он руками. — Я хотел было

попросить вас раздобыть для меня один материальчик, но раз это требует таких жертв, то... Не смею вас обременять.

— Дело не в жертвах, а в вознаграждении за них. Если понимаешь, что после всей этой грязи тебе в руки попадает нечто действительно ценное, то дело стоит того.

Доцент Бороданков был, несомненно, очень умным человеком, иначе разве стал бы он постоянным соавтором самого Бермана! И реакция у него была острой и точной.

— Если бы вы смогли достать то, что мне нужно, мы с вами вместе могли бы написать блестящую работу. В принципе она у меня почти готова, но какая-то, знаете ли, блеклая она, сероватая. А вот использование зарубежных разработок сильно украсило бы текст, и вся работа заиграла бы. Не знаю, понимаете ли вы меня...

— Понимаю, — кивнула Ольга. — Торт вы уже испекли, теперь его нужно украсить розочками из крема. Вы действительно возьмете меня в соавторы, если я принесу вам материал? Подумайте, Александр Иннокентьевич, доцент — и студентка. Насколько я знаю, это не принято.

Конечно, Бороданков прекрасно знал, что это не принято, и не собирался ради нее идти против установленных порядков. Он хотел ее обмануть, это было очевидно.

— Может быть, вы могли бы предложить мне другую компенсацию за то унижение, через которое мне придется пройти? — спросила она.

— Деньги? — неуверенно предположил доцент.

— Только не деньги, — быстро ответила Ольга. — Это еще более унизительно.

— Тогда, быть может... — Он замялся. — Хотите, я устрою для вас настоящий праздник? С цветами, шампанским и развлечениями. Я вам обещаю два дня, которые вы проживете так, как вам мечтается. Затраты значения не имеют, но удовольствие вы получите, это я вам гарантирую.

— Хочу, — улыбнулась она. — Праздники — это единственное, что еще осталось ценного в нашей поганой жизни.

Через месяц Ольга принесла доценту Бороданкову ксерокопию сборника статей, изданного в Австралии. Чтобы его раздобыть, ей пришлось целую неделю ублажать в постели мерзкого толстого потного журналиста, поить его коньяком и изображать затейливую кулинарку. Разумеется, за свой счет. Для этого она продала несколько книг, изданных еще в прошлом веке и оставшихся от прабабки. Обещанный Бородановым праздник начался в ресторане и закончился, как она и планировала, в его постели. Но залезть в постель к доценту было делом нехитрым, и Ольга понимала, что это отнюдь не главное. Главным было создание впечатления, что не он ей нужен, а она — ему. Ольга держалась в рамках, вне занятий любовью называла Александра Иннокентьевича по имени-отчеству и всячески демонстрировала ему легкое отчуждение. Праздник кончился, и они снова стали встречаться только на кафедре или в коридорах института. Бородaнков никаких попыток к дальнейшему сближению не делал, но Ольгу это не обескуражило. Согласно ее плану, так и должно было быть.

Миновали летние каникулы, осенью она пошла на третий курс и исправно продолжала посещать научный кружок при кафедре психиатрии. В начале октября она напустила на себя вселенскую скорбь, перестала улыбаться, периодически подносила к глазам платочек, промакивая несуществующие слезы. Разумеется, от взгляда доцента Бороданкова это не укрылось.

— Что с вами, Оля? — как-то раз спросил он. — У вас что-нибудь случилось? Вы прямо на себя не похожи.

— Ничего у меня не случилось, — ответила она хмуро, пряча глаза. — Просто противно все. Тоска такая... Хоть вешайся.

— На личном фронте беда? — вежливо поинтересовался доцент.

— На личном фронте? — Она подняла глаза и изобразила изумление. — Нет, на личном фронте у меня бед не бывает. Там у меня все в порядке. Просто... Не знаю, как сказать. Надоело мне все. Серость, скука, однообразие, и никакого просвета.

— А хотите, снова устроим праздник? — внезапно предложил Бороданков.

Впрочем, это ему так казалось, что он сам предложил, да еще и внезапно. Ольга аккуратно подвела его к этому предло-

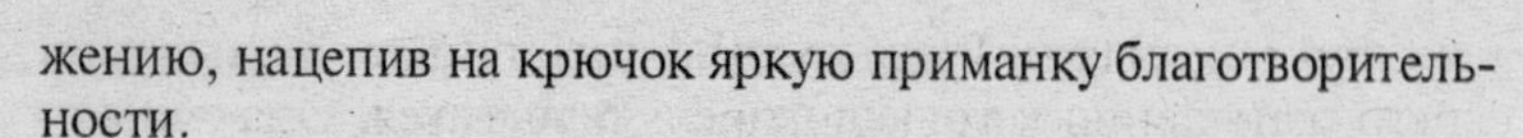

жению, нацепив на крючок яркую приманку благотворительности.

— Вам снова нужны материалы? — грустно спросила она.

— Нет-нет, Оля, мне ничего не нужно. Но помните, вы говорили, что праздники — единственное, что еще осталось ценного в нашей жизни. Знаете, я сейчас понял, что вы абсолютно правы. Жизнь у нас серая, скучная, однообразная, и нам обязательно нужно устраивать маленькие праздники, чтобы не сойти с ума. Так как, вы согласны?

— Согласна, — равнодушно бросила она. — Давайте попробуем.

Второй праздник получился даже лучше первого. Ольга сказала, что в ресторан она не хочет, лучше сама приготовит что-нибудь изысканное. Они сели в машину Бороданкова, поехали на Центральный рынок и там изображали супругов-миллионеров, покупающих все самое дорогое, не спрашивая цену, не торгуясь и не жалея денег. Набив сумки продуктами, они двинулись к выходу, и тут Александр Иннокентьевич сделал еще один жест — купил охапку темно-бордовых роз на длинных толстых стеблях.

У него дома Ольга разделась, сняла свой элегантный костюм и попросила дать ей какую-нибудь старую рубашку. В этой рубашке, которая стала еще короче после того, как поверх нее был повязан фартук, Ольга и щеголяла на кухне, сверкая крепкими гладкими коленками и иногда мелькающим кружевом трусиков. Александр Иннокентьевич с удовольствием наблюдал за ней, они много шутили, хохотали, хором подпевали доносящимся из включенного телевизора популярным песенкам, иногда даже принимаясь танцевать с ножами и пучками зелени в руках. Воодушевленный легкостью и эмоциональным подъемом, Бороданков дважды за то время, пока готовился праздничный стол, «прикладывался» к Ольгиному упругому телу прямо здесь же, на кухне, среди нарезанных овощей и под аккомпанемент шипящего на сковороде мяса. Ему ужасно нравилось, что девушка моментально реагировала на его ласки, забывала о готовке и отдавалась ему страстно и изобретательно, а потом так же мгновенно переключалась на приготовление блюд, по-прежнему назы-

вая его Александром Иннокентьевичем и ничем не выдавая своего отношения к только что случившемуся. Она только ласково говорила:

— Это было потрясающе!

И тут же спрашивала:

— Вы как к острому относитесь? Противопоказаний нет?

Праздновать они начали в пятницу вечером, и к вечеру воскресенья Бороданков чувствовал себя так, будто съездил на Канарские острова. Институт и кафедра казались далекими и ненужными, проблемы исчезали сами собой, ему было легко и весело. Он действительно успел за два с половиной дня полностью отключиться и отдохнуть.

В понедельник начались будни, и снова он видел Ольгу только случайно, сталкиваясь с ней лишь в коридоре и иногда на кафедре. Накануне Нового года Александр Иннокентьевич неожиданно решил найти Ольгу.

— А не устроить ли нам праздник? — спросил он, почему-то оробев и просительно заглядывая ей в глаза.

Она поняла, что он попался. Он сидел на крючке так плотно, что теперь можно было не беспокоиться. Не сорвется. Она придумала для него наркотик, от которого доцент Бороданков уже не сможет отказаться. Весь вопрос только в том, собирается ли он и дальше использовать ее в качестве «женщины-праздника» или все-таки решится превратить праздники в повседневность.

Итак, первые три этапа плана Оля Решина осуществила успешно. На реализацию четвертого этапа у нее ушло почти четыре года. Но она своего все-таки добилась. За эти четыре года Александр Иннокентьевич защитил докторскую диссертацию, сама она успешно закончила институт и училась в ординатуре. Дважды она старым проверенным способом добывала ему зарубежные материалы для докторской и после этого изображала немыслимые страдания, а Бороданков, чувствуя себя виноватым должником, увозил ее на недельку куда-нибудь проветриться. Во время таких поездок приходилось общаться с разными людьми, которые принимали их за супругов, и Ольга делала все возможное, чтобы в ее адрес говорилось как можно больше комплиментов. Она была сама любезность и обаяние, эрудиция и тонкий юмор. В конце концов Александр Иннокентьевич; привыкший жить одиноко и вольготно, осторожно спросил ее:

— Оля, мы столько лет близки, а ты ни разу не забеременела. У тебя с этим проблемы?

Она была достаточно умна, чтобы понять, что Бороданков привык жить без хлопот и не хочет их и в будущем. Она сделала за эти семь лет два аборта, но знать ему об этом тогда не полагалось, а теперь было самое время.

— Я беременела дважды от тебя, — призналась она. — После второго аборта мне сказали, что детей у меня уже не будет.

Это обстоятельство решило все. Александр Иннокентьевич немедленно сделал ей предложение, которое было принято без долгих раздумий, спокойно и по-деловому. Ольга Решина в последний раз спросила себя, а так ли уж ей нужно быть женой Бороданкова, и получила утвердительный ответ. Если сначала задача выглядела как «студентке выйти замуж за доцента», то в процессе ее решения ситуация несколько видоизменилась. Во-первых, Александр Иннокентьевич стал доктором наук и вот-вот должен был стать профессором, а сама Ольга из студенток доросла до врача-ординатора, которому прочили блестящее будущее, и в покровительстве кафедры она уже почти не нуждалась. Во всяком случае ей делались весьма и весьма лестные предложения из хороших клиник. А во-вторых, за семь долгих лет она так привязалась к Александру Иннокентьевичу, что это больше походило на любовь, а не на расчет. В перерывах между «праздниками» она встречалась с другими мужчинами, но делала это более «для порядка», нежели по необходимости и желанию. Мужчины были нужны ей для того, чтобы не чувствовать, что весь мир сосредоточен вокруг неподатливого доцента. Она твердо знала, что если позволить этому чувству завладеть собой, то ее поведение неизбежно окажется требовательным и навязчивым, а это может отпугнуть Бороданкова, и он сорвется с любовно сконструированного крючка. Наличие любовников позволяло ей без нетерпенья во взгляде и без раздражения ждать, пока Александр Иннокентьевич созреет для очередного «праздника». А созревал он примерно раз в два месяца.

После свадьбы Ольга делала все, чтобы он не разочаровался, не пожалел о принятом решении. И он не пожалел. Ольга стала не только постоянным источником положительных эмоций в постели и на кухне, но и помощницей, сораттницей. Тем, что иные мужья называют «надежным тылом». Он помог ей сделать кандидатскую диссертацию за полтора года и постоянно слышал от нее, что он самый умный и самый талантливый медик во всей России, а то и во всем мире. И она верила в свои слова, как верила и в большое будущее своего мужа. Он должен был, по ее замыслу, стать самым известным, самым великим и соответственно самым богатым врачом-психиатром сначала в России, потом в Европе, а там, бог даст... Для осуществления этой части жизненного плана она готова была на все. И то, что в интересах дела она, кандидат медицинских наук, согласилась работать медсестрой, было в ее глазах вовсе не жертвой, а необходимой платой за успех, причем мизерной частью этой платы. Она готова была и на большее. Собственно, не было такого, чего она не сделала бы для достижения поставленной цели.

Глава 2

Жара, стоявшая в Москве всю первую половину июня, внезапно сменилась холодными дождливыми днями. Окна в комнате были распахнуты настежь, и струи дождя, с ровным шумом проносящиеся вниз, то и дело сердито выплевывали крупные капли прямо на широкий, уставленный цветочными горшками подоконник. Михаил Владимирович Шоринов любил дождь. В такую погоду на него нисходили умиротворение и тихая радость.

Ольга знала, что к Шоринову лучше всего приходить в субботу вечером. Это было самое спокойное время. Во все остальные вечера телефон надрывался от постоянных звонков, которые прерывали разговор, мешали сосредоточиться, сбивали настрой. По этой же причине она никогда не приходила к нему в офис. Только домой и только в субботу, когда жена с детьми на даче, а деловые звонки в большинстве своем откладываются на воскресенье, поближе к понедельнику, чтобы не забылись.

Она аккуратно сняла мокрый плащ, скинула туфли и босиком прошла в комнату. Ступни у нее были красивые, изящные, ухоженные, с тщательным педикюром, и Ольга никогда не упускала возможности продемонстрировать их. Шоринов не без удовольствия оглядел ее ноги, довольно откровенно обнаженные укороченной юбкой строгого костюма. Когда-то давно они с Ольгой были любовниками, правда, недолго, но воспоминания у него остались самые приятные. Она была умной и ненавязчивой, темпераментной и нетребовательной. С тех пор, как она вышла замуж за своего психиатрического гения, их интимные отношения прекратились и перешли в сугубо деловые.

— Как идут дела? — поинтересовалась Ольга, усаживаясь на мягкий диванчик возле окна и вытягивая ноги.

— Успешно. Мы ее нашли. Но она оказалась той еще щучкой, — усмехнулся Шоринов. — Запросила столько, что мне одному не потянуть. Нужно искать спонсора, который войдет в долю.

— Черт!

Она с досадой стукнула кулачком по диванной подушке.

— Неужели эта дура понимает ценность архива? У нее же образования — полтора класса и три койки. Ее кто-то консультирует?

— Непохоже, — покачал головой Шоринов. — Мой человек присматривался к ней, он считает, что ее просто жадность обуяла. Дура-то она дура, но ведь сообразила, что если приложены такие усилия, чтобы найти ее, то цена архиву ее покойного мужа — далеко не три рубля. Короче, сейчас я занимаюсь тем, что пытаюсь найти деньги. Она просит миллион долларов наличными.

— Миллион! — ахнула Ольга. — Да она с ума сошла!

— И тем не менее.

Шоринов встал и подошел к окну. Ольга смотрела на его широкую чуть сутуловатую спину и понимала, что сейчас решается ее судьба. Михаил с самого начала поверил в идею и в то, что она принесет громадные прибыли, но он, конечно, не ожидал, что потребуются такие огромные затраты. Миллион долларов! Да его и через таможню-то не пронесешь. Неужели он откажется, бросит все на полпути?

— Что у твоего мужа? — глухо спросил он. — Никакой надежды, что обойдемся своими силами?

— Никакой, — твердо ответила Ольга. — Он, правда, уверен, что сможет, думает, что он не глупее Лебедева. Но я в это не верю. И потом, это становится опасным. Люди же умирают один за другим, уже восемнадцать человек за полгода. И никакого просвета. Это просто счастье, что никто из родственников не поднял скандал, но везенье когда-нибудь кончается. Я боюсь рисковать.

— Значит, надо искать человека, который даст наличные там, на месте. Из России столько не вывезти, даже если бы они у меня были. Оля, пойми меня правильно, я сделаю все, что в моих силах, но я должен быть уверен, что это не блеф, не мыльный пузырь. Мой риск — это мой риск, я ввязался в это дело добровольно и готов был рисковать своими деньгами. Но только своими. А поскольку я вынужден обращаться к третьим лицам, я буду рисковать уже их деньгами. Если ничего не получится, я должен буду вернуть долг. Ты понимаешь, в какую кабалу я попаду? Поэтому подумай еще раз и скажи мне: ты точно знаешь, что в архиве Лебедева есть то, что вам нужно? Ты точно знаешь, что он разрабатывал именно тот препарат, о котором идет речь у нас с тобой? А не какое-нибудь лекарство от поноса?

— Миша, ты не должен сомневаться. У нас ведь почти все получилось. У нас уже есть лакреол — препарат, стимулирующий творческий потенциал, интеллектуальную деятельность. Препарат необычайно эффективный, ты сам прекрасно знаешь это, ты же читаешь газеты. Во всех некрологах сказано: «Ушел из жизни в расцвете творческих сил, буквально за день до скоропостижной смерти завершил лучшее свое произведение...» Это же не я придумала, это оценка специалистов. Но они умирают, Миша, и с этим мы ничего поделать не можем. Поэтому и нужен архив Лебедева. Он что-то придумал, хитрость какую-то, но в его экспериментальной группе не было ни одного летального исхода.

— Хорошо.

Шоринов обернулся и пристально посмотрел на Ольгу, потом сделал несколько шагов и подошел к ней вплотную. Теперь он возвышался над ней, навис, заслоняя собой свет, падающий из окна, и ей на какое-то мгновение стало страшно, она почувствовала себя слабой и зависимой.

— Я найду деньги, чтобы выкупить архив у вдовы Лебедева. Но ты должна мне пообещать...

— Все что хочешь, — быстро ответила она.

— Не торопись, Оля. Так вот, поскольку речь идет об очень больших деньгах, всегда возможны осложнения и неприятности. Не исключено, что кого-то нужно будет положить к вам в отделение. Ты меня поняла?

— Да, — едва слышно прошептала она, не сводя глаз с лица Шоринова.

— Как ты будешь обманывать своего мужа, будешь ли ты лечить людей в клинике или принесешь препарат мне, меня сейчас не интересует. Мне может понадобиться твоя помощь, и ты мне эту помощь должна будешь оказать. Ты будешь соучастницей. А может быть, и исполнительницей. А теперь подумай еще раз. Согласна ли ты? Стоит ли игра свеч?

— Да, — ответила она хрипло и тихо. Откашлялась, глубоко вздохнула и еще раз повторила, громко и отчетливо: — Да. Я согласна.

* * *

На следующий день, в воскресенье, Михаил Владимирович Шоринов сидел за одним столом с человеком, который приходился ему родственником и у которого он собирался просить денег на то, чтобы выкупить архив Лебедева. Но для того, чтобы получить эти деньги, нужно было ввести родственника в курс дела.

А дело состояло в том, что когда-то на одном из закрытых номерных заводов в научно-исследовательской лаборатории работал Василий Васильевич Лебедев, который изобрел чудодейственные бальзамы, позволяющие в считанные минуты снимать ревматическую и головную боль, похмелье, усталость, бессонницу, стресс. Один бальзам за две недели останавливал катастрофическое выпадение волос, другой в течение месяца избавлял от множества кожных болезней, третий мгновенно снимал все виды аллергических реакций, а всего их было пять. Бальзамы эти выпускались на том же заводе, но в очень ограниченных количествах — только для правящей элиты. Но методика, примененная Лебедевым для составления и изготовления бальзамов, открывала достаточно широкие перспективы, и Василий Васильевич продолжал работать в этом направлении. Беда, однако, состояла в том, что работал он не по плану научно-исследовательской работы лаборатории, а в свободное время, по вечерам и выходным дням, по собственной инициативе, следовательно, что бы он там ни изобрел, завод на это никаких прав не имел. Если бы по плану НИР — другое дело, тогда все разработки Лебедева считались бы служебным произведением и принадлежали бы организации, в которой он работал. А то, что он сделал дома в свободное от основной работы время, принадлежало только ему.

Разрабатывал же Лебедев новый бальзам, который благотворно влиял на творческие способности и вообще на интеллектуальную деятельность. Разумеется, если было на что влиять. От его бальзама человек не делался умнее или талантливее, чем был. Но зато уж если что в человеке было, то раскрывалось в полной мере. Василий Васильевич, по-видимому, не был наивным и доверчивым и прекрасно понимал, что если будет работать над своим препаратом в лаборатории, то при успешном исходе на бальзам тут же наложат руку, а сам он получит какую-нибудь паршивенькую премию в конце квартала. Поэтому работал он дома, кустарно, соорудив минилабораторию в своей комнате, а результаты опробовал на своих близких друзьях и родственниках. Ну и на себе, разумеется. Результаты оказались потрясающими, и информация об этом просочилась. А Лебедев возьми и умри. Прямо, можно сказать, в расцвете творческих сил, в возрасте шестидесяти восьми лет. И случилось это около двух лет назад. Его молодая вдова спустя несколько месяцев после похорон отбыла на

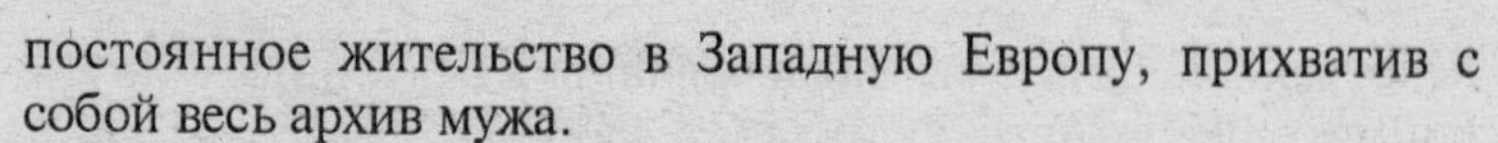

постоянное жительство в Западную Европу, прихватив с собой весь архив мужа.

В Москве нашлась группа энтузиастов, которые решили повторить путь, пройденный покойным ученым. Разыскали первым делом тех его друзей и родственников, на которых Лебедев проверял свое изобретение. Они рассказали, что он использовал два из пяти официально производимых бальзамов и добавлял к ним еще что-то, еще какой-то препарат. Какие именно два из пяти, они не помнят, внимания не обращали, но бутылочки были заводские, с этикетками, на которых крупными красными буквами было написано «Бальзам Лебедева». Группа энтузиастов с рвением взялась за дело, раздобыв все пять разновидностей бальзама Лебедева и начав экспериментировать с ними. Первые результаты был обнадеживающими. Найдены те два бальзама, которые лежат в основе, и полным ходом идет поиск третьей составляющей, которую в тиши своей квартиры изобрел Василий Васильевич. И здесь уже достигнуты определенные успехи, создан препарат, который назвали лакреол, но... Необходимый эффект получен, а пациенты умирают. Вот ведь неприятность какая. И чтобы с этой неприятностью покончить, нужно раздобыть у вдовы Лебедева архивы. Вдову нашли, уговорили ее отдать архивы, но она просит за них очень большие деньги. Вот, собственно, и вся проблема. А то, что новый препарат принесет огромные доходы, сомневаться не приходится. Он будет дешев в производстве, потому что в основе его лежат бальзамы, изготовление которых уже давно налажено и никаких новых вложений, кроме как на закупку сырья, не потребует. Более того, в ходе конверсии завод, производивший бальзамы Лебедева, был рассекречен и акционирован, а в настоящий момент его полновластным хозяином является не кто иной, как сам Михаил Владимирович Шоринов, лицензии на производство бальзамов Лебедева больше ни у кого нет, так что конкуренции опасаться не следует. Цену новому бальзаму установят сверхвысокую, но покупать его все равно будут, куда денутся. Его будут литрами закупать мамы мальчиков-абитуриентов, которые не допустят, чтобы их чадо провалилось на вступительных экзаменах в институт и загремело в

армию. Научные работники, люди творческих профессий, студенты перед сессией — да все будут покупать. Даже дворники. Каждый будет лелеять надежду на то, что в нем проснется Пикассо или Эйнштейн.

— Сколько? — коротко спросил родственник Шорина.

— Она требует миллион долларов. Но наличными и там, за кордоном. Отсюда мне столько не вывезти.

— В какой стране?

Михаил Владимирович был слишком осторожен, чтобы назвать родственнику страну, где проживала вдова Лебедева Вероника. Родственник был богат и могуществен, и с него станется Шоринову отказать и сделать дело самому. Если архив Лебедева попадет в его руки, то он и сам найдет возможность изготавливать препарат. Поэтому Шоринов сказал неправду. Более того, он скрыл от дорогого дядюшки и то обстоятельство, что Вероника Лебедева уже вовсе и не Лебедева, поскольку вышла замуж за гражданина Австрии Вернера Штайнека. Незачем ему знать, ни где живет вдова, ни как ее теперь зовут.

— В Нидерландах.

— Значит, наличные нужны в Нидерландах?

— Не обязательно. Меня устроила бы любая страна Евросоюза, я легко могу найти людей, которые без проблем перевезут наличные через границы.

— Как скоро нужны деньги?

— Как можно скорее, пока вдова не передумала.

— Что ты предлагаешь мне?

— Двадцать процентов. Я беру у вас в долг миллион долларов под двадцать процентов в месяц.

— Тридцать пять, — жестко сказал родственник.

— Да помилуйте, дядюшка! — всплеснул руками Шоринов. — Какие тридцать пять! Это ж через три месяца долг вырастет в два раза. Мы только-только развернуться успеем за это время.

— А ты поворачивайся быстрее, — усмехнулся его богатый родственник. — Хорошо, договоримся так. Я даю тебе деньги на четыре месяца под двадцать пять процентов. Через четыре месяца ты должен будешь вернуть мне два миллиона.

2 Зак. 670

Если ты не успеваешь, я получаю долю в прибылях. Тридцать процентов в течение первого года, а там посмотрим. Так что в твоих интересах шевелиться быстро, а то обдеру тебя как липку. Позвони мне завтра вечером, скажу, где и когда получишь деньги. Все, Миша, свободен.

Из дома своего дядюшки Михаил Владимирович вышел с мокрыми подмышками и колотящимся сердцем. Бог мой, в какую кабалу он влезает! Если Ольга ошиблась и в архиве Лебедева нет того, что им нужно? Если они не успеют развернуться за четыре месяца? Если... Если... Черт бы его побрал, живодера! Но деньги пообещал, и на том спасибо.

На следующий день вечером Михаил Владимирович получил информацию о том, с кем нужно связаться, чтобы получить деньги за границей. Дядюшка дает ему «лимон» на месте, чтобы не рисковать и не тащить доллары через таможню.

К этому времени Михаил Владимирович принял решение. Если все пройдет успешно, он сможет вернуть родственнику долг уже через неделю, тогда и проценты нарастут мизерные. С ними Шоринов уж как-нибудь справится.

* * *

Вероника Штайнек, в недавнем прошлом носившая фамилию Лебедева, проклинала тот день и час, когда решила, что в России ей живется плохо, а за границей будет гораздо лучше. И с чего это она так решила? Теперь она уже не могла вспомнить, то ли в книжках прочитала, то ли подруги рассказывали, но убеждение такое у нее было с самого детства. При этом никто почему-то не объяснил ей, что за границей хорошо только тем, у кого есть деньги, а тем, у кого есть деньги, и в России очень даже неплохо живется.

С симпатягой Вернером Штайнеком она познакомилась, когда Василий Васильевич еще был жив. Штайнек частенько наведывался в Москву, он работал в фирме, имевшей в России несколько представительств, и в каждый свой приезд неизменно приглашал Веронику к себе в гостиницу, угощал ужином, ублажал в постели и задавал ставший дежурным вопрос: «Ты станешь моей женой?» Вероника смотрела на себя в зеркало и пребывала в полнейшей убежденности, что Вернер покорен ее неземной красотой и феерической сексуальностью. Ведь именно об этом постоянно твердил ее старый муж Лебедев, весь из себя заслуженный, лауреат всяких разных премий, профессор, почетный член и так далее. Уж он-то должен понимать толк в женщинах, если выбрал среди множества желающих ее, медсестру физкультурного диспансера Веронику. Коль выбрал ее, значит, она и в самом деле лучше их всех, разнаряженных в кожу и меха интеллектуалок, рвущихся замуж за недавно овдовевшего представительного седовласого Лебедева.

Когда они познакомились, Веронике было двадцать три года, а Лебедеву шестьдесят два, но он многим молодым мог нос утереть. Стройный, мускулистый, с сухими поджарыми ногами, без устали отмахивающими километры быстрой ходьбы, с гривой белоснежных волос над высоким лбом, с орлиным носом и сверкающими глазами, он рассыпал комплименты дамам, целовал ручки и был предметом вожделения для тех, кто хотел выйти замуж не только удачно, но и красиво. Понятно ведь, что можно найти богатого преуспевающего мужика и женить его на себе, но частенько оказывается, что жизнь рядом с ним превращается в тошнотворную муку, унижение, отчаяние и вообще гадость. Такие иногда попадаются, что с ними на люди-то выйти стыдно. А брак с Лебедевым обещал стать во всех отношениях приятным, а главное — недолгим, учитывая разницу в возрасте.

Василий Васильевич оказался в диспансере, где работала Вероника, после того, как получил травму ноги, играя в волейбол. Через год они поженились, и молоденькая медсестра была своим супружеством вполне удовлетворена, ибо получила все, чего и ожидала от брака с шестидесятитрехлетним Лебедевым. Единственное, чего он не мог дать ей, это жизни за границей. Уезжать Василий Васильевич отказывался категорически, утверждая, что ему и здесь очень неплохо. Поэтому, побыв какое-то время женой заслуженного и известного ученого, Вероника стала подумывать о новом замужестве, на сей раз с иностранцем, а молодой резвый Штайнек подходил для этой цели как нельзя лучше. Вероника уже принялась составлять план, как она поведет дело к разводу со старым профессором, чтобы оттяпать у него изрядную долю имущества, нажитого задолго до их знакомства, но все разрешилось само собой. Василий Васильевич скоропостижно скончался, оставив молодую вдову на произвол судьбы и на съедение двум взрослым дочерям от первого брака и их семьям, которые, естественно, претендовали на наследство и терпеть не могли папочкину новую жену. Вероника оказалась не настолько крепкой и зубастой, чтобы достойно встретить вызов и вступить в борьбу с людьми, которые были и старше ее, и опытнее, и жестче. Она сдалась без боя, утешая себя тем, что все равно выйдет замуж за Штайнека и уедет отсюда к чертовой матери. Так и случилось. Узнав о том, что Вероника овдовела, австрийский бизнесмен чрезвычайно воодушевился, немедленно зарегистрировал брак с ней в Москве и через полгода, покончив со всеми формальностями, увез к себе в небольшой городок Гмунден, расположенный в живописнейшем месте, на берегу озера Траун, в предгорьях Альп.

Разочарования начались сразу же. Во-первых, не блистательная Вена и даже не Зальцбург (других австрийских городов малообразованная Вероника просто и не знала), а какой-то заштатный Гмунден. По жизни в России она твердо знала, что есть Москва и Питер, а все остальное — периферия, провинция, откуда в эти города ломятся лимитчики. Ей и в голову не приходило, что может быть и по-другому, что на Западе большие города отличаются от маленьких только размерами, а также шрифтом, которым их названия наносятся на географические карты. Уровень жизни и комфорта там всюду одинаков, плати деньги и получай, чего душа желает. Но к этой мысли нужно было еще привыкнуть, и первое время Веронику ужасно угнетало, что она покинула столицу, а оказалась чуть ли не в деревне.

Во-вторых, Штайнек оказался вовсе не крупным бизнесменом, а мелким служащим, мальчиком на побегушках, которого посылали в Москву отнюдь не для ведения переговоров, а для выполнения разных поручений, не требующих высокой квалификации. Тут бы Веронике-то и задуматься, откуда же у ее новоиспеченного мужа столько денег, если он никакой не крупный воротила финансового мира. Но она не задумалась, ибо о жизни за границей знала мало и в основном хорошее: там все богатые и у всех все есть, денежные купюры растут на деревьях, а о благосостоянии каждого члена общества заботится государство, выплачивая пенсии и пособия по безработице, на которые вполне можно существовать, не бедствуя.

В-третьих, очень скоро выяснилось, что мода на русских жен, на волне которой Веронике и удалось подцепить своего Штайнека, имеет под собой весьма прочное основание. С одной стороны, русскую жену можно запереть дома, приставив к кухне и детской и ничего не давая взамен. Языка, как правило, они не знают, поэтому подружек не заводят, никуда не шляются, никого в дом не зовут и вообще всего боятся. Права не качают, потому что в России у них никаких особенных прав и не было, а про то, какие у них права здесь, они и знать не знают. Голову им заморочить — раз плюнуть. Можно и домой не приходить, и ночевать, где вздумается, и напиваться, и денег не давать, они все стерпят. Потому как что толку скандалить, когда деваться им некуда. Ну хлопнут дверью, ну уйдут, а дальше что? Папы-мамы нету, к подругам уходить здесь не принято, это вам не Россия, где обиженных жалеют да привечают, нет, здесь каждый кусок хлеба, каждая порция мяса, каждая таблетка аспирина на счету. Жить-то на что? Работать? Кем? Кому ихние российские дипломы нужны на Западе? Остается неквалифицированный труд, так и на такую работу очередь — студенты да школьники всегда рады подработать в свободное от учебы время. Помоет строптивая жена посуду в ночную смену, постирает чужое грязное белье в какой-нибудь захолустной гостинице, да и прибежит назад к мужу. Что ни говори, а Россия — страна отсталая, нецивилизованная, редко какой женщине удается справиться с западными порядками, освоиться с ними и наладить свою жизнь так, как нужно.

Но, с другой стороны, Россия хоть и нецивилизованная страна, а все-таки европейская. И женщины в России красивые, с европейской внешностью. В постели с ними интересно, а на кухне — безопасно, что тоже немаловажно. Ведь много на свете отсталых стран, можно жену и из Кореи привезти, из Вьетнама, из Монголии, из Зимбабве какого-нибудь. Но поди знай, чем она тебя накормит, у них кулинарные традиции совсем другие, такое приготовит, что неделю будешь животом маяться и с горшка не слезать. Покорных и беспомощных жен-домработниц можно сейчас найти только в Азии и Африке, но уж больно они отличаются от европейцев и по культуре, и по традициям, и по быту. Нарвешься еще... Так что жена из России — вариант оптимальный. Будет сидеть тихо и не чирикать, денег на нее нужно мало, внимания особого тоже можно не уделять, все равно никуда не денется. А деток нарожает опять-таки с европейской внешностью, а не молочно-шоколадных и не с раскосыми глазками.

Совместная жизнь с мужем-австрийцем радовала Веронику ровно две недели, потом она оказалась одна в небольшом коттеджике наедине с весьма ограниченной суммой денег, на которую ей предстояло вести хозяйство всю ближайшую неделю. Вернер сказал, что будет давать ей деньги каждый понедельник и требовать письменного отчета за каждый истраченный шиллинг, так что пусть не забывает складывать чеки и записывать расходы. Кроме того, оказалось, что командировки у Штайнека бывают не только в Москву, поэтому отсутствовать он будет весьма часто и подолгу.

Первый скандал не заставил себя ждать. Вероника была дома одна, когда в дверь постучали. На пороге стоял приятный молодой человек с блокнотом в руках. Немецкого языка Вероника не знала, в школе учила с грехом пополам английский, с Вернером объяснялась на чудовищной смеси плохого английского и вполне приличного русского, которым владел муж, а из речи молодого человека она поняла, что речь идет об участии в уборке улицы. Она подумала, что это что-то вроде субботника, и с милой улыбкой отказалась. Молодой человек лучезарно улыбнулся, что-то черкнул в своем блокнотике, отпустил комплимент по поводу ее красоты и удалился. А в конце недели Вернер ворвался на кухню с белым от ярости лицом, размахивая какой-то бумажкой.

— Тебе что, трудно было жопу оторвать и улицу подмести?! — орал он. — Из-за твоей лени я вынужден оплачивать

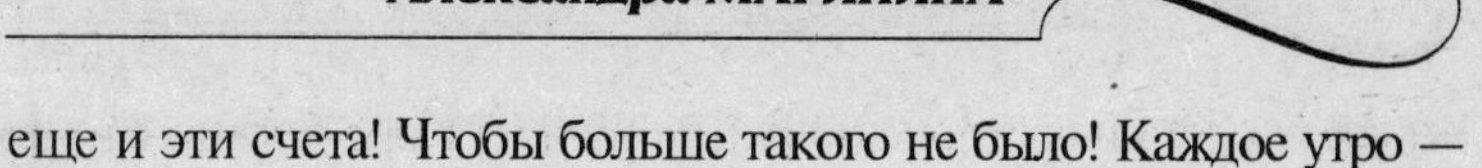

еще и эти счета! Чтобы больше такого не было! Каждое утро — метлу в руки и на улицу.

Оказалось, что за чистоту тротуара владельцы домов, расположенных на улице, несут коллективную ответственность, и каждый домовладелец ежедневно должен убирать строго определенный участок перед своим домом. Если же домовладельцы по каким-то причинам не могут или не хотят этого делать, муниципальные власти организуют уборку улицы или ее части, но за работу государственных дворников выставляют счет тому хозяину, вокруг чьего дома было не убрано. Не хочешь улицу мести — не мети, никто тебя не заставляет. Но, поскольку улица должна быть чистой и опрятной, отчисляй в муниципальный бюджет денежки на оплату работы дворников. Не хочешь платить — мети. Все справедливо.

На следующий день, взяв в руки метлу и совок и собирая с тротуара чужие окурки и обертки от жевательной резинки, Вероника с недоумением подумала о том, что еще полгода назад она была профессорской женой. Это недоумение стало первым, пока еще небольшим шагом на пути к открытию неприятной истины, состоящей в том, что решение уехать со Штайнеком было ошибочным.

Но, как говорится, лиха беда начало. Первый-то шажок был маленьким и робким, а потом процесс постижения истины пошел просто-таки семимильными шагами. Финишный рывок на этом тернистом пути был совершен спустя еще полгода, когда Вернера арестовали за участие в контрабанде оружия из стран Латинской Америки в Россию и посадили, всерьез и надолго. Причем настолько всерьез, что конфисковали практически все, что лежало на его счетах. И Вероника Штайнек осталась одна. Ну, не совсем одна, конечно, с коттеджем, мебелью и машиной.

Поразмышляв над сложившейся ситуацией, она поняла, что выхода у нее только два. Или возвращаться в Россию, или приноравливаться к здешней жизни. От Гмундена до Вены больше двухсот километров, не наездишься в посольство-то, на одном бензине разоришься. Одну попытку Вероника все-таки сделала, но ей популярно разъяснили, что жену преступника, осужденного за контрабанду оружия в Россию, вряд ли примут в этой самой России с распростертыми объятиями. На получение разрешения на въезд придется потратить много сил и времени. А также денег.

Времени у Вероники было много, а вот с силами и деньгами дело обстояло хуже. Надо было идти работать, чтобы не сдохнуть с голоду. Она вспомнила о своем дипломе медсестры и отправилась в расположенную на берегу озера клинику, специализирующуюся на лечении легочных заболеваний у детей.

— Вы имеете опыт работы с детьми? — спросили у нее в клинике.

— Нет.

— Вы имеете опыт работы с легочными больными?

— Нет.

— Может быть, вы имеете опыт работы в операционных при проведении операций на легких?

— Нет...

— Тогда на что же вы рассчитывали, придя сюда?

— Я подумала, что, может быть, лечебная физкультура... — пробормотала Вероника упавшим голосом.

— Ваш диплом инструктора лечебной физкультуры для нас пустое место. Мы могли бы предложить вам работу воспитателя, но у вас нет опыта работы с детьми. Кроме того, ваш немецкий пока еще очень плох, так что о воспитательной работе и не мечтайте. Легочных болезней вы не знаете, так что медсестрой в нашей клинике быть не можете. Единственное, что мы могли бы вам предложить, это работу уборщицы-санитарки. Здесь знание языка не обязательно и диплом не требуется.

Санитарка! Горшки выносить. Полы мыть. Грязное белье собирать. Боже мой, всего какой-нибудь год назад она была женой профессора, известного ученого, лауреата и почетного академика! Как же это ее так угораздило?

Ну что ж, решила Вероника Штайнек-Лебедева, раз угораздило, надо выбираться. Помощи ждать неоткуда, придется своими силами.

На работу санитарки она согласилась. Зарплата была крошечной, работа изматывающей, но во всем этом был один

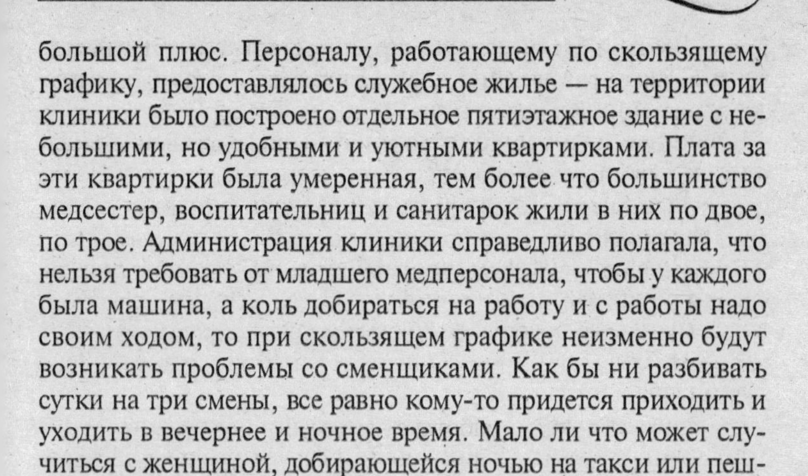

большой плюс. Персоналу, работающему по скользящему графику, предоставлялось служебное жилье — на территории клиники было построено отдельное пятиэтажное здание с небольшими, но удобными и уютными квартирками. Плата за эти квартирки была умеренная, тем более что большинство медсестер, воспитательниц и санитарок жили в них по двое, по трое. Администрация клиники справедливо полагала, что нельзя требовать от младшего медперсонала, чтобы у каждого была машина, а коль добираться на работу и с работы надо своим ходом, то при скользящем графике неизменно будут возникать проблемы со сменщиками. Как бы ни разбивать сутки на три смены, все равно кому-то придется приходить и уходить в вечернее и ночное время. Мало ли что может случиться с женщиной, добирающейся ночью на такси или пешком. Да и опоздания в таких случаях неизбежны. Поэтому пусть все желающие живут рядом с клиникой на охраняемой территории. А уж кто не желает, с того и спрос другой. Пусть попробует опоздать хоть на полминуты.

Вероника перевезла в служебную квартиру свои вещи, а дом сдала в аренду. Не бог весть какие деньги, конечно, но все-таки. Она собиралась тратить только часть этих денег, остальные решила откладывать и начать понемногу строить собственную жизнь в этой чужой стране. О том, чтобы ждать освобождения Вернера из тюрьмы, она и не думала. На нем был поставлен большой жирный крест. Оформлением развода Вероника не занималась по единственной причине — это требовало денег.

Два месяца назад ее разыскал какой-то тип, представившийся Николаем Первушиным. Ему нужны были бумаги ее покойного мужа Василия Васильевича Лебедева, которые Вероника вывезла из России единственно из вредности, чтобы не достались прожорливым дочерям. Ей самой эти бумаги тоже не были нужны, она даже не достала их из ящика, в котором перевозила свой багаж. Вот она, волшебная жар-птица, радостно подумала Вероника. Раз затратил столько труда, чтобы найти ее, раз приперся в далекий Гмунден за этими бумагами, значит, заплатит столько, сколько она скажет. Она потребовала миллион долларов. И непременно наличными.

— Вы хотя бы отдаленно представляете себе, о чем говорите? — недоуменно спросил ее Первушин. — Самая крупная купюра — сто долларов, в пачке сто купюр, это десять тысяч. Миллион — это сто вот таких пачек. Вы хоть понимаете, сколько места это занимает?

— Все равно. — Она упрямо покачала головой. — Мне нужны наличные.

— Почему? Ну зачем они вам? Куда вы их денете? Их же нужно спрятать, иначе они будут бросаться в глаза всем и каждому. Да вас обворуют в первые же сутки.

— Не обворуют. Или вы платите наличными, или не получите архив мужа.

— Поймите же, — настаивал Первушин, — речь не идет о том, что вы просите слишком много, вы назначаете свою цену, и мы с ней согласны. Вы получите свой миллион. Но наличными?! Ведь это невероятно усложняет задачу для нас. Разве можно вывезти из России такую сумму? Если вы хотите проблем для себя — это ваше дело. Пусть вас ограбят, пусть даже вас убьют, раз вам на это наплевать. Но, выдвигая требование получить наличные, вы рискуете тем, что нас задержат на таможне и отберут деньги. Тогда уж вы точно ничего не получите. Вы этого хотите?

— Я вам ясно сказала: я хочу получить миллион долларов наличными и сама, своими руками положить их в банк. Только тогда я буду спокойна.

— Я не понимаю, — разводил руками Первушин. — Какая вам разница, кто положит эти деньги в банк, вы лично или кто-то другой просто перечислит их на ваш счет. Ну объясните мне, дураку, какая разница, и может быть, я соглашусь с тем, что ваше требование справедливо.

— Я никому не верю, — сказала ему Вероника. — Где гарантии, что вы меня не обманете? Я вас вижу второй раз в жизни, я ничего о вас не знаю. Почему я должна вам верить? Вы покажете мне какую-то бумажку, в которой будет что-то написано по-немецки, и скажете мне, что это — свидетельство того, что вы перечислили деньги на мой счет. А на самом деле это окажется уведомлением с телефонной станции, что у вас просрочена оплата. И я как дура попрусь с этой бумажон-

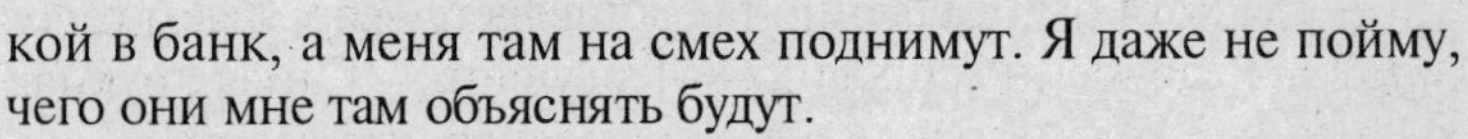

кой в банк, а меня там на смех поднимут. Я даже не пойму, чего они мне там объяснять будут.

— Так вы что же, совсем языка не знаете? — изумился Первушин. — Как же вы обходитесь?

— Ну, объясняться-то я могу, — ответила она, ничуть не смутившись. Она вообще быстро разучилась смущаться, когда поняла, что из респектабельной жены видного ученого превратилась в низкооплачиваемую санитарку, да к тому же жену преступника. — Так, на бытовом уровне, для работы и магазинов хватает. Но все на слух. Читать не могу, не понимаю ничего.

— Так учите. Купите учебники и учите язык. Нельзя же жить в стране и не говорить на ее языке. Вас действительно кто угодно вокруг пальца обведет, — посоветовал Николай.

— Пробовала, — призналась она. — По учебнику не получается, у меня способностей нет к языкам, это мне еще школьные учителя говорили. А нанять преподавателя — дорого. Не могу себе позволить. Пока. А потом видно будет. Так что, Коля-Николай, вы сами видите, что выбора у нас с вами нет. Я возьму только наличные. Более того, у меня есть дополнительное условие. Вы совершенно правы, держать такую сумму у себя опасно и сложно. Кроме того, вы можете ведь и «куклу» мне подсунуть, и фальшивые купюры, которые я не могу отличить от настоящих. А где я вас потом искать буду, если окажется, что с деньгами что-то не так? Поэтому мы с вами сделаем таким образом. Вы привозите деньги, мы с вами садимся в машину и едем в банки. Заезжаем в банк, открываем счет, кладем наличные, кассир проверяет каждую купюру, у него специальная машинка стоит. И так несколько раз, пока не пристроим всю сумму. В последнем банке вы получаете бумаги. Они к тому времени будут лежать там в сейфе.

— Что ж, разумно, — не мог не согласиться Первушин. — Теперь поговорим о моих гарантиях. Как я могу быть уверен, что вы отдадите мне все бумаги вашего мужа, а не изымите из них как раз то, ради чего мы и покупаем у вас весь этот хлам? Архив, насколько я понимаю, огромный, в нем десятки папок. Не хотите ли вы сказать, что в последнем банке мы с вами усядемся рядышком и начнем внимательно читать все подряд? И потом, если окажется, что нужные нам бумаги куда-то исчезли, что мы будем делать? Деньги-то, целый миллион, уже лежат на ваших счетах, вы спокойненько посылаете меня куда-нибудь в район мужских гениталий и говорите, что знать ничего не знаете. За что уплачено, то и получено.

— Тоже верно.

Наконец Вероника позволила себе улыбнуться. Этот Первушин ей жутко нравился. Он был словно ожившая картинка «женского любовного романа» — точная копия героев-любовников. Когда ей попадались в книгах такие описания, Вероника каждый раз думала, что это плод фантазии писателя, потому что мужиков с такой внешностью просто не бывает. Высокий, хорошо сложенный, с черными волосами, точеными чертами лица и огромными светло-синими глазами, не темно-голубыми, что бывает достаточно часто, а именно светло-синими. Такой цвет Вероника видела только на экране компьютера, когда чуть-чуть притушишь яркость. И разрез этих синих глаз был удлиненным и необыкновенно красивым.

— Можно сделать вот как. Вы сейчас сядете и просмотрите весь архив. Все листы, которые представляют для вас ценность, вы пронумеруете и поставите свою подпись. Мы отложим их в отдельную папку. Тогда на последнем этапе все будет проще. Вы откроете папку, проверите нумерацию листов и свою подпись, и все.

— Нет, не все, — возразил Николай. — Мы кладем деньги на ваши счета, а на последнем этапе оказывается, что в папке лежат не все листы, которые я пометил. Нумерация меня не спасет. Просто некоторых листов не окажется. А вы будете мне говорить, что папку не открывали и ничего из нее не вынимали. И как бы я на этом этапе ни кочевряжился, сделать уже ничего нельзя будет. Деньги ушли к вам. Как тогда мы поступим?

— Ну хорошо, — сдалась Вероника. — Я не буду класть папку в банковский сейф. Я сразу возьму ее с собой, вы проверите листы, и только после этого мы поедем в банки. Но папка останется у меня до тех пор, пока мы не положим все деньги.

На том и порешили. По договоренности с жильцами, арендующими ее домик, архив хранился в подвале, потому что больше его девать было некуда. Вместе с Первушиным они съездили за папками и отвезли их в ее служебную квартиру. К счастью, девушка, с которой Вероника делила квартиру, была на дежурстве. Они втащили большую картонную коробку с папками в ее комнату, Вероника пошла на кухню варить кофе, а Николай уселся на полу, разложив вокруг себя бумаги. В комнате не было большого стола, а маленький столик, стоявший у изголовья дивана, годился только для того, чтобы поставить на него чашку или положить книгу. По привезенной из России привычке ела Вероника на кухне.

Пока на плите грелась вода, она успела зайти в ванную, умыться и переодеться в нечто соблазнительно распахивающееся при каждом движении. Впервые за последний год, прошедший с момента ареста мужа, она почувствовала, что хочет мужчину, хочет совершенно безрассудно, иррационально, не какого-то конкретного, который бы ей нравился, а мужчину вообще. Любого. Хоть первого встречного. Такое сильное неперсонифицированное желание у нее возникало раньше только тогда, когда она смотрела по видику «жесткое порно». На самом деле Вероника понимала, что хочет она именно этого синеглазого красавчика Николая Первушина, но, поскольку у нее целый год не было мужчины, из-за Николая она «завелась» так круто, что теперь ей уже все равно, с кем лечь в постель, лишь бы с кем-нибудь.

Она критически осмотрела себя в большом зеркале, висящем в прихожей. Год изнуряющей работы и постоянного недоедания сказался на ее внешности не самым лучшим образом, добавив морщинок и поубавив блеска в глазах. Но все равно она была еще в большом порядке в свои тридцать два года. Слава богу, даже самая тяжелая жизнь не делает ноги короче, они по-прежнему, что называется, росли из плеч. Правда, грудь начала немного обвисать...

Очень удачно, что Николай сидел на полу. Он оказался нормальным мужиком, чутко реагирующим на красивую женщину, которой он к тому же нравится. Но поведение его показалось Веронике немного странным. Он потянул ее за руку, усадил рядом с собой на пол, обнял за плечи и начал поглаживать одной рукой, другой перебирая бумаги и делая на них пометки в углу страниц. Одним словом, как бы говорил: детка, я ценю твой порыв, и ты мне тоже очень нравишься, но дело — в первую очередь. Вероника собралась было обидеться, но потом вспомнила, что речь идет все-таки о миллионе долларов. Ну надо же, как ее забрало, так захотелось трахаться, что даже про деньги забыла. Сумма оказалась достаточно большой, чтобы Вероника пришла в себя, сбросив похотливую одурь. Она встала и пересела на диван, поставив на столик чашечку с кофе. Устроившись поудобнее и подложив под спину маленькие подушечки, она пила кофе и исподтишка разглядывала Николая. Нет, что ни говори, а он дьявольски красив. Хорошо бы, конечно, уложить его, но, наверное, не стоит увлекаться, когда речь идет о миллионе. Еще начнет торговаться потом, попросит снизить цену: раз они стали любовниками, то вроде как сделались «своими».

Николай долго читал бумаги Василия Васильевича, и Вероника не заметила, как задремала: минувшую ночь она работала и поспать после этого не успела. Наконец он аккуратно сложил все папки, завязал шелковые шнурочки и встал.

— Вот, я отобрал триста с небольшим страниц, это то, что нам нужно. Я их пронумеровал и расписался на каждой странице. У тебя есть пустая папка?

Вероника молча кивнула и принесла папку.

— Спрячь подальше и никому не показывай, — попросил он на прощание. — Не дай бог, пропадет хоть одна страница — денег не получишь. Материал имеет ценность только весь целиком.

Только сейчас она обратила внимание на то, что он перешел на «ты». Что бы это значило? Готовность откликнуться? Или она своим поведением, тем, что ясно заявила о своем желании, сразу перевела себя из разряда достойных уважения дам в разряд дешевых и доступных девиц?

— Хотите еще кофе? — спросила она подчеркнуто вежливо.

— Нет, благодарю. Знаешь, Вероника, ты очень красивая женщина, и, если ты позволишь, мы вернемся к этому разговору после того, как покончим с делами. Я вернусь домой, доложу своим компаньонам о твоих условиях, потом сообщу тебе об их решении. Если они согласятся заплатить тебе столько, сколько ты просишь, я приеду для окончательного завершения сделки. И тогда мы поговорим еще об одной чашечке кофе. Хорошо?

— Хорошо.

Она постаралась улыбнуться, но почувствовала, как в уголках глаз закипели слезы. Вероника даже удивилась такой реакции. Почему ей хочется плакать, глядя в эти невероятные синие миндалевидные глаза, которые словно сошли с иконы? Почему ей хочется плакать при мысли о том, что эти гладкие руки с длинными пальцами не будут ее обнимать? Неужели это из-за того, что она целый год одна? Безобразие, подумала она, работа работой, но и о себе подумать надо. Немедленно заведет кого-нибудь. Хотя кого ей заводить? Младший медперсонал может рассчитывать только на санитаров, электриков и сантехников, работающих в клинике, ну еще на садовников и механиков из гаража. Надо повнимательнее присмотреться к этому контингенту, может, удастся найти что-нибудь не очень отвратительное и необременительное для употребления в оздоровительных целях не чаще двух раз в неделю.

Закрыв дверь за Первушиным, она вернулась в свою комнату, судорожно сглотнула и уже собралась было дать себе волю и расплакаться, как снова вспомнила о деньгах. Вероника уселась на диван, взяла со столика зеркальце и стала внимательно всматриваться в свое отражение, повторяя про себя: «Скоро я буду богатой. Скоро кончится эта дурацкая клиника, и эта дурацкая работа, и эта дурацкая квартира, и эта идиотка-соседка. Я смогу забыть все это, как кошмарный сон. Я начну все сначала. Я оформлю развод с Вернером, куплю себе небольшой уютный домик, найму учителя, выучу этот проклятый немецкий и буду жить как все. Может быть, еще смогу выйти замуж, на этот раз более удачно. Только бы все получилось, только бы не сорвалось».

Прошло два месяца, которые показались Веронике двадцатью годами. За эти два месяца Николай еще два раза приезжал, чтобы уточнить кое-какие детали сделки. И оба раза он проникновенно глядел на Веронику и напоминал о чашечке кофе, которую они оба отложили «на потом». К этому времени Вероника уже перегорела, найдя утешение в объятиях симпатичного веснушчатого электрика, который оказался как раз таким, как ей хотелось, — не отвратительным и не обременительным. Она уже не умирала, глядя в светло-синие глаза Первушина, но мысль о том, что она ему небезразлична и он помнит об отложенной чашечке кофе, ее грела. Когда все будет закончено, она с большим удовольствием выпьет с ним вместе этот чертов кофе. Уж тут-то она покажет ему класс! Уж в чем, в чем, а в изысканном сексе она была великая мастерица и усталости не знала. Большую и добротную школу прошла она под чутким руководством профессора Лебедева, что и говорить, не смотрите, что старый был, вроде другое поколение. Знатоки и любители во все времена были, и поколение тут ни при чем. Калигула вон аж когда жил...

Наконец все утряслось. Николай приехал в Австрию в третий раз и позвонил ей из Вены. Поскольку в крошечном Гмундене негде было разместить миллион долларов, чтобы это не бросалось в глаза, решили операцию провести в Вене. Но поскольку ни Николай, ни Вероника города не знали достаточно хорошо, чтобы легко в нем ориентироваться, то место встречи Николай предложил назначить там, где невозможно заблудиться. Договорились, что Вероника выберется на автостраду, соединяющую Зальцбург и Вену, доедет по ней до Амштеттена, дальше до поворота на Визельбург, свернет и остановится у первого же кафе. Судя по карте, сказал Николай, кафе стоит в полутора километрах после поворота. Встречу назначили на восемь утра: от Визельбурга до Вены не меньше полутора часов езды даже на хорошей машине, а ведь им предстоит посетить десяток банков.

Накануне зарядил дождь, да не мелкий, а самый настоящий проливной. Дождь всегда наводил на Веронику тоску, вгонял ее в уныние. Она всегда любила простые понятные радости — хорошую еду, красивую одежду, солнечную погоду, веселую кинокомедию. Ночь она провела без сна, думая о том, как переменится завтра вся ее жизнь. Завтра в это же время она уже будет богата.

В шесть утра она вскочила бодрая и полная сил, и снова к ней вернулась мысль о чашечке кофе в компании с синеглазым Первушиным. Она решила одеться соответственно. С одной стороны, в банке она должна выглядеть так, как и должна выглядеть состоятельная дама, через руки которой проходят большие суммы наличными. Актриса или писательница, получающая гонорары. Деловая женщина. Дорогая содержанка, получающая подарки. Или еще что-нибудь в таком же роде. С другой стороны, она должна безусловно понравиться Первушину. Сегодня вечером, когда она станет богатой и независимой, она устроит себе праздник в компании с мужчиной, о постели с которым она с удовольствием думает вот уже два месяца.

Надев длинную узкую юбку и такой же топик из темно-синего шелка, Вероника накинула сверху облегающий пиджак из ткани с сине-бежево-розовыми цветами. Получилось очень элегантно. Серебряные браслеты и цепочки хорошо гармонировали с темно-синим шелком, а бежевые туфли оказались как раз в тон бежевым цветам. Одним словом, она осталась довольна собой.

Выйдя из подъезда, она раскрыла зонт и побежала к своей машине. Дождь лил еще сильнее, чем вчера, небо заволокло, и не было видно ни малейшего просвета. Бросив сумочку на пассажирское место, Вероника повернула ключ зажигания. Никакой реакции. Машина чихнула и смолкла. Вероника даже не обратила внимания на эту глупость: мало ли случаев, когда совершенно исправный автомобиль не заводится с первого раза. И даже со второго. Она спокойно повторила попытку. Снова ничего. И в третий раз. И в пятый... Минуты шли, а она так и не отъехала от своего дома, хотя по предварительным расчетам должна уже была выезжать на автостраду Зальцбург — Вена. Вероника снова и снова поворачивала ключ и в отчаянии думала о том, что ничего не понимает в устройстве автомобиля. Единственное, что она может, это нажать на рычажок и открыть капот. Но что делать дальше, она не имеет ни малейшего представления.

Мелькнувшую было мысль взять такси она отвергла сразу. Она слишком долго думала о том, как будет класть деньги в банки, и понимала, что ни за что не сядет в машину, в которой лежит миллион долларов наличными. Эта машина уже заранее казалась ей начиненной взрывчаткой. Конечно, она планировала, что они будут ехать на двух машинах: она — на своей, Первушин — на своей. Охрана денег и их перевозка — его задача, его проблема. И если что-то случится в пути, то пусть случится с ним, а не с ней. Если ехать в Визельбург на такси, то придется или отпускать водителя и пересаживаться в машину к Первушину, или брать такси до Вены, ездить на нем целый день по городу и потом возвращаться в Гмунден. Во-первых, это очень дорого, у нее нет таких денег, а тот миллион, который уже сегодня будет положен на ее имя, предназначен вовсе не для таких трат. Во-вторых, это опасно. Водителю ничто не помешает подсмотреть в окно, чем они с Первушиным будут заниматься в десяти разных банках, и кто знает, как он себя поведет на обратном пути. Ведь будет уже вечер... Конечно, есть надежда, что Николай проведет этот вечер с ней вместе, и даже ночь, но все равно завтра придется возвращаться в Гмунден. Маловероятно, что Николай ее отвезет, ему нужно будет срочно возвращаться в Москву, везти документы. Нет, Вероника Штайнек-Лебедева знала совершенно точно, что лучше всего было бы ехать на своей машине и ни от кого не зависеть. Но со своей машиной явно не получалось. Значит, придется ловить такси. «Черт с ним! — сердито подумала Вероника. — Доеду до Визельбурга и отпущу машину. Из Визельбурга до Вены доеду с Николаем, а там посмотрим. Сейчас главное — скорее добраться, я и так уже опаздываю. А вдруг он меня не дождется, решит, что я передумала, и уедет? Это означает, что сделка откладывается снова на неопределенное время. А я не могу больше ждать. Вчера после дежурства я сняла халат и сказала себе, что больше никогда, никогда, никогда не прикоснусь к нему. Я больше никогда не возьму в руки горшок с вонючим дерьмом. Я больше никогда не буду возиться с чужими обоссанными простынями. Господи, я так радовалась! Я не смогу снова...»

Она выскочила из машины и побежала через парк, на территории которого была расположена клиника, в сторону шоссе в надежде поймать такси. Умом она понимала, что в

половине седьмого утра в субботу, когда на улице проливной дождь, это нереально. Но все равно надеялась.

Прошло еще пятнадцать минут, а она так и не двинулась в сторону Визельбурга. Улица была пустынна и заполнена, казалось, одним только дождем. Даже воздуха не было, кругом один дождь...

Внезапно она услышала шум мотора у себя за спиной. Вероника обернулась и увидела темно-бордовую «Ауди», выползающую из ворот клиники. Машина притормозила возле нее. Вероника наклонилась, заглянула в салон и почувствовала, как на глаза наворачиваются слезы облегчения. Это была фрау Кнепке, пятилетний сын которой лечился в клинике. Сейчас он забился в уголок на заднем сиденье, и его темные глазенки восторженно поблескивали, словно в предвкушении настоящего приключения. Радость же Вероники была вызвана тем, что фрау Лилиана Кнепке была русской. И слава богу, ей можно было все объяснить и обо всем договориться.

Фрау Кнепке тоже узнала санитарку, потому что приветливо улыбнулась и открыла дверь.

— Садитесь. Вам куда?

— Мне хотя бы до Визельбурга, если вам по пути.

— Что значит «хотя бы»? — вскинула красиво очерченные брови Лилиана. — А на самом деле вам куда?

— На самом деле в Вену, но в Визельбурге я должна встретиться с одним человеком. Мне неловко вас затруднять...

— Глупости, — весело прервала ее Лилиана. — Здесь, в Гмундене, кроме вас, по-русски не с кем поговорить. В Вене с этим проще, у меня большой круг знакомых из числа наших эмигрантов, а в Гмундене вы, наверное, единственная русская. Так что если мой приход к сыну не совпадает с вашим дежурством, то я так и лопочу весь день по-немецки. Устаю ужасно, все-таки неродной язык очень утомляет, правда? Пока не привыкнешь, конечно. В котором часу у вас назначена встреча в Визельбурге?

— В восемь.

— Хорошо. Если этот человек уже ждет и если ваша встреча с ним ненадолго, я довезу вас до Вены. Вы уж извините, задерживаться я не могу. У нас с Филиппом сегодня о-о-очень ответственное мероприятие, да, Филипп?

— У меня сегодня день рождения! — гордо сообщил малыш, вставая на заднем сиденье на колени и начиная подпрыгивать. — Мама получила разрешение забрать меня из клиники и отвезти домой на целых два дня! Мы будем вместе с папой, маленькой Анни и Большим Фредом справлять мой день рождения.

— Анни — наша младшая дочь, — с улыбкой пояснила Лилиана, — а Большой Фред — наша собака, черный терьер. Он действительно большой. Мы хотели ехать вчера вечером, но из-за дождя решили подождать до утра, думали, ливень прекратится. Знаете, на ночь глядя ехать по мокрому шоссе как-то боязно. Утром все-таки светло, даже если дождь и не кончится. Филипп проснулся в начале седьмого и больше не захотел ждать ни минуты. По отцу соскучился, по сестренке, по собаке, вообще по дому. Он ведь уже полгода лежит в клинике, конечно, ему все надоело.

Вероника знала, что Лилиана проводит в Гмундене очень много времени. Она сняла здесь коттедж и жила по две-три недели подряд, потом уезжала на неделю в Вену и снова возвращалась на две-три недели. Сама Вероника мечтала как раз о таком браке, как у Лилианы Кнепке: богатый респектабельный муж, еще не старый и довольно привлекательный, двое детишек, собственный особняк в Вене. Ну почему одним все, а другим ничего?

Они продолжали болтать, и постепенно Вероника почувствовала, как в ней начинает закипать злобная завистливая ненависть к этой холеной сытой удачливой эмигрантке, олицетворяющей собой все то, к чему стремилась сама Вероника и чего ей так и не досталось. «Ну почему? — думала она, искоса поглядывая на уверенно ведущую машину Лилиану Кнепке. — Почему ей это удалось, а мне нет? Разве она красивее меня? Нет, у меня фактура намного качественнее. Почему же ей так повезло, а меня жизнь возит мордой о грязный стол? Может, дело не в том, какая она и какая я, а в том, где и как искать мужа?»

— Простите, фрау Кнепке... — начала было Вероника.

— Да ты с ума сошла! — расхохоталась Лилиана. — Какая

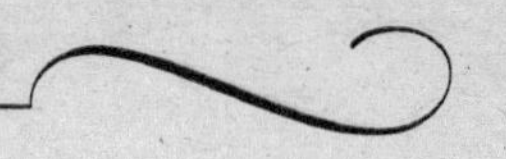

я тебе фрау Кнепке? Давай на «ты» и зови меня просто Лилей. Что ты хотела сказать?

— Я хотела спросить, где ты познакомилась со своим мужем.

— Меня с ним познакомили, — ответила Лилиана, не отрывая взгляда от залитого водой шоссе. — А почему ты спросила?

— Просто интересно. А где вас познакомили?

— Господи, Вера, ну какое это имеет значение! — раздраженно откликнулась Лилиана.

Вероника поняла, что она не хочет обсуждать это при сыне. Значит, это была не премьера спектакля в престижном театре и не вернисаж модного художника, а что-то такое, о чем неприлично говорить в присутствии детей. Очень интересно. Лилиана Кнепке, уж не валютная ли ты проститутка в прошлом?

В любом случае с ней нужно подружиться. Конечно, она сказала, что в Вене у нее большой круг знакомых, в том числе и русских, так что в обществе Вероники фрау Кнепке не больно-то нуждается. Но вот в Гмундене, где, кроме Вероники, русских больше нет и где Лилиане придется провести еще немало времени... Это шанс прорваться в ту сферу, о которой мечтает Вероника. Может быть, со временем ее станут приглашать в дом к Кнепке, когда у них будут большие приемы, и там, как знать, быть может, ее познакомят с тем, на кого можно будет делать ставку. К этому времени она будет богата и независима и больше не попадется в такую ловушку, в какую она угодила с веселым контрабандистом Штайнеком.

— Поворот на Визельбург, — сказала Лилиана. — Прямо или поворачиваем?

— Поворачиваем. Километра через полтора должно быть придорожное кафе, там меня будут ждать.

Судя по счетчику, после поворота они проехали уже три километра, а никакого кафе и в помине не было. Не было вообще ничего, кроме леса по обеим сторонам дороги.

— Ну, где твое кафе? — спросила Лилиана. — Ты точно знаешь, что оно должно быть?

— Я не знаю, — растерянно ответила Вероника. — Человек, с которым я договаривалась, смотрел по карте и сказал, что на карте оно обозначено.

— Может, мы не там свернули?

Лилиана остановила машину и вытащила из-под приборной доски карту.

— Смотри, поворот на Визельбург только один, предыдущий поворот направо был на Шейббс, а следующий только через двенадцать километров, на Лилиенфилд. Ничего перепутать мы не могли.

— Я не знаю, — упавшим голосом повторила Вероника, чувствуя, как рушится все, о чем она мечтала. Идиотка, она что-то забыла, что-то не так запомнила, перепутала какое-то название! Дура, кретинка!

— Ладно, проедем еще немного вперед, — вздохнула Лилиана.

Но буквально через двести метров Вероника радостно подпрыгнула.

— Вот он! Он меня ждет. Наверное, на его карте была какая-то ошибка или ему кто-то неправильно сказал, что здесь есть кафе. Слава богу!

Впереди стоял джип, а рядом с ним Вероника увидела Первушина, который преспокойно прогуливался взад и вперед, поджидая ее. Он был в длинном дождевике с капюшоном, и дождь ему был не страшен.

— Останови, пожалуйста, — попросила Вероника. — Я скажу ему буквально два слова, и поедем в Вену.

Лилиана остановила машину, блаженно потянулась и закурила, выпуская дым в открытую дверь. Вероника выскочила из машины, держа в одной руке папку с отобранными Первушиным материалами, а в другой — раскрытый зонтик.

— Привет! — взбудораженно сказала она. — Ты меня напугал этим несуществующим кафе. Я уж подумала, что неправильно поняла тебя.

— Да я и сам испугался, — ответил Николай, забирая у нее папку. — Потом сообразил, что рано или поздно ты все равно по этой дороге проедешь, и решил ждать.

Он открыл дверь джипа и протянул руку с папкой внутрь.

— Проверь, пожалуйста, — сказал он кому-то, кого Вероника не видела.

Она попыталась заглянуть внутрь, но Первушин быстро захлопнул дверь, а через тонированные стекла Вероника ничего разглядеть не смогла.

— Ты опоздала, — произнес он как-то равнодушно, без упрека и без раздражения.

— У меня машина не завелась, — стала оправдываться Вероника. — Представь, время — седьмой час утра, суббота, проливной дождь, ни одной живой души кругом. Хорошо, Лилиана в это время ехала, она меня подвезет до Вены, а там я возьму такси.

Она ожидала, что сейчас Николай удивится, почему она не хочет ехать с ним при такой ситуации, и уже начала придумывать аргументы, которые должны будут убедить его в том, что ей просто необходимо доехать до Вены с Лилианой Кнепке, но он ничего не спросил, принял ее информацию к сведению и все.

— А кто там у тебя? — спросила она, не сумев справиться с любопытством.

— Помощник, — коротко ответил Николай. — Ты же не думаешь, что я оставлю миллион долларов в машине без надежной охраны.

— А-а, — понимающе протянула Вероника.

В этот момент стекло с их стороны опустилось и женский голос сказал:

— Триста двенадцать страниц. Порядок?

— Порядок, — откликнулся Первушин.

«Ничего себе помощник, — с обидой подумала Вероника. — Баба какая-то. А я-то, дура, надеялась, что вечер мы проведем вместе. Зря старалась. Он обо мне и думать забыл. Вот сукин сын!»

— Я могу взглянуть на деньги? — спросила Вероника металлическим голосом, всем своим видом показывая, что ни о каком доверии между ними и речи быть не может.

— Конечно.

Он распахнул заднюю дверь и взял лежащий на сиденье кейс.

— Вот твои деньги.

— Покажи.

Он послушно открыл замки, и внутри Вероника не увидела ничего, кроме множества каких-то документов.

— Я не поняла, — медленно сказала она. — Мы же договаривались о наличных. Надуть меня хочешь?

— Это и будут наличные, — терпеливо объяснил Николай. — Я не сумасшедший, чтобы возить в незащищенном автомобиле сто пачек по десять тысяч долларов. Может быть, тебе, дуре непроходимой, это кажется нормальным, потому что ты в жизни не заработала ни одной тысячи долларов и для тебя вообще нет разницы, пять долларов или пять миллионов. А я очень хорошо понимаю, что, случись что-нибудь с машиной или с этими деньгами, меня убьют, если я их не верну в течение месяца. В каждом банке, куда мы с тобой приедем, я буду получать по этим документам наличные, а ты в соседнем окошечке будешь класть их на свое имя. Понятно?

Она почти ничего не поняла, потому что «дура непроходимая» больно резанула ухо и усилила раздражение, возникшее оттого, что в машине оказалась женщина. А она так мечтала...

— Понятно, — ответила она машинально. — Давай сюда папку.

Николай выпростал руку из-под полы дождевика, и Вероника не сразу поняла, что здесь что-то не так. Рука не потянулась к открытому окошку, за которым сидела невидимая Веронике женщина, чтобы взять у нее папку с материалами Лебедева. И вообще рука была какой-то другой формы. В следующее мгновение Вероника Штайнек-Лебедева поняла, что в руке у Николая пистолет. Она даже не успела додумать эту мысль до конца. Край исчезающего сознания еще успел зацепить непонятный, но страшный звук. Это дико кричала Лилиана Кнепке.

Глава 3

Николай Саприн, он же Николай Первушин в соответствии с липовыми документами, которые он предъявлял Веронике Штайнек, молча вел машину, напряженно ожидая, когда

Тамара хоть что-нибудь произнесет. Но она молчала, как воды в рот набрала. Почему она молчит? Так испугалась, что языком пошевелить не может? Ведь она должна была испугаться, не могла не испугаться, потому что речь шла только о том, что они заберут папку и проедутся по десятку банковских учреждений. Только об этом шла речь, а вовсе не о том, что, забрав папку, он убьет Веронику Штайнек-Лебедеву.

Почти полгода потратил Саприн на эту проклятую папку. Сначала искал Веронику по всей Австрии, потом уговаривал ее, утрясал всякие мелочи то с ней, то в Москве с Дусиком. Намаялся. И зачем все это в конечном итоге, когда в последний момент Дусик дал команду денег Веронике не отдавать, забрать папку и покончить с этим делом? Саприн был обижен на Дусика, на весь мир и на самого себя. Он заслуженно считался мастером деликатных поручений, связанных с необходимостью найти держателя каких-нибудь документов и аккуратненько эти документы выкупить, договориться о гарантиях и цене, да так, что обе стороны оставались довольны. Никогда у него не было значительных проколов. Даже в тех случаях, когда искомые документы носили специфический характер и содержали информацию, понятную только специалистам, Николай не жалел времени на то, чтобы получить тщательный инструктаж, вникнуть в детали и потренироваться в «распознавании» текста. Ни разу он не ошибся, не привез туфту вместо важных бумаг.

А вот теперь его использовали в такой грубой операции... Все равно что электронным микрокалькулятором гвозди забивать. Противно. А главное, возникло неожиданное осложнение. Вероника приехала не одна, и пришлось, кроме нее, убивать еще и женщину с маленьким ребенком. Если бы дело было в одной только Веронике, можно было бы вообще не беспокоиться. Кто будет надрываться ради эмигрантки-санитарки? Никто. Надрываться будут ради связей ее мужа-контрабандиста, начнут искать в этом направлении, ничего, естественно, не найдут, на том и успокоятся. А эта женщина с ребенком в машине — кто она? Саприн залез, конечно, в ее сумочку, водительским удостоверением поинтересовался. Лилиана Кнепке. Черт ее знает, кто она такая. Может статься, ее семья поднимет шорох, возьмет полицию за горло, дескать, найдите нам во что бы то ни стало убийцу нашей дорогой Лилианы. В этом случае искать будут по линии Кнепке, считая Веронику Штайнек случайной жертвой. Тоже ничего не найдут. Но почему молчит Тамара? Что она себе думает?

* * *

Стюардесса уже второй раз разносила напитки, но Тамара упорно делала вид, что спит, хотя пить очень хотелось. Она полулежала в удобном кресле, закрыв глаза и отвернув лицо к иллюминатору. Пока носят напитки, Николай не станет ее будить, но минут через двадцать дело дойдет до ужина, и тут уж он наверняка ее разбудит. А она так и не решила, как себя вести. С момента убийства прошло двенадцать часов, все это время ей как-то удавалось избегать объяснений с Саприным, но это не может тянуться до бесконечности. Рано или поздно она должна будет обозначить свое отношение к случившемуся. И тем самым определить свою судьбу на ближайшее время, а может быть, и на всю оставшуюся жизнь. Ибо показать, что ты испугана и негодуешь, — заставить Саприна думать, что ты опасна и можешь заложить. Делать вид, что все нормально, что так и должно быть и ничего сверхъестественного не случилось, — заработать репутацию хладнокровной циничной пособницы и тем самым позволить втянуть себя в еще более грязные авантюры. Ведь на ее глазах только что застрелили двух женщин и ребенка. Если уж она убийство ребенка проглотит и смолчит, значит, внутри у нее совсем ничего нет, кроме холода и равнодушия. И так нехорошо, и эдак неладно.

Она почувствовала, как Саприн легонько похлопывает ее по бедру.

— Тамара, — тихо проговорил он прямо ей в ухо, — просыпайся, принесли ужин.

— Я сплю, — сонно пробормотала она, все еще надеясь, что он отстанет.

Но Николай не отставал.

— Давай, Тамара, давай, просыпайся, — повторил он настойчиво, — мы целый день ничего не ели, и, когда теперь сможем поесть, тоже неизвестно. Ну-ка, открывай глазки.

Упираться дальше смысла не было. Во-первых, она была зверски голодна. Есть же счастливые люди, у которых в моменты нервного напряжения кусок в горло не лезет. У Тамары Коченовой в такие периоды просыпался чудовищный аппетит. Она готова была сметать все подряд из холодильника и со стола, а в юности во время экзаменационной сессии в институте всегда набирала по три-четыре килограмма. А во-вторых, надо наконец объясниться с Николаем и скинуть с себя этот груз.

Она открыла глаза, улыбнулась своему спутнику и подняла спинку кресла. Стюардесса протянула ей поднос с горячим ужином, и Тамара принялась тщательно и деловито протирать руки и лицо влажной ароматизированной салфеткой. «Допрыгалась, — сердито говорила она сама себе. — Все думала, ничего, это мелочь, и это тоже мелочь, и это ерунда, и то не стоит внимания. А что вышло в результате? А в результате ты, моя дорогая, заработала себе репутацию переводчицы, которую можно нанять для выполнения всяких мерзких поручений. Когда тебя просто подкладывали под нужных людей, ты относилась к этому как к дополнительной профессиональной услуге. А когда тебя попросили «поработать» над синхронным переводом в нужную сторону, вот тогда тебе бы насторожиться. А ты? Хи-хи да ха-ха, да как весело, да как смешно, да, конечно, я все сделаю. Вот и получила. Теперь тебя наняли помощницей убийцы. А завтра что тебе предложат? Самой взять в руки пистолет и убить кого-нибудь? Ты этого дожидаешься? Конечно, сейчас самое время начать изображать целку и кричать на всех перекрестках, что ты не такая. Раньше была «такая», а теперь в один момент исправилась. Курам на смех».

Она сосредоточенно пилила тупым пластмассовым ножом жесткое куриное мясо и ждала, когда Саприн наконец начнет выяснять отношения. Руки у нее дрожали, и мясо никак не хотело поддаваться, а все норовило выскочить из пластмассовой тарелочки прямо на колени Тамаре.

— Через два часа мы прилетим домой, — сказал Николай. — И расстанемся. Жалко.

— Почему?

— Я бы хотел с тобой встретиться. Как ты к этому относишься?

— Нормально отношусь. — Тамара пожала плечами и сунула в рот кусок курицы, который ей удалось отковырнуть. — Давай встретимся. Мой телефон у тебя есть, так что никаких проблем.

— Есть проблема, — тихо возразил Саприн. — Я боюсь, что после того, что произошло сегодня, ты можешь не захотеть больше ложиться со мной в постель. Знаешь, это случается с очень многими женщинами. Они начинают бояться мужчину, который может выстрелить в живого человека.

Тамара положила вилку и нож на поднос и повернулась к Николаю.

— Послушай, дорогой мой, не надо мне напоминать о том, что случилось сегодня утром. Я этого не видела, я этого не слышала, я этого не знаю. Понял? Все. Обсуждение вопроса закрыто. И не смей втягивать меня в это. Это ваши дела, а мое дело — перевод и прикрытие. Меня для чего наняли? Для того, чтобы я тебя прикрывала от вожделеющих девиц и ревнивых мужиков и заодно создавала впечатление, что мы с тобой чехи или поляки. Я свою работу выполнила? Выполнила. Остальное меня не касается. Поэтому, если ты хочешь в Москве продолжать со мной трахаться, я ничего не имею против. Ты красивый мужик и хороший любовник, а о том, что ты можешь выстрелить в живого человека, мне ничего не известно. Ясно, солнце мое?

— Ясно, — кивнул Саприн.

Он умолк и до самой посадки больше не произнес ни слова.

В Шереметьеве они довольно удачно успели выскочить из самолета в числе первых пассажиров и подошли к паспортному контролю, когда к каждому окошку стояло всего по два-три человека. Буквально через десять минут они уже были на улице.

— У меня машина на стоянке, — сказал Саприн. — Я тебя отвезу.

Тамара молча кивнула и пошла следом за ним в сторону платной стоянки. Она уже приняла решение, и мысли ее были заняты тем, как это решение наилучшим образом воплотить в жизнь. Одно она знала совершенно точно — домой возвращаться ей нельзя. Во всяком случае сейчас, когда вместе с ней в квартиру может подняться Николай. Абсолютно очевидно, что он ей не поверил. Поэтому на всякий случай сейчас она поедет не к себе, а к матери.

— Где ты живешь? — спросил он, когда они уже мчались по Ленинградскому шоссе.

— Метро «Филевский парк». Там недалеко.

— Хорошо, тогда заедем по дороге к Дусику, закину ему папку, чтобы потом лишний крюк не делать. Ладно?

— Ладно, — равнодушно согласилась Тамара.

Заезжать нужно было на проспект маршала Жукова, это действительно было по пути.

Возле красивого полукруглого здания, стоящего на пересечении двух улиц, Саприн притормозил.

— Я недолго, — пообещал он, вылезая из машины. — Пять минут.

Она задумчиво поглядела ему вслед и не спеша достала сигареты из сумочки.

* * *

Михаил Владимирович Шоринов сидел перед телевизором, но не понимал, что происходит на экране. То и дело поглядывая на часы, он прикидывал, где сейчас Саприн и Тамара, что происходит и сколько еще ему ждать. Любовница Шоринова Катя тихонько лежала на диване, свернувшись в клубочек, и с любопытством наблюдала за разворачивающимися на экране событиями. Фильм был совсем новый, какой-то суперхит, который удалось достать с большим трудом, но Шоринов никак не мог включиться в просмотр.

— Дусик, сделай, пожалуйста, чуть поярче, — попросила Катя.

Шоринов начал бестолково нажимать кнопки на пульте дистанционного управления, по ошибке то увеличивая звук, то уменьшая контрастность. Когда он нервничал, то начинал плохо соображать. Наконец он с досадой швырнул темный прямоугольник пульта на диван, на котором лежала девушка.

— На, сама сделай, — раздраженно сказал он, поднялся с кресла и вышел на кухню.

Уже одиннадцатый час, подумал Шоринов, надо идти домой, чтобы не волновать жену и не вызывать у нее ненужных подозрений. Он обещал быть дома не позже одиннадцати. Где же они? Он звонил в Шереметьево, ему сказали, что рейс прилетел без опоздания. В очереди застряли? Не может быть, Коля Саприн опытный путешественник, он всегда точно знает, какие места просить при регистрации, чтобы выйти из самолета одним из первых, будь то аэробус, «Боинг» или поганенький «ТУ-134». Правда, очередь может возникнуть из-за пассажиров с другого рейса, так частенько случается. Но как бы там ни было, какова бы ни была причина задержки, она нервировала Михаила Владимировича с каждой минутой все больше и больше. Наконец он услышал звонок в дверь.

— Что так долго? — спросил он вместо приветствия.

— В пробку попали, — спокойно объяснил Саприн. — Вот, держите.

Он протянул Шоринову папку с материалами.

— Как все прошло?

— По плану. По платежным документам я получил наличные и передал их вашим людям в Вене. Они знают, что в ближайшее время вы передадите им еще дополнительно некоторую сумму, после чего деньги будут возвращены на указанные вами счета. У вашего богатого благодетеля будет полная иллюзия, что этими деньгами действительно с кем-то расплачивались, а спустя примерно неделю вы смогли вернуть долг вместе с процентами.

— Что Тамара?

— С Тамарой у нас проблема, Михаил Владимирович. Она очень напугана и изо всех сил делает вид, что ничего не произошло. Якобы ее это не касается. Поверьте моему опыту, так ведут себя люди, которые понимают, что стали нежелательными свидетелями и теперь им нужно опасаться за свою жизнь. Если бы она устроила истерику, я бы нашел способ ее успокоить, объяснил бы, что ей выгодно молчать в тряпочку. А она ничего не говорит и не спрашивает. Она очень опасна, Михаил Владимирович, поверьте мне. Она достаточно умна и может попытаться затеять с нами всякие разные игры, а любая игра подразумевает лишние телодвижения, которые могут привлечь чье-нибудь внимание.

— Я понял, — торопливо откликнулся Шоринов. — Я понял и полностью согласен с тобой. Хотя... Может быть, она молчит не потому, что задумала какую-то каверзу? Может, она просто хочет денег за молчание? Ты не говорил с ней об этом?

— Михаил Владимирович, я не первый день на свете живу... — начал было Саприн, но Шоринов перебил его:

— Попробуй в этом направлении. Может, все обойдется. Заткни ей рот пачкой долларов и спи спокойно. Можешь торговаться до пятидесяти тысяч. А уж если она захочет больше, тогда, конечно... Где она сейчас?

— Ждет в машине.

— Подожди.

Шоринов зашел в комнату, где Катя по-прежнему лежала на диване, уставившись в телевизор.

— Кто пришел, Дусик? — спросила она.

— Николай, — ответил Михаил Владимирович, доставая из шкафа кейс и открывая кодовый замок.

Катя легко вскочила с дивана и пулей вылетела в прихожую. Когда через две минуты из комнаты вышел Шоринов, ему показалось, что в прихожей нечем дышать. Саприн и Катя молча стояли и смотрели друг на друга, и это молчание, казалось, вобрало в себя весь кислород, весь воздух. В руках у Кати Шоринов заметил небольшую коробочку.

— Спасибо, Коля, — наконец произнесла Катя необычно мягким голосом и повернулась к Шоринову. — Смотри, Дусик, Коля привез мне то, о чем я его просила.

— Что это? — недовольно спросил он.

— Тигренок. — Она счастливо улыбнулась. — Стеклянный тигренок.

Шоринов с облегчением перевел дух. Конечно, тигренок.

Ну, если тигренок, то это не страшно. Вот если бы она попросила у Коли духи, или белье, или лекарство какое-нибудь, то это свидетельствовало бы... Короче, все понятно. Нет такой вещи, которую Шоринов не мог бы достать для нее. Сейчас все можно достать, нет проблем. И если Катерина о чем-то попросила Николая, то это не потому, что она не может получить нужную ей вещь, а потому, что просьба и ее выполнение — знак близости. Духи, белье, лекарство — все это интимные штучки, чтобы привязать мужика, завести его, взбудоражить кажущейся близостью. А тигренок — это не страшно. Это можно. Всем известно, что она собирает игрушечных тигрят, и стеклянных, и пластмассовых, и плюшевых, и керамических. И сам Шоринов, и все его приятели, знающие о существовании Кати, постоянно привозили ей сувениры из всех поездок. Вот и Коля привез. Все нормально.

— Катюша, иди в комнату, — ласково сказал он.

Катя молча повиновалась, даже не попрощавшись с Априным, но Михаил Владимирович успел перехватить взгляд, который она бросила на Николая.

— Вот. — Он протянул Саприну пакет. — Отдашь ей, скажешь, гонорар за работу. Здесь тридцать тысяч. Первоначально мы договаривались на десять. Пусть возьмет и посмотрит, сколько здесь. По ее реакции сориентируешься, как действовать дальше. В крайнем случае пообещай ей еще двадцать тысяч.

— Это еще не крайний случай, — осторожно возразил Николай.

— Ну да, конечно. На самый крайний — ты знаешь, что делать. Считай, что санкцию мою ты получил.

Саприн сунул пакет с деньгами в дорожную сумку и вышел из квартиры. Спустившись вниз, он сделал несколько шагов и остановился. Его машина была пуста. Тамара Коченова исчезла.

* * *

Судебно-медицинский морг управления полиции Визельбурга находился в очаровательном особнячке, внешне напоминающем пряничный домик. Поднимаясь вместе с поли-

цейским комиссаром на крыльцо, Манфред Кнепке подумал о том, что рядом со смертью почему-то всегда находится что-нибудь красивое. То ли судьба пытается хоть как-то смягчить страшное уродство смерти, то ли, наоборот, хочет напомнить о том, что после земного существования приходит черед лучшей жизни.

— Сюда, пожалуйста, — сказал комиссар, пропуская Кнепке в дверь, ведущую в холодильник.

Манфред послушно шел, куда ему указывали, и молил бога, чтобы все оказалось ошибкой. Конечно, Лилиана и маленький Филипп до сих пор не приехали, но ведь такая отвратительная погода, может быть, они все еще не выехали из Гмундена. Или выехали, но застряли где-то по дороге. Он не помнил и не хотел помнить, что уже трижды звонил в клинику и разные голоса отвечали ему одно и то же: ваша супруга и сын выехали вчера около семи утра. Он не хотел помнить, что комиссар сказал ему: при убитой женщине найдены документы на имя Лилианы Кнепке. Мало ли у кого найдены документы! Может, Лилиана их потеряла, а эта женщина нашла. Или даже сама их украла у Лилианы.

— Взгляните, пожалуйста, — произнес комиссар, в то время как служитель морга откинул простыню с лежащего на каталке тела.

— Да, — ответил Манфред, не слыша собственного голоса, — это моя жена.

Он упорно не поворачивал голову вправо, туда, где стояла еще одна каталка. Под простыней угадывалось маленькое тельце. Он все еще надеялся, что сейчас комиссар скажет: «К сожалению, вашего сына мы пока не нашли». Если он так скажет, значит, есть надежда, что Филиппу удалось убежать, спастись. И Манфред будет его искать. А лежащий на соседней каталке трупик — это какой-то другой ребенок, не его сын, не Филипп.

— Теперь сюда, будьте любезны, — сказал комиссар, делая шаг в сторону второй каталки, и вот тут наконец Манфред Кнепке осознал, что все кончено и надеяться больше не на что.

Через час он сидел в кабинете комиссара в управлении

3 Зак. 670

полиции. На всякий случай предусмотрительный комиссар пригласил врача, который сделал Манфреду укол, и Кнепке почувствовал себя немного лучше. В голове прояснилось, боль в сердце стала не такой острой, и он мог отвечать на вопросы полицейских.

— Вот вещи, найденные на месте преступления. Взгляните, не пропало ли что-нибудь. Вы знаете, какие вещи должны были быть у вашей жены с собой?

Кнепке добросовестно перечислял драгоценности Лилианы, которые должны были быть на ней и которых не оказалось, когда ее обнаружили застреленной рядом с машиной.

— У нее должны были быть деньги, довольно большая сумма. Она всегда возила с собой много денег, особенно когда ехала с Филиппом. Знаете, он такой болезненный, и Лилиана считала необходимым потакать всем его капризам, а капризы у него бывали порой очень своеобразные. Однажды, например, они гуляли в парке и увидели детей из сиротского приюта, их было человек двадцать. Филипп, узнав, что у них нет родителей, потребовал, чтобы мать немедленно купила им всем по гамбургеру, бутылке пепси, мороженому и игрушке. Ему нельзя было отказывать, иначе он начинал так надсадно рыдать, что сердце останавливалось. А у него легкие больные, ему этого совсем нельзя... Поэтому у Лилианы, кроме кредитных карт, всегда были наличные на такой вот случай.

— Скажите, вам знакома женщина по имени Вероника Штайнек?

— Впервые слышу. Кто это такая?

— Ее труп нашли в пятнадцати метрах от машины вашей жены. По всей вероятности, они ехали вместе. Вот, взгляните на фотографию.

Манфред посмотрел на снимок — красивая молодая женщина. Только мертвая.

— Да, я видел ее в клинике в Гмундене. Кажется, Лилиана говорила, что она русская. Медсестра или что-то в этом роде.

— Санитарка, — уточнил комиссар. — Что могло быть общего у вашей супруги и санитарки? Почему они оказались в одной машине?

— Уверяю вас, это ровным счетом ничего не означает.

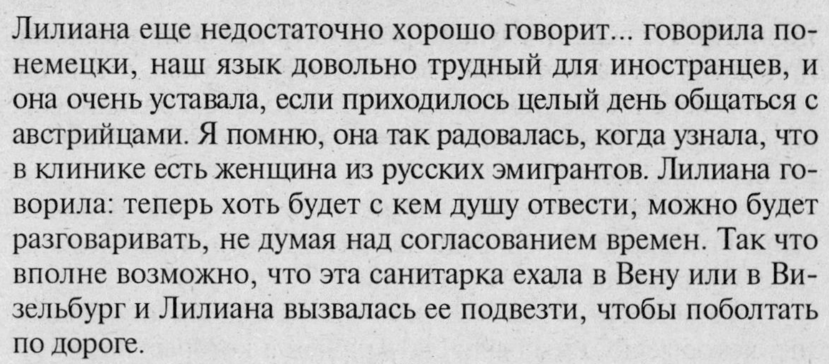

Лилиана еще недостаточно хорошо говорит... говорила по-немецки, наш язык довольно трудный для иностранцев, и она очень уставала, если приходилось целый день общаться с австрийцами. Я помню, она так радовалась, когда узнала, что в клинике есть женщина из русских эмигрантов. Лилиана говорила: теперь хоть будет с кем душу отвести, можно будет разговаривать, не думая над согласованием времен. Так что вполне возможно, что эта санитарка ехала в Вену или в Визельбург и Лилиана вызвалась ее подвезти, чтобы поболтать по дороге.

— Значит, вы, господин Кнепке, уверены, что убийство никак не связано с тем обстоятельством, что обе погибшие женщины были русскими эмигрантками?

— Уверен, господин комиссар. Либо причина убийства лежит в этой Штайнек, либо это было нападение с целью ограбления. У моей жены не было врагов, никто не мог желать ее смерти.

— Ну, что касается Штайнек, — комиссар пожал плечами, — вряд ли она могла представлять интерес хоть для какого-нибудь убийцы. Нищая, занятая малооплачиваемой работой, муж сидит в тюрьме. Знакомых у нее практически нет, только любовник, работает электриком в той же клинике. У нее даже гражданства австрийского до сих пор нет, только вид на жительство. Маловероятно, что она была истинной мишенью тщательно организованного преступления, а ваша жена, супруга крупнейшего финансиста Манфреда Кнепке, оказалась случайной жертвой. Согласитесь, это больше смахивает на сказочку для дурачков. Я все-таки склонен думать, что покушались именно на вашу жену.

— Значит, это было ограбление, — устало сказал Кнепке. — Драгоценности Лилианы хорошо известны в определенных кругах. Пожалуйста, господин комиссар, позвольте мне уехать. Мне нужно побыть одному.

Вернувшись в Вену, Манфред сразу поехал в свой офис. Его личная секретарша Марта, преданно работавшая у него больше пятнадцати лет, разумеется, была на месте, хоть и было воскресенье. Она уже знала об обрушившемся на босса несчастье, поэтому забросила все домашние дела и примчалась в офис, чтобы быть под рукой, если нужно. Кнепке благодарно улыбнулся ей, проходя в свой кабинет.

— Вы обедали, Марта?

— Нет, я боялась выходить. Вдруг вы позвонили бы, а меня нет.

— Сходите поешьте, вы будете мне нужны через двадцать минут.

Войдя к себе, Кнепке, не снимая плаща, уселся за стол и подвинул к себе телефон. На несколько мгновений он словно замер, потом встряхнулся и решительно набрал многозначный номер. Он звонил в Россию.

— Здравствуй, Эдуард, — произнес он на хорошем русском языке, правда, с сильным акцентом.

— Манфред! — услышал он в ответ. — Рад тебя слышать. Как дела?

— Плохо.

— Что-нибудь случилось?

— Случилось. — Кнепке помолчал. — Лили больше нет. И маленького Филиппа тоже. Ты приедешь на похороны?

— Подожди, Манфред... Подожди. Я... Что с Лилей?

— Лиля умерла, Эдуард. Прошу тебя, мне больно сейчас говорить об этом. Если ты приедешь на похороны, я закажу тебе гостиницу. Тогда и поговорим.

— Да-да, конечно, я приеду. С визой проблем не будет, я же получал ее три месяца назад, она еще действительна. Когда похороны?

— В среду. Ты мне сообщишь, когда тебя встречать?

— Конечно. Я постараюсь прилететь как можно скорее, может быть, во вторник или даже завтра. Держись, Манфред.

Кнепке положил трубку. У него было такое чувство, будто пришел старый надежный друг и сказал: «Ни о чем не беспокойся, я все возьму на себя и решу все твои проблемы. Это тебе они кажутся безумно сложными, а для меня — тьфу, ерунда. Ты спрячься за мою спину и отдыхай, а я все сделаю». Такое чувство всегда возникало у Манфреда Кнепке, когда приходилось иметь дело с Эдуардом. Никогда в жизни не встречал он человека более надежного и крепкого. Эдуард никогда не обманывал его, не подводил. Всегда держал слово и выполнял обещания. Даже когда сватал ему Лилю, честно предупредил о ее недостатках и не обманул, описывая достоинства. Лиля оказалась именно такой, как говорил Эдуард. Нежной и преданной. Взбалмошной транжирой. Прекрасной матерью, обожающей своих детей. Простушкой, не чувствующей разницы между социальными слоями и не умеющей держать дистанцию. Домовитой хозяйкой.

Когда Манфред впервые увидел Лилю, она была любовницей Эдуарда. В тот раз они приехали в Вену на Рождество, просто так, погулять, повеселиться. Манфред провел вместе с ними целую неделю, а под конец сказал Эдуарду:

— Послушай, где ты находишь таких красоток? Поделись секретом, может, я себе наконец подыщу жену.

Ответ Эдуарда его ошарашил.

— Хочешь, бери Лилю в жены, если она тебе понравилась.

— Но ведь это твоя женщина, Эдуард, — возмутился Манфред. — Это все равно что жена друга. Это свято и неприкосновенно.

— Глупости, — рассмеялся Эдуард. — Все как раз наоборот. Я ничего не могу ей предложить. Я стар для нее, у меня есть жена, дети и внуки, и я никогда не женюсь на ней. Она скрасила мне целых пять лет и за это должна быть вознаграждена. А что может стать лучшей наградой для нее, чем брак с преуспевающим финансистом и жизнь в Западной Европе?

— Но я не понимаю, — растерялся Кнепке. — Ты так говоришь, будто уверен, что я ей понравлюсь и она захочет стать моей женой. А если нет?

— Да понравишься ты ей, куда ты денешься! Она мне уже все уши прожужжала, какой ты славный да симпатичный. Так что ты подумай, если что — я всегда готов пойти тебе навстречу.

Сначала Манфред не воспринял это всерьез, но в течение ближайшего года ему пришлось несколько раз побывать в России, он встречался с Эдуардом и его подругой и все больше укреплялся в мысли, что эта девушка ему нравится. Он не сомневался в том, что Лиля — обыкновенная шлюха, но ведь говорят же, что из шлюх получаются впоследствии самые лучшие жены. Одним словом, предложение своего русского партнера по бизнесу Манфред принял. И не раскаялся.

Он старался не задумываться о том, какие чувства они испытывают друг к другу. С сильными обжигающими чувствами он покончил еще тогда, когда разводился со своей первой женой, бросившей его после того, как умер их первенец. А вот понимание того, какой должна быть семья, было у него и у этой русской девушки совершенно одинаковым. Манфред очень хотел иметь детей, и Лиля с удовольствием их рожала и возилась с ними. Манфред считал, что хозяйка дома должна быть не столько светской львицей, сколько гостеприимной и приветливой супругой хозяина, а Лиля с наслаждением осваивала разнообразную кухонную технику, умело выбирала продукты и прекрасно готовила. Манфред хотел, чтобы с женой было не стыдно выйти в свет, а Лиля с восторгом и благодарностью ездила вместе с ним в дорогие магазины и выбирала наряды, которые ей шли и которые она носила с изяществом и элегантностью. И даже вкусы у них были одинаковыми. Когда Кнепке впервые привез ее в свой дом, он сказал:

— Если ты согласишься стать моей женой, ты, конечно, сможешь переделать здесь все по своему вкусу, ведь этот дом станет и твоим.

Она обошла особняк, заглянула в каждую комнату, внимательно все осмотрела.

— Мне здесь очень нравится, — улыбнулась она. — Я бы не стала ничего переделывать, здесь все как раз по моему вкусу. Только вот эту картину я повесила бы не здесь, а в гостиной.

Манфред и сам подумывал о том, что большой картине, наполненной воздухом и радостью, не место в кабинете, обшитом темными деревянными панелями, но заняться перевешиванием руки не доходили.

И вот Лили нет больше. И их первенца Филиппа тоже нет. Кнепке был уверен, что это самым прямым образом связано с его деловыми интересами в России. Они с Эдуардом проворачивали такие дела, что и сказать страшно. Основной криминал, конечно, творился на территории России, а там у Эдуарда в правоохранительной системе все схвачено и все куплено. Но и опасностью все время оттуда веет. Есть конкуренты, есть клиенты, недовольные слишком высокими ставками оплаты за оказываемые услуги. Эдуард всегда требовал четкости в работе и жесткости в обращении с клиентами. Никаких отсрочек платежей, никаких льготных процентов, никаких «под честное слово». И вот результат... Манфред ни минуты не сомневался, что убийство Лили и Филиппа было местью за поистине драконовское поведение в сфере бизнеса. У Эдуарда были твердые правила: чем бы они ни занимались, это не должно быть связано ни с наркотиками, ни с антиквариатом, ни с оружием. На эти три вещи было наложено вето раз и навсегда. «В тот день, когда я попаду в картотеку Интерпола, — говорил Эдуард, — я кончился как бизнесмен». Система отмывания денег, разработанная и созданная Эдуардом, была невероятно эффективной и простой, надежной и безопасной, быстрой в обороте. Ведь известно, что в отмывании нуждаются не только те деньги, которые заработаны продажей оружия, наркотиков или культурных ценностей. Ворованное, добытое мошенническим путем или полученное в виде взятки, тоже нужно очищать. Да и многое другое. Эдуард создал своего рода монополию, к его услугам обращались дельцы во всем мире, и процент за услуги он брал огромный. При этом позволял себе отбирать клиентов — с одними работал, другим отказывал. И строго наказывал тех своих партнеров, которые заключали соглашение с людьми ненадежными или замаравшими себя причастностью к трем запретным вещам.

Не так давно к Манфреду обратился один такой нежелательный клиент, и, разумеется, ему было отказано. Клиент, однако, оказался строптивым, с первого раза не понял и попытку повторил. Получил второй отказ. И так, понимаете ли, разгневался, что начал угрожать Манфреду всеми карами небесными. Манфред для порядка справился у Эдуарда, так, на всякий случай, может, он что-то не так понял и клиенту нельзя было отказывать? Эдуард же заверил его, что все правильно, запах наркотиков он не переносил совершенно и назойливого клиента велел гнать в три шеи. Так Кнепке и сделал. Но настырный клиент не унялся и стал искать подходы к каналу отмывания денег уже не в Австрии, а в Москве. Поднажал на московские звенья канала, надеясь, что там дело пойдет легче, но и там не обломилось. Человек из московского звена связался с Манфредом и испуганно сказал, что ему угрожают похищением ребенка. Манфред заколебался, все-таки ребенок... Кинулся звонить Эдуарду. Тот своих позиций не сдал, отказал категорически. «Если у твоих людей в Москве ненадежная охрана, так пусть позаботятся именно об этом, а не о том, чтобы уломать нас с тобой и заставить нарушить правила». Манфред так и передал своему представителю в Москве, звали его Францем Югенау. А через неделю ребенка Франца похитили. Повинуясь жесткой позиции Эдуарда, не позволяющего никому диктовать ему свою волю, Манфред скрепя сердце заявил Югенау: «Если ты не смог обеспечить безопасность собственного ребенка, тебе не место в нашем деле. Уходи из фирмы. А с этими клиентами я работать все равно не буду». Югенау уволился, и ребенка ему тут же вернули. Но Манфред имел все основания подозревать, что тот мог и отомстить. Показать ему, Манфреду Кнепке, что и тот не смог обеспечить безопасность своих близких.

Поэтому и стал он рассказывать комиссару байки о драгоценностях Лилианы. То есть драгоценности, конечно, существовали, об этом знала вся Вена, но Лиля никогда не таскала их без повода, а тем более когда ездила в Гмунден. Обручальное кольцо, небольшие сережки с бриллиантами и тонкая золотая цепочка на руке — вот и все, что у нее было, когда она уезжала в последний раз к сыну в клинику. Но Манфред упорно навязывал полиции версию убийства с целью ограбления, чтобы они не начали раскапывать ничего другого. Меньше всего на свете он хотел, чтобы вылезла наружу история с Югенау и непонятливым клиентом, связанным с наркобизнесом. Ведь тогда придется объяснять, чего именно хотел от них этот клиент, да почему он хотел этого именно от них, и так далее...

Он уже знал, что будет делать дальше. С полицией он станет твердо держаться прежней версии, настаивая на том, что у Лилианы пропали драгоценности и деньги. А сам тем вре-

менем наймет частного детектива и попробует выяснить, что же произошло на самом деле. Смерть жены и сына он не намерен спускать с рук. Он найдет убийцу и покарает его. Сам.

* * *

Тамара сладко потянулась, плотнее закуталась в одеяло и собралась было снова заснуть, как вдруг вспомнила, на чьем диване лежит, и в чьей квартире, и как она здесь оказалась. Сон как рукой сняло. Черт, ну и вляпалась она!

— Юра! — позвала она.

Никто не откликнулся. Тамара накинула халатик и босиком обошла всю квартиру. Никого. Наверное, Юрий ушел по делам, не стал ее будить. Конечно, он деликатный человек и слова не скажет, сколько бы она у него ни прожила, понимает, что она в беде, но ведь надо и совесть иметь. Она ему мешает, это совершенно очевидно. Юрка ждет не дождется, когда она наконец «очистит помещение».

Наверное, думала Тамара, у каждой женщины должен быть такой вот Юра, бывший любовник, который и спустя годы готов прийти на помощь и не задавать вопросов. Не друг детства, а именно бывший любовник, чтобы не создавались проблемы совместного пребывания в одной комнате, а иногда и в одной постели, если в квартире только одно спальное место. Чтобы не стыдно было раздеться и попросить помассировать спину. Чтобы в случае чего можно было без проблем, без слов, извинений и обещаний заняться любовью, если на душе паскудно или тело требует.

С Юрием Обориным роман у Тамары был так давно, что казался придуманным. С тех пор она ни разу не обращалась к нему ни с какими своими проблемами. Но именно поэтому прибежала к нему сейчас. Если ее начнут искать, то уж здесь-то точно не найдут. Никто из ее нынешних знакомых даже имени Юры Оборина никогда от нее не слышал. Вспомнить Юрку могла бы, наверное, только мать Тамары, во всяком случае она была с ним знакома. Но вряд ли вспомнит. Она слишком занята собой, чтобы помнить, с кем ее дочь встречалась десять лет назад.

Итак, нужно быстренько искать способ смотаться из Москвы подальше и на подольше. Тамара на скорую руку позавтракала, убралась в квартире в виде благодарности за предоставленный приют и уселась за телефон. Первым делом она позвонила в агентство «Лира», обеспечивающее переводчиками различные конференции и переговоры, в том числе проходящие и за пределами столицы. В этом агентстве иногда требовались переводчики-секретари для сопровождения бизнесменов в поездках по стране. Такая поездка месяца на два-три Тамару вполне устроила бы сейчас. Понятно, что с бизнесменом придется трахаться, не без этого, но это черт с ним. Ноги бы унести.

Но ее поджидало разочарование. Сопровождающие в поездку не требовались. И никаких выездных конференций. И вообще ничего подходящего.

— Между прочим, тебя искала эта... Как ее... С горбатым носом. Не помню, как ее зовут, — сказала ей Лариса, старший менеджер «Лиры».

— Карина?

— Вот-вот.

— Что она хотела?

— Откуда я знаю? Позвони, узнай.

— Конечно, позвоню.

Карина работала в другом агентстве, тоже нуждающемся в переводчиках. Тамара была мало с ней знакома, Карина ей не нравилась, она была слишком напористой, слишком крикливой, слишком безапелляционной. Вообще она вся была — слишком. Тамара очень быстро уставала от нее. Но сейчас положение было не таким, чтобы вспоминать о симпатиях и антипатиях. Она открыла записную книжку на нужной странице и быстро набрала телефон Карины.

— Хорошо, что ты объявилась, — с ходу начала Карина. — Есть работа, очень хорошо платят. С выездом из Москвы.

«Конечно, хочу!» — чуть было не вырвалось у Тамары, но она прикусила язык, ибо слишком хорошо знала, что такое Карина. Нарывалась уже, было дело.

— Что за работа? — осторожно спросила она.

— На нефтеразработках. Там работают немцы, и нас попросили послать туда трех-четырех переводчиков.

«Понятно, — подумала Тамара. — Немецкий язык — не японский и не хинди, переводчиков с немецкого в любом городе можно найти. Зачем же запрашивать их из Москвы? Небось такая глухомань, что и подумать страшно. Как раз то, что мне нужно».

— Где конкретно?

— Где-то в Средней Азии. — Ответ Карины прозвучал неуверенно, словно она и сама точно не знала, в Средней Азии ли эти нефтеразработки или еще где.

— Ладно, давай телефон, я с ними созвонюсь.

Карина продиктовала телефон, и Тамара аккуратно записала его на листочке, лежащем возле телефона.

— Какой там режим работы, не знаешь?

— Ну... — Карина замялась, и Тамара поняла, что это было самым уязвимым местом во всей ситуации. — Там вахтовый метод... Но платят очень хорошо, ты не сомневайся.

— Что-о-о? — протянула Тамара. — Вахтовый метод? Это значит, полгода без выходных, по двадцать четыре часа в сутки? Знаю я эти вахты. Это ж мне с каждым немцем надо будет трахаться. Для того и привозят переводчиц из Москвы. Как раз твое агентство этим славится.

— Ну а что такого? — капризно возразила Карина. — Зато деньги вон какие платят за это. Так что, поедешь?

— Да пошла ты! — в сердцах бросила Тамара. — Ты меня однажды уже сосватала на такую вахту в Воркуту, забыла? А я помню очень хорошо, как после этого три месяца в больнице валялась. Нет уж, сама поезжай. Почему бы тебе самой денег не подзаработать?

— Да у меня же французский, а им немецкий нужен. Ну Тамара, ну, может, все-таки поедешь, а? Они так надеются на нашу фирму, не хочется их разочаровывать.

— Твои проблемы, — презрительно откликнулась Тамара. — Я не поеду. Другую дуру ищи. Все, привет.

Повесив трубку, она весело улыбнулась и набрала номер, записанный на листочке. Через десять минут она уже знала, что завтра вечером улетает вместе с группой немецких нефтеразработчиков в среднеазиатские степи. Как минимум на полгода.

Глава 4

Николай Саприн лежал в постели, мучимый высокой температурой, застарелой ненавистью и зарождавшейся влюбленностью. Причем одновременно. И при этом понимал, что ни на первое, ни на второе, ни на третье права он не имеет, потому что должен искать Тамару Коченову.

Выйдя после встречи с Шориновым из дома, где жила его любовница, и обнаружив, что Тамара сбежала, он немедленно вернулся в квартиру Кати. Михаил Владимирович уже собирался уходить и очень торопился. Сообщение Николая его совсем не обрадовало.

— Ты считаешь, что она сбежала, потому что поняла, насколько стала опасной для нас?

— Я вам говорил об этом четверть часа назад, — раздраженно ответил Саприн, чувствуя внезапное головокружение и быстро нарастающий неприятный металлический привкус во рту. Черт возьми, где он ухитрился простудиться?

— Тогда тем более ее нужно немедленно найти, — приказал Шоринов, натягивая куртку.

Он не любил, когда ему указывали на его промахи, но ошибки свои умел признавать.

— Катя, я ушел! — крикнул он.

Катя выбежала в прихожую, чмокнула Шоринова в щеку, улыбнулась Николаю, потом посмотрела на него более внимательно.

— Что с вами, Коля? Вы весь в испарине. Вам нехорошо?

— Все в порядке, — вымученно улыбнулся Саприн. — Кажется, простыл немного.

Катя легко дотронулась ладонью до его лба.

— Да у вас же температура! И никакая это не простуда, а самая настоящая вирусная инфекция. Чем вы лечитесь?

— Пока ничем. Полчаса назад был совершенно здоров. Сейчас приеду домой и начну лечиться.

— Конечно, это инфекция, — убежденно повторила Катя. — Простуда не дает такого быстрого развития.

— Катя, — недовольно перебил ее Шоринов, — сейчас не время играть в доктора. Я тороплюсь. Пойдем, Николай.

— Нет, — внезапно заупрямилась девушка. — Я не могу отпустить Колю в таком виде. Ты что, не понимаешь, Дусик? У него же температура высокая, как он сядет за руль? Он же в аварию может попасть.

— И что ты предлагаешь? Устроить здесь лазарет? — Шоринов начинал злиться, это было очевидно, но Катя, судя по всему, не считала нужным обращать на это внимание.

— Я по крайней мере смогу сбить ему температуру, чтобы он мог без происшествий доехать до дома, — заявила она. — Раздевайтесь, Коля.

— Спасибо, Катя, я вам очень признателен, но я поеду, — сказал Саприн, хотя чувствовал себя совсем плохо.

Он знал за собой эту особенность: заболевать резко и очень быстро. Ухудшение обычно происходило прямо на глазах, в течение максимум часа, а то и еще быстрее. Он всегда завидовал людям, которым сначала два-три дня немножко нездоровится и о начинающейся болезни заблаговременно предупреждают легкое покашливание и ненавязчивая головная боль. Такие люди, думал Николай, могут вовремя «перехватить» болезнь, принять радикальные меры и отделаться легким испугом. Ему же это никогда не удавалось. Попав в организм, вирусная инфекция весь латентный период вела себя тихо и ничем его не беспокоила, а потом в одночасье обрушивалась дурнотой, слабостью, головокружением, болями в ногах и высокой температурой. И сейчас, стоя в прихожей Катиной квартиры, Саприн отчетливо понимал, что девушка права: в таком состоянии он не может вести машину. И плевать, что по этому поводу думает Шоринов. Жизнь, в конце концов, дороже.

— У меня нет времени.

Шоринов резко распахнул входную дверь и обернулся.

— Оставайся, Николай, пусть Катя приведет тебя в чувство, а то еще, не дай бог, врежешься во что-нибудь.

Оказалось, что лечить Катя действительно умеет, хотя смысла предпринимаемых ею действий Саприн до конца не понимал. Она давала ему какие-то лекарства, мазала определенные точки на теле пахучими мазями, которые нестерпимо жгли кожу, заставляла вдыхать поднимающийся из термоса пар от горячей воды, в которой развела вьетнамский бальзам и таблетку валидола. Зачем это нужно, Николай не знал, но послушно выполнял все, что она велела. Он мог бы съесть даже живую жабу, если бы получил ее из Катиных рук.

— Имейте в виду, Коля, — говорила она очень серьезно, забирая у него градусник, — я не вылечила вашу болезнь, вам нужно лежать в постели как минимум неделю. Но температуру я вам сбила, и голова ближайшие полтора-два часа кружиться не будет, так что до дома вы доедете. Хотя это, конечно, не дело. Вам бы нужно сейчас поспать часов десять-двенадцать, а не ехать.

Ехать Саприн не хотел. Он хотел сидеть здесь, в этой квартире, рядом с Катей, а еще лучше — лежать и болеть. Но непременно здесь, чтобы Катя за ним ухаживала.

— Где вы научились так ловко бороться с болезнями? — спросил он.

Катя весело рассмеялась.

— В нашей семье было шестеро детей, я — старшая. Мама очень рано начала болеть, ей пришлось уйти с работы, она с тридцати семи лет на инвалидности. Представляете, восемь ртов прокормить? Родители да нас шестеро. Вот папа и начал ездить на заработки, на Север завербовался, большие деньги присылал. Так что я привыкла быть нянькой, на мне мама и пятеро младших с тринадцати лет. Поневоле научишься и лечить, и учить, и сопли вытирать. Я среднюю школу, можно сказать, шесть раз прошла: сама училась и с каждым из младших все уроки переделала да проверила. А сколько костюмов я к детским праздникам сшила! А сколько ушибов и порезов залечила! У меня иногда такое чувство бывает, что я пятерых собственных детей вырастила. Может, поэтому и замуж не выхожу. Знаете, кажется, что я материнский долг перед природой полностью выполнила. Хочется немножко передохнуть.

Николай уехал от нее в два часа ночи, дома лег в постель и не вставал вот уже третий день. Ухаживать за ним было некому, Катиными методами лечения он не владел, поэтому страдал от температуры и ломоты во всем теле, принимал традиционный набор лекарств и нетерпеливо ждал, когда болезнь отступит настолько, что он сможет ездить во всему городу, разыскивая Тамару. Жил он один, где-то в Подмосковье, на теплой зимней даче жила его мать со своим третьим мужем, но Николаю и в голову не могло прийти позвать ее. Мать он ненавидел.

Вера Григорьевна никогда не утруждала себя заботой о детях. Отправив шестимесячного Колю к своей матери в далекую украинскую деревню, она за двенадцать лет ни разу не навестила его, ограничиваясь денежными переводами и посылками. Ее мать, Колина бабушка, была женщиной мудрой и доброй и, хотя поведения дочери не одобряла, ни разу не говорила об этом вслух при мальчике. Напротив, внушала ему мысль о том, что его мамочка — самая чудесная, самая красивая, вон как она заботится о нем, и деньги шлет, и подарки к праздникам. Когда Коле исполнилось двенадцать, от матери пришло письмо, в котором она позволяла наконец прислать мальчика обратно в Москву. Коля, выросший рядом с бабушкой-сказочницей, чувствовал себя принцем в изгнании, а маму, которую до той поры ни разу не видел, считал не меньше чем доброй королевой, которую злые враги заставили расстаться с единственным сыном. Теперь с происками врагов покончено, и она зовет его, своего любимого сына, обратно.

Реальность, однако, оказалась грубее, жестче и пошлее. С Колиным отцом мама, как выяснилось, давно развелась, от второго брака у нее была трехлетняя дочка Ирочка. Мамин новый муж с самого начала не одобрял, что Коля живет не с ними, и требовал, чтобы Вера Григорьевна вернула сына домой, но та отговаривалась, ссылаясь на стесненные жилищные условия: они жили в однокомнатной квартирке. Когда муж получил от своего ведомства огромную трехкомнатную квартиру, оттягивать Колино возвращение причин не нашлось, и Вера Григорьевна сдалась.

Та семейная идиллия, о которой мечтал мальчик, трясясь в вагоне поезда Киев — Москва, продолжалась ровно неделю. В течение этой недели Вера Григорьевна облизывала сына, подкладывала ему в тарелку самые лучшие куски и сокрушалась, что он такой худенький, озабоченно обсуждала, не различаются ли школьные программы на Украине и в Москве и не окажется ли Коля отстающим. Одним словом, всячески изображала заботливую и любящую мать. Через неделю все кончилось, и Коля даже в свои двенадцать лет понял, что самое главное для матери — это она сама, ее удобства и ее собственные желания. Была бы ее воля, она бы развелась и со вторым мужем, а с Ирочкой поступила бы так же, как поступила в свое время с Колей. Но при разводе пришлось бы разменивать квартиру, а этого ей не хотелось — уж больно она была большая, да еще в самом центре Москвы. Все знакомые от зависти с ума посходили.

Зато с Олегом Петровичем, мужем матери, отношения у Коли сложились очень хорошие. Олегу было совестно за поведение жены, и он изо всех сил старался искупить ее вину: проводил с детьми много времени, водил их в цирк и в зоопарк, Ирочке покупал куклы, с Колей занимался спортом. А через три года погиб. Только тогда Коля и узнал, что Олег Петрович работал в Комитете государственной безопасности.

Вера Григорьевна горевала недолго, в конце концов все получилось так, как она хотела: квартира осталась ей, пенсию на Ирочку она получала солидную, а главное — теперь никто больше не упрекает ее в том, что она плохая мать и не заботится о своих детях. Коле шел шестнадцатый год, и он остро ощущал, что мешает матери, путается под ногами, занимает целую комнату, да вдобавок быстро растет и потому много ест и ему постоянно требуется новая одежда и обувь. Ирочку Вера Григорьевна отдала в школу-интернат для детей сотрудников МИДа. К МИДу она никакого отношения не имела, но на работе покойного мужа похлопотали, и отныне Ира постоянно находилась в этом интернате среди детей, родители

которых уехали в длительную загранкомандировку, и домой являлась только на выходные.

Николай старался как можно меньше бывать дома, радостно принимал приглашения школьных приятелей пойти к ним в гости или поехать на дачу, записался во все мыслимые и немыслимые кружки и секции, чтобы было чем себя занять вне дома, а не болтаться по улице: страх перед бездельем был накрепко привит все той же мудрой бабушкой, вырастившей его. Закончив десять классов, Коля Саприн, кроме серебряной медали, имел первый разряд по легкой атлетике, знал очень прилично английский язык и чуть хуже — немецкий, играл на электрогитаре и ударных и умел массу других нужных и полезных вещей. А на вопрос, кем он хочет быть, отвечал не задумываясь: «Хочу работать в КГБ, как Олег». И дело здесь было не в романтике, а в том, что покойного мужа матери он по-настоящему полюбил, очень к нему привязался и хотел стать похожим на него.

И снова помогли бывшие сослуживцы Олега Петровича. Николай поступил в Высшую школу КГБ и через четыре года надел лейтенантские погоны с новенькими сверкающими звездочками. Карьера его продвигалась вполне успешно, пока не грянул путч 1991 года. Под сокращение он не попал, считался молодым и перспективным, имел за плечами несколько удачно проведенных операций за рубежом, но с новым руководством Николай сработаться не сумел, и его «вежливо попросили». Приобретенные профессиональные навыки позволили ему найти собственную «экологическую нишу», в которую регулярно капали солидные деньги. Он стал специалистом по деликатным поручениям.

Как только появились первые доходы, Саприн первым же делом купил квартиру и съехал от матери, чему та была несказанно и нескрываемо рада: у нее появился очередной кандидат в мужья, намного моложе ее самой, и постоянное присутствие взрослого сына ее нервировало. Николаю было жалко Ирочку, которой уже исполнилось к тому времени двадцать три года. Она тоже собиралась замуж, но прособираться могла бы еще лет сто: о том, чтобы привести мужа в квартиру к матери, и речи быть не могло, никакого зятя в заботливо свитом гнезде Вера Григорьевна не потерпела бы. К счастью, вопрос с замужеством сестры решился благополучно: родители жениха согласились разменять свою квартиру, чтобы отселить молодых. Спустя год Ира со своим Леонидом отбыли в Израиль, а оттуда — в США. И вот тут произошло нечто такое, после чего Николай Саприн, до тех пор относившийся к матери просто холодно, стал ее ненавидеть.

Узнав о планируемом отъезде дочери, Вера Григорьевна выразила желание ехать следом за ней. Договорились, что первыми поедут молодые, у семьи Леонида в США были родственники и знакомые. Когда они хотя бы немного обоснуются, к ним приедет Вера Григорьевна с мужем. Родители Леонида тоже собирались уезжать, но жить в США им не хотелось, они предпочитали остаться в Израиле, где тоже были родственники.

— Давай мы с мужем пропишемся в вашей квартире, — предложила дочери Вера Григорьевна, — а нашу большую трехкомнатную в центре пока будем сдавать, это будет выгоднее. Если вы сейчас продадите свою квартиру, то получите за нее тысяч семьдесят-восемьдесят, а если мы с Сашенькой пока в ней поживем, то нашу трехкомнатную можно будет сдавать за две-три тысячи в месяц, я узнавала, большие квартиры в черте Садового кольца стоят очень дорого. Таким образом, за год мы получим дополнительно тридцать тысяч долларов. Поди плохо? Через годик-другой вы встанете на ноги, вызовете нас, мы продадим обе квартиры и привезем вам деньги за вашу квартиру, за нашу и еще эти тридцать тысяч.

Предложение показалось разумным, Ирочка и ее муж с ним согласились, прописали Веру Григорьевну в своей квартире и отбыли в дальние страны. Спустя почти год Ира позвонила матери и сказала, что ей срочно нужны деньги.

— Мамуля, продавай быстрей нашу квартиру и приезжай. Мы покупаем дом, нужно вносить за него деньги.

— Но, видишь ли, это так скоро не делается, — возразила Вера Григорьевна.

— Что не делается? — не поняла Ира. — Квартиру продать — три дня, я же знаю.

— А анкеты, паспорта, визы? Это не так просто.

— Но, мама, деньги нужны как можно скорее. Я пришлю тебе приглашение, оформи туристическую визу и приезжай на недельку. Потом вернешься, закончишь все формальности, и вы приедете уже окончательно.

— Не знаю, не знаю, — задумчиво проговорила Вера Григорьевна. — Все это так неожиданно...

Через несколько дней Вере Григорьевне позвонил мужчина с приятным голосом, представился знакомым Ирочки и Леонида и сказал, что привез приглашение.

— Я знаю, что с билетами на самолет большие проблемы, их нужно покупать чуть ли не за полгода, но у меня очень хорошие возможности в этом плане, так что я вам помогу с билетом на любой день. Ира очень просила, чтобы вы привезли деньги как можно скорее, им нужно оплатить хотя бы первый взнос за дом. Если у вас проблемы с посольством, я все улажу.

Вера Григорьевна приглашение взяла, но от помощи вежливо отказалась.

Через две недели Ира позвонила брату.

— Послушай, что происходит? — зло спросила она. — Мать вообще собирается везти наши деньги или как? Я не могу добиться от нее членораздельного ответа.

— Я разберусь, — коротко ответил Николай, повесил трубку и помчался к матери, с которой не виделся с того самого дня, как они все вместе провожали Иру и ее мужа в Шереметьеве.

Разговор с Верой Григорьевной его ошеломил.

— Я не собираюсь никуда ехать, — заявила она. — Мне не нужна никакая Америка, я прекрасно проживу и здесь.

— Живи, — согласился Николай, пока еще не понимая, к чему ведет мать. — В чем проблема? Продай Иркину квартиру, отдай ей деньги, а тебя туда никто силком не тянет.

— Продай! — передразнила мать. — А где я буду жить?

— Как это где? — опешил он. — У тебя же роскошная трехкомнатная хата в самом центре.

— Но прописана-то я у Иры, а не в трехкомнатной.

— Ну так пропишись обратно.

— Не указывай мне! — внезапно рассердилась мать. — Это не твое дело. Она уехала, у нее своя жизнь, у меня —

своя. Я не обязана оплачивать ее дом. Пусть его родители деньги дают.

— Мать, как ты можешь? — возмутился Николай. — Вы же договорились... Она рассчитывала на эти деньги. В конце концов эту квартиру они получили благодаря родителям Леонида, у него все права на нее, а не у тебя. Так нельзя.

— Убирайся! — взвизгнула Вера Григорьевна. — О ней ты думаешь, а обо мне хоть раз в жизни подумал?

Николай хлопнул дверью и отправился разыскивать Александра, третьего мужа своей матери. К вечеру он уже все понял. Вера Григорьевна старалась для своего Сашеньки, который хотел иметь собственный дом в ближнем Подмосковье, большой, кирпичный, со всеми удобствами. Одним словом, такой, в каких принято жить на Западе. На строительство этого дома и идут деньги за сданную огромную квартиру. Впоследствии планировалось продать квартиру Ирины, большую трехкомнатную обменять на маленькую с солидной доплатой, тысяч эдак в пятьдесят, и таким образом полностью расплатиться за дом и обстановку. А уезжать Вера Григорьевна и не собиралась с самого начала, все это и было задумано для того, чтобы обеспечить строительство и оборудование роскошного дома в пригороде.

Вернувшись домой, Саприн тут же позвонил сестре и все ей рассказал. Ира разрыдалась.

— Я беременна... Мы не хотели заводить ребенка, пока у нас не будет своего дома, пока у Лени не уладится с работой. И вот с работой все в порядке, мы подыскали дом, а она... Что же мне делать, Коля?

— Подожди, Иришенька, подожди, не плачь. Какой у тебя срок? Может быть, еще не поздно? Я ее дожму, я вытрясу из нее эти деньги, но на это нужно время.

— Ох, Коля... Аборт делать поздно, уже четыре месяца.

Саприн понимал, что силой действовать нельзя, а через суд ничего не добьешься, мать прописана в квартире и никто не может заставить ее сделать то, что она обещала. Для того чтобы вынудить Веру Григорьевну продать квартиру и вернуть деньги дочери, нужно проводить длительную и тщательно разработанную комбинацию, вплетая в нее и шантаж, и

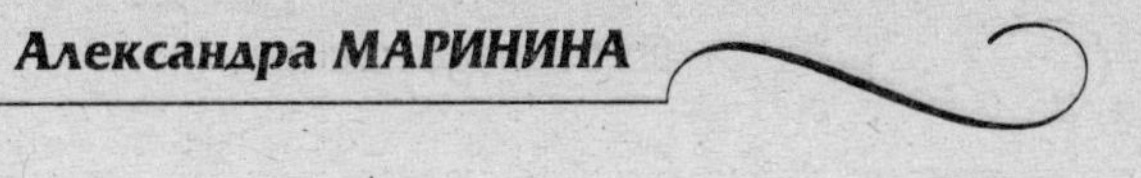

ревность к молодому мужу, и страх разорвать отношения с дочерью, и многое другое. На такие комбинации действительно нужно время, а его-то как раз и нет.

Он еще несколько раз пытался поговорить с матерью, но результат был один и тот же. И Саприн понял, что старается напрасно. Ничего у него не выйдет.

Он очень хотел помочь сестре, но не знал, как это сделать. Выход был только один: как можно скорее заработать как можно больше денег и отдать ей. Он знал, что Ира и ее муж живут в квартире, которую снимают на деньги добрых родственников. Деньги, конечно, нужно будет отдать, но это терпит. Беда в том, что работа, которую нашел Леонид, требует, чтобы они жили совсем в другом месте, в другом городе, где нет дешевых меблирашек. А на то, чтобы арендовать приличный дом, денег им никто не даст. Если же отказаться от этой работы, то придется согласиться с тем, что ребенок родится у безработных родителей, чего позволять тоже никак нельзя. До родов оставалось всего два месяца, Ира была на грани отчаяния, и Николай взялся за это сомнительное дело с убийством Вероники Штайнек-Лебедевой только потому, что Шоринов хорошо за него заплатил. А теперь вот еще Тамара... Если он сможет ее найти и устранить, то получит еще деньги. Этого будет вполне достаточно, чтобы ребенок его сестренки родился в нормальных условиях, в хорошей клинике, откуда его привезут в маленький уютный домик счастливые родители. Если бы не это, если бы не его подлая и жадная мать, он бы никогда не взялся за такое дело. Послал бы подальше Шоринова, и дело с концом. Пусть ищет других исполнителей...

Нынешняя болезнь свалила Николая как нельзя более некстати. Дорог каждый день, ему нужно искать Тамару, чтобы покончить с ней, получить от Шоринова обещанные деньги и отправить их сестре. Часть денег — гонорар за Веронику и кое-какие собственные сбережения — он все-таки успел перевести Ире через российское отделение Дойч-банка, на первый взнос за дом ей должно хватить. Но хорошо бы успеть получить и второй гонорар, чтобы рожала его единственная сестра не абы где и чтобы на приданое маленькому хватило.

Мысль о Тамаре заставляла Николая Саприна болезненно морщиться. Во время двух последних поездок в Австрию он регулярно спал с ней, но не потому, что она ему безумно нравилась, вовсе нет, просто так нужно было для дела. Николай знал, что обладает броской красотой и, если будет всюду появляться один, на него станут обращать внимание как женщины, что естественно, так и мужчины этих женщин. Будут обращать внимание, а значит — запоминать. А этого ему совсем не хотелось. За одиноким красавцем наблюдают десятки глаз. За красивым мужиком, рядом с которым красивая женщина, не наблюдает никто: женщинам не обломится, а мужчинам он не опасен. Но еще существуют горничные, которые всегда могут точно определить, что парочка делала на этих белоснежных простынях — мирно спала или с упоением занималась любовью. И еще есть нечто неуловимое, что сразу позволит опытному взгляду отличить пару просто знакомых от пары любовников или супругов. И никакое актерское мастерство здесь не поможет. Если ты не спал с женщиной, ты не сможешь вести себя с ней так, чтобы все окружающие считали вас любовниками. Черт его знает, почему. Может, кому-то это и удается, но Саприн точно знал, что у него это не получится.

Тамара приглашение в постель приняла как нечто естественное и не нуждающееся в объяснениях, особо не старалась, было видно, что «отрабатывает» по привычке. Но Саприну понравилось. Понравилось по одной-единственной причине. В самый острый момент она переставала стонать и хрипло выкрикивала: «Я тебя люблю!» Николай понимал, что за этими словами на самом деле ничего не стоит, просто у Тамары такая особенность. Некоторые кусаются, некоторые плачут. Есть такие, которые начинают говорить нецензурные слова. Одни молчат, другие царапаются. А Тамара говорит: «Я тебя люблю». Но слова эти звучали неземной музыкой. Беда Николая Саприна в том, что он ни разу в жизни не слышал от женщины этих волшебных слов, хотя женщин в его жизни было более чем достаточно. Вот как-то не везло ему на искренние признания, а может, он сам к таким признаниям не располагал — сдержанный, холодный, ироничный, всегда готовый поддеть, скрытный, порой надменный. И даже те женщины, которые его действительно любили, никогда не говорили ему об этом. И пока он не услышал заветную фразу от совершенно чужой ему переводчицы, он и не предполагал, как сильно хочется ему слышать такие слова. Всегда хотелось.

Тамара была спокойной и деловитой партнершей по работе, свободно говорила по-немецки, непринужденно употребляя идиомы и обнаруживая знание местного фольклора. Но акцент все-таки был, от него невозможно избавиться, если не живешь в стране долгое время, и Саприн с Тамарой выдавали себя за чехов, а в паспортах, которые они предъявляли в мотелях и гостиницах, стояли чешские имена и фамилии. Она не была ни болтливой, ни капризной, но беседу могла поддерживать ровно столько, сколько нужно, не выказывая ни малейшего раздражения, скуки или усталости. Одним словом, Тамара Коченова обладала настоящим профессионализмом секретаря-переводчика, которого нанимают для сопровождения в поездках по стране. Она легко переносила отсутствие комфорта, многочасовое сидение в грязных аэропортах без всяких перспектив улететь в ближайшее время, умела быть незаметной и необременительной, безошибочно улавливая момент, когда нужно «появиться», напомнить о себе, вмешаться, помочь. Если клиент прозрачно намекал, не делала вид, что не понимает, мило улыбалась и спокойно сообщала, что постель в комплекс переводческих услуг не входит и потому должна оплачиваться отдельно. Клиенты не возражали, такой расклад всех устраивал.

Саприну было искренне жаль, что Тамара испугалась и сбежала. Как профессионал он понимал, что ее нужно найти и устранить. Но если бы Шоринов не менял свои решения по сто раз на дню, можно было бы сделать все по-другому — умнее и безопаснее. Они с Тамарой вылетели в Австрию, имея указания обратиться к конкретным лицам, получить у них платежные документы и закончить операцию с Вероникой Штайнек к обоюдному удовольствию сторон. По дороге Николай проинструктировал Тамару, объяснил ей, что и как они будут делать, как будут подстраховываться от возможного обмана

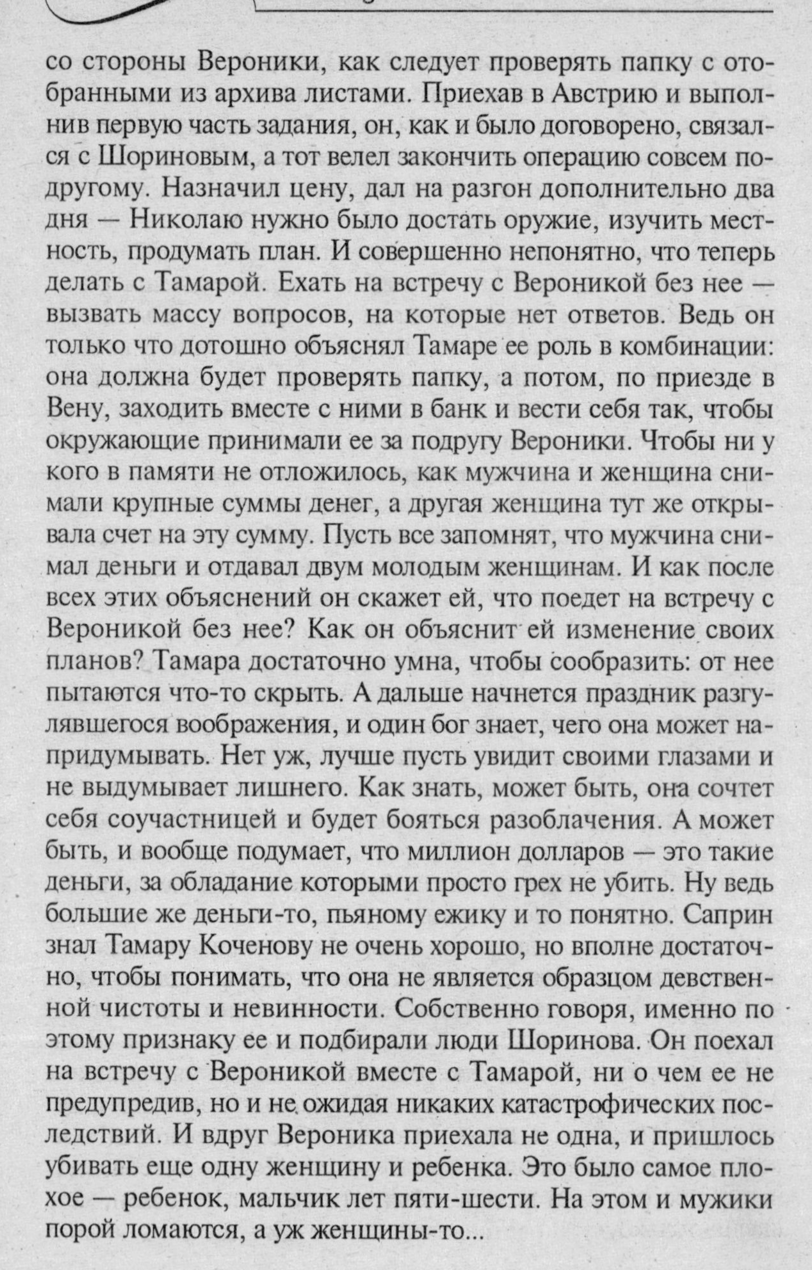

со стороны Вероники, как следует проверять папку с отобранными из архива листами. Приехав в Австрию и выполнив первую часть задания, он, как и было договорено, связался с Шориновым, а тот велел закончить операцию совсем по-другому. Назначил цену, дал на разгон дополнительно два дня — Николаю нужно было достать оружие, изучить местность, продумать план. И совершенно непонятно, что теперь делать с Тамарой. Ехать на встречу с Вероникой без нее — вызвать массу вопросов, на которые нет ответов. Ведь он только что дотошно объяснял Тамаре ее роль в комбинации: она должна будет проверять папку, а потом, по приезде в Вену, заходить вместе с ними в банк и вести себя так, чтобы окружающие принимали ее за подругу Вероники. Чтобы ни у кого в памяти не отложилось, как мужчина и женщина снимали крупные суммы денег, а другая женщина тут же открывала счет на эту сумму. Пусть все запомнят, что мужчина снимал деньги и отдавал двум молодым женщинам. И как после всех этих объяснений он скажет ей, что поедет на встречу с Вероникой без нее? Как он объяснит ей изменение своих планов? Тамара достаточно умна, чтобы сообразить: от нее пытаются что-то скрыть. А дальше начнется праздник разгулявшегося воображения, и один бог знает, чего она может напридумывать. Нет уж, лучше пусть увидит своими глазами и не выдумывает лишнего. Как знать, может быть, она сочтет себя соучастницей и будет бояться разоблачения. А может быть, и вообще подумает, что миллион долларов — это такие деньги, за обладание которыми просто грех не убить. Ну ведь большие же деньги-то, пьяному ежику и то понятно. Саприн знал Тамару Коченову не очень хорошо, но вполне достаточно, чтобы понимать, что она не является образцом девственной чистоты и невинности. Собственно говоря, именно по этому признаку ее и подбирали люди Шоринова. Он поехал на встречу с Вероникой вместе с Тамарой, ни о чем ее не предупредив, но и не ожидая никаких катастрофических последствий. И вдруг Вероника приехала не одна, и пришлось убивать еще одну женщину и ребенка. Это было самое плохое — ребенок, мальчик лет пяти-шести. На этом и мужики порой ломаются, а уж женщины-то...

Самообладание и спокойствие Тамары его неприятно удивило. То ли она еще более равнодушна, цинична и безнравственна, чем он думал, и смерть ребенка не выбила ее из привычной колеи, то ли она испугалась за себя, став свидетелем и понимая, что от нее постараются избавиться. Ее бегство из машины возле Катиного дома недвусмысленно свидетельствовало о втором, а вовсе не о первом. Это означало, что она собирается спрятаться и будет искать возможность улизнуть из Москвы. Поэтому действовать следовало быстро, а тут эта болезнь дурацкая! Целых два дня он не может встать. Ну ничего, решил Николай, надо принять ударную дозу всяких там эффералганов-упса, колдрексов и панадолов, а завтра утром начать наконец работать, невзирая ни на температуру, ни на ломоту, ни на слабость.

Все эти два дня он боролся с желанием позвонить Кате, но каждый раз отдергивал потянувшуюся было к телефону руку: а вдруг у нее Дусик, и он, Николай, своим звонком поставит ее в неловкое положение, вынудит оправдываться перед Дусиком. Перекладывая голову с одной подушки, прогретой его горячим лицом, на другую, прохладную, он ругал себя за то, что не оставил Кате свой телефон, и тут же спохватывался, начинал хвалить себя за то, что не поддался минутной слабости. Оставлять ей свой телефон он не мог, она и фамилию-то его не знает, только имя. Человек, выполняющий деликатные поручения, не должен оставлять свои координаты кому попало.

Николай понимал, почему его так тянет к Кате, хотя признаваться в этом не хотел. Катя, которая была лет на десять моложе его самого, сделала то, чего ни разу в жизни не сделала его мать: заставила его почувствовать себя заботливо опекаемым, слабым, надежно защищенным. Катя занималась его лечением так, словно в очередной раз лечила кого-то из младших братьев или сестер: ласково, тепло, по-матерински. А именно ласки и материнского тепла Николай никогда и не видел. Точнее, видел, но от бабушки, а это совсем не одно и то же, особенно если понимаешь, что бабушка-то тебя, конечно, любит, а вот родной матери ты сто лет не нужен, мешаешь только.

В конце концов, каковы бы ни были причины, лежавшие на уровне подсознания, на уровне сознания Николай Саприн знал: он хочет увидеть Катю.

* * *

Ему пришлось долго искать агентство, через которое нанимали Тамару. На самом деле ее кандидатуру подсказал кто-то из знакомых Дусика, но, чтобы не светиться, Михаил Владимирович действовал через агентство. Он позвонил туда по телефону и попросил связать его с Тамарой Коченовой, и ему дали ее домашний телефон. Случись что, в агентстве подтвердили бы, что телефон дали именно они.

Агентство «Лира» находилось на каких-то задворках в районе Русаковской улицы. Над обшарпанной входной дверью, которая выглядела так, словно ее не открывали лет по меньшей мере пятьдесят, висела покосившаяся табличка, возвещавшая, что за этой волшебной дверью находится городская библиотека номер 78. Для того чтобы догадаться, что на самом деле там находится агентство «Лира», нужно было обладать недюжинным воображением и верой в чудеса. С верой в чудеса у Саприна было напряженно, зато с воображением — более или менее прилично. Во всяком случае он не без труда толкнул невзрачную дверь и поднялся по вонючей темной лестнице на второй этаж. Там было уже поприличнее: и вывеска соответствующая, и дверь стальная с кодовым замком.

Николаю довольно легко удалось расположить к себе симпатичную круглолицую девушку с короткой стрижкой и забавно вздернутым носиком, которая считалась в «Лире» диспетчером: в ее обязанности входило принимать заказы и подбирать по картотеке подходящие кандидатуры с учетом пожеланий заказчика — язык, возраст, пол, знание стенографии, работа на компьютере и множество других особых требований. Например, однажды, рассказывала диспетчер, их попросили подыскать переводчика-мужчину, у которого не меньше двух детей. Оказалось, что греческий коммерсант, желающий посетить с деловыми целями несколько российских городов, очень любит поговорить о детях, причем непременно с мужчиной-отцом. Если за целый день ему не удалось хотя бы час уделить такой беседе, рассказать о своих детках и с удовольствием послушать о чужих, то он считал, что день прожит зря. Короче, круглолицая курносая Танечка выбирала из картотеки подходящих кандидатов и передавала их менеджеру Ларисе, а уж Лариса сама решала, кому из них предложить работу, сама созванивалась с переводчиками и с заказчиками, уточняя условия договора.

— Подскажите мне, пожалуйста, как найти Тамару Коченову. Мне ее рекомендовали как очень квалифицированного переводчика, — начал Саприн, улыбаясь как можно более обаятельно и просительно.

— Какие у вас требования? — деловито спросила Танечка, приготовив карандаш и блокнот.

— Немецкий язык, возможность выезда в Швейцарию, стенография.

— Компьютер?

— Нет, это не нужно.

— Наша фирма может порекомендовать вам...

— Спасибо, — перебил ее Николай. — Но я бы хотел работать с Коченовой. Дело в том, что мне в Швейцарии предстоят контакты с теми людьми, которые знают Тамару, они приезжали в Москву. Эти люди очень высоко оценили ее деловые качества, и мне будет легче найти с ними общий язык, если рядом будет именно Коченова.

— Тогда вам нужно обратиться к менеджеру, — пожала плечами Таня. — Пройдите в соседнюю комнату. Ее зовут Лариса.

— А почему я должен обращаться к ней? — Саприн улыбнулся еще более обаятельно и тепло. — Разве мы с вами не можем разрешить мою проблему без нее?

— Так не полагается, — нахмурилась девушка. — Моя обязанность — принимать заказы и делать первую прикидку, кто мог бы подойти. А связывает заказчиков с переводчиками менеджер, мне не разрешается это делать.

— Танечка, я же не вчера родился, я прекрасно понимаю, что смысл работы агентства в том, что он связывает заказчика с исполнителем и берет себе за это комиссионные. Не смотрите на меня с таким ужасом, это суть работы любого агентства. На эти комиссионные содержится помещение «Лиры» и платится зарплата персоналу. Вам, естественно, меньше, чем менеджеру. Так что будет только справедливо, если за размещение одного, всего одного заказа комиссионные полностью получите вы сами. Никто ведь не узнает. А телефон Тамары Коченовой у вас наверняка есть.

— И все-таки я не понимаю, — упрямо возразила Танечка, — почему вы не хотите обратиться к Ларисе? Конечно, деньги мне нужны, врать не стану, но ведь они и Ларисе нужны. Почему же из нас двоих вы выбрали меня? Тем более что вы Ларису еще и в глаза не видели.

— Объясняю. — Теперь улыбка Николая стала широкой и веселой. Он ласково взял Танечку за руку и доверительно наклонился к ней. — Я хочу предложить Тамаре очень высокую оплату, потому что заинтересован в ней больше, чем она во мне. Я вам уже рассказал, почему. Комиссионные у вас не фиксированные, а составляют некоторый процент от размера гонорара. Если ваша Лариса узнает, какие деньги я плачу Тамаре, а она неизбежно об этом узнает, если я сейчас обращусь к ней, она направит в налоговую службу соответствующий документ. Тамара в конце года заплатит большой налог. На таких условиях она не согласится работать со мной, налоги-то у нас прогрессивные, много зарабатывать невыгодно. Поэтому я хочу обойтись без договора и без этой вашей Ларисы. Я заплачу комиссионные лично вам, а гонорар — лично Тамаре, и на этом мы разойдемся, исполненные любви и согласия. Ну как? Договорились?

Танечка оказалась девушкой без комплексов, угостила Николая кофе с печеньем и каплей коньяка, деньги взяла, а в обмен выдала ему адрес и телефон не только Тамары Коченовой, но и ее матери. Собственно, ради телефона и адреса матери все и было затеяно, потому что телефон самой Тамары у Саприна и без того был. Все переводчики, пользующиеся услугами «Лиры», должны были оставлять в агентстве сведения обо всех местах, где их в случае нужды можно быстро разыскать.

* * *

Саприн не сомневался, что дома Тамары нет. Конечно, он позвонил ей, приехал по указанному Танечкой адресу, убедился, что дверь квартиры ему никто не открыл, но все это не было для него неожиданным. Существовал стандартный набор действий для подобных случаев: соседи, старушки-пенсионерки около подъезда, мамаши возле детской площадки. Уже через час Николай знал, что Тамара уехала в Австрию две недели назад и до сих пор не возвращалась. Соседка с верхнего этажа была в этом совершенно уверена, потому что Тамара оставляла ей ключи от своей квартиры и просила через день поливать цветы. Раз за ключами не пришла, значит, не вернулась еще, это же ясно. Да и машина стоит, как она ее поставила две недели назад.

Саприн быстро оглядел светло-зеленые «Жигули», на которые указала соседка Тамары, а выйдя из дома, прошел мимо них и чуть замедлил шаг. Похоже, женщина права, на машине действительно никто не ездил в течение нескольких ближайших дней — пыль на капоте и на лобовом стекле лежала ровно.

Он отправился в район Филевского парка, где жила мать Тамары. Та, к счастью, оказалась дома, но провела его в кухню и попросила подождать: у нее шел урок, и прерывать его не полагалось. Алла Валентиновна была дамой лет около пятидесяти, но об этом мог догадаться только тот, кто знал, что у нее есть двадцативосьмилетняя дочь. А те, кто этого не знал, наивно полагали, что Алле Валентиновне нет еще и сорока, настолько она была жизнерадостна, постоянно готова к улыбке, стройна и моложава. Коченова-старшая, как понял Николай из обрывков фраз, доносящихся до него из комнаты, преподавала немецкий язык. Его удивила та легкость, с которой хозяйка впустила в квартиру незнакомого человека и оставила одного, пусть и на кухне, где, как принято считать, никаких ценностей не держат, но все-таки... Конечно, у нее там полная комната учеников, судя по голосам, далеко не мальчишеского возраста, так что бояться, что незнакомец ее убьет или ограбит, не приходится, но ведь урок закончится и они уйдут, а он останется с Аллой Валентиновной вдвоем.

Николай чувствовал себя не очень хорошо, к вечеру слабость усилилась и, кажется, снова поднялась температура. Он вытащил из кармана маленькую плоскую коробочку из голубой пластмассы и достал из нее три разные таблетки. Оглядевшись, увидел посудную полку, взял стакан, налил воды из чайника и запил лекарства. В какой-то момент ему подумалось, что вот так он сидел бы и сидел, никуда не торопясь. Как было бы хорошо, если бы вдруг оказалось, что ему не нужно искать и убивать Тамару, никакой опасности она не представляет, а деньги для сестры дала мать. Тогда он лег бы в постель, закрыл бы глаза и проспал бы, наверное, целую неделю: из-за болезненного состояния усталость казалась ему раз в двадцать сильнее, чем была на самом деле. Как было бы хорошо, если бы Алла Валентиновна сейчас вошла в кухню и сказала: «Вы напрасно ищете Тамару. Несколько дней назад она попала под машину и умерла». И все. И все проблемы решились бы сами собой. Но она так не скажет, уж очень у нее спокойное и улыбчивое лицо, таких лиц не бывает у женщин, только что похоронивших своего ребенка.

Наконец из прихожей послышались голоса уходящих учеников. Хлопнула дверь, хозяйка появилась в кухне.

— Перерыв между группами полчаса, надо быстренько съесть что-нибудь, а то свалюсь в голодный обморок, — заявила она, с молниеносной быстротой вытаскивая из духовки сковороду, а из холодильника продукты. — Вы составите мне компанию?

— Благодарю вас, я не голоден. А вот чаю выпью с удовольствием, если дадите.

— Дам, отчего ж не дать хорошему человеку, — весело ответила она и тут же расхохоталась над невольно сказанной двусмысленностью.

— Какие у вас сроки? — спросила она, когда на сковороде многообещающе зашипело что-то ароматное.

— Какие сроки? — удивился Саприн.

— Когда вам ехать?

— Куда ехать?

— Ну, за границу, куда же еще. Вы же для этого хотите язык учить, а не для того, чтобы читать Гейне в оригинале, верно?

Саприн сообразил, что Алла Валентиновна принимает его за очередного ученика, который перед отъездом за рубеж хочет быстренько «наблатыкаться» в разговорном немецком.

— Алла Валентиновна, я ищу Тамару. Вы не знаете, где она?

— В командировке, — удивленно ответила Коченова. — А вы кто?

— Как вам сказать... — Саприн сделал вид, что смутился. — Ну, если называть вещи своими именами, то любовник и, по-видимому, неудачливый. Но я надеюсь, что все еще можно поправить.

— Как вас зовут?

— Николай.

— Тамара, кажется, ничего о вас не рассказывала, — задумчиво произнесла Алла Валентиновна, выкладывая кусочки тушеных овощей из сковороды в тарелку. — Еще раз предлагаю: поедите со мной? Это очень вкусно, честное слово.

— Спасибо большое, не обращайте на меня внимания, я лучше чаю.

— Ну как хотите. И давно вы знакомы с моей дочерью?

— Нет, всего пару месяцев. Видите ли, я знаю, что она уехала в Австрию на несколько дней, но она должна была вернуться в субботу вечером, так она сама мне сказала. Начиная с вечера субботы я каждые полчаса звоню ей домой, но никто не отвечает. Вот я и подумал, что она меня бросила, решила больше со мной не встречаться. Прячется от меня, ждет, когда я перестану названивать ей. Может быть, у нее роман с тем человеком, с которым она уехала, они вернулись и находятся сейчас у нее в квартире. Поймите, Алла Валентиновна, я далек от мысли изображать из себя Отелло, хватать в руки нож и нестись сломя голову разбираться с Тамарой и ее новым увлечением. Ни в коем случае. Но я хочу ясности, я хочу определенности. Если Тамара не хочет больше меня видеть, пусть так и скажет. Я ни словом ее не упрекну, исчезну и больше не появлюсь в ее жизни, я же нормальный человек, поверьте мне. А так я как дурак названиваю ей, переживаю, страдаю, себя мучаю, да и ей неприятно. Кому это нужно?

— Вы напрасно изводите себя, Коленька, — ласково сказала Коченова. — Тамара вовсе не прячется от вас, она действительно еще не вернулась из поездки.

— Но она обещала вернуться в субботу, а сегодня уже четверг.

— Тамара звонила мне в воскресенье и предупредила, что остается в Австрии на несколько месяцев, ей там предложили очень выгодный контракт, что-то связанное с туризмом. Другое дело, что, конечно, ей следовало бы самой вам позвонить, а не ждать, пока вы вконец издергаетесь и придете ко мне. Кстати, как вы меня нашли?

— Тамара дала мне ваш адрес и телефон, когда мы только познакомились. Она собиралась вас навестить и предупредила меня, что если я не найду ее в тот день дома, значит, она у вас и я могу за ней подъехать к вам, в Фили.

— Понятно. Моя дочь всегда была немного легкомысленной. Это вполне в ее духе — принимать внезапные решения, совершенно не думая о том, какие последствия такое решение повлечет. Хорошо еще, что при этом она хотя бы мне звонит, так что мне не приходится обзванивать больницы, морги и отделения милиции. Совершенно не умеет думать на полшага вперед! Вот вам пример: приняла предложение остаться в Австрии на несколько месяцев — что ж, прекрасно. А о том, что у ее машины неисправна сигнализация и она стоит не в гараже, а на улице возле дома, она вспомнила? Нет, конечно. Зато, уверяю вас, через неделю она вспомнит об этом, позвонит мне и начнет канючить и просить, чтобы я что-нибудь придумала. А что я могу придумать? Ключей от машины у меня нет, значит, единственное, что можно сделать, это найти человека, который поставит на машину эту жуткую железную «улитку» с замком. Но всем этим должна буду заниматься я, а вовсе не владелица машины. Налить вам еще чаю?

Выйдя из квартиры Аллы Валентиновны Коченовой, Саприн подумал, что наконец-то получил хоть какую-то информацию. Домой Тамара не пришла, спряталась у кого-то из знакомых, позвонила матери, соврала, что находится в Австрии и остается там на несколько месяцев. Значит, она уверена, что по крайней мере в течение нескольких месяцев ей удастся отсидеться в тиши. Но не в Москве же! Это возможно только при условии, что она не будет выходить из квартиры. Нелепо. Значит, она нашла, куда уехать. И скорее всего уже туда уехала. С этим понятно.

Теперь машина. Мамочка, судя по всему, знает своего ребеночка не очень хорошо. Тамара вовсе не производит впечатления легкомысленной и непредусмотрительной, хотя склонность к авантюрам, конечно, есть, и очень сильная. Но не настолько сильная, чтобы забыть об оставленной без сигнализации машине. Тамара должна была кого-нибудь попросить заняться машиной и оставить ключи. Во всяком случае именно так поступили бы 99,9 процента людей, а Тамара Коченова не походила на безумную оригиналку, которая могла бы попасть в оставшуюся одну десятую процента. Значит, нужно день и ночь наблюдать за светло-зелеными «Жигулями» и ждать, пока к ним подойдет человек, с которым Тамара общалась после возвращения из Австрии.

Глава 5

Эдуард Петрович Денисов задумчиво смотрел на листок бумаги, лежащий перед ним на полированной поверхности письменного стола. Манфред Кнепке сдержал слово, нанял частного детектива, который проделал огромную работу. И вот итог этой работы — один стандартный листок с перечнем фамилий. Тридцать четыре фамилии, две из них принадлежат убийцам Лили и ее сына. Какие из них?

Детектив Уве Петер, не прибегая к помощи полиции, сделал невозможное. Он нашел людей, которые в то раннее дождливое субботнее утро видели машину, на большой скорости выезжавшую со стороны Визельбурга на шоссе Зальцбург — Вена. Он методично объехал все агентства, предоставляющие автомобили в аренду, и собрал сведения о людях, бравших напрокат джипы цвета «мокрый асфальт». Он терпеливо искал этих людей и нашел всех, кроме одного. Этот человек с чеш-

4 Зак. 670

ской фамилией не был известен австрийским посольствам ни в Чехии, ни в Словакии. Манфред использовал свои связи и выяснил, что человек с такой фамилией в указанных посольствах визу на въезд в Австрию не оформлял. Это лишь подтвердило первоначальную догадку о том, что убийца пользовался фальшивыми документами, присвоив себе славянскую национальность, чтобы оправдать акцент. Это должен был быть человек достаточно опытный и искушенный, который знает, что по акценту почти всегда можно догадаться о том, какой язык является родным. Англичанин будет говорить по-немецки совсем не так, как француз или итальянец. Или славянин.

Петер, отрабатывая свой гонорар, спал по три часа в сутки и работал с невероятной скоростью, благо у него как у главы детективного агентства были помощники. В гостиницах он и не думал искать следы загадочного «чеха» — если паспорт фальшивый, в нем нет отметок о пересечении границ, а в гостиницах на это, как правило, обращают внимание. Искать следовало в мотелях, где порядки куда более вольные. Ему хватило трех дней, чтобы найти мотель, хозяин которого помнил супружескую пару с чешскими именами — красивая шатенка с прямыми волосами до плеч и ее муж, синеглазый брюнет. Очень эффектная пара. Приехали в среду, 13 сентября, уехали в субботу рано утром — так записано в книге регистрации. Как ему показалось, они действительно чехи? Вроде да. Говорили с акцентом. Правда, говорила в основном женщина, мужчина больше помалкивал. Поляки? Может быть, откуда ему знать. А может, сербы? Может, и сербы. Да, машина была, темный джип. Нет, ничего особенного не запомнилось, обычные постояльцы, путешествуют по стране, видно, не очень состоятельные, раз остановились в мотеле, а не в гостинице.

Значит, их было двое. И появились пусть убогие, но все-таки приметы внешности. И еще у Манфреда укрепилось убеждение, что они — русские. Если их нанял мстительный Югенау, много лет проработавший в Москве, то они не могут быть никем, кроме как русскими. Следующим шагом было получение списков лиц с красными и синими «советскими» паспортами, прибывшими в Австрию в период с 10 по 13 сентября (Уве Петер брал с запасом) и убывшими в субботу и воскресенье, 16 и 17-го числа. На отработку списка ушло еще несколько дней: отсекались люди, явно не подходящие по возрасту, пары с детьми, туристические группы и некоторые другие категории. Наконец остались 34 человека. На этом частный детектив Уве Петер свою работу закончил. Пришла очередь Эдуарда Петровича Денисова включаться в поиски убийцы.

На пороге своего семидесятилетия Эдуард Петрович Денисов стоял уверенно, высоко держа крупную, красивой формы седую голову и не мучаясь болезнями и недомоганиями, свойственными пожилым людям. Он был сказочно богат, но демонстрировать это лишний раз не любил и роскошью не увлекался, хотя порой тратил свои капиталы на совершенно, казалось бы, ненужные вещи. Он терпеть не мог давать деньги в долг и оказывать помощь менее удачливым финансистам, но мог, не задумываясь, потратить немалые суммы на организацию большого праздника в городе, на поддержку интерната для одаренных детей или на подарки старым друзьям. Наживался и сколачивался капитал Денисова с середины 60-х годов, дважды Эдуард Петрович побывал под следствием, и даже один раз дело дошло до зала суда, но все это было в далеком прошлом. Он, однако, очень хорошо помнил тот ужас, который охватил его, когда судья с народными заседателями удалились для постановления приговора. Прошло больше двух часов, пока они не вернулись в зал судебного заседания, и за эти два часа Денисов успел многое передумать и дать себе слово, что, если все закончится благополучно, он непременно когда-нибудь будет вкладывать свои деньги в благотворительность, ибо в конце концов нет ничего дороже людской благодарности. И слово свое он сдержал.

Последние несколько лет он был полновластным хозяином симпатичного уютного города, чистенького и ухоженного. Денисов поставил своих людей на все руководящие посты в мэрии, городской думе, органах управления. Он железной рукой выдавил из города всякую уголовную шваль, не признающую конвенциальных норм и предпочитающую выяснять отношения при помощи разборок, на корню истребил рэкет и поделил все сферы вложения капитала между бизнесменами, в чьей лояльности и преданности не сомневался. Все эти предприниматели, разумеется, платили дань, как же без этого, но только не рэкетирам, а самому Денисову, который обеспечивал их покой и безопасность. При этом Эдуард Петрович жил, на сторонний взгляд, очень скромно — не в особняке, а в обыкновенном девятиэтажном доме, правда, занимая целый этаж и сломав перегородки между квартирами. Но жилище его, хоть и весьма просторное, было далеко от тех роскошных апартаментов, которыми увлекаются некоторые «новые русские». В нем не было ни фонтанов, ни бассейнов, ни сауны, ни зимнего сада. Были три спальни — одна хозяйская и две для гостей. Огромная кухня, в прошлом однокомнатная квартира, в которой безраздельно хозяйничал Алан, лауреат многих кулинарных конкурсов. Большая столовая предназначалась для светских мероприятий, когда число приглашенных превышало пятнадцать человек. В маленькой столовой трапезы накрывались ежедневно, независимо от того, выходили ли к столу только хозяин с супругой Верой Александровной или в гости были званы сын Денисова с семьей либо кто-то еще. Царством Веры Александровны, дамы весьма светской и обладающей обширными знакомствами, была прелестная гостиная, уставленная мягкой мебелью, низенькими столиками и напольными вазами. В противоположном конце объединенной квартиры располагался кабинет Эдуарда Петровича, в котором он принимал визитеров, устраивал деловые совещания и переговоры и вообще проводил очень много времени.

Он и сейчас сидел в своем кабинете, смотрел на листок с тридцатью четырьмя фамилиями и удивлялся, что в свои шестьдесят восемь лет еще может испытывать такую боль. Лили больше нет. Две недели назад он, стоя рядом с ее мужем и своим давним деловым партнером Манфредом Кнепке, бросил горсть земли на ее гроб. Нет, ему не в чем себя упрекнуть. Он сделал правильно, выдав свою девочку замуж за богатого австрийца. Сам он, Денисов, не смог бы ничего ей предложить. Жениться на ней самому? Исключено. С Верой

Александровной прожито сорок пять лет. Тогда, в самые трудные для него времена, когда он был под следствием и судом, она была секретарем райкома партии, и ее с треском выгнали с работы и отобрали партбилет даже раньше, чем высохли чернила на самом первом протоколе допроса ее мужа. И несмотря на это, она ни словом не упрекнула Денисова, из-за действий которого рухнула ее партийная карьера, напротив, всеми силами поддерживала его, подбадривала, искала людей, которым можно дать взятку, и людей, которые эту взятку передадут. Зато когда все кончилось и Эдуард Петрович остался на свободе, сказала:

— Я надеюсь, все наши с тобой мучения окажутся не напрасными.

Денисов без всяких комментариев понимал, какой смысл вложен в эту короткую фразу, и точно так же, как, ожидая приговора, дал себе слово тратить деньги на добрые дела, сейчас дал себе еще одно обещание — что бы ни случилось, он не бросит Веру, если только она сама не захочет от него уйти. Она помогла ему сохранить силу духа, свободу и часть капитала (другую все-таки пришлось подарить государству), и теперь она имеет полное право всем этим пользоваться. Иметь богатого, свободного и уверенного в себе мужа. Тем более что, вылетев из райкомовской кормушки, она вынуждена была идти работать учителем младших классов в школу, поскольку образование у нее было педагогическое, о чем за время ее активной партийной деятельности все как-то уже и подзабыли.

Жениться на Лиле Денисов не мог, но держать ее возле себя в качестве любовницы слишком долго тоже не хотелось. Женщина молодая, ей нужна своя семья, муж, дети, свой дом. Он не имеет права лишать ее всего этого только лишь потому, что у него есть давние обязательства перед собственной женой. Поняв, что Лиля понравилась Манфреду, Денисов подумал, что это было бы наилучшим выходом из положения, а для Лили — достойной наградой за пять лет преданности. Тогда, в шестьдесят лет, он был еще слишком глуп и думал, что Лиля служила ему верой и правдой за те деньги, которые он на нее тратил, и за те удобства, которыми он ее окружал. Тогда он еще думал, что преданность можно купить и что за нее можно отблагодарить. И только потом, уже отправив ее в Австрию, понял, что она любила его. Не за деньги отрабатывала, а действительно любила. Хотя как человек разумный понимала, что быть женой Денисова все равно не сможет, даже если бы не было Веры Александровны: слишком велика разница в возрасте и нет практически никаких шансов вырастить вместе их общих детей. Зато шанс остаться молодой вдовой очень даже велик. А какой смысл выходить замуж, если не строить семью, в которой проживешь до старости? Если не до старости, не на всю жизнь, тогда можно и просто так, в любовницах ходить. Какая разница, есть правовое основание ложиться в постель или нет? Слаще от этого не станет.

А вот теперь Лили больше нет. И он больше ничего не может для нее сделать. Только одно: найти убийцу и покарать его. О господи, но почему же так больно!

* * *

Анатолий Владимирович Старков, начальник контрразведки Денисова, явился, как обычно, минута в минуту. Вместе с ним в кабинет Эдуарда Петровича вошел невысокий, немного неуклюжий человек лет тридцати пяти с явно намечающейся плешью и длинноватым носом. Но Денисов, бросив взгляд на гостя, сразу оценил его внимательные умные глаза.

Пожав руки обоим, Денисов сделал знак Старкову остаться в кабинете, а незнакомца тронул за плечо, приглашая следовать за собой, и провел через всю квартиру в гостиную к жене.

— Верочка, познакомься, это наш новый помощник. Развлеки его, будь добра, пока мы с Толей займемся делами. Через час будем обедать.

Вернувшись в кабинет, он молча уселся в кресло и выжидательно посмотрел на Старкова.

— Как его зовут? — наконец спросил он.

— Тарадин. Владимир Антонович Тарадин.

— Какие у него рекомендации?

— Самые лучшие, Эдуард Петрович.

— Образование?

— Высшее юридическое.

— Опыт работы?

— Восемь лет в уголовном розыске, потом два года работал следователем. Уволился из органов. Имеет лицензию частного детектива.

— Почему уволился? По отрицательным мотивам? Попался на чем-то?

— Ни в коем случае. Его приглашали на преподавательскую работу в Калининградскую школу милиции, а начальство уперлось и ни в какую его не отпускало. Ему посоветовали уволиться, а потом восстановиться. Против увольнения руководство следственного управления ничего возразить не может, у нас же не крепостное право все-таки. Это пока ты офицер, тебя могут держать и не пущать, а уж коль ты не хочешь быть офицером, заставить тебя остаться в системе не могут. В Калининграде ему обещали восстановить на службе в течение месяца. Володя уволился, а на следующий день, как назло, попал в автоаварию и четыре месяца пролежал в больнице. Тут, Эдуард Петрович, нюанс есть. Если после увольнения проходит меньше трех месяцев, то при восстановлении медкомиссию проходить не нужно. А у него из-за этой аварии прошло четыре. Пришлось идти на комиссию, да еще после четырех месяцев в больнице. Ну вот, комиссию он не прошел. Сами понимаете, в наше время в тридцать четыре года абсолютно здоровых мужиков не бывает, всегда есть, к чему прицепиться, было бы желание. А желание, видимо, было. Его бывшие начальники смекнули, почему он увольняется, и руководство медуправления получило соответствующий сигнальчик.

— Семья у него есть?

— Жена и дочка.

— Сколько лет ребенку?

— Шесть. В первый класс пошла.

«Шесть лет, — внезапно подумал Денисов. — Почти как Филиппу. Только Филипп уже ни в какую школу не пойдет».

— Чем жена занимается?

— Работает в сбербанке, у нее экономическое образование.

— Еще вопрос. Ему приходилось стрелять на поражение?

— Нет. Я специально этим интересовался. Я же знаю ваши требования, — мягко улыбнулся Старков.

— Что, за восемь лет службы в розыске он ни разу не выстрелил из табельного оружия?

— Ни разу, — уверенно подтвердил Старков.

— Даже в воздух?

— Даже в воздух.

— А почему, интересно? Может, он трус и избегал участвовать в силовых мероприятиях?

— Ну что вы, Эдуард Петрович, — снова улыбнулся Старков. — Труса я бы к вам не привел. Володя убежденный противник применения оружия. Он считает, что оружием пользуется только тот, кто не хочет и не умеет думать. Ведь выхватить пушку и обезвредить противника или заставить его под дулом сделать то, что нужно, — много ума не надо. А вот перехитрить его, обмануть, заманить в ловушку и взять без шума и пыли — вот это высший пилотаж. Конечно, есть экстремальные ситуации, когда без стрельбы не обойтись, он с этим и не спорит, но у него как-то получалось до сих пор обходиться.

— Но хотя бы стрелять-то он умеет?

— Блестяще. При трех выстрелах выбивает двадцать семь очков, при пяти — сорок восемь. Это сейчас, а когда работал в розыске и регулярно тренировался, был бессменным победителем все восемь лет.

— Странный малый, — задумчиво пожал плечами Денисов. — А он, случайно, не сумасшедший?

— А это пусть ваша супруга скажет.

— Ну что ж, — Денисов со вздохом поднялся с кресла, — пойдем проведаем, как Вера Александровна развлекает твоего протеже. Но смотри, Толя, головой за него отвечаешь. Кстати, у него есть связи в милицейских кругах в Москве?

— Не знаю. Но если и есть, то не на уровне руководства. Кем он был? Рядовым сыщиком в нашем заштатном городишке.

— Но ему понадобится помощь. В списке тридцать четы-

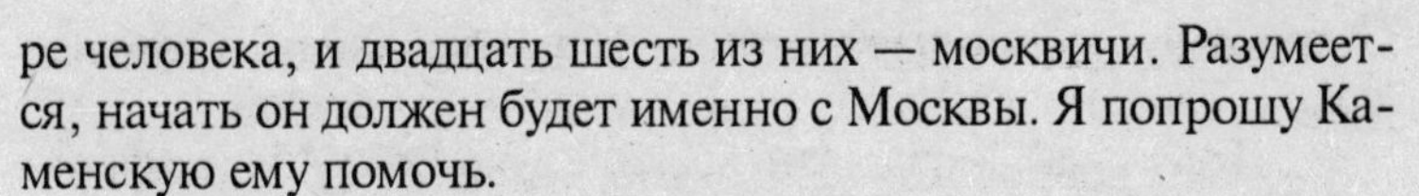

ре человека, и двадцать шесть из них — москвичи. Разумеется, начать он должен будет именно с Москвы. Я попрошу Каменскую ему помочь.

Старков резко остановился посреди длинного коридора.

— Эдуард Петрович, не делайте этого!

Денисов медленно повернулся к нему и внимательно посмотрел в глаза.

— Почему, Толя?

— Не нужно. Не трогайте ее.

— Почему? Ты перестал ей доверять? Ты что-то знаешь?

— Я знаю только одно: она будет мучиться. Я прекрасно помню, как тяжело ей было принимать ваше предложение тогда, два года назад, как она терзалась. Она же знала, кто вы такой и какими деньгами ворочаете. А после того, как погиб ваш сын, она чувствует себя вашей должницей и не сможет отказать.

— Вот и прекрасно, пусть не отказывает. Пусть поможет Тарадину.

— Эдуард Петрович, прошу вас, не трогайте Анастасию. Она знает, что вы по уши сидите в криминальном бизнесе, что вы крупнейший воротила среди преступников-финансистов, и, не имея возможности вам отказать, она будет делать то, о чем вы ее попросите, но она сойдет с ума. Вы хотите заставить ее страдать? Вспомните, как она помогла нам всем два года назад. С нее достаточно.

— Как ты за нее заступаешься! — усмехнулся Денисов. — Уж не влюбился ли?

Лицо Старкова непроизвольно дернулось, и Денисов понял, что попал в больную точку. Надо же, а он и не заметил тогда. Вот только сейчас вылезло... Ай да Толя!

— Я отдал ей своего сына, — медленно сказал он, глядя пристально в глаза начальника контрразведки. — И имею право просить ее об услуге, пусть даже выполняться мои просьбы будут ценой ее страданий. Не волнуйся, престарелый Ромео, я не стану просить ее ни о чем незаконном. Эта девочка мне нравится, и я буду ее беречь.

Он повернулся и пошел дальше по коридору в сторону гостиной, уверенный в том, что Анатолий Владимирович

Старков послушно идет за ним. Распахнув дверь, он увидел жену и Тарадина, занятых непринужденной беседой.

— Толенька! — радостно воскликнула Вера Александровна, которая выделяла Старкова из всей команды мужа, искренне ему симпатизировала и считала единственным интеллигентным человеком из всех, кто составлял окружение Денисова.

Она легко поднялась с дивана и царственным жестом протянула Старкову морщинистую, покрытую пигментными пятнышками, но все еще изящную ручку, которую тот галантно поцеловал.

— Я на вас в обиде, Толенька, — лукаво улыбаясь, сказала Вера Александровна. — Почему вы прятали от меня такое сокровище, как Володя? Почему вы раньше никогда не приводили его к нам? За полчаса беседы с ним я получила столько удовольствия, сколько не получала и за месяц.

— Чем же вы так покорили мою супругу? — поинтересовался Денисов, снова всматриваясь в Тарадина.

Он ожидал, что сейчас гость откроет рот и ляпнет какую-нибудь банальность, но, к удивлению Эдуарда Петровича, Тарадин молчал, словно и не слышал вопроса.

— Оказывается, Володя — знаток истории костюмов, и он рассказал мне массу интереснейших вещей.

— Неужели? — скептически хмыкнул Денисов. — Что ж, я очень рад. Через полчаса Алан подаст обед, а пока можно выпить чего-нибудь.

Он подошел к встроенному в стену бару и открыл дверцу.

— Что тебе налить, Верочка?

— Чуть-чуть кампари.

— А тебе, Толя?

— Мне ничего, спасибо.

— А вам?

Денисов выжидающе повернулся к Тарадину, подумав, что до сих пор даже не слышал его голоса. Ну, теперь-то он не сможет проигнорировать вопрос и не ответить.

— Виски с содовой.

Голос у Владимира оказался низким и густым, что как-то не вязалось с его неказистой неуклюжестью. Эдуард Петрович подал жене и гостю стаканы, себе плеснул джина на самое донышко и уселся на бежевый диванчик рядом с женой. Старков поймал его строгий взгляд и тут же увел Тарадина в другой конец большой гостиной, привлекая его внимание к висящей на стене картине — написанному маслом натюрморту.

— Ну как? — тихонько спросил Денисов, когда они отошли достаточно далеко.

— Хорошо, Эдик, — кивнула Вера Александровна. — Очень хорошо. На мой дилетантский взгляд — просто превосходно. Умеет казаться скованным и застенчивым, в то же время умеет быть обаятельным очаровашкой. Любую бабу заговорит до беспамятства, удачно выбрал хобби — историю костюма, на это редкая женщина не попадется. Для мужиков у него есть другая приманка — история охоты. Как охотились, на какого зверя, каким оружием, какие традиции существовали и так далее. А голос! Ты слышал его голос? Это же с ума сойти! Если таким голосом говорить нужные слова, то про внешность вообще забудешь.

— Умен?

— Бесспорно.

— Итак, каким он может казаться — ты выяснила. А каков он на самом деле?

— Хам, Эдик. Самый обыкновенный хам, как и девяносто пять процентов мужского населения. Тонкие движения души ему недоступны.

— Он был груб с тобой?

— Боже упаси! — Вера Александровна рассмеялась. — Он был необыкновенно мил. Но в моем возрасте, дорогой, уже пора разбираться, где игра, а где натура.

— Спасибо, Верочка, твои оценки всегда бывают точны. Понаблюдай за ним еще во время обеда, а потом я приму решение.

— И что ты хочешь от меня услышать? Для какой работы ты его готовишь?

— Он — частный детектив, и на меня будет работать именно в этом качестве. От него требуется сообразительность, но самое главное — выдержка и самообладание. Мне не нужны люди, готовые чуть что хвататься за пушку. Я не люблю, когда рядом со мной и моими помощниками начинается стрельба.

Денисов встал, поставил пустой стакан на столик и подошел к гостям, которые от натюрморта перешли к следующей картине, написанной в подражание пуантилистам и изображающей финальную сцену из «Алых парусов» Грина.

* * *

Вечером, проводив Старкова и Тарадина, Эдуард Петрович вернулся в свой кабинет. Решение принято, сегодня ночью Владимир Тарадин вылетает в Москву и с завтрашнего дня начинает работать со списком.

Денисов открыл записную книжку и нашел в ней нужный ему телефон. Но, протянув руку к телефонной трубке, внезапно испытал что-то вроде неловкости. Вспомнилось лицо Толи Старкова, когда тот просил не трогать Каменскую. И еще вспомнились слова жены о Тарадине: самый обыкновенный хам, тонкие движения души ему недоступны. Что же, выходит, и он, Эдуард Денисов, обыкновенный хам, раз ему недоступны тонкие движения души Старкова. Или все-таки доступны, просто Денисов виду не подает? Может, прав Толя? Не нужно вовлекать в это дело Анастасию?

Глупости, оборвал сам себя Эдуард Петрович, он не хочет от нее ничего противозаконного, просто небольшую помощь, чисто справочного характера. А уж если она сочтет своим долгом сделать больше, он будет ей только благодарен. И если при этом она пойдет на какие-то нарушения, то вины его, Денисова, в этом никакой не будет. В конце концов, когда она в прошлом году попросила о помощи, Денисов ведь не спрашивал ее, насколько законно то частное расследование, которое она затеяла. Он был ее должником и по первому же требованию послал к ней группу своих людей во главе с собственным внебрачным сыном. А сын, выполняя задания Каменской, погиб. Конечно же, Денисов не считал ее непосредственной виновницей, но все-таки... Пусть теперь она чувствует себя его должницей.

Он снял трубку и решительно набрал номер.

* * *

На работу Анастасия Каменская пришла в отвратительном настроении. После вчерашнего звонка Эдуарда Петровича Денисова она не спала всю ночь, то и дело выходила на кухню, пила чай, курила, старалась успокоиться, уговаривала себя, что ничего страшного не происходит. И в то же время понимала, что это пустое утешение. Год назад, когда погиб сын Денисова, ее начальник полковник Гордеев сказал, что этот долг она будет отдавать до конца своих дней. Похоже, его слова начали сбываться. Хотя Денисов на первый взгляд не просил ничего особенного.

— Видите ли, Анастасия, — сказал он ей вчера по телефону, — в Австрии убита женщина, которая для меня много значила. Австрийская полиция преступников не нашла, а мне кажется, что они в Москве, и я хочу попытаться своими силами их разыскать. Ведь в этом нет ничего плохого, правда?

— Правда, — осторожно согласилась она.

— В Москву едет человек, у которого есть список подозреваемых, и он должен всех их разыскать и попробовать выяснить, не причастны ли они к убийству. Но беда в том, что в списке только фамилии и имена, ни адресов, ни другой информации в нем нет. Фамилии, имена и год рождения. Поэтому на самом деле ему придется искать не конкретного Иванова, а проверять всех Ивановых с подходящим именем и годом рождения, а их сотни, если не тысячи. Моя просьба к вам состоит в том, чтобы вы ему в этом помогли.

— Сколько человек в вашем списке?

— Тридцать четыре, из них москвичей — двадцать шесть.

— Это же прорва работы! — охнула Настя. — Проверять однофамильцев каждого из двадцати шести человек...

— Анастасия, если бы это было легко, я бы не обратился к вам. Так вы ему поможете?

— Помогу, — ответила она, и в этот момент у нее появилось такое чувство, словно она идет на эшафот.

До сих пор Эдуард Петрович Денисов не сделал ей ничего плохого, напротив, он прекрасно к ней относился, да и, честно говоря, она к нему тоже. Но Настя Каменская слишком хорошо представляла себе, кто такой Денисов, чтобы благодушно относиться к его просьбам.

Они познакомились два года назад, когда Настя отдыхала в санатории в том самом городе, где жил Денисов. В санатории этом произошло убийство, и Денисов обратился к ней с просьбой помочь в поисках преступника. Просьба эта была вызвана тем, что у Эдуарда Петровича появились сильные подозрения, уж не завелись ли на его территории чужаки, устраивающие здесь кровавые разборки. Появление преступной группировки уголовников, оставляющих за собой трупы, могло повлечь приезд сыщиков из Министерства внутренних дел, а Денисову чужие, не купленные и не прирученные им лично милиционеры были здесь совсем не нужны. Мало ли чего они могут накопать, разбираясь с этими убийствами.

Тогда Настя пережила много неприятных часов, пытаясь понять, чем вызвано предложение могущественного мафиози помочь в раскрытии преступлений. Не хочет ли он использовать ее в преступных целях? Не обманывает ли он? В конце концов она согласилась, хотя решение далось ей очень нелегко. После того, как банда убийц была обезврежена, Денисов сказал ей: «Анастасия, я ваш должник. Вы можете обращаться ко мне с любыми просьбами, и помните, нет такой вещи, которую я не сделал бы для вас».

Спустя год ей пришлось по просьбе брата взяться за частное расследование, ей понадобились помощники, и она обратилась к Денисову. Эдуард Петрович с готовностью откликнулся, но закончилось все трагически. Тогда-то и сказал ей начальник, что она попала в пожизненную кабалу к мафии Денисова. И оказался, по-видимому, прав. Прошел еще год, и вот Эдуард Петрович хочет, чтобы она помогла его человеку. И один бог знает, что на самом деле за этим стоит и чем это кончится. А отказать нельзя. Слишком хорошо Настя помнила, как плакала, держа за руку умирающего Сергея Денисова, как закрывала ему глаза и в последний раз целовала. До сих пор при воспоминании об этом у нее в горле вставал ком. Как тут откажешь?

Мысль о том, не попала ли она в ловушку, не давала ей уснуть и надолго отравила настроение. Придя на работу, она

первым делом заварила кофе, обхватила горячую чашку ладонями и тупо уставилась в окно. С девяти до десяти должен позвонить человек Денисова, Владимир Антонович Тарадин. Пусть уж скорее позвонит, чтобы была хоть какая-то ясность. Она возьмет у него этот список и сама пройдется по нему, чтобы понять, не обманывает ли ее Эдуард Петрович душераздирающей историей о возлюбленной, убитой в далекой Австрии. Если список состоит сплошь из людей, причастных к криминалу или к властным структурам, это будет означать, что началась какая-то грандиозная разборка и передел сфер влияния. Тогда нужно будет придумать что-нибудь, какую-нибудь вескую причину, по которой она не сможет помогать Денисову. Если же список состоит из людей нейтральных, то...

Ее размышления прервал стук в дверь, вошел ее друг и коллега Юра Коротков.

— Аська, оперативки сегодня не будет, можно расслабиться и покурить.

— А что случилось? Колобок заболел?

Колобком в отделе борьбы с тяжкими насильственными преступлениями называли начальника — Виктора Алексеевича Гордеева.

— Ну да, он заболеет, — хмыкнул Коротков. — Скорее мы с тобой уйдем на пенсию.

И в самом деле, за все годы работы в отделе Настя не припомнила случая, когда Гордеев из-за болезни остался бы дома, хотя болел, как и все, и ангинами, и гриппом.

— Сегодня же девять дней, как умер этот певец Гирько. Прошла оперативная информация, что на кладбище соберется вся братия, а кое-кто кое с кем будет сводить кое-какие счеты. В общем, обычная история, всех ребят бросили на усиление.

— А ты? — удивилась Настя. — Тебя не послали?

— Должен же кто-то в лавке остаться, — усмехнулся Коротков.

Олег Гирько был популярным композитором и певцом, руководителем известной рок-группы «Железная пята». Давно было известно, что он как-то связан с наркобизнесом, но доказать ничего пока не удавалось, да и не то что доказать, а хотя бы выяснить достоверно. Точно так же было известно, что похороны и поминки почему-то очень любят использовать для передела и сведения счетов. Может, оттого, что свято место пусто не бывает и каждый связанный с мафией покойник означал немедленную перегруппировку и перестановку сил.

— Слушай, а отчего он умер? — спросила Настя, поддерживая разговор, чтобы отвлечься от неприятных мыслей о Денисове и тягостного ожидания телефонного звонка. — Он же молодой был.

— Верно, чуть за тридцать. Наркотики, наверное. Ты же знаешь, у них это модно, все подряд колются, нюхают, глотают.

— Но не убийство?

— Нет, в больнице умер. Угостила бы кофейком-то, жмотина. Сама пьешь, а я слюни глотаю.

— Ох, прости! — спохватилась она. — Сейчас сделаю.

Она как-то бестолково засуетилась, наливая из графина воду в большую керамическую кружку, долго искала кипятильник, который лежал прямо у нее под носом, неловко повернулась и смахнула на пол коробку с сахаром.

— Черт, да что это со мной, — с досадой пробормотала она, опускаясь на корточки и собирая рассыпавшиеся по полу кусочки.

— И в самом деле, мать, что это с тобой сегодня! — подхватил Коротков, не сводя с нее внимательного взгляда. — Ты прямо не в себе. Случилось что-нибудь?

— Нет, все в порядке. Просто настроение не то.

— Врешь ты, Аська, и не краснеешь. На тебе ж лица нет. Говори быстро, что стряслось.

— Скажу, если пообещаешь молчать.

— В смысле никому не говорить? Обижаешь, я — могила.

— Нет, в смысле не комментировать и не давать советы. Ты спросил — я сказала, и все.

— Ну, говори.

— Понимаешь, ко мне обратился Эдуард Петрович Денисов...

— Какой Денисов? — встрепенулся Юра. — Тот самый?

— Тот самый. Он посылает в Москву какого-то частного детектива и просит, чтобы я ему помогала. А я, естественно, боюсь, что он меня втемную хочет использовать в каких-то грязных делах.

— А отказать нельзя? Ты разве ему чем-то обязана?

— В том-то и дело. Помнишь прошлогоднюю историю с убийством милиционера Кости Малушкина?

— Помню. И что?

— У меня был единственный свидетель, который видел Костю вместе с убийцей. Но этот свидетель не хотел давать показания, он хотел сам убить этого парня, Ерохина, который застрелил Костю. У него к Ерохину был свой счет, очень давний. Короче, я боялась, что он действительно убьет Ерохина вместо того, чтобы дать на него показания и позволить арестовать. И попросила одного человека ходить за этим свидетелем по пятам и не дать ему совершить убийство. Ерохин, правда, оказался проворнее и убил обоих — и свидетеля, и моего человека, который его оберегал. Так вот, этот человек был внебрачным сыном Денисова.

— Ох ты! Почему ты мне ничего не рассказывала? Аська, ты что, не понимаешь, что влипла на веки вечные?

— Да понимаю я!

От напряжения она даже повысила голос, сама того не замечая.

— Все я понимаю прекрасно. И что мне теперь прикажешь делать? Волосы на голове рвать? Что сделано — то сделано, Колобок меня заранее предупреждал, когда я только собиралась обратиться к Денисову за помощью, а я, дура, не послушалась. Теперь поздно. Потому я и сказала — без советов и комментариев. Если бы из этой ситуации был выход, Колобок бы мне еще год назад сказал, как и что нужно сделать, чтобы меня не смогли использовать. А теперь что? Прямо хоть увольняйся к чертовой матери из органов.

— Это тоже не выход, старушка, — резонно заметил Коротков. — Если ты будешь нужна, тебя все равно достанут. Заставят, уговорят. Есть железное правило: не подставляйся.

А подставилась — все, жди неприятностей в любую минуту, хоть ты офицер милиции, хоть дворник.

— Вот я и дождалась, — удрученно констатировала Настя. — На свою голову.

Коротков ушел к себе, а она снова погрузилась в тупое оцепенение. Тарадин позвонил ровно в десять, и разговаривала Настя с ним сухо и сдержанно.

— Откуда вы звоните?

— Из гостиницы.

— Спуститесь к портье и попросите разрешения воспользоваться факсом. Я хочу сначала увидеть список, а потом решу, как мы с вами будем работать.

— Зачем? — В голосе Тарадина зазвучало насмешливое недоумение. — Вас просили помочь мне, если понадобится, а не возглавлять мое расследование и не руководить мной. Или вы чего-то не поняли?

— Судя по всему, я вообще ничего не поняла, — холодно ответила Настя. — Ваша фамилия Денисов?

— Нет, моя фамилия Тарадин. Владимир Антонович. Разве вам не сказали?

— Сказали. И поскольку ваша фамилия не Денисов, то диктовать свои условия вы мне не будете. На это есть право только у Эдуарда Петровича, но никак не у вас. Это понятно?

— Более или менее. Так что вы хотите, чтобы я сделал?

— Я хочу, чтобы вы передали мне по факсу ваш список и заодно вашу лицензию на частную сыскную деятельность. Хорошо бы еще и разрешение на оружие, если у вас есть. Запишите номер.

Она продиктовала ему номер факса, который стоял в секретариате. Не нравился ей этот Тарадин, впрочем, она отдавала себе отчет, что эта неприязнь мало связана с личностными качествами Владимира Антоновича. Ей не нравилась ситуация, в которой она оказалась, поэтому присланный Денисовым частный детектив раздражал ее уже заочно. А голос! Слушая низкий, глубокий, хорошо поставленный голос, Настя представляла себе рослого, крупного, вальяжного мужика, взирающего на окружающих с презрительным пренебрежением. О господи, век бы его не видеть, Тарадина этого!

Она позвонила в секретариат.

— Любаша? Это Каменская. Рыбочка, прими для меня факс потихонечку, ладно? Там должен быть какой-то список и лицензия частного сыщика. Может быть, будет и третий листочек — разрешение на оружие. Сделаешь? Только тихонько.

Забрав в секретариате документы, она поднялась в свой кабинет, чувствуя, как в ней нарастает злость. Ну черт знает что! Свалился на ее голову этот Тарадин со своим списком. Дурочку из нее хочет сделать? Посмотрим, как у него это получится.

Бросив бумаги на стол, она снова села за телефон и уже через несколько минут разговаривала с одним из руководителей линейного отдела милиции в аэропорту Шереметьево.

— Жорочка, ты меня сразу убивать будешь или погодишь малость, пока я подарок привезу?

— О-о-о, Настасья, пропащая душа! — расхохотался Георгий. — А мы тебя ждали, ждали, я народ целый час к столу не пускал, думал, ты вот-вот подвалишь, а ты, поганая, так и не появилась. Чем оправдываться будешь?

— Любовью, Жорик, чем же еще. Вечной моей любовью к тебе. Я, честно, собиралась приехать, подарок купила, он до сих пор у меня в сейфе булькает. Но не сложилось. Ты же знаешь нашу жизнь суматошную.

— Знаю, знаю. — Георгий и не думал обижаться, он прекрасно знал, что оперативник своему времени не хозяин. — Чего звонишь-то? В любви объясняться?

— Просьбу просить. Неприличную.

— Это интересно. Валяй, проси свою просьбу.

— Жора, я тебе перекину по факсу списочек, а ты проверь рейсы на Вену с 10 по 13 сентября. Меня интересует, сколько фамилий из моего списка улетело этими рейсами.

— Рейсы только на Вену или через Вену тоже?

— Тоже, конечно.

— И как скоро?

— Это и есть самая неприличная часть моей просьбы.

— Ну, ты пога-аная, — протянул Георгий. Это было любимое его словечко, он заменял им массу других существую-

щих в русском языке прилагательных и произносил как-то по-особому, с фрикативным «г» и долгим выразительным «а», из-за чего звучало оно ласково и вовсе не сердито.

Договорившись с Георгием, Настя сделала еще несколько звонков и, воспользовавшись дружескими связями, попросила проверить лицензию Тарадина и его разрешение на хранение и ношение оружия. «Вот так, Владимир Антонович, — сказала она сама себе. — И я не буду с вами встречаться раньше, чем получу ответы на мои запросы».

Ребята из лицензионно-разрешительной службы отзвонились первыми и сообщили, что все в порядке: лицензия и разрешение на оружие подлинные, оба документа выданы в феврале 1995 года в УВД того города, где живет Денисов. Георгий из Шереметьева прорезался, когда было уже почти восемь вечера.

— Ну что, Жорочка? — с нетерпением спросила Настя.

— Похоже, они все улетели. Тю-тю.

— Точно? Все до единого?

— Точно. Разными рейсами, в разные дни, но улетели все. Во всяком случае в твоем списке нет ни одной фамилии, которая не попалась бы мне в списке пассажиров. Имена и годы рождения совпадают.

— Спасибо тебе. Ты меня порадовал.

— Да ну? А я думал, ты огорчишься, что они все свалили. Ну, бывай, Настасья, подарок мой никому не наливай, я днями сам заскочу, оказия будет.

Повесив трубку, Настя почувствовала, что напряжение немного отпустило ее. Пока все укладывается в ту легенду, которую ей выдал Денисов. Частный детектив Тарадин и в самом деле собирается проверять людей, вылетавших в определенный период в Вену. Но нельзя быть такой легковерной. А вдруг в Вену, как в былые времена на подмосковную дачу, съезжались какие-то авторитеты и воротилы? Вдруг они решили провести сходку-совещание-разборку-дележку в комфортабельных европейских гостиницах? Надо проверить список еще раз. Пусть его окинут опытным взглядом ребята из управления по борьбе с организованной преступностью. И если не скажут, что все имена в этом списке им знакомы,

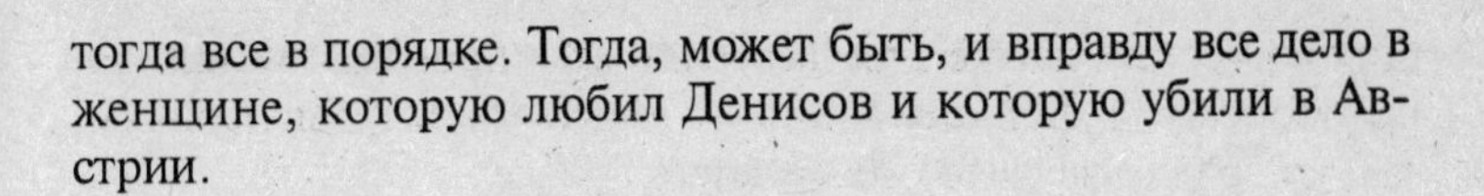

тогда все в порядке. Тогда, может быть, и вправду все дело в женщине, которую любил Денисов и которую убили в Австрии.

Глава 6

Помещение кафедры не было приспособлено для проведения заседаний, поэтому те, кто хотел провести время в более или менее комфортных условиях, приходили пораньше и занимали удобные места. Удобными считались стулья рядом со столами, где можно было вытащить бумаги и потихоньку заниматься какой-то своей работой, делая вид, что внимательно слушаешь. Если сесть за стол не удавалось, приходилось сидеть, как говорил Юрий Оборин, с голыми коленками. Ни книжку положить, ни газету, ни тем более рукопись, над которой нужно поработать. Многие преподаватели кафедры уголовного права во время таких заседаний проверяли курсовые или дипломные работы — чего зря время терять.

Оборин пришел за двадцать минут до начала и успел занять самый лучший стол у окна в углу. Он был аспирантом третьего года обучения и на кафедре появлялся только в дни заседаний или когда назначалась встреча с научным руководителем. Третий год аспирантуры был самым свободным. Если на первом году нужно было три раза в неделю ходить на обязательные занятия по философии, иностранному языку, социологии и еще целому ряду предметов, а на втором на него сваливали самые «трудные» группы, в которых нужно было вести семинарские и практические занятия, поскольку аспиранту полагалось отработать педагогическую практику, то третий год целиком посвящался написанию диссертации. Дергать аспирантов-третьегодков по пустякам считалось неприличным.

Почти вслед за Обориным на кафедре появилась доцент Прохоренко, тучная немолодая женщина, обладавшая громовым голосом и несносным характером.

— Юра! — обрадованно кинулась она к Оборину. — Ну-ка быстренько посмотри эти работы, выступишь рецензентом.

Она положила перед ним несколько папок и швырнула сверху бланки формализованных рецензий.

— Что это, Галина Ивановна?

— Это конкурсные работы студентов. У нас же ежегодно проводится конкурс на лучшую студенческую научную работу, ты что, забыл? Мы эти работы выдвигаем от кафедры на общефакультетский конкурс, а потом они идут на межфакультетский тур, потом на межвузовский. Давай, Юра, давай, не спи, просмотри их, заполни бланки, скажешь пару слов.

Читать студенческие работы Оборину не хотелось.

— Почему я? — угрюмо спросил он. — Больше никого нет на кафедре?

— Не ты один, я всем распихала по пять-шесть работ. Знаешь, сколько ребят по уголовному праву пишут? А меня Черненилов назначил ответственной за кафедральный тур, ношусь теперь с этими работами как с писаной торбой. Как будто мне больше всех надо! Там моих всего четыре человека, а я за всех отвечай.

Юре хотелось, чтобы Галина Ивановна скорее умолкла, от ее крика начинали вибрировать барабанные перепонки, поэтому он со вздохом пододвинул к себе стопку работ и раскрыл первую. Народ постепенно начал подтягиваться, комната заполнилась голосами, стало трудно сосредоточиться. Наконец с опозданием на пятнадцать минут появился завкафедрой Черненилов, молодой энергичный доктор наук, вечно занятый какими-то делами и ни разу никуда не пришедший вовремя. Надо отдать ему должное, он всегда извинялся за опоздания, и на свежего человека это еще могло произвести впечатление. После третьего раза все начинали понимать, что извинения эти никоим образом не свидетельствуют об уважении к тем, кого Черненилов вызвал на определенное время и заставил ждать. Вариантов было всего два: машина застряла в пробке возле кинотеатра «Ударник» или поезд метро остановился в тоннеле. При этом менялось только время застревания — от двадцати минут до часу. Поскольку Черненилов руководил кафедрой уже четвертый год, то на чей-нибудь глупый вопрос: «Где шеф?» — обязательно следовал ответ: «Сидит в метро» или «Стоит в пробке». К опозданиям все привыкли

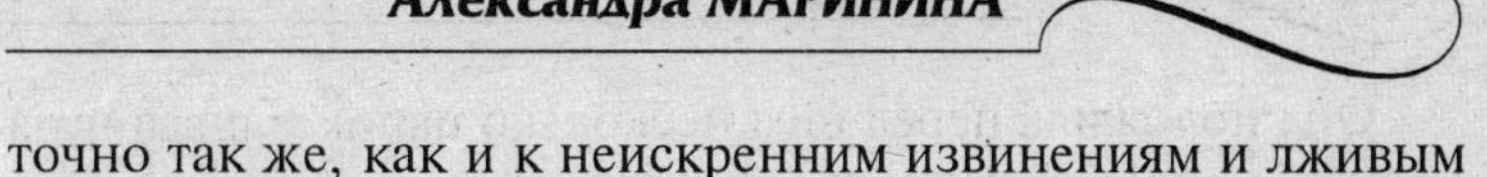

точно так же, как и к неискренним извинениям и лживым объяснениям.

— Прошу прощения, коллеги, двадцать минут просидел в метро, — сообщил Черненилов, ни на кого не глядя и пробираясь к своему месту. — Начнем работу. У нас сегодня в повестке дня четыре вопроса. Начнем с самого короткого. Мы должны рекомендовать научного руководителя нашей новой аспирантке...

При этих словах Оборин оторвался от текста и огляделся. Оказывается, на кафедре появилась новая аспирантка! Да, точно, вот она сидит, хорошенькая, как картинка.

Девушка почувствовала взгляд и повернулась в его сторону. Оборин понял, что она его «засекла» и сейчас быстренько прикидывает, имеет ли смысл. Ну что ж, значит, не росомаха, проблему ловит на лету, и готовый набор решений у нее наверняка есть. Юра подмигнул девушке и снова уткнулся в работу о правовом регулировании ответственности за ложное банкротство.

Научным руководителем красавице определили, конечно же, самого Черненилова, который еще в бытность старшим преподавателем имел прозвище «Ни одной юбки мимо». Вторым вопросом было обсуждение промежуточного отчета по теме, руководителем которой была доцент Прохоренко. Галина Ивановна начала пространно докладывать, что сделано, сколько написано статей, сколько выступлений на научных собраниях, какие есть внедрения по теме. Под ее убойный баритон все начали переговариваться и обмениваться новостями, потому что за такой шумовой завесой, каковой являлась речь Галины Ивановны, можно было бы даже петь песни без риска нарваться на замечание со стороны завкафедрой.

Когда дело дошло до четвертого вопроса, Оборин успел просмотреть все работы по диагонали и мог уже составить о них достаточно отчетливое представление.

— Мы с вами, уважаемые коллеги, должны подвести итоги кафедрального тура конкурса научных работ студентов и решить, какие из них достойны выдвижения на общефакультетский конкурс, — объявил Черненилов. — Галина Ивановна, кто у нас рецензенты по работам?

Прохоренко перечислила шесть фамилий, и на лице завкафедрой мелькнула явная тень неудовольствия. Предстояло выслушать шесть человек, а он, судя по всему, уже куда-то торопился.

— Ну, начнем по старшинству. — Черненилов кивнул в сторону профессора Дышева. — Пожалуйста, Борис Федорович.

Оборин сообразил, что коль выступать будут по старшинству, то у него еще есть время. Он даже не заметил, когда успел так разозлиться, и теперь собирался выступать резко и жестко, а для этого нужны не общие фразы, а факты и цитаты. Что ж, этим он и займется в оставшееся время. Через пятнадцать минут Юрий услышал свою фамилию.

— Мы вас слушаем, Юрий Анатольевич. Что вы можете сказать про работы, которые поступили вам на рецензирование?

Он поднялся и сделал глубокий вдох.

— Я могу сказать, что моему взору предстала грустная картина. Ни одна из этих работ не может быть представлена на общефакультетский тур конкурса. Более того, я вообще не понимаю, как эти работы попали даже на кафедральный тур. Это не просто не научные работы, они не тянут даже на обыкновенную курсовую работу. Это рефераты, причем выполненные небрежно и недобросовестно.

— Что вы имеете в виду? — нахмурился завкафедрой.

— Я имею в виду, что реферирование подразумевает анализ литературы по проблеме, то есть систематизированное изложение чужих опубликованных мыслей с указанием на первоисточник и в обязательном порядке с собственной оценкой изложенного. Если у студента не хватает подготовки на то, чтобы выразить согласие или несогласие с той или иной точкой зрения, то он должен хотя бы вставить фразу: «Как видно из изложенного, мнения авторов по проблеме существенно расходятся в том-то и том-то». Здесь нет и этого. Здесь есть переписанные монографии и учебники без ссылок и подстрочников. Иными словами, работы, представленные на кафедральный тур, являются не более чем конспектами, которые хорошие студенты пишут для подготовки к семинарам и экзаменам. Никакой самостоятельной творческой работы здесь и близко не лежало. И все это тем более прискорбно, что у каждой такой работы есть научный руководитель, член нашей кафедры.

— Почему прискорбно-то? — раздался голос старика Мирошкина, которого терпели на кафедре только из уважения к сединам. В свои шестьдесят три года он так и дорабатывал простым преподавателем, не имея ученой степени, книги и статьи никогда не писал, а в последние десять лет и не читал, прочно застряв в своих воззрениях на принципе партийности в уголовном праве.

— Почему прискорбно? — повторил Оборин. — Я поясню. Вот две конкурсные работы, они выполнены студентками одной группы. Иными словами, двумя подружками. Написаны они под руководством одного и того же научного руководителя, профессора Лейкина. И название у этих работ одинаковое: «Смертная казнь как исключительная мера наказания». Открываем мы с вами эти две работы и видим, что обе они полностью списаны с одной и той же книги, которая называется «Когда убивает государство» и которую мы с вами все не только читали и использовали в работе, но и рецензировали, когда она готовилась к изданию. Различаются работы только степенью детализации при переписывании, да еще тем, что одна девушка добросовестно делает сноски почти на каждой странице своей работы, а другая такой мелочью пренебрегает. Вероятно, имеется в виду, что рецензенты и конкурсная комиссия, читая работу без сносок, должны считать, что это она сама такая умная, поднимала архивные материалы и читала зарубежные первоисточники. Я не понимаю, как научный руководитель мог этого не заметить. Складывается впечатление, что он этих работ вообще не видел, даже в первом приближении. А ему, между прочим, за это часы в нагрузку идут.

— Ну, будем считать, что это досадная случайность, — примирительно произнес Черненилов. — Работы, безусловно, с конкурса снять...

— Я бы не назвал это случайностью, — зло сказал Оборин. — Возьмем другую работу, выполненную под руководст-

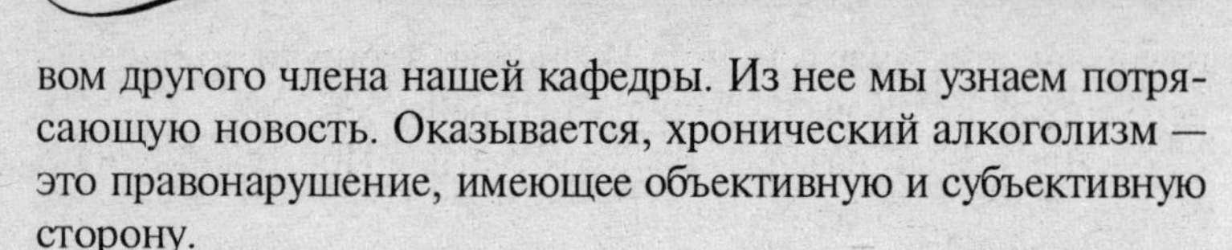

вом другого члена нашей кафедры. Из нее мы узнаем потрясающую новость. Оказывается, хронический алкоголизм — это правонарушение, имеющее объективную и субъективную сторону.

В комнате повисла тишина, которую внезапно разорвал звонкий хохот, такой искренний и веселый, который можно услышать, только рассказав по-настоящему хороший анекдот. Смеялась та самая новая красавица-аспирантка. Ей, пока еще далекой от внутрикафедральных интриг и хитросплетений, приведенная Обориным цитата предстала в чистом виде как явная нелепость и чушь. Причем такая, которую маломальски образованный юрист просто не может не заметить. Это такая же глупость, как заявление о том, например, что у квадрата есть радиус или что телефон отключается, когда в квартире перегорают пробки.

— Может быть, Галина Ивановна специально подобрала для меня самые выдающиеся работы? — с металлом в голосе спросил Оборин. — Если так, то ладно. Если же работы, которые попали ко мне на рецензирование, выбраны из общей массы случайно, то у меня есть все основания подозревать, что и другие работы, по которым только что выступали уважаемые рецензенты, ничем не лучше. Однако из предыдущих выступлений мы ничего, кроме похвал, не услышали. Вывод из этого можно сделать только один: научные руководители работ не читают, и рецензенты этого тоже не делают. У меня все.

— Спасибо, Юрий Анатольевич, — спокойно сказал Черненилов. — Садитесь, пожалуйста. Что ж, уважаемые коллеги, вопрос снимается с обсуждения как неподготовленный. Галина Ивановна, когда последний срок представления работ на общефакультетский тур?

— Завтра, — пробормотала Прохоренко. — Вообще-то сегодня, но мне под честное слово разрешили представить работы вместе с рецензиями завтра утром.

— Так почему мы обсуждаем итоги кафедрального тура только сегодня, а не неделю назад? В прошлую среду было заседание кафедры, о конкурсе было известно еще два месяца

назад, так почему вы, Галина Ивановна, затянули до последнего срока? Когда вы раздали работы рецензентам?

— Две недели назад, — быстро ответила Прохоренко, и по ее лицу было видно, что она врет.

— И нашим рецензентам понадобилось две недели, чтобы не прочитать работы? Стыдно, коллеги. Мы не можем не участвовать в конкурсе, мы — одна из ведущих кафедр. Кто из рецензентов прочел хотя бы одну работу от корки до корки и может гарантировать мне, что она вполне приличная? Есть такие?

Ответом ему была тишина.

— Я повторяю свой вопрос: есть ли хоть одна работа, которую мы можем с чистой совестью послать на конкурс? Юрий Анатольевич, вы, кажется, прочли все работы. Вам такая попалась?

— Мне — нет, — ответил Оборин.

— Тогда я буду действовать административными методами, — твердо заявил завкафедрой. — Сколько всего работ, Галина Ивановна?

— Тридцать одна.

— Сколько у нас человек сейчас присутствует? Двенадцать? Прекрасно. Галина Ивановна, раздайте работы всем, кроме Оборина, и никто отсюда не уйдет, пока все они не будут прочитаны. И имейте в виду, за положительную рецензию каждый из вас будет отвечать лично. Если вы порекомендуете на конкурс работу, в которой окажется что-либо подобное тому, что нам только что процитировал Юрий Анатольевич, я буду ставить вопрос о служебном соответствии. Об ответственности научных руководителей за эту халтуру мы поговорим отдельно.

Черненилов поднялся и пошел к двери, сделав Оборину знак идти вместе с ним. Юрий пробирался между столами, чувствуя ненавидящие взгляды членов кафедры. Понятно, у них были свои планы, всем им нужно куда-то бежать, а теперь они будут сидеть и читать эту бездарную муть, выискивая работы поприличнее и боясь пропустить какой-нибудь ляпсус.

Следом за заведующим Юрий вышел в коридор. Черне-

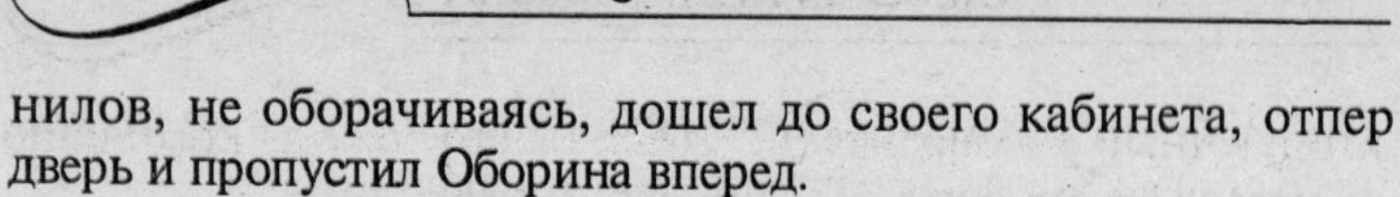

нилов, не оборачиваясь, дошел до своего кабинета, отпер дверь и пропустил Оборина вперед.

— Зачем ты это устроил? — яростно зашипел он, когда они оказались в кабинете. — Ты соображаешь, что творишь? Ты что, не мог подойти ко мне раньше и сказать об этом? Зачем было устраивать склоку на заседании?

— Раньше не мог, — спокойно ответил Юрий. — Я получил от Прохоренко работы за пятнадцать минут до начала заседания. А если бы промолчал, работы завтра утром ушли бы на факультетский тур. Вы представляете, какой позор будет, если в конкурсной комиссии найдется хоть один добросовестный человек?

— Прохоренко сказала, что раздала работы рецензентам две недели назад, — заметил Черненилов.

— Это неправда.

— Вот старая корова! — в сердцах воскликнул завкафедрой. — Так и знал, что рано или поздно она меня подставит. Но ты-то, ты-то зачем в это полез? Тебе что, больше всех нужно?

— Не люблю, когда меня держат за идиота. Не люблю участвовать в коллективной липе. И вас жалко, Валерий Борисович. Вы привыкли ничего не проверять и всем верить на слово, а они привыкли вас обманывать. Из года в год кафедра представляет на конкурс черт знает что, и вас до сих пор спасало только то, что и в факультетской комиссии сидят такие же бездельники и халтурщики. Но ведь рано или поздно можно нарваться на идиота вроде меня, который окажется в этой комиссии. Спрашивать-то будут не с Прохоренко, которая сто лет никому не нужна, а с вас, молодого руководителя. Быть доцентом и ходить в аудиторию каждый день никто не хочет, а занять ваше место желающие всегда найдутся.

— Все, что ты говоришь, — правильно, — усмехнулся Черненилов. — Но неверно. Что мою репутацию бережешь — спасибо. А скандал устроил зря. Если разговоры пойдут дальше нашей кафедры, декан может затеять внеочередную аттестацию. И первым пострадает профессор Лейкин, потому что ты его назвал публично, и те, кто начнет пересказывать, тоже его упоминать будут. У этого, с хроническим алкоголизмом, кто научный руководитель? Что ж ты его тоже за компанию не назвал? А так одного Лейкина будут мусолить.

— У хронического алкоголизма научный руководитель — вы, Валерий Борисович. Я должен был об этом сказать на кафедре?

— Не должен, не должен, — раздраженно откликнулся Черненилов. — Но и Лейкина трогать не нужно, нельзя. Он старый больной человек, болеет по девять месяцев в году, заслуженный ученый, мы на его учебниках выросли. Да, он не ходит в аудиторию, не читает лекций, проку от него никакого, но имя! Он лауреат Государственной премии за научную работу в области уголовного права, а ты знаешь, сколько юристов имеют это звание? Пять! Всего пять! И один из них работает у нас. Мы с него пылинки сдувать должны, а не обливать помоями по мелочам. Понял?

Конечно, Оборин все отлично понял. Старый профессор Лейкин был для Черненилова своего рода гарантией. Близкий друг Валерия Борисовича в течение года должен был защитить докторскую, и Черненилов планировал взять его на кафедру профессором. Для этого нужно было продержать на профессорской должности Лейкина еще год, потом быстро отпустить на пенсию и тут же занять место новоиспеченным доктором. Если Лейкин уйдет раньше, чем защитится друг Черненилова, то за свободную ставку начнется борьба. Тут же найдутся руководители, стремящиеся пристроить на должность профессора своих знакомых и родственников. А если долго упираться и говорить, что все предлагаемые кандидаты ему, Черненилову, не подходят, то ставку вообще могут отобрать и передать на другую кафедру, где у заведующего есть реальные кандидаты на должность профессора. Вообще свободная ставка профессора нужна всем. В последнее время в политическую деятельность ударилось великое множество докторов наук, которые наряду с основной парламентской активностью охотно подрабатывают почасовиками и полставочниками в разных вузах. Так что свободная ставка, на которую строптивый Черненилов никак не может подобрать подходящего профессора, станет яблоком раздора. Тут же к декану помчатся с кафедры международного права, да и с гражданского права тоже, с криком, дескать, давайте отберем у «уголовников» вакантную должность и разделим между нашими почетными полставочниками. Нет, допускать этого Валерий Борисович Черненилов не намерен. Он должен продержать на кафедре старика Лейкина вплоть до защиты своего приятеля. Но для этого нужно, чтобы на неработающего профессора по крайней мере не покатили бочку раньше времени. Чуть что — декан возьмет сведения о нагрузке, и окажется, что у Лейкина за весь прошлый год нет ни одного реального лекционного часа. В расписание его ставят, а в аудиторию идут другие, потому что Лейкин то болеет, то долечивается. Лекции за него читают профессора и доценты, они же пишут все фондовые лекции, которые по плану числятся за Лейкиным, а за них, в свою очередь, семинарские занятия и прочую «непрофессорскую» нагрузку тащат на себе преподаватели и аспиранты. Юрий помнил, что в прошлом году объем педагогической практики у него оказался в два раза больше нормы и на диссертацию времени совсем не оставалось. Он знал, что «перегрузка» часов и групп вызвана постоянными заменами Лейкина, и злился из-за того, что катастрофически не успевает заниматься собственной научной работой.

— Валерий Борисович, а почему все промолчали, когда Прохоренко солгала, сказала, что раздала работы рецензентам две недели назад? Ведь получилось, что они такие же халтурщики, как научные руководители, а на самом деле их вины нет. Она же дала им работы только сегодня, естественно, что они их не прочитали. Зачем они ее покрывают?

— Да ты что, Юра, с луны свалился? — неподдельно изумился Черненилов. — Кто ж на Галину голос поднимет? Ты что?

— Я не понял.

— У нее ж муж — первый проректор вуза, имеющего военную кафедру. Дошло?

Военная кафедра — это, конечно, мощно. Студенты такого вуза после его окончания освобождаются от службы в армии, и дружить с женой проректора в этом смысле нужно и полезно. Но ведь не у всех же членов кафедры подрастают сыновья, более того, Оборин знал, что только двоих его коллег

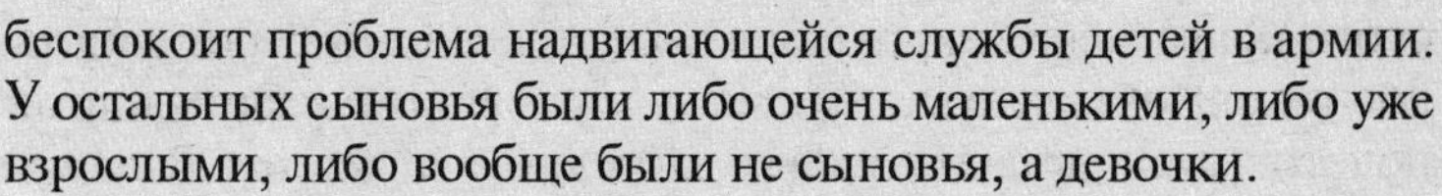

беспокоит проблема надвигающейся службы детей в армии. У остальных сыновья были либо очень маленькими, либо уже взрослыми, либо вообще были не сыновья, а девочки.

— Ты что, совсем тупой? — сочувственно покачал головой завкафедрой. — Они же все на Галине деньги делают. Собственные сыновья — ладно, а ведь есть еще и чужие. Ставку знаешь?

— Какую ставку?

— Ставку за то, чтобы не пойти в армию. Пять тысяч долларов. Хочешь — плати в приемную комиссию государственного вуза, имеющего военную кафедру. Хочешь — плати за обучение в коммерческом вузе, выйдут те же пять тысяч или чуть дороже, только справочки нужные доставай, что ребенок учится в институте с военной кафедрой. С каждого поступившего по протекции муж Галины имеет пять тысяч. А сколько имеют те, кто нашел на него выход? Вот представь, тебе нужно пристроить парня. Ты идешь к Галине и говоришь, мол, нельзя ли и так далее. Она отвечает, можно, оплата по таксе. Тогда ты идешь к своему знакомому и говоришь, что все в порядке. Но ты же не идиот и не станешь говорить ему, что это стоит пять тысяч. Ты скажешь — сколько? Шесть? Семь? Десять? На твое усмотрение. Из них пять отдаешь Галине для мужа, остальные — твои. Кто ж при такой ситуации на Галину руку поднимет? Она же им всем заработать дает, ну и сама, естественно, с этого имеет. А мне что прикажешь делать? Выгнать Галину я не могу, да и не за что в общем-то, а они все за нее горой встанут, а то и уйдут вместе с ней в знак протеста.

Выйдя из кабинета заведующего, Оборин пошел в буфет, взял кофе с бутербродами и уселся за столик вместе с юной парочкой, которые смотрели только друг на друга, ничего вокруг не замечая. Ему было противно после разговора с Черниловым, но угрызений совести Юрий не испытывал. Пусть руководство кафедры решает свои проблемы как хочет, но только не за его, Оборина, счет. Дудеть в общую дудку и пропускать явную халтуру он не намерен. Пожалуйста, пусть эти работы посылают на конкурс, да хоть на соискание Нобелевской премии, он возражать не будет, но и делать вид, что они хорошие, не будет тоже. Спросили его мнение — он ответил, а если кафедре безразлично, что студенты их считают идиотами, которым можно подсунуть плагиат и компиляцию, то уж это личные проблемы членов кафедры. Он же сам делать из себя придурка не хочет и никому не позволит.

Сидящая рядом парочка повернула его мысли к новой хорошенькой аспирантке. Сидит небось, бедняга, вместе со всеми, читает работы и клянет Оборина последними словами. Может, вернуться на кафедру, сесть рядом с ней и взять у нее часть работ? Хороший повод сблизиться. А потом что? Вести ее к себе? Наверное, придется, она не производит впечатления девушки, привыкшей к долгим романтическим ухаживаниям. Мысль о девушке, которую он приведет к себе, заставила его вспомнить о Тамаре. Черт возьми, нужно наконец выполнить ее просьбу и отогнать ее машину к себе в гараж. Может, ее уже угнали? Томка голову оторвет.

О машине Тамары Коченовой Юрий помнил все время, но оттягивал момент, когда поедет к ее дому и сделает наконец то, о чем она просила. Сигнализация неисправна, угнать машину могут в любой момент, а спохватиться и заявить в милицию некому. Но ему очень не хотелось ехать в чужой машине без доверенности. Тамара оставила ему ключи и техпаспорт, права у Оборина есть, но если его остановит ГАИ, то видок он будет иметь бледный. Доказать, что машина не угнана, он не сможет, потому что единственный человек, который может подтвердить, что Оборин не вор, это сама Тамара, хозяйка машины. А где она? Исчезла так же внезапно, как и появилась. Прожила у него четыре дня, а потом Юра вернулся домой и увидел на столе записку: «Уезжаю, нашла работу с выездом, забери, пожалуйста, мою машину. Целую и спасибо за то, что выручил и приютил». Вот и весь сказ. Одним словом, забирать машину Тамары он боялся. Но и не забирать нельзя, ведь угонят же, как пить дать.

Ситуация вокруг конкурсных работ его разозлила до такой степени, что страх попасться гаишникам как-то притух. Все равно день пропал, решил Оборин, ну ее, аспирантку эту, никуда она не убежит, лучше он сейчас доедет до Тамариного дома и заберет наконец машину. Хоть одной головной болью будет меньше.

* * *

Николай Саприн уже начал терять терпение. Шоринов дал ему в помощь двух мужичков, и они втроем, сменяясь, караулили машину Тамары Коченовой. Это была последняя ниточка, ухватившись за которую Саприн надеялся выйти на человека, с которым Тамара общалась после возвращения из Вены. Ведь где-то же она жила! Этот человек должен знать, куда она уехала.

Саприна раздражало ожидание, он был человеком действия, и бессмысленное топтание вокруг Тамариного дома в каких-то дурацких куртках с капюшоном, скрывающим густые черные волосы и яркие синие глаза, выводило Николая из себя. Начались осенние дожди, воздух был сырым и холодным, и он никак не мог полностью оправиться после тяжелого гриппа. Побаливала голова, временами поднималась температура, ноги делались слабыми и непослушными, во рту устойчиво держался противный металлический привкус. Но он все-таки дождался.

К Тамариной машине подошел ничем не примечательный парень лет тридцати или чуть меньше с хмурым лицом и угрюмым взглядом, открыл дверь и уселся на водительское место. Саприн тут же метнулся за угол к своей машине. Через два дня он уже знал о человеке, забравшем автомобиль Тамары, достаточно, чтобы действовать дальше. Прежде чем решать, нужно ли вступать с ним в контакт, Саприн хотел побывать в его квартире, благо вскрытие чужой двери никогда не было для него проблемой.

Дождавшись, когда Оборин уедет в университет, Николай аккуратно открыл замок и вошел в квартиру. Мужик живет один, это сразу видно, но женщины здесь бывают, часто и разные. Небольшой беспорядок, вещи разбросаны, но полы чистые и пыль протерта. Одним словом, нормальный мужик, не педант и не сумасшедший, немного несобранный, но как раз в меру.

Первым делом Николай поискал следы пребывания здесь Тамары, но не нашел ничего, ни одной ее вещи, которую смог бы узнать. Пролистал лежащую возле телефона запис-

5 Зак. 670

ную книжку в надежде найти какие-нибудь старые координаты Коченовой: может быть, по старым адресам и телефонам найдутся люди, которые знают о Тамаре что-нибудь интересное, дадут какие-то новые связи и цепочки. Но телефон был только один, и принадлежал он Тамариной матери. Видно, записывал его Оборин еще в те времена, когда Тамара жила вместе с ней. Странно, что нет ее нового телефона. Неужели они так долго не встречались? Почему же Тамара кинулась к нему, к человеку, с которым не общалась по меньшей мере лет пять? Ответ был очевиден: она испугалась. Очень испугалась. Она поняла, с кем имеет дело, и знала, что ее будут искать не лохи и дилетанты, а профессионалы, от которых ног не унесешь. И прятаться нужно у человека, о котором ее нынешнее окружение ничего не знает. Что ж, значит, он, Саприн, был прав. Она действительно опасна, она поняла слишком много, и ее нужно во что бы то ни стало найти и убрать.

Он опустился на колени, нагнул голову и заглянул под диван. Так и есть, листочек какой-то белеет. Николай лег на пол, вытянул руку и достал его. Почерк Тамары он узнал сразу, видел, как она заполняла таможенные декларации, и запомнил ее манеру писать цифры. Что же это за телефончик здесь записан? Ай-яй-яй, Тамарочка, бросила листочек на столе, а его сквозняком сдуло под диван. Все-таки хозяин квартиры — нормальный мужик, под диваном пол протирает не каждый день. Николай не стал рисковать, переписал номер в свой блокнот, а листок забросил обратно. Мало ли как бывает, может, хозяин видел, что листочек под диван улетел, да нагибаться поленился, но помнит, что он там должен валяться. Незачем ему знать, что в квартире побывали посторонние.

Довольный находкой, Николай Саприн тихонько вышел из квартиры, спустился по лестнице и отправился домой.

* * *

Ему не понадобилось много времени, чтобы выяснить, кому принадлежит телефон, записанный на листке. Уже к вечеру Саприн знал, что Тамара Коченова заключила контракт

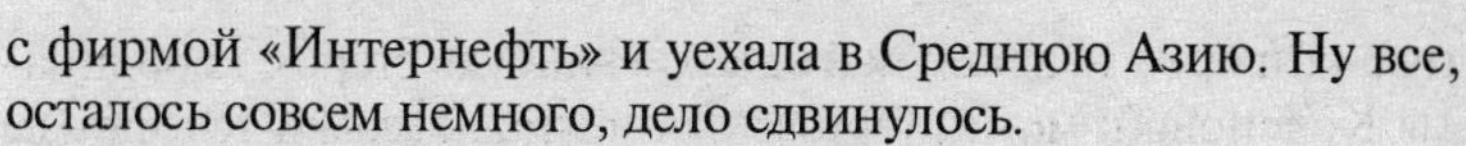

с фирмой «Интернефть» и уехала в Среднюю Азию. Ну все, осталось совсем немного, дело сдвинулось.

Поздно вечером позвонила сестра.

— Как дела у тебя, Колюша? — ласково спросила она, но Николай понимал, что спрашивает она в основном не про его дела, а про свои.

— Хорошо, — бодро ответил он. — Завтра улетаю в командировку, вернусь примерно через недельку и сразу отправлю тебе деньги. Не волнуйся, Иришка, все будет в порядке.

— Дай-то бог! — вздохнула она. — Ребеночек уже вовсю вертится, ножками стучит, а я все уговариваю его, чтобы подождал. Дядя Коля, говорю, еще денег не прислал, так что не торопись.

Николай рассмеялся. От разговоров о будущем племяннике у него на душе становилось теплее. Если бы можно было так устроить, чтобы жить рядом с семьей сестры, нянчить малыша, по вечерам вести с Леонидом неспешные мужские беседы, пока женщины хлопочут на кухне или щебечут о своих делах. Женщины? Ну конечно, а как же иначе. Ирочка и его, Николая, жена. Нет, не та, на которой он был когда-то женат, а другая. Катя. Катюша. Вырвать ее из лап Шоринова, сделать своей женой. Пусть она родит ему двоих детей. Нет, лучше троих. Нет, надо подождать, пусть отдохнет немного, она же рассказывала, что всю жизнь только и делала, что нянчилась с младшими братьями и сестрами...

Николай зло усмехнулся своим мыслям, но тут же понял, что безумно хочет увидеть Катю. Наплевать на Шоринова, этого плешивого Дусика, он хочет ее видеть. Саприн решительно подошел к телефону и набрал ее номер.

— Коленька! — обрадовалась Катя. — Что же вы не звоните? Я волнуюсь, как вы себя чувствуете, вы же были больны, а вы пропали — и ни ответа, ни привета. Разве так можно?

— Я думал, Михаил Владимирович вам сказал, что все в порядке. Он-то знает, что я жив-здоров. А вы правда беспокоились?

— Правда. Почему вы не позвонили мне?

— Я боялся, что вы рассердитесь.

— Почему? Почему я должна сердиться?

— А вдруг в это время вы были бы с Шориновым? Пришлось бы объясняться.

— Да? — В ее голосе прозвучало явное недоумение. — Я об этом как-то не подумала. Знаете, Дусик бывает здесь не каждый день, далеко не каждый. И потом, вы могли бы сказать, что звоните ему.

— Катя, а можно я сейчас приеду? — неожиданно спросил Саприн.

— Сейчас? — растерялась она. — Но ведь уже почти ночь.

— Именно поэтому. Катя, мне нужно вас увидеть. Вы даже не представляете себе, как мне нужно вас увидеть. Можно?

— Хорошо, приезжайте.

Николай мог бы дать голову на отсечение, что она улыбается.

Он мгновенно влез под душ, вымыл голову, побрился, достал из шкафа чистую сорочку, пристально оглядел себя в зеркале. Годится.

По дороге он несколько раз останавливал машину возле станций метро, спускался в подземный переход, в надежде найти хоть одного припозднившегося цветочника, но тут ему не повезло — переходы были пустынны. Тогда он сделал небольшой крюк и подъехал к ночному клубу. Так и есть, цветов здесь море. Николай купил огромную охапку разноцветных хризантем — голубых, розовых, фиолетовых, зеленых, желтых, белых. Можно было взять и розы, здесь были и те, что подешевле, в маленьких букетиках, и совершенно роскошные, на толстых длинных стеблях и немыслимо дорогие. Но он розы не любил. Они казались ему претенциозными и вычурными и почему-то ассоциировались с матерью.

Поднимаясь в лифте, он подумал, что давно уже, с юношеских времен, не волновался так перед встречей с женщиной. Он даже постоял несколько секунд перед дверью, прежде чем нажать на кнопку звонка. И наконец позвонил.

Дверь распахнулась, и первое, что он увидел, были Катины сияющие глаза. Пожалуй, это было и последним, потому что в течение следующего часа Николай не видел уже ничего. Он закрыл глаза и наслаждался тем, что любил молодую женщину, на которой вдруг страстно захотел жениться. Придя в себя, он страшно удивился, что, оказывается, они лежат на огромной кровати раздетые, а по полу вокруг разбросаны разноцветные хризантемы. Как он попал сюда из прихожей, когда успел раздеться — он не помнил.

Катя лежала на боку, повернувшись к нему лицом, и тихо улыбалась. Только сейчас Николай разглядел, что лицо ее было чисто умытым, без макияжа, хотя раньше, когда он приходил сюда, она всегда была тщательно накрашена. Значит, она с самого начала знала, зачем он приедет и чем все закончится. Знала, но разрешила ему приехать и открыла дверь с сияющими глазами. Такого ощущения полного, всеобъемлющего счастья он никогда не испытывал.

— Ты могла бы уйти от своего Шоринова? — спросил он, нежно поглаживая ее плечо.

— Могла бы, если бы было куда, — легко ответила Катя. — А куда уходить? Эту квартиру купил Дусик, и, если я его брошу, я здесь не останусь.

— Думаешь, выгонит?

— Я здесь не останусь. — Она сделала ударение на первом слове. — Я. Понимаешь? Это было бы нечестно. И потом, на нас с отцом мама и пятеро младших. Папа, конечно, изо всех сил старается, заколачивает бабки где только может, но он ведь не коммерсант, он этого совсем не умеет. Квартиры ремонтирует, дачи строит. Мне его жалко. А Дусик дает мне деньги на семью. Понимаешь? Не я клянчу и тайком их прикармливаю, а он сам каждый месяц дает, мы так с самого начала договорились. Баш на баш.

— Интересно, на каких условиях? Его баш — квартира и деньги на семью. А твой в чем состоит, кроме того, что ты с ним спишь?

— Именно в этом. Я с ним только сплю. Его условие — никаких разговоров о разводе и тем более о собственных детях. Ему нужно гнездо, норка, куда можно забраться, расслабиться в тишине и покое, помолчать, побыть самим собой. Ну и потрахаться, конечно, если в охотку. А если нет — то и нет, я без претензий. Меня не нужно выводить в свет, возить на курорты на Средиземное море или на Атлантику. Мне можно не звонить по три-четыре дня, я не обижаюсь. Зато ко мне можно привести серьезных людей, я ведь отличная кухарка, обслужу не хуже, чем в ресторане.

— Неужели тебе это нравится?

— Нравится.

Она снова улыбнулась мягко и ласково.

— Ты пойми, у меня никогда этого не было. У меня детства-то не было нормального. С тринадцати лет — я и кухарка, и портниха, и нянька, и доктор, и уборщица. Теснота, шум, гам, кто-то плачет, кто-то играет, бегает, кто-то уже что-то разбил — сумасшедший дом. А мне книжку прочитать некогда было, я еле-еле успевала уроки делать, школу на одних тройках вытянула. Зато потом, правда, наверстала, когда с младшими занималась. А теперь я одна, в тишине, просторно, спокойно. Я целыми днями книги читаю и кино смотрю. Вот ты будешь смеяться, а я ведь Конан Дойла только в прошлом году в первый раз прочитала.

— А если я предложу тебе все то же самое? Уйдешь от Дусика?

— Что значит «то же самое»? — Она приподнялась на подушке. — Ты купишь мне квартиру и будешь приходить два раза в неделю?

— Ну, например, — уклончиво ответил Саприн. Идея ему не понравилась. Он вовсе не хотел делать из Кати любовницу-содержанку, он хотел сделать ее своей женой.

— Тогда меня это не устроит.

— Почему?

— Потому что с Дусиком у меня договор, и, когда его нет, я не страдаю. А тебя я буду любить, и твои визиты два раза в неделю будут меня оскорблять. Ведь ты не женат?

— Нет, не женат. То есть разведен.

— Это все равно. Так вот, если я буду знать, что ты не женат, живешь один, а меня держишь где-то отдельно и приходишь два раза в неделю, я буду с ума сходить от ревности и злости. Не равняй себя с Дусиком, с тобой так не выйдет.

— А если я женюсь на тебе?

— И меня не спросишь? — насмешливо откликнулась она.

— Ну извини, я не так выразился. Если я попрошу тебя стать моей женой? Согласишься?

— И стирать тебе рубашки и каждый день готовить обеды?

— И рожать мне детей.

— Нет.

— Почему?

— Дай мне отдохнуть, Коля. Ну хоть пару лет. Дай в себя прийти.

Он лег на спину, закинул руки под голову. Радужное настроение постепенно таяло, появилось такое чувство, будто он уперся в стену.

— Катя, я могу пообещать, что тебе не будет трудно. Я хочу, чтобы ты была со мной каждый день и каждую ночь. Можешь не стирать рубашки и не готовить обеды, я слишком давно живу один и все привык делать сам. Но я не хочу, чтобы ты продолжала жить с этим вонючим Дусиком. Я не хочу.

— Не надо так, Коля, — тихо сказала она. — Дусик добрый и порядочный. Если бы не он, где бы я сейчас была? Что было бы с мамой и младшими? А отец? Как знать, не впутался бы он в какой-нибудь криминал, чтобы добыть денег, если бы Дусик их не давал. Слава богу, отец не в тюрьме, мама не в доме инвалидов, братья и сестры сыты и одеты. Может, ты знаешь о Дусике что-то плохое, но я о нем знаю только хорошее.

— Прости. — Он снова повернулся к ней и уткнулся лицом в ее плечо. — Прости, родная. Я не хотел тебя обидеть. Знаешь, я завтра улетаю по делам, это ненадолго, самое большее — на неделю. Я буду скучать по тебе. А ты дай слово, что пока меня нет, ты подумаешь над моими словами. Ладно? Подумай, прикинь, как сделать так, чтобы тебе было хорошо, но чтобы при этом мы были вместе. Как ты скажешь, так и сделаем.

* * *

В десять утра Николай Саприн вышел из дома, где жила Катя, и нос к носу столкнулся с Шориновым. Это было неожиданно и неприятно.

— Николай? Ты что, был у Кати? — недовольно спросил Михаил Владимирович.

— Я забегал к ней, вас искал. Думал, вы у нее ночуете, — быстро отреагировал Саприн.

— Ночую я всегда дома, — холодно ответил Шоринов. — Что ты хотел?

— Хотел сказать, что улетаю. Я выяснил, куда уехала Тамара.

— Молодец, — смягчился Шоринов. — Действуй, как договорились. Когда летишь?

— Сегодня вечером. Билет взял еще вчера.

— Ну, счастливо тебе.

Николай поехал домой, быстро собрался и даже успел три часа поспать перед тем, как ехать в аэропорт.

Домодедовский аэропорт всегда поражал его грязью и бестолковостью, а также множеством людей, из-за отложенных рейсов сидящих и спящих прямо на полу. К счастью, его рейс, похоже, улетал вовремя. Николай посмотрел на табло и стал пробираться к стойке регистрации.

— Коля! — услышал он женский голос откуда-то сбоку.

Он резко обернулся и увидел мать Тамары, Аллу Валентиновну.

— Алла Валентиновна, — лучезарно улыбнулся Саприн. — Какая встреча! Какими судьбами?

— Провожала приятельницу. А вы, Коля, улетаете?

— В командировку, — кивнул он. — Что Тамара? Как у нее дела? Она ничего мне не передавала?

— Кстати, Коленька, на Тамару нынче большой спрос, — рассмеялась Алла Валентиновна. — Не вы один ее искали. Кажется, она бортанула еще какого-то поклонника, но тот оказался более настырным и даже нанял частного детектива, чтобы ее найти. Вы представляете?

Саприн помертвел. Вот и началось. Так и знал.

— Какой детектив? — Он постарался, чтобы удивление и недоумение выглядели правдоподобно. — Почему детектив?

— Ну, я уж не знаю, почему. Наверное, этот поклонник решил, что так надежнее — не самому искать, а поручить профессионалу. Совсем Тамара от рук отбилась, честное слово, —

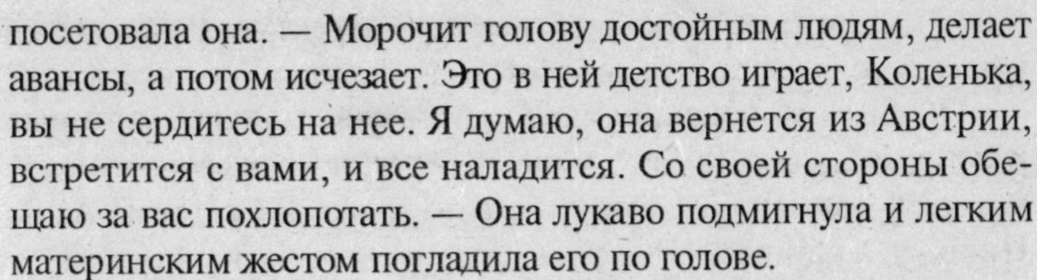

посетовала она. — Морочит голову достойным людям, делает авансы, а потом исчезает. Это в ней детство играет, Коленька, вы не сердитесь на нее. Я думаю, она вернется из Австрии, встретится с вами, и все наладится. Со своей стороны обещаю за вас похлопотать. — Она лукаво подмигнула и легким материнским жестом погладила его по голове.

Дождавшись, пока Алла Валентиновна скроется из виду, Саприн метнулся к телефону-автомату, моля судьбу о том, чтобы Шоринов оказался на месте. Прямой телефон на работе не отвечал, сотовый тоже, а секретарь противным сухим голоском сообщила, что Михаил Владимирович на банкете. Саприн выругался про себя и пошел искать свою очередь на регистрацию. Очередь выстроилась огромная, сплошь из азиатов с бесчисленным багажом, поэтому продвигалась медленно, и Николай еще несколько раз отходил позвонить. Шоринов не отвечал. Наконец он подошел к стойке и протянул билет и паспорт на имя Николая Первушина.

— Багаж? — скучно спросила девица, затянутая в униформу.

— Без багажа.

— Проходите на посадку.

Он сделал еще одну попытку дозвониться, но ему опять не повезло. Он вышел на улицу, закурил. По громкоговорителю уже второй раз объявили, что регистрация на его рейс заканчивается. Надо идти. Он отшвырнул недокуренную сигарету и быстро прошел на посадку. Предъявив сумку для досмотра, сделал жалостное лицо и, добавив в голос трагизма, спросил у сотрудника службы безопасности:

— Слушай, командир, здесь нигде телефона нет? На полминуты буквально, только два слова сказать. Очень нужно, честное слово. Ты видишь, я уж до последней минуты на посадку не проходил, все к автомату бегал. А там занято и занято, прямо как назло.

То ли трагизма было много, то ли Саприну просто повезло, но уже через три минуты он стоял рядом с телефоном. И тут ему повезло еще раз. Шоринов наконец ответил.

— Это я, — коротко бросил в трубку Николай. — Тамару

ищет кто-то еще. Какой-то частный детектив. Разберитесь как можно быстрее, чтобы хвост за мной следом не потянулся.

Он быстро перечислил Шоринову тех людей, которые могут вывести на Тамару, и почти бегом помчался к автобусу, который должен был довезти его до трапа. В Среднюю Азию Николай Саприн улетал, унося в душе неприятный осадок от разговора с Катей и острую тревогу.

Глава 7

После банкета Михаил Владимирович Шоринов поехал к Кате. И не потому, что соскучился, он ведь навещал ее сегодня с самого утра, когда столкнулся на улице перед подъездом с Колей Саприным. Ему нужно было позвонить, а вести деловые разговоры поздно вечером из дому он не хотел: жена бывала временами ревнива и, следовательно, слишком любопытна, а в спальне стоял параллельный аппарат.

Утром он ничего не сказал Кате о встрече с Николаем и по тому, что она промолчала, понял, что Саприн его обманул. Но утром выяснять отношения не хотелось, впереди было много дел, да и день предстоял трудный. А теперь, после выпитого на банкете и после неприятного звонка Саприна из аэропорта, небольшой скандальчик был бы в самый раз. Настроение у Дусика было премерзкое, и Катя представлялась ему самым подходящим объектом для разрядки.

Она не ждала, что в течение дня Шоринов навестит ее во второй раз, поэтому встретила его в ярком спортивном костюме и без макияжа. К его приходу Катя всегда надевала красивые пеньюары или шелковые пижамы, так ему нравилось. Тщательно подкрашенное лицо тоже было одним из непреложных требований.

— Дусик? — удивилась она, открыв дверь. — Что случилось?

— А что должно было случиться? — зло отозвался он, рывком стягивая плащ и проходя в комнату прямо в мокрых ботинках. — Я держу тебя здесь именно для того, чтобы при-

ходить сюда в любое время. Хорошо бы, чтобы ты об этом не забывала.

— Я помню, — сдержанно ответила она, входя в комнату следом за ним.

— Пойди свари мне кофе, я пока позвоню.

Дождавшись, когда Катя выйдет на кухню, Шоринов плотно притворил дверь и подсел к телефону. Он звонил своему дядюшке. Долг он успел отдать очень быстро, проценты накапали мизерные, и теперь можно смело обращаться с новой просьбой, старик не откажет, а связи у него — ого-го!

— У меня небольшая проблема, — начал Шоринов осторожно, стараясь не испугать родственника.

— Естественно, — добродушно откликнулся тот. — Я тебе нужен только для небольших проблем. Большие и сложные ты решаешь сам. Что стряслось на этот раз?

— Одна женщина, которая была задействована в деле, вдруг чего-то испугалась и уехала. Я послал за ней своего человека, а сегодня узнал, что ее разыскивает кто-то еще. Похоже, милиция. Надо бы разобраться, дядя. Я знаю, у вас есть связи.

— А чего же эта женщина так испугалась?

— Видите ли, она не была полностью в курсе всего дела. А деньги-то были задействованы большие, вот ей и показалось невесть что. Мой человек ее, конечно, найдет и все объяснит, успокоит. Она поймет, что бояться нечего, ничего противозаконного мы не сделали. Но если милиция найдет ее быстрее нас, то... Одним словом, мне нужны опытные люди. Вы понимаете, для чего.

— Не понимаю, — сухо ответил тот. — Если вы не сделали ничего противозаконного, то пусть она объясняется с милицией, тебе-то что за печаль. Ты сам, похоже, не меньше ее испугался. Темнишь, племянничек?

— Да что вы, нет. Но мы ведь хотим воспользоваться наработками крупного ученого фактически без ведома его наследников. Это все-таки плагиат, нарушение авторского права. Не хотелось бы... — промямлил Шоринов.

— Ладно, позвони мне через час, я дам связь, — бросил дядюшка и положил трубку.

Шоринов отер рукой вспотевший лоб. Кажется, пронесло, старик поверил. В таком деле главное — не спугнуть. Он не знает и не должен знать, каким таким чудом удалось Шоринову так быстро вернуть долг в миллион долларов плюс проценты за неделю.

Из кухни донесся ароматный запах свежезаваренного кофе. Ну что ж, решил Шоринов, теперь можно и покуражиться, показать этой сучке, где ее настоящее место. Катя вошла с подносом в руках, на котором стояли джезва, две чашечки с блюдцами, молочник, сахарница, вазочка с печеньем. Шоринов дождался, пока она осторожно составит все на низенький столик, потом невинно спросил:

— Сколько Николай тебе дал?

— Что?

Она вздрогнула от неожиданности, но удивление было сильнее страха, она действительно не поняла, что он имел в виду.

— Я спрашиваю, сколько денег он тебе дал?

— Каких денег?

— А что, ты ему дала бесплатно?

— Дусик! Ты с ума сошел? Что ты говоришь?

— Он у тебя ночевал. Ну что ты стоишь, как пугало огородное, наливай кофе-то.

Катя молча разлила кофе по чашкам, руки у нее дрожали, и это вызвало у Шоринова чувство злого удовлетворения. Ничего, пусть знает. Трахаться с молодыми красивыми мужиками, конечно, приятно, но пусть теперь знает, что после этого бывает очень неприятно, когда попадаешься. Шоринов взял свою чашку, сделал небольшой глоток, добавил сахару, размешал.

— Вот я и спрашиваю, сколько он тебе заплатил за удовольствие.

— Нисколько, — спокойно ответила она, садясь в кресло напротив.

— Значит, бесплатно дала, — констатировал Михаил Владимирович. — А зачем? Я бы еще понял, если бы за деньги. Ну, может, я тебе мало денег даю, тебе не хватает на какие-то покупки, а попросить ты стесняешься. Я бы это понял. А так —

зачем? Чего тебе не хватает? Неприятностей? Скандалов тебе хочется? Ну, объясни же мне, зачем ты это сделала.

Катя подняла на него глаза и молча уставилась куда-то в середину переносицы. От этого взгляда Шоринову стало неуютно.

— Молчишь?

— Молчу.

— Сказать нечего?

— Нечего, — подтвердила она как ни в чем не бывало. — Ты все говоришь правильно.

— Значит, ночевал?

— Ночевал.

— И денег не дал?

— Нет, не дал.

— Странно. — Он демонстративно пожал мощными плечами. — Он же знает, что ты шлюха, проститутка, содержанка. Таким, как ты, полагается платить. Он что же, правил не знает?

— Знает. — Она улыбнулась. — Но он любит их нарушать.

— А ты? Ты сама знаешь правила?

— Знаю. Раз ты меня содержишь, я не должна иметь дела с другими мужчинами. Правильно?

— Правильно, — буркнул он.

Скандал не вытанцовывался. Интересно, почему она его совсем не боится? Ведь за такие фокусы в одну секунду можно лишиться всего — квартиры, ежемесячных выплат на помощь семье. Михаил Владимирович начал злиться. Что она о себе воображает, мелкая потаскушка?

— Значит, так, — начал он. — Реши, пожалуйста, раз и навсегда, кто твой хозяин. Если я — будь любезна извиниться, и впредь чтобы ноги его здесь не было. Встречаться с ним не будешь. Если он — завтра же выметайся из квартиры к чертовой матери, возвращайся в свой многодетный бардак и крутись там как хочешь.

Не хочет оправдываться и врать, мстительно подумал Шоринов, пусть извиняется. Вот тут-то он ей покажет, что такое хозяин и его собака. Он ее заставит на коленях ползать, бо-

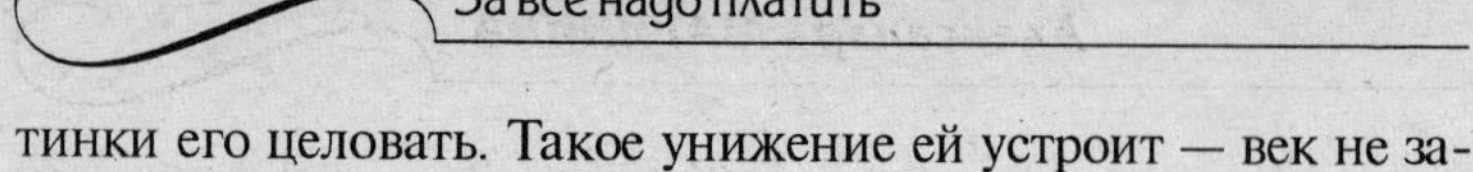

тинки его целовать. Такое унижение ей устроит — век не забудет и повторения не захочет.

— Ладно, — неожиданно ответила Катя. — Я подумаю, решу и скажу тебе. А пока я думаю и решаю, я могу пожить здесь?

Она улыбнулась весело и снисходительно, как улыбаются детям, когда они пытаются заставить взрослых вести себя по ребячьим правилам. Этого Шоринов вынести уже не мог и взорвался.

— Сука! — заорал он. — Дешевая сука! Ты что себе позволяешь? Берешь у меня деньги, а сама под моим носом мужиков водишь? В этом твоя благодарность?

— Ну что ты распсиховался, Дусик? — невозмутимо ответила она. — Коля мне нравится, я нравлюсь ему, он хочет на мне жениться. Между прочим, он сделал мне предложение.

— И что? — внезапно осипшим голосом спросил Шоринов. — Ты его приняла?

— Я обещала подумать. Дусик, милый, это же все к лучшему. Он женится на мне, я перееду к нему, освобожу тебе квартиру. И тебе уже не нужно будет каждый месяц давать мне деньги. Как говорится, леди с фаэтону — пони легче. Зачем так нервничать?

— А я? — глупо спросил Михаил Владимирович, еще не понимая, что она обвела его вокруг пальца и повернула разговор в совершенно невыгодную для него колею. — А я как же?

— Что — ты? А ты найдешь себе другую, из более благополучной семьи, на которую у тебя не будет уходить столько денег. Всем выгодно.

— Какую другую?! — взвился он. — Я не хочу другую! Я тебя нашел, я тебя содержу, плачу твоей семье. Почему я должен тебя отдавать какому-то проходимцу?

— Ах, ты другую не хочешь? — протянула она, недобро улыбаясь. — Тогда терпи, миленький. Если я тебе не нужна — отпусти с миром и не скандаль по пустякам. Если нужна — веди себя прилично. Я же не устраиваю истерик по поводу того, что ты ночуешь всегда у себя дома. Мало того, что ты спишь со своей женой, так ты и днем шляешься неизвестно где, я же тебя не караулю и не проверяю, мало ли с какими девками ты время проводишь. Я хоть раз заикнулась об этом? Я свое место, миленький, очень хорошо знаю. И ты свое знай. Не хочешь другую — бери что дают.

— Мерзавка, — обессиленно простонал он.

Ну как она его подловила, а? Хитра, сучка. Не признаваться же ей, в самом деле, что у него уже давно проблемы с сексом, что лет пять назад он уже решил было, что превратился в полного импотента, и только рядом с ней ожил. Дома ночует! Приличия он соблюдает, а с женой не спит уже много лет. Но разве можно Кате об этом говорить? Здоровый мужчина должен исполнять свой супружеский долг как минимум до шестидесяти пяти лет, а то и до семидесяти, совершенно независимо от того, влюблен он в жену или нет. Правила есть правила, их надо соблюдать. Если не можешь заставить себя удовлетворить жену, значит, слабак, импотент. Или дурак, что не лучше. Другую! Где ее взять-то, другую, чтобы все исправно стояло при взгляде на нее? И потом, есть еще один щекотливый момент. Катя обходится ему дешевле, чем обойдется любая другая содержанка. Ну сколько он на нее тратит? Штуку дает каждый месяц на хозяйство, на продукты, покупки там всякие, еще на штуку примерно делает ей подарки, покупает белье, одежду. И две штуки — на семью. Итого четыре тысячи долларов в месяц. Где за такие деньги найти молодую сексуальную телку, чтобы дома сидела и компаний никаких не водила? Обыщешься. Нынешние девахи к домашней жизни вкуса не имеют, их в ночные клубы водить надо, в рестораны, на курорты дорогие возить. Но хуже всего то, что они совершенно не переносят спокойного одинокого затворничества. Посели такую в отдельную квартиру — завтра же там начнут собираться всякие обкуренные шизики и прочая мразь. А послезавтра, узнав поподробнее про богатенького любовника, еще и наезжать примутся, хлопот не оберешься. Нет, Катерина — сокровище, таких поискать. Нельзя с ней расставаться. Тогда что же остается? Дать ей волю, пусть трахается с Саприным? Знать и терпеть? Ну уж нет. Расчет — расчетом, но и самолюбие иметь надо.

— Чтоб в последний раз, — угрожающе произнес он. — И перестань валять дурака.

Катя ничего не ответила, и скандал сам собой умер, практически не родившись. Кофе они допивали в молчании. Катя унесла посуду на кухню, но в комнату после этого не вернулась. Михаил Владимирович посмотрел на часы — прошло сорок минут, звонить дядюшке еще рано. Чего она там застряла? Обиделась? Характер показывает?

Он вышел из комнаты и заглянул на кухню. Катя, повязав передник поверх спортивного костюма, резала овощи. На плите в большой кастрюле что-то варилось.

— Чем занимаешься? — примирительно спросил Шоринов.

— Варю борщ для хозяина, — ответила она, не оборачиваясь.

— Ладно, прекрати. Знаешь ведь, что виновата. Нечего коготки выпускать.

— Как хозяин прикажет.

— Тьфу, дура! — беззлобно плюнул он и вернулся в комнату.

Время тянулось долго, он включил телевизор, бессмысленными глазами потаращился на какой-то боевик, витая мыслями где-то далеко. Его беспокоила ситуация с Тамарой. Тамару нашла и привела Ольга Решина, ручалась за нее, говорила, что девица без принципов, жадная до денег и неглупая. Ну и где теперь эта «без принципов»? Кто ее еще ищет? Зачем? Может, за ней криминал какой-то числится? Все равно нельзя, чтобы ее нашли посторонние, будь то менты или кто другой. Потому что если за Тамарой грешок, то она, чтобы откупиться, может про Шоринова рассказать и про всю операцию с архивом. Когда себя спасать надо, еще и не то расскажешь.

Наконец минутная стрелка завершила полный круг по циферблату, и Михаил Владимирович снова позвонил родственнику.

* * *

С появлением архива профессора Лебедева дела у доктора Бороданкова пошли веселее, но, конечно, не до такой степени, чтобы враз все получилось. Собственный архив — это не научный отчет, из которого виден весь ход научного поиска, результаты экспериментов и итоговый результат. Архив Лебедева представлял собой рабочие записи, черновики, наброски. Уже после первого просмотра этих бумаг Александр Иннокентьевич понял, в чем была его принципиальная ошибка и в каком направлении шел сам Лебедев. Но от генерального направления до нового бальзама путь был неблизким и не сказать чтобы уж очень гладким. Бороданков с энтузиазмом принялся за дело, но пока что в отделении у него лежали три человека и все они чувствовали себя с каждым днем все хуже и хуже. Талантливый программист Герман Мискарьянц умер, певец Гирько тоже умер, вчера в анатомичку отправили тело художницы, готовившей иллюстрации к детской энциклопедии. Правда, некоторый сдвиг все-таки наметился, во всяком случае у нынешних пациентов ухудшение состояния шло не так резко. Но все равно до победы было далеко...

Ольга дневала и ночевала в отделении вместе с мужем. И больше всего на свете боялась, что Бороданков узнает, какой ценой пришлось добывать архив. Его дело — заниматься наукой, ковать их общую мировую славу и будущие доходы. Он ни при каких условиях не должен узнать, что за всем этим стоит обман и убийство. И не потому, что Александр Иннокентьевич являет собой образец порядочности и нравственности, нет, отнюдь, он хладнокровно использует людей в качестве подопытных кроликов и равнодушно взирает на то, что они умирают. Но в их смертях он не чувствует опасности для себя: согласно заключениям патологоанатомов, в них нет даже намека на криминал. Подкопаться невозможно, и доказать ничего невозможно. Случись невероятное и приди сюда милиция вместе с прокуратурой, картина выглядит вполне естественно — люди чувствуют себя плохо, а им нужно заканчивать срочную работу. Вероятно, к моменту поступления в клинику они уже были давно больны, и здесь им оказывают помощь исключительно с целью того, чтобы они могли, несмотря на плохое самочувствие, работу закончить. Да, видимо, они все были на пороге кончины, у всех было слабое сердце или изношенные сосуды, вскрытие это подтверждает, но ведь вы сами знаете, как творческие работники относятся к своему здоровью. Трудятся, пашут, работают на износ, к врачам не обращаются. Помочь им уже было нельзя, во всяком случае в плане здоровья. А родственники все подтвердят. Ведь все пациенты пришли в отделение добровольно, всем им говорилось, что здесь их не будут лечить от тех болезней, которые не дают им нормально работать, всем предлагалось лечь в другую клинику на обследование. Некоторые соглашались на обследование, тогда Бороданков сам звонил друзьям, многие из которых были светилами в той или иной области медицины, и оказывал протекцию. Другие не соглашались, им важно было побыстрее закончить то, над чем они в данный момент работали, и они хотели только получить уход и поддерживающую терапию — витамины, покой, диету, традиционные стимуляторы. Да, часть из них, к сожалению, скончалась. Но лишь часть, и то небольшая. А большинство благополучно закончили работу и вернулись домой. Кто? Увы, не могу сказать. Врачебная тайна, анонимность пребывания в отделении гарантирована. Почему? Бог мой, да неужели вы не понимаете? Это же элементарно. Разве вы не знаете, что чаще всего мешает продуктивной творческой работе? Разумеется, алкоголизация и наркотизация. Человек пьет или принимает наркотики, а работать нужно, вот он и приходит с просьбой помочь. Потому и приходит, что здесь мы спрячем его от любопытных глаз, выведем из запоя, создадим условия для нормальной успешной работы. И никто никогда не узнает, что этот человек, кумир публики, любимец читателей, известная личность, создавал свое творение при помощи и содействии врачей. Во избежание недоразумений такие пациенты даже ему, доктору Бороданкову, не называют свое настоящее имя. Так что извините, господа хорошие, помочь ничем не могу. А с теми, кто в данный момент находится в отделении, вы можете побеседовать, они вам подтвердят все, что я сказал. И Бороданков, и его жена Ольга знали, что так оно и будет, подтвердят, потому что внешне выглядело все именно так. И при такой постановке вопроса бояться доктору Бороданкову было совершенно нечего, кроме разве что мук совести, но с этим у него был полный порядок. А вот с криминальными трупами дело принимало совсем другую окраску и другой вид. Он бы никогда не согласился связываться с явным криминалом, он был разумно боязлив. Украсть чужие идеи, результаты чужого научного труда — это дело привычное, покажите-ка хоть одного человека, которого бы за это сурово наказали в нашей стране. А криминальные трупы — это совсем иное. Перспектива оказаться в тюрьме Александра Иннокентьевича ну никак не радовала. Более того, она могла выбить его из колеи настолько, что он сам потерял бы способность нормально работать и не смог бы довести бальзам. И прощай мировая слава и большие деньги.

Ольга Решина была другой. И она готова была идти по трупам во имя мировой славы и больших денег. Но ее мужу знать об этом было совсем не обязательно. Более того, она старательно изображала сострадание к умирающим пациентам, чем вызывала насмешливо-снисходительные взгляды Бороданкова. На самом же деле чужая смерть ее не смущала. Поэтому она даже не вздрогнула, услышав от своего бывшего любовника Шоринова, что он помнит данное ею обещание и теперь ей пора подключаться.

— Твоя Тамара ведет себя неправильно, — выговаривал ей Михаил Владимирович. — А теперь вот ее кто-то ищет, и если Николай сумел выяснить, куда она делась, то и они смогут. Я принял меры к тому, чтобы эти люди не смогли пройти тот же путь, что и Коля. Но на этом пути четыре звена. Троих просто заткнули, а с четвертым нужно поработать. Нужно выяснить, как много этот человек знает, не рассказала ли ему Тамара что-нибудь лишнее. Этим займешься ты.

— Хорошо. — Она согласно кивнула. — Я должна только выяснить, насколько этот человек информирован?

— Нет, не только. — Шоринов многозначительно посмотрел на нее. — Сначала выяснить, а потом решить, нужно ли делать что-то еще.

— То есть ты хочешь сказать, что делать «что-то еще» нужно будет не только с ним? — нахмурилась Ольга.

— А вот это ты и должна выяснить у него. Во-первых, что ему рассказала Тамара, и во-вторых, рассказывал ли он сам об этом еще кому-то. Мы должны охватить полностью тот круг людей, который выводит на Тамару и на ее связь с событиями в Австрии, с одной стороны, и с нами, с другой.

— Но почему, Миша? — удивилась Ольга. — Если ты нанял для решения вопроса каких-то людей, пусть уж они заодно и это сделают. Они же, наверное, профессионалы, не то что я.

— Почему-почему, — проворчал Шоринов. — Потому что это денег стоит, вот почему. Я что, по-твоему, бездонная бочка? Я согласился финансировать проект, но всему есть предел. Из-за твоей Тамары мне и без того пришлось идти на дополнительные расходы, оплачивать работу Николая, а это тоже, знаешь ли, немало. Теперь вот хвосты подчищать приходится. Эта контора за свои услуги дорого берет. Лишнего платить не хочу. Понятно?

— Понятно, — вздохнула она. — Хорошо, Миша, я все сделаю.

— Как дела у Александра? Когда будет готово?

— Скоро, Мишенька, не беспокойся, уже совсем скоро. Теперь это вопрос нескольких недель, если не дней.

— Я думал, после того, как я достану вам архив, результат будет немедленно, — недовольно заметил Шоринов. — Чего он возится так долго, этот твой гений?

— Еще немножко потерпи, — попросила она. — Не все так просто. В бумагах Лебедева нет готового решения, только общие идеи. Может быть, твой Николай не очень внимательно их смотрел и пропустил самое важное.

Шоринов понял, что это был мелкий укол в ответ на упреки в адрес Тамары. Ольга, дескать, ошиблась в той переводчице, которую рекомендовала, но и человек, подобранный для выполнения задания им, Шориновым, тоже мог оказаться не на высоте. Ладно, проглотим.

— Ты хочешь сказать, что он привез не те бумаги? Так, между прочим, это ты его инструктировала и объясняла, что именно нужно в них искать.

— Значит, или я плохо его инструктировала, или он плохо меня понял. Ты хочешь воевать со мной на ровном месте, Миша?

— Ладно-ладно, — примирительно сказал Шоринов, — сойдемся на том, что ты все хорошо объяснила и Коля все правильно понял, но в бумагах действительно больше ничего не было. Все равно дело уже сделано, обратного хода нет. Даже если кто-то из нас ошибся, надо работать с тем, что есть. Будет толк-то? Или все впустую?

— Будет, Миша. Это я тебе обещаю, — твердо ответила Ольга.

* * *

Прошло несколько дней, и Настя Каменская немного успокоилась. Присланный Денисовым частный детектив Тарадин и в самом деле не просил ее ни о чем, кроме наведения справок в Центральном адресном бюро и в ОВИРе. Если, к примеру, в его списке был человек по имени Сергей Иванович Васин, то Настя запрашивала в ЦАБе данные на всех москвичей с таким именем, Тарадин проходился по списку с карандашом, вычеркивая тех, кто не подходил по возрасту, затем Настя выясняла по своим каналам, кому из них выдавался загранпаспорт. На этом ее миссия заканчивалась, и дальше Владимир Антонович Тарадин действовал самостоятельно.

Регулярно, каждые два дня, ей звонил Эдуард Петрович и вежливо справлялся, не обременяет ли ее своими просьбами Тарадин, не обижает ли.

— Кто меня обидит, тот дня не проживет, — сухо усмехалась в ответ Настя. — Вы же знаете, Эдуард Петрович, я только с виду тихая.

Неприязнь к Тарадину возникла у нее еще до того, как они встретились в первый раз. Частный детектив, присланный Денисовым, был для нее олицетворением неведомой опасности, ловушки, в которую ее хотят заманить. Но постепенно, по мере того, как она успокаивалась, стало рождаться уважение к его последовательной, четкой и неутомимой работе. Облик нелепого застенчивого мямли не мог ее обмануть, тем более что первый их контакт был телефонным, когда Настя ориентировалась на уверенный голос и снисходительные интонации. Однажды она даже сказала ему об этом.

— Владимир Антонович, если вы хотите кого-то обма-

нуть, не начинайте знакомство с разговора по телефону. Вся ваша сущность сконцентрирована в голосе, после этого ваша выразительная внешность уже не пляшет.

Он весело расхохотался.

— А может быть, все наоборот? Голос — это способ обмануть собеседника, а внешность как раз правдива? Откуда вы знаете, может, я и есть самый настоящий рохля и тюфяк?

— Вы — человек Денисова, этим все сказано, — заметила Настя, невольно сама начиная улыбаться, настолько заразительным оказался смех у этого Тарадина. — Вы не можете быть рохлей и тюфяком по определению.

— Вот видите, как вас легко ввести в заблуждение. — Казалось, Тарадин еще больше развеселился. — Наклеили на меня ярлык «человек Денисова», и вам уже кажется, что я непременно должен быть эдаким суперагентом. Достаточно оказалось двух телефонных звонков — моего и Эдуарда Петровича, чтобы вы составили обо мне мнение, которое на самом-то деле ничем не подкреплено.

Тут уж Настя и сама расхохоталась. Тарадин начинал ей нравиться.

— Один — ноль, вы ведете, — призналась она. — Только не забывайте об одной мелочи: я же вижу, как вы работаете. Уж в этом-то меня обмануть трудно. Ну признайтесь, ведь вы каждый вечер составляете что-то вроде сетевого графика на следующий день, у вас все спланировано, учтены все возможные сбои и продуманы запасные варианты, чтобы ни одна минута не пропала зря. Угадала?

Он внимательно посмотрел на нее и усмехнулся.

— Стыдно, Анастасия. Вы разговаривали со Старковым, а теперь делаете вид, что сами догадались. Не думал, что человек, о котором Старков отзывался так высоко, способен на такие дешевые номера.

Возникшее было теплое чувство к Тарадину тут же потухло, Настя разозлилась.

— Мне очень приятно, что Старков хорошо обо мне отзывался, — сказала она ледяным тоном, — но ставлю вас в известность, что в последний раз я разговаривала с ним два года назад. А у нас с вами, Владимир Антонович, не те отноше-

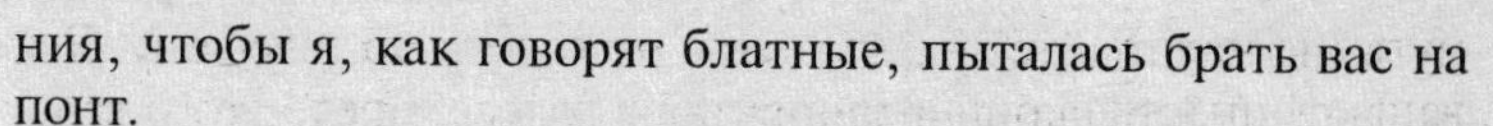

ния, чтобы я, как говорят блатные, пыталась брать вас на понт.

В тот раз они расстались чуть ли не враждебно, однако уже на следующий день Тарадин позвонил как ни в чем не бывало. Настя решила не заостряться на своем отношении к нему. Чем быстрее он закончит свою работу, тем быстрее уедет и оставит ее в покое. Проверка двадцати шести человек из списка шла довольно быстро, у Тарадина оказалось какое-то невероятное чутье, позволяющее ему почти безошибочно находить тех, кто ему нужен. Если, к примеру, после проверки в ОВИРе оказывалось, что тех самых Сергеев Ивановичей Васиных, подходящих по возрасту и имеющих загранпаспорт, двадцать пять человек, то именно тот, который ездил в середине сентября в Австрию, непременно попадал в первую же пятерку проверяемых. Были и такие, кого не удавалось найти с первого раза — люди уезжали в отпуск, в командировки, ложились в больницы, по тем или иным причинам жили у друзей или родственников, а вовсе не там, где прописаны. Но так или иначе, Тарадин нашел почти всех, и Настя радовалась, что скоро он от нее отстанет. Когда будут точно установлены все двадцать шесть человек из списка, он, если не врет, будет среди них искать убийц, и здесь она уже никакой помощи ему оказывать не будет.

Но в этом она ошибалась.

* * *

Тарадин позвонил ей вечером домой, и, услышав его низкий хорошо поставленный голос, Настя не смогла сдержаться, чтобы не скривиться. Ну ладно, пусть он достает ее на работе, но звонить по вечерам домой — это уже верх нахальства.

— Вы будете очень смеяться, — начал Владимир Антонович без долгих предисловий, — но я их нашел.

— Поздравляю, — холодно ответила она. — Это радостное известие, разумеется, не могло подождать до завтра.

— Известие не такое уж радостное. — Тарадин, казалось, и не заметил ее недовольного тона. — Беда в том, что я не могу их найти.

— То есть?

— Я их вычислил. Но они пропали.

— Оба? — насторожилась Настя. Холодность и раздражение как рукой сняло.

— Оба. И мужчина, и женщина. Хуже того, женщина явно скрывается, а мужчина ее ищет. Что-то у них там произошло, видно, конфликт какой-то. В общем, разошлись во мнениях. Женщина так старалась исчезнуть, что даже родной матери не сказала, что вернулась из Австрии. Позвонила и наплела, что осталась там поработать, ей якобы предложили выгодный контракт. А мужчина с синими глазами по имени Коля ее искал-искал, да и скрылся в неизвестном направлении. Похоже, он ее все-таки нашел. Я вот думаю, не труп ли этой женщины мы получим в итоге.

— А вы уверены, что она не осталась в Австрии? Может быть, она сказала матери правду?

— Может быть, — усмехнулся Тарадин. — Только дело в том, что она с этим синеглазым, судя по моим сведениям, возвращалась из Вены одним рейсом. Так уж тут одно из двух: или она с ним возвращалась, или нет. Если нет, то он не стал бы искать ее у матери. Я не прав?

— Правы, — вздохнула Настя. — Но это нужно проверять в Шереметьеве. Она могла собраться, приехать в аэропорт и даже пройти регистрацию на рейс вместе со своим спутником, а потом почему-то передумала лететь. Может, они поссорились, и она не захотела лететь вместе с ним, взяла билет на следующий рейс. Или ее что-то спугнуло, может быть, местная полиция сделала что-то такое, что их насторожило, и они решили не рисковать и не светиться вместе. Тогда он ждал, что она в ближайшее время вернется, а когда она не появилась, стал искать ее через мать.

— Возможно, — согласился Тарадин, чуть помолчав. — Но если у них все в порядке и нет никаких конфликтов, то она должна была в первую очередь отзвониться ему, чтобы он не беспокоился. А она этого почему-то не сделала. Вы же понимаете, Анастасия, убийство явно заказное, а раз так, то у этой парочки есть хозяин, перед которым они отчитываются. Пусть не синеглазому напарнику, но уж хозяину-то она должна была позвонить и сообщить, где она и что с ней. И тогда на-

парник не стал бы ее разыскивать, прикидываясь брошенным любовником.

— Ладно, от меня-то вы что хотите?

— Вы могли бы выяснить в Шереметьеве, проходила ли она паспортный контроль? Коченова Тамара Михайловна, 16 сентября.

— Хорошо, я узнаю. Что еще?

— Вы прекрасно знаете, что еще. Просто вы не хотите мне помогать, я вам надоел.

— Да, вы мне надоели, — с неожиданным раздражением сказала Настя. — Говорите приметы.

Она быстро записала под диктовку Тарадина приметы Тамары Коченовой и Николая Саприна. Завтра же она «примерит» эти приметы к неопознанным трупам. Может быть, синеглазый Саприн уже нашел и убил красивую шатенку Тамару. А может быть, скрывающаяся Тамара сама убила нашедшего ее Саприна. Во всяком случае на первый взгляд получается, что сразу после совершенного в Австрии преступления оба они вылетели в Москву, а теперь обоих почему-то никак не найти. Нехорошая история.

Настя повесила трубку и вернулась на кухню, где вместе с мужем разгадывала огромный, размером в газетную полосу, кроссворд. Алексею достаточно было одного взгляда на ее лицо, чтобы понять, что она находится в крайней степени недовольства.

— Ты чего, старушка? — озабоченно спросил он. — Кто тебя расстроил?

— Ерунда, Лешик, не обращай внимания, — отмахнулась Настя. — Что там у нас дальше?

— Дальше у нас персонаж, сделавший карьеру на стеклотаре. Третья буква «р» и предпоследняя тоже «р».

— Баркильфедро, — тут же откликнулась она.

— Умница, — похвалил муж. — Тогда у нас появилась буква «ф» для слова по горизонтали. Это будет... это будет... Патологическая страсть к тем, кого уж нет. Это что такое?

— Это некрофилия. Составитель кроссворда претендует на чувство юмора?

— Наверное. — Он пожал плечами. — А почему ты злишься? Что в этом плохого?

— Извини, солнышко, это я так. Настроение испортилось, вот и брюзжу.

— Может, расскажешь родному мужу-то?

— Ой, Лешик, да нечего рассказывать. Глупая у тебя жена, вот и весь рассказ. Дура, одним словом.

— А поподробнее нельзя? Двадцать лет с тобой знаком и все мечтаю услышать трагическую повесть о том, какая ты глупая. Слушай, Ася, ты валяешь дурака.

— Вот именно. Я валяю дурака, и поэтому у меня резко испортилось настроение. Понимаешь, я позволила себе увлечься эмоциями и очень боюсь, что в результате моих пустых переживаний проморгаю серьезное преступление.

Она неторопливо пересказала Леше всю эпопею с Тарадиным.

— И я ведь понимаю, что он прав, он дело говорит, но ничего не могу с собой сделать. Вот как невзлюбила его с самого начала, так и пошло все наперекосяк. Ты же понимаешь, что у меня возможностей в сто раз больше, чем у частного детектива. Я бы этот список отработала в три секунды вместе со всеми многочисленными однофамильцами. Если бы я нормально работала, то адреса, телефоны, места работы и пикантные подробности биографий этих двадцати шести человек я бы знала максимум через два дня. И тогда этому Тарадину оставалось бы только посмотреть на них своими глазами, сравнить приметы и понаблюдать за образом жизни. А я строила из себя невесть что, играла в целомудрие и доигралась до того, что мужчина уехал вслед за женщиной. Похоже, не с самыми романтичными намерениями. Если бы я с самого начала все делала так, как надо, Тарадин нашел бы мужчину еще до того, как тот уехал. Ты понимаешь, о чем я говорю?

— Я понимаю, Асенька, что ты себе не простишь, если этот таинственный мужчина убьет женщину. Но я не понимаю другого.

— Чего же?

— Я не понимаю, откуда взялись эти сложные отношения с частным детективом. Почему ты его невзлюбила-то? Он тебя обидел?

— Он меня испугал, — ответила Настя очень серьезно. — Он представитель мафиозной структуры, и я жутко боялась вляпаться в какое-нибудь дерьмо.

— Зачем же ты ему помогала?

— Меня попросили.

— Кто?

— Человек, которому я не могла отказать.

— Господи, откуда ж такие берутся? — искренне изумился Леша. — Сколько тебя знаю, отказать ты всегда могла кому угодно. Что это за выдающаяся личность? Я его знаю?

— Его лично — нет. Но ты видел его сына. Помнишь, в прошлом году ко мне неоднократно приходил смешной такой человечек с визгливым голосом? Ты тогда еще возмущался, что я пускаю в дом уголовников.

— Помню. Он же погиб, кажется?

— Да. Он погиб. И поскольку я чувствую себя виноватой в этом, я не могу отказать его отцу.

— А отец, конечно, этим пользуется, — прокомментировал Алексей. — По-моему, ты действительно валяешь дурака. Я тебя не узнаю, Ася. Для тебя дело всегда было на первом месте, а эмоции — на последнем. Что изменилось? Произошло что-то такое, о чем я не знаю и что заставило тебя так сильно измениться? В чем дело, Асенька?

— Ни в чем, милый. Наверное, я просто старею, теряю хладнокровие, трезвость мысли и рассудительность. Знаешь, чем человек моложе, чем меньше у него жизненного опыта, тем проще ему быть жестоким и не поддаваться жалости. А с годами приходит понимание простой истины: нет такого преступника, которого не за что было бы пожалеть. Всегда есть хоть что-нибудь, что способно вызвать сочувствие. Надо только уметь это увидеть. Преступление — это несчастье самого преступника, а не только его жертвы. Ладно, все это философия, — она внезапно улыбнулась, — и сопли на глюкозе. Плевать мне на всех мафиози вместе взятых, надо делом заниматься и не канючить, правильно?

— Ну наконец-то, — облегченно вздохнул Леша. — А то я уж испугался, что мне жену подменили.

* * *

На следующий день Настя первым делом выяснила, нет ли среди неопознанных трупов таких, которые имели бы приметы Тамары Коченовой или Николая Саприна. Таких не нашлось, и по крайней мере одну версию событий можно было отбросить. Если бы обнаружился труп Тамары, можно было бы полагать, что Саприн нашел ее, убил и скрылся. А так становилось ясным, что Тамара все-таки уехала из Москвы раньше, чем Саприн ее нашел. И теперь нужно было постараться выяснить, куда она уехала. Если она еще жива, то надо ее охранять от назойливого синеглазого мужчины, а уж потом выяснять, отчего же, собственно, она ударилась в бега.

По лицу Тарадина было видно, что он крайне удивлен произошедшей в Насте переменой. Однако ее бурную деятельность он не пресекал и вопросов не задавал, как будто так и надо было. Они вместе навестили мать Тамары, Аллу Валентиновну, но ничего нового о самой девушке не узнали, она больше матери не звонила. Зато Алла Валентиновна рассказала им о встрече в Домодедовском аэропорту с тем красивым молодым человеком по имени Николай, который жаловался, что Тамара его бросила.

— Он не сказал вам, куда улетает? — на всякий случай поинтересовалась Настя, хотя прекрасно понимала, что даже если и сказал, то наверняка соврал. Он же не идиот.

— Нет, не сказал, а я и не спросила.

— А о том, что я к вам приходил, искал Тамару, вы ему сказали? — вмешался Тарадин.

— Конечно, — улыбнулась Алла Валснтиновна. — Как я могла промолчать? Пусть Коля знает, что, во-первых, у него есть соперник, а во-вторых, что Тамара не с ним одним так легкомысленно обошлась. А вы тоже работаете в частном сыскном агентстве? — обратилась она к Насте.

— Нет, я сестра того несчастного влюбленного, который ищет вашу дочь. Сердце разрывается, когда вижу, как он страдает, вот и решила помочь в поисках. Скажите, Алла Валентиновна, с какой фирмой чаще всего сотрудничала Тамара?

Может быть, они знают, с кем она заключила контракт и в каком месте Австрии ее искать?

— Кажется, агентство называется «Лира» или что-то в этом роде. Но вы, наверное, зря потратите время. Коля ведь тоже меня об этом спрашивал. Если бы в агентстве знали, где Тамара, он бы нашел ее, правда?

С этим трудно было не согласиться. Дело, однако, было в том, что Коля-то как раз, судя по всему, Тамару нашел. И не исключено, что именно через «Лиру».

Глава 8

В агентство «Лира» они тоже отправились вместе, по дороге обсуждая Коченову-старшую.

— Удивительно легкомысленная женщина, вы не находите? — спросила Настя у Тарадина. — Какие-то люди под явно надуманными предлогами ищут ее дочь, а она всему верит и совершенно не беспокоится. По-моему, она даже не интересуется, где Тамара.

— Привыкла, наверное, что дочь живет своей жизнью, и не вмешивается. Позвонила, жива-здорова — и слава богу. Но вообще-то она действительно чрезмерно доверчива. Видно, ни разу не нарывалась, — ответил Владимир Антонович. — Просто удивительно, как ее до сих пор не обманули и не ограбили. Ведь пускает в дом кого ни попадя, даже документов не спрашивает. Впрочем, не зря говорят: то, чего боишься, непременно случается. Она не боится, вот с ней и не случается ничего.

В «Лире» они не стали выдавать трогательную историю о любви, прикидываясь частными детективами. Настя сочла, что пора уже действовать официально, и начала прямо с директора. Директор агентства, молодой здоровяк с накачанными мышцами культуриста, объяснил, что приемом заявок занимается диспетчер, а распределением их между переводчиками — старший менеджер Лариса Диденко. Так что только она может знать, не подписывала ли Коченова в последнее время какие-нибудь контракты.

Но Лариса надежд не оправдала.

— Последний контракт, который я устроила Тамаре, был заключен с Министерством социальной защиты. Они отправляли группу детей-инвалидов в экскурсионную поездку по Европе, им нужны были переводчики. Они запрашивали у нас двух немцев и двух французов. Это было в июне.

— И что же, после июня Тамара сидела без работы? — удивилась Настя.

— Ну почему же, — усмехнулась Диденко, — Тамара хороший специалист, она никогда не сидит без работы, но ведь она связана не только с нами.

— А контракт на работу с выездом в Австрию в середине сентября шел не через вас?

— Нет, — покачала головой Диденко, — в Австрию я ее не отправляла. Я вообще давно ее не видела.

— С какими еще агентствами работала Коченова?

— Не знаю. Переводчики не любят распространяться о своих контрактах, а многие наниматели специально просят их сохранять коммерческую тайну и не рассказывать, на каких переговорах и с участием каких сторон они присутствовали.

— Значит, подсказать ничего нам не можете?

— Нет, к сожалению, ничего.

— Ну что ж, спасибо и на этом, — вздохнула Настя, пряча блокнот в сумку и вставая.

— А что случилось-то? — спросила Лариса, когда Настя и Тарадин уже подошли к двери. — Зачем вам Тамара?

— Контракт хотим заключить, — ответил Тарадин. — О Тамаре Коченовой очень хорошие отзывы, в том числе и в части сохранения коммерческой тайны.

— Какие же в милиции коммерческие тайны? — удивилась Диденко, приняв слова Тарадина за чистую монету.

— Расследования экономических преступлений с участием иностранных фирм, например, — пояснил тот с деловым видом.

— А-а-а, тогда конечно.

Они вышли из «Лиры» и молча побрели к машине Тарадина.

— Она что-то знает, — пробормотала Настя, останавлива-

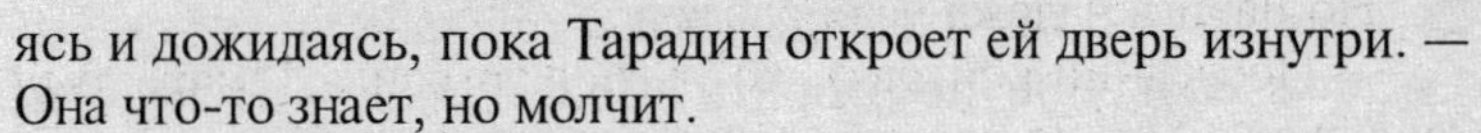

ясь и дожидаясь, пока Тарадин откроет ей дверь изнутри. — Она что-то знает, но молчит.

— Почему вы решили?

— Она слишком поздно спросила, почему мы ищем Тамару. То есть ее это не удивило, поэтому она и не спросила, а только потом спохватилась, что нужно сделать лицо. И еще. Она слишком легко скушала ваше вранье про коммерческие тайны в милиции. Ей хотелось, чтобы мы скорее ушли, поэтому для нее подошел бы любой ответ, даже если бы вы сказали о контактах с инопланетянами, для которых нужен не просто переводчик с немецкого, а именно Коченова. Эта Лариса наверняка что-то знает, но, видимо, Тамара просила ее никому не говорить.

— Не получается, — заметил Тарадин, включая двигатель. — Если Тамара просила не говорить, то она и Саприну не сказала бы. А Саприн, похоже, ее все-таки нашел. Тут что-то другое. Но я с вами полностью согласен, что-то есть. Куда едем?

— В Министерство социальной защиты. Попробуем там поискать.

На поиски человека, который организовывал экскурсионную благотворительную поездку детей-инвалидов по Европе, у них ушел весь остаток дня. Настя с ужасом думала о том, что ничего не сделала за этот день по текущим делам и завтра начальник спросит с нее результат, которого нет. Одна надежда на Короткова, может, он ее прикроет. Если он раздобыл какие-нибудь факты, то ночью она их обдумает и к утру выдаст какое-нибудь решение.

Сотрудницу министерства Андрееву, жизнерадостную толстушку в обтягивающих леггинсах и длинном свитере, они отловили уже вечером, приехав к ней домой. Андреева оказалась матерью троих детей, которых как раз в это время кормила ужином, и визит гостей был совсем некстати, но она сумела ничем этого не показать, приветливо улыбалась и даже предложила Насте и Тарадину поужинать вместе с ними. От ужина они отказались и продолжали неловко топтаться в прихожей.

— Да вы проходите, — энергично уговаривала их Андреева. — Я сейчас детей налажу, все им положу, и мы с вами сможем спокойно поговорить. Проходите, проходите, не стесняйтесь.

Настя первой прошла в маленькую комнату, которая в этой квартире, по-видимому, считалась «большой», потому что все остальные были еще меньше. За ней бочком, стараясь не задевать мебель, протиснулся Тарадин и недоуменно огляделся.

— Господи, как же они живут в такой тесноте! Здесь же повернуться негде.

— Ну, Владимир Антонович, что вы хотите, она работает все-таки не в частной фирме, а в госсекторе. Вы, наверное, уже забыли, какие у государственных служащих зарплаты.

Тарадин поморщился, но ничего не ответил, осторожно умещаясь на краешке дивана. Через несколько минут хозяйка присоединилась к ним.

— Так что вы хотели узнать о Тамаре?

— Все, — улыбнулась Настя. — Расскажите нам, пожалуйста, все, что знаете о ней.

— Не так уж и много, — пожала плечами Андреева. — Во время поездки мы, конечно, постоянно общались с ней, но Тамара была не очень-то разговорчивой. Такая, знаете ли, вся в себе.

— А почему с вами поехала именно она?

— Ее порекомендовало агентство.

Из кухни донесся звонкий голосок:

— Мам, можно я макароны кетчупом полью?

— Нет, Павлик, тебе кетчуп нельзя! — крикнула Андреева и виновато улыбнулась гостям.

— Значит, до вашего обращения в агентство вы о Тамаре Коченовой никогда не слышали? — уточнила Настя.

— Нет.

— Тамара не упоминала, с какими еще агентствами она работает?

— Кажется, нет... Но я, признаться, не обращала на это внимания. Мне это было неинтересно.

На кухне что-то грохнуло и следом раздался визг. Андрее-

ва вздрогнула, но с места не двинулась. Теперь уже слышался оглушительный рев.

— Вы не посмотрите, что там случилось? — удивился Тарадин.

— Я и так знаю. С подоконника утюг свалился. Опять Светланка ерзала и крутилась, вот и задела локтем. Это у нас случается через день.

— Но она же плачет. Вдруг ушиблась?

— Если бы ушиблась, она бы не так плакала. Я своих спиногрызов знаю. Это она просто испугалась. Ничего, пусть привыкает, что есть вещи, с которыми нужно справляться самой. Вы спрашивайте, пожалуйста, не обращайте внимания.

— Припомните, может быть, Тамара рассказывала вам о своей работе — куда ездила, где переводила. Конференции, симпозиумы и так далее.

— Да, вы знаете, было такое. Я сказала ей, что мой муж — врач-ортопед, ученик самого Илизарова, а она ответила, что видела Илизарова на международном симпозиуме в Новосибирске, там была целая бригада переводчиков из Москвы. Мы, конечно, больше о талантливом медике говорили, знаете, две бабы собрались — так они будут внешность обсуждать, а не научные проблемы.

Андреева легко и заразительно рассмеялась. В это время на пороге комнаты возникла живая белокурая кукла с заплаканным лицом.

— Когда папа придет? — требовательно вопросила кукла.

— Папа придет утром, он дежурит, — невозмутимо отозвалась хозяйка. — А что случилось? Зачем тебе папа?

— Он меня пожалеет, — сердито заявила кукла по имени Светланка. — Я плачу, плачу, а ты не идешь.

— Хорошо, детка, ты поплачь до утра, а там и папа вернется с дежурства. Иди, пожалуйста, за стол и все доешь. И проследи, чтобы Павлик не трогал кетчуп.

Маневр отвлечения девочки от собственных страданий был проведен ловко и незаметно. Требуемую долю жалости малышка не получила, но зато ей в руки дали оружие, позволяющее осознать собственную значимость, — право контроля над старшим братом, роль маминой помощницы. Она мо-

6 Зак. 670

ментально повеселела и вприпрыжку помчалась обратно на кухню с радостным криком:

— Павлик, не смей трогать кетчуп, мама тебе не разрешает!

Тарадин не смог сдержать улыбку.

— Вы опытный педагог, — заметил он. — У вас, наверное, большая практика?

— Огромная, — кивнула женщина. — Я с девятнадцати лет в детском саду работала, а когда стала расти по административной линии, так своих трое появилось. У меня с детьми никогда проблем не было.

— А у Тамары? Вы ведь возили ребятишек, как она с ними общалась?

— Вы знаете, не очень успешно. — Андреева покачала головой. — Было видно, что она детей не любит и общаться с ними не умеет. Она и сама это знала, даже как-то пожаловалась мне, что у нее контакты с детьми не получаются. Ну, не то чтобы пожаловалась, она вообще ни на что не жаловалась, просто заметила, что уже второй раз едет с детской группой, а понимать ребят так и не научилась. В первый раз, кажется, она ездила с гимнастами из детской спортивной школы на какие-то соревнования. По-моему, в Дюссельдорф, если я ничего не путаю.

— О своей личной жизни Тамара ничего не рассказывала? О семье?

— Нет, в этом смысле она была замкнутой, со мной не делилась.

Разговор с сотрудницей Министерства социальной защиты не прошел зря. По крайней мере было понятно, куда двигаться дальше, где еще искать следы Тамары Коченовой.

* * *

Женщина сидела на ступеньках лестницы и плакала, тихонько всхлипывая. Юрий Оборин уже собрался было пройти мимо нее к лифту, но остановился.

— Что у вас случилось? — участливо спросил он. — Я могу вам помочь?

— Я очки разбила, — пролепетала женщина горестно. — Я не могу без них идти по улице.

Она подняла заплаканное лицо и протянула ему раскрытую ладонь, на которой лежала оправа вместе с осколками стекол.

— Не знаю, что теперь делать.

— Сильные стекла? — спросил Оборин.

— Минус семь с половиной. Я без них все равно что слепая.

— Пойдемте. — Он решительно потянул женщину за руку. — Вам нужно успокоиться, а потом я провожу вас до ближайшего метро. Там в подземном переходе есть лоток «Оптика», купите себе новые очки.

Она жалко улыбнулась, но послушно встала и пошла следом за Юрием. Крепко придерживая ее за локоть, Оборин довел женщину до своей квартиры, пропустил в дверь и сразу направил в ванную.

— Умойтесь, у вас краска потекла.

Через пару минут незнакомка неуверенным шагом, легко касаясь стен, вернулась в комнату. Если бы не беспомощное выражение лица и не напряженно сощуренные глаза, она была бы довольно привлекательной. Оборин увидел, что черты у нее четкие и правильные, длинная, хорошей формы шея, округлые покатые плечи. Женщина села в кресло и, закинув ногу на ногу, расслабленно откинулась на мягкую спинку. Юра по достоинству оценил ее изящные щиколотки и красивые колени.

— Как же вы так неосторожно?

— Тетка какая-то налетела сзади, торопилась на автобус. Я не удержала равновесие, и вот... — Она растерянно развела руками. — Знаете, самое обидное не это. Я хотела доползти до ближайшего автомата, позвонить мужу, чтобы забрал меня, иду и спотыкаюсь, я же под ногами ничего не вижу, за стену дома держусь. А тут мужчина какой-то, с виду приличный, меня увидел и как начал гнать: вот, молодая, напилась с утра пораньше, еле на ногах стоит, шатается, пьяница, проститутка, и все в таком роде. Народ на меня оглядывается, тут же бабки нашлись — любительницы покритиковать молодых, заголосили хором всякую мерзость. Я не выдержала и расплакалась. Представляете? Совсем растерялась, так мне обидно стало, горько, я и разревелась. Сразу же тушь потекла, глаза защипало, в общем... — Она махнула рукой. — Не вижу ничего, слезы душат, вот и зашла в подъезд. Сижу, реву, что дальше делать — не знаю. Со мной в первый раз такое.

— Вы в первый раз очки разбили? — удивился Юрий.

— Да нет, разбила-то не в первый, но у меня всегда в сумке запасные были. А вот в последний год я все никак не соберусь вторые очки сделать. Сначала нервничала, боялась, что разобью единственную пару, а потом как-то привыкла, даже и забывать стала, что запасных нет. Вот, допрыгалась. Далеко до вашего метро?

— Минут десять средним шагом. Хотите чаю? Может быть, вы голодны?

— Хочу чаю, и есть тоже хочу, — впервые улыбнулась женщина, и Оборин заметил превосходные ровные зубы. — Но мне ужасно неудобно вас затруднять. Хотя до метро я без вашей помощи все равно не доберусь. Давайте знакомиться, что ли? Меня зовут Ольга. А вас?

— Юрий. Сосиски будете?

— Я буду все. — Ольга рассмеялась. — А как вы выглядите, Юрий?

— Нормально. — Он пожал плечами. — Типичная средняя внешность. Вы посидите здесь, пока я поесть приготовлю?

— Возьмите меня с собой на кухню, — попросила она. — Я же почти ничего не вижу, так хоть разговаривать с вами буду.

Он снова крепко взял ее под локоть и осторожно повел на кухню. Ольга была так близко, что Оборин чувствовал запах ее духов, тяжелый и дурманяще сладкий. На миг его кольнуло острое чувство нежности к этой взрослой женщине, которая оказалась в зависимости от него и нуждалась в его помощи и поддержке.

— А вы в самом деле меня не видите? — спросил он, усадив ее на табуретку и доставая кастрюльку для сосисок.

— Очень плохо, — призналась она. — Вместо лица —

какой-то расплывчатый розовый блин. Вы, наверное, красивый.

— Ничего подобного, — сердито отозвался он. — Я уже сказал, у меня самая обыкновенная внешность. Чем вы занимаетесь, Оля?

— Я медсестра. А вы?

— А я наполовину юрист.

— А на вторую половину?

— Неизвестно что. Вообще-то я аспирант юридического факультета, через год закончу диссертацию, а что потом — понятия не имею. То есть понятно, что я останусь на своей кафедре сначала преподавателем, потом, бог даст, доцентом. Но точно так же понятно, что на эти деньги нормальный человек прожить не сможет. Уйду в адвокатуру, наверное.

— А почему не в фирму? Они юристов с руками отрывают и платят хорошо.

— Да кому я нужен в фирме-то? — презрительно скривился Оборин. — Им нужны цивилисты, хозяйственники, специалисты по договорам. А у меня — уголовное право.

— А переквалифицироваться нельзя? Это же, наверное, несложно.

— Ох, Оленька, ну что вы такое говорите! Представьте себе, что врач-окулист решит переквалифицироваться в дерматолога. Пойдете вы к такому врачу? Будете доверять его профессионализму? А ведь обе дисциплины в одном институте изучают. И у нас точно так же. Когда выбираешь специализацию, то начинаешь углубленно изучать ту отрасль права, которую чувствуешь лучше всего, к которой у тебя душа лежит. Тогда все в радость, тогда никакая зубрежка не нужна, потому что ты внутри себя ощущаешь общую логику отрасли права, и все само собой укладывается в голове и запоминается. Человек должен заниматься тем, что ему интересно, только тогда из этого будет толк. А если менять квалификацию с расчетом на заработок, то новую отрасль никогда не освоишь на уровне мастера, так и останешься подмастерьем на всю жизнь. Вам хлеб белый или черный?

— Черный. А позвонить от вас можно?

— Конечно, сейчас я принесу телефон.

— Юра, если не трудно, захватите из комнаты мою сумку, в ней записная книжка.

Оборин принес телефонный аппарат и сумку. Ольга достала записную книжку и поднесла ее к самым глазам, поворачивая страницы к свету и напряженно вглядываясь в мелкие цифры. Потом она опустила голову, приблизив лицо к кнопкам и почти касаясь их чуть длинноватым носом, и набрала номер.

— Анна Георгиевна? Это Ольга. Извините меня, пожалуйста, но я сегодня до вас не успею доехать. Нет, никак не получается, я до пяти часов не успею. Когда можно подъехать? Завтра? Отлично, завтра, с десяти до двенадцати. Спасибо вам.

Она повесила трубку и горестно вздохнула.

— Ну вот, к зубному опять не попала. Целый год собиралась, все до отпуска откладывала. Боюсь, завтра у меня духу не хватит. Сегодня-то я настроилась...

— Вы боитесь зубных врачей? — удивился Юрий.

— До обморока...

* * *

— Вы боитесь зубных врачей? — спросил он так удивленно, словно медицинские работники какие-то особенные и не должны бояться своих же коллег.

Конечно, она боялась зубных врачей, но при этом помнила, что красивые зубы — одно из ее несомненных достоинств, и посещала стоматолога регулярно, хотя перед каждым визитом два-три дня ходила сама не своя от страха перед возможной болью.

— До обморока, — честно призналась Ольга Решина.

— Значит, вы сейчас в отпуске?

— Ну да.

— Едете куда-нибудь?

— Уже съездила, две недели гостила у родителей, теперь до конца отпуска буду в Москве.

— И много осталось гулять?

— Пять дней, — вздохнула она. — Все хорошее быстро кончается.

Они поели, выпили чаю с шоколадно-вафельным тортом. Исподтишка наблюдая за Обориным, Ольга прикидывала, насколько «трудным» он может оказаться. Та легкость, с которой он привел ее к себе в дом, могла быть следствием легкомыслия, и в этом случае окрутить его будет несложно. Но если это проявление уверенности в себе и сознания собственной силы и неуязвимости, то борьба может оказаться нелегкой и долгой. С первого раза может и не получиться. Без очков она действительно не видела его лица и не могла наблюдать за мимикой, по которой можно было судить о том, как он расценивает сложившуюся ситуацию и что думает о ней, Ольге. Скорее бы надеть очки, чтобы начать хоть как-то ориентироваться.

— Простите, Юра, я вам надоедаю, но мне очень тяжело без очков. Проводите меня, пожалуйста, до метро, — попросила она.

— Конечно, — спохватился он. — Пойдемте.

Он помог ей надеть куртку и, крепко держа под руку, вывел из квартиры. По улице они шли медленно. Ольга и в самом деле почти ничего толком не видела и чувствовала себя крайне неуверенно, то и дело спотыкаясь на неровном асфальте и все сильнее прижимая к себе руку Оборина. Наконец они спустились в подземный переход, и Юрий подвел ее к стенду с очками и оправами.

— Девушка, — обратился он к продавщице, — что у вас есть на минус семь?

— Минус семь? Только вот эти.

Продавщица сняла со стенда и протянула ему нечто совершенно нелепое.

— Но это же мужская оправа. А женских нет?

— Я же сказала, молодой человек, на минус семь — только эти.

— Нет, это ужасно, — решительно сказал Оборин, возвращая очки. — Женщина не может это носить даже под страхом смерти. А если поменьше диоптрии? Оля, можно поменьше?

— Конечно, — торопливо согласилась она, — какие угодно, лишь бы хоть что-нибудь видеть.

— Тогда покажите, какие есть приличные женские очки, — потребовал Юрий.

Продавщица почему-то сразу подобрела и кинулась перебирать висящие на горизонтально натянутых веревках оправы.

— Вот очень хорошая оправа, стекла минус пять. Вот эта тоже модная, минус четыре. Примерьте, я вам зеркальце дам.

Ольга надела очки минус четыре. Сразу заломило глаза и резко заболела голова — стекла были сцентрованы не по ее мерке.

— Нет, эти совсем не годятся. Дайте что-нибудь другое.

— Попробуйте эти.

— Сколько здесь? — спросила Ольга, беря протянутые очки в очень симпатичной оправе.

— Минус три с половиной.

Эти очки оказались лучше, расстояние между центрами было подходящим, и хотя они не давали полной коррекции, но от них зато не болели глаза.

— Годится, — кивнула Ольга. — Сколько они стоят?

Продавщица назвала цену, и Ольга полезла в сумочку за кошельком.

— Ой, а книжка-то! — испуганно охнула она. — Юра, я забыла у вас на столе записную книжку. Вот растяпа! Как же быть? Я без нее как без рук.

— Ничего страшного, — с улыбкой ответил Оборин, — вернемся. Вы же все равно уже всюду опоздали.

Пока все получалось так, как она задумала. Она должна была оставить у него записную книжку и добиться, чтобы он пригласил ее зайти к нему домой снова. И он пригласил.

Обратный путь до дома, где жил Оборин, они проделали уже веселее, даже в слабых очках Ольга видела значительно лучше, чем вообще без них.

— Я вам доставила столько хлопот, — виновато говорила она по дороге. — Но вы очень меня выручили. Просто не знаю, что бы я без вашей помощи делала. Позвольте мне хотя бы купить что-нибудь к чаю.

Это было рискованным, но необходимым шагом. По реакции на эти слова она должна понять, хочет ли Юрий, чтобы она задержалась у него в гостях, или намеревается только отдать ей записную книжку и прямо с порога развернуть обратно.

— Ну что я за хозяин, если буду позволять гостье поку-

пать продукты, — смеялся Оборин, останавливаясь возле киоска, на витрине которого заманчиво сверкали блестящие обертки шоколада, кексов и пачек печенья.

Ольга незаметно перевела дух. Кажется, все получается.

* * *

Оборин не заметил, как быстро пролетело время. Новая знакомая оказалась на удивление приятной собеседницей. Кроме того, теперь, когда она перестала болезненно щурить глаза и с лица ее сошло выражение беспомощности и неуверенности, он понял, что она невероятно привлекательна. Юрий с удивлением вспоминал свой недавний порыв пригласить в гости новую молоденькую аспирантку. Как он мог заинтересоваться юной глупышкой? Вот Ольга — совсем другое дело. Женственная, зрелая, умная.

Он включил все свое обаяние, стараясь ей понравиться и боясь, что она вот-вот посмотрит на часы и соберется уходить, и с радостью замечал, что ей, кажется, тоже нравится быть в его обществе. Во всяком случае на часы она не смотрела. Они подогревали чайник уже в четвертый раз, а разговор все не иссякал. Внезапно Ольга поднялась.

— Наверное, мне нужно уходить.

— Почему? — огорчился Юрий.

— Потому что ситуация в том виде, как она выглядит сейчас, является неприличной. Ее надо или развивать, или прекращать.

Оборин отлично понимал, что она имеет в виду, но все равно глупо повторил:

— Почему? Что неприличного в том, что люди познакомились и мирно беседуют за чашкой чаю?

Ольга помолчала, отошла к двери и облокотилась спиной на косяк.

— Потому что вы слишком мужчина, Юра, чтобы с вами можно было просто мирно разговаривать. Мне становится трудно с вами, поэтому мне лучше уйти.

Он почувствовал, как сердце ухнуло и заколотилось где-то в горле, встал и медленно подошел к ней. Ему хотелось прикоснуться к Ольге, обнять ее, но на руках словно гири повисли.

— Не уходите, Оля. Я не хочу, чтобы вы уходили, — тихо сказал он.

* * *

Заниматься делами Тарадина два дня подряд Настя не могла, у нее было очень много текущей работы. Спасибо Короткову, он действительно накопал много полезной информации и щедро поделился ею, так что на утреннем оперативном совещании Насте удалось избежать бледного вида, но рассчитывать на такую удачу дважды уже нельзя, да и перед Коротковым неудобно. Так что новосибирской конференцией медиков и юными гимнастами Владимир Антонович занимался один.

Он связался сначала с Министерством здравоохранения, потом долго дозванивался в Новосибирск, уговаривал, объяснял, даже слегка обманывал, но в конце концов узнал, что на конференцию Тамару Коченову направляло агентство «Медикор», в котором ее давно и хорошо знали и с которым она сотрудничала уже несколько лет.

С детскими спортивными школами дело шло труднее, в Федерации гимнастики с Тарадиным просто не захотели разговаривать, пришлось по справочной узнавать адреса школ и методично объезжать их. На это ушло немало времени, и в результате выяснилось, что контракт с Тамарой был подписан при посредничестве фирмы «Лозанна», специализирующейся на переводах только с трех языков — немецкого, французского и итальянского. Первоначально фирма создавалась специально для обслуживания различного рода поездок именно в Швейцарию, где говорят на всех трех языках, отсюда и название.

Он исправно звонил Каменской, рассказывая о ходе своих поисков. В «Медикоре» о сентябрьской поездке в Австрию ничего не знали, в последнее время никаких заказов Тамаре не передавали. Характеризовали Коченову как очень квалифицированного переводчика, хорошо владеющего медицинской терминологией. Кроме того, что было немаловажно, она знала латынь, которая широко используется в медицинской научной речи. Именно поэтому ее и приглашали постоянно на различные международные семинары, конференции и симпозиумы.

— Завтра с утра поеду в «Лозанну», — сообщил Насте Тарадин. — Если и там ничего не найду, придется начать отрабатывать медицинскую общественность. Может быть, в этой среде у нее есть знакомые, с которыми она контактировала после возвращения из Австрии.

— Позвоните мне сразу же, — попросила Настя.

Тарадин обещал. Однако ни в день предполагаемого визита в фирму «Лозанна», ни на следующий день он не объявился. Сначала Настя злилась, но потом закрутилась с делами и забыла о нем.

* * *

Домой она возвращалась поздно, было уже совсем темно, и Алексей вышел к автобусной остановке, чтобы ее встретить. Они неторопливо шли по темным неуютным переулкам, вполголоса обмениваясь новостями.

— На выходные мне придется тебя оставить одну, — сказал Леша. — В следующий вторник защищается мой парнишка из Красноярска, надо помочь ему подготовиться к совету. Посмотреть отзывы оппонентов и ведущей организации, отработать ответы, чтобы от страха глупостей не напорол. Ты как, справишься одна? Сможешь себя прокормить?

Институт, в котором работал Алексей, находился в подмосковном Жуковском, и гостиница, куда селились командированные, была там же, прямо в здании института. Настя оценила деликатность мужа, который не захотел портить ей выходные дни присутствием в их квартире постороннего человека и собрался ехать для встреч с аспирантом в Жуковский, где жили его родители.

— Ну, поголодаю пару дней, ничего страшного, — рассмеялась она. — Даже полезно.

— Ася, ну когда ты перестанешь лениться, а? — с упреком

спросил Алексей. — Я же тебе готовлю, только разогреть остается, а ты и этого не делаешь. Ты посмотри на себя, ты же скоро пополам переломишься, скелет ходячий.

— Лешик, не сердись. — Она на ходу чмокнула мужа в щеку. — Я не могу есть одна, ты сам знаешь.

У самого подъезда она заметила неясную темную фигуру, словно вжавшуюся в стену дома.

— Анастасия, — послышался неуверенный голос, и фигура приблизилась.

— Владимир Антонович? — удивилась Настя. — Вы меня ждете?

В темноте она плохо различала его лицо, но ей показалось, что Тарадина будто подменили. Что-то в нем было не так. Инстинктивно она крепче прижалась к Леше.

— Вы разрешите зайти к вам?

— Да, пожалуйста.

Все вместе они зашли в подъезд, и только тут, при свете лампочки Настя сумела разглядеть Тарадина. Он был небрит, глаза ввалились, на щеке длинная царапина. Выражение лица у него было растерянное и смущенное, но в этот момент Настя поняла, что сегодня это уже не маска. Что-то произошло.

— Боже мой! — ахнула она. — Владимир Антонович, что с вами?

Тот пробормотал нечто невразумительное и первым шагнул в лифт.

Его задержали через десять минут после того, как он вошел в офис фирмы «Лозанна». В «Лозанне» оказалось полным-полно работников милиции, которые в это время опрашивали сотрудников в связи с убийством заместителя директора фирмы Карины Мискарьянц. И появление какого-то частного детектива в этой фирме им очень не понравилось. Тарадина отправили в камеру до выяснения личности и проверки подлинности предъявленных им документов. Два часа назад его отпустили, правда, забыли извиниться.

— Ничего себе, — протянула Настя задумчиво. — Я вам очень сочувствую, Владимир Антонович. А что с этой Мискарьянц?

— Ее убили дома три или четыре дня назад. И она, и ее

покойный муж — оба армяне, поэтому, как я понял, первый слой они снимали с армянской диаспоры в Москве, а вчера как раз дело дошло и до фирмы, где она работала.

— Покойный муж? — переспросила Настя. — Его что, тоже убили?

— Нет, он умер примерно две недели назад. Или чуть больше.

— Надо же, какое несчастье, — покачала она головой. — Сначала муж, следом жена. Дети остались?

— Девочка пяти лет. Ее сразу же забрали родственники, которые живут здесь же, в Москве.

— А как вам удалось все это разузнать? Ведь не вы их допрашивали, а они — вас.

— Ну, — тут он усмехнулся впервые с тех пор, как вошел в квартиру. — Маленькие производственные секреты у всех есть.

— Не поделитесь?

— Извините.

— Ладно, извиню. Я сама тоже не поделилась бы. — Она примирительно улыбнулась.

Она проводила Тарадина, который категорически отказался от ужина, и уселась вместе с Лешей за накрытый стол.

— Кто это? — спросил муж, раскладывая по тарелкам жареную картошку.

— Тот самый дядька, про которого я тебе на днях рассказывала.

— Которого ты невзлюбила?

— Угу. Леш, не увлекайся, мне столько не съесть, я лопну.

— Ты всегда так говоришь, а потом сметаешь все подчистую. Он действительно какой-то неприятный.

— Это только сегодня. Его больше суток в камере продержали, от этого красоты не прибавляется.

— Ну начинается, — Алексей театрально взмахнул вилкой. — Опять уголовник? Ты же говорила, что он частный детектив. Наврала?

— Но он правда частный детектив. Это по недоразумению его упекли. С каждым может случиться. И со мной тоже.

Из комнаты послышался телефонный звонок. Леша вопросительно посмотрел на Настю.

— Я подойду, — кивнула она, кладя вилку. — В такое время только мне звонят.

После теплой кухни комната показалась ей арктическим ледником, и, снимая телефонную трубку, она успела подумать о том, что перед наступлением зимы надо наконец поправить балконную дверь, чтобы не дуло из огромных щелей.

— Анастасия Павловна? — послышался из трубки приятный мужской голос. — Добрый вечер.

— Добрый, — откликнулась она машинально, еще не понимая, с кем говорит.

— Боюсь, вы меня совсем забыли. Как ваше здоровье?

Насте показалось, что у нее нет сердца. Вот только что оно было, ритмично билось и гнало кровь по сосудам, а теперь его нет. Оно перестало стучать, кровь замерла, руки и ноги вмиг сделались ледяными.

Конечно, она узнала этот голос. Она его слишком хорошо помнила, чтобы когда-нибудь забыть. Ей захотелось, чтобы зазвенел будильник и она проснулась, чтобы все это не оказалось правдой. Пусть это будет тяжелым кошмарным сном, но только сном, а не явью. Второй раз ей с этим не справиться.

Глава 9

Пожилой человек небольшого роста вышел из телефонной будки и легким быстрым шагом направился по вечерним московским улицам в сторону ресторана «Ариэль». Рядом с ярко освещенным входом была неприметная дверь, которую обычные посетители никак с рестораном не связывали. За дверью находился крошечный уютный бар, предназначенный только «для своих». Старичок в плаще, по-видимому, был безусловно «своим», потому что к двери подошел решительно и уверенно.

Огромный, похожий на медведя охранник в пятнистой униформе почтительно посторонился, пропуская посетителя в зал. Тот стремительно прошел к угловому столику, где его

уже ждал молодой мужчина с тонким интеллигентным лицом, которое несколько портил кривоватый нос, перебитый когда-то в боксерском поединке. Судя, однако, по фигуре, спортом этот человек занимался недолго, и было это давно. Во всяком случае сейчас не было заметно ни малейших признаков накачанной мускулатуры.

Пожилой человек уселся напротив него за столик и небрежно, лишь на мгновение, поднял вверх два пальца. Тут же перед ним оказалась крошечная рюмочка с кофейным ликером — пристрастия старика здесь знали.

— Повтори еще раз, кто такой этот Тарадин, — потребовал старик, сделав маленький глоточек и отставляя рюмку.

— Тарадин Владимир Антонович, частный детектив, работает на Денисова. Причины появления в «Лозанне» не установлены, — доложил молодой мужчина. — Сам он говорит, что работает по заданию некой фирмы, которая обратилась к нему в связи с утечкой информации. У фирмы есть подозрение, что утечка прошла через переводчика, который присутствовал на переговорах, но они там не помнят, из какого агентства был этот переводчик, знают только его имя. Вот он якобы его и искал.

— Ты говоришь «якобы», — задумчиво повторил старик. — Какие у тебя основания сомневаться? Почему ты ему не веришь?

— Потому что сразу после того, как его выпустили из камеры, он помчался к Каменской. Если речь идет об утечке информации, то она-то здесь с какого боку?

— Ты прав, Витя, но ты не прав. Рассуждаешь ты логично, но ты не все знаешь. Каменская хорошо знакома с Денисовым. Очень хорошо. Я бы даже сказал, близко знакома. Вполне естественно, что, отправляя своего человека в Москву с заданием, Денисов решил подстраховаться и попросил Каменскую помочь в случае нужды. Ну-ка попробуй еще разок описать ситуацию, отбросив эпизод с Каменской.

— Ну, если без Каменской — тогда, конечно... — развел руками Виктор. — Тогда все вполне правдоподобно. Может, он и не врет, Тарадин этот. А вы что же, знакомы с Каменской?

— О-о-о, — протянул старик, — это долгая история. Конечно, я с ней знаком, и еще как знаком. Но знаешь ли, как-то односторонне. Я знаю о ней все. А она обо мне — ничего, кроме того факта, разумеется, что я существую. Она даже имени моего не знает.

— Она работает на вас?

— Если бы, — печально вздохнул старик. — Я был бы рад, если бы это было так. Но надежда меня не покидает!

Он лукаво блеснул маленькими острыми глазками и хихикнул. Потом лицо его вновь сделалось серьезным и даже каким-то торжественным, он поднял рюмку и неторопливо допил ликер.

— Каменская — очень хорошая девочка, Витя. Очень хорошая. И если бы мне удалось ее завербовать, это могло бы стать венцом моей деятельности. Я уже стар, не ровен час — умру, а дело нужно передать в надежные руки. Она смогла бы меня заменить. Если бы захотела, конечно. Запомни, Витенька, нет такого человека, которого нельзя завербовать, вопрос только в цене.

— Она так дорого стоит? — удивился тот.

— В понятие «цена» в данном случае я вкладываю не только деньги. Речь идет о хитрости, настойчивости, даже о жертвах, которые неизбежны. Когда я говорю о цене, я думаю о том, сколько труда нужно вложить, и прикидываю, стоит ли желаемый результат этих предварительно рассчитанных затрат. Чтобы получить Каменскую, надо очень постараться, но дело того стоит.

— А вы пробовали?

— Пробовал.

— И неужели не получилось? Быть не может.

— Может, Витя, может. С первого раза не получилось. Но я рук не опустил. Я же сказал, надежда меня не оставляет. Садись ей на хвост — и двадцать четыре часа в сутки в восемь глаз. Ты понял?

— Я понял, Арсен. А Тарадин? С ним что делать?

— То же самое — наблюдать. Очень желательно было бы узнать, о чем они с Каменской разговаривают. Это прояснило бы ситуацию. До тех пор, пока она не прикасается к убийству армянки, она не опасна. Но она и не должна к нему при-

коснуться. Убийство самое обыкновенное, армянка самая рядовая, дело возбудили в округе, в нем же оно и останется, на Петровку не попадет. Петровка не занимается такой ерундой. Ты вот что сделай, Витенька. Навести-ка наших девушек из «Лиры», Танечку и Ларочку. Узнай, не появлялась ли там Каменская. Если нет — значит, тревога ложная. Прямо с утра завтра и поезжай, цветочки купи, конфет по коробочке. Да что я тебя учу, сам все знаешь.

— Конечно, Арсен, я все сделаю.

* * *

Плохо, конечно, что пришлось убивать эту армянку Карину, думал Арсен, лежа без сна в постели рядом с мирно похрапывающей женой. Но ничего не поделаешь, уговорить ее не смогли. Она только что похоронила мужа и была вообще не в себе, не понимала, чего от нее хотят и почему и о чем она должна молчать. Она прекрасно помнила, куда и зачем уехала Тамара Коченова. То есть она помнила, что Тамара от ее предложения отказалась, но потом ей позвонили из «Интернефти» и поблагодарили за красивую молодую переводчицу. Карина Мискарьянц была самым прямым звеном, через которое люди, разыскивающие Тамару, могли выйти на «Интернефть». И вопрос с Кариной нужно было решить во что бы то ни стало.

Арсену рассказывали, как она сидела на диване, вся в черном, с окаменевшим лицом и мертвыми пустыми глазами. Человек, посланный Арсеном, долго пытался с ней договориться.

— Вы можете мне обещать, — говорил он, — что никому никогда не повторите то, что сейчас сказали мне?

— Что? — спрашивала Карина. — Вы о чем?

— Я о Тамаре, о Тамаре Коченовой.

— Что не говорить?

— Не говорить о том, что она подписала контракт с «Интернефтью».

— Почему не говорить? — тупо переспрашивала она, глядя куда-то в окно.

— Потому что я вас об этом прошу. Более того, я вам за это заплачу хорошие деньги. Вы меня понимаете, Карина?

— А? — откликалась она. — Мне не нужны деньги. Мне нужен Герман. Уйдите, пожалуйста.

— В вашей фирме, в «Лозанне» кто-нибудь знает, что вы искали Тамару, чтобы связать ее с «Интернефтью»?

— А? Что? Нет, я не знаю. Я не помню. Уйдите, пожалуйста.

И так битых два часа. Когда стало понятно, что толку от переговоров не будет, решение пришло само собой. Человек, исполнявший это решение, не особенно беспокоился о своих следах — накануне поминали девять дней, как умер муж Карины, и в квартире побывало без малого человек пятьдесят: многочисленные родственники, друзья и сослуживцы покойного, соседи по дому, подруги самой Карины. Пойди-ка разбери, где следы гостей, а где — преступника.

Завтра Виктор поговорит с девочками из «Лиры», выяснит, не искал ли кто Тамару. Девочки оказались на редкость подходящими, у обеих в прошлом были неоднократные стычки с милицией. Танечка, оказывается, имела зуб на милиционеров за несколько приводов в те времена, когда зарабатывала на жизнь проституцией, а Ларису таскали по подозрению в соучастии, когда ее хахаля взяли за ряд разбойных нападений. Поэтому легенда Виктора о том, что Федеральная служба контрразведки проводит очень важную операцию, а работники милиции пытаются им помешать, немедленно склонила девушек к тому, чтобы всемерно содействовать славным чекистам. Не бесплатно, разумеется. Можно было бы, конечно, сразу договориться с ними о том, чтобы они дали знать, как только кто-нибудь заинтересуется Тамарой Коченовой, но для этого пришлось бы оставлять им номер телефона. А вот этого делать уже было нельзя. Как знать, что у девчонок на уме.

Итак, о чем просил заказчик? Перекрыть путь к поиску Тамары Коченовой. Следом за Тамарой уехал некто Саприн, поэтому его передвижения тоже желательно скрыть. Танечка будет молчать о том, что Коченову разыскивал красивый синеглазый брюнет, а Лариса не должна рассказывать о том, что Тамару искала Карина Мискарьянц. Осталось одно слабое

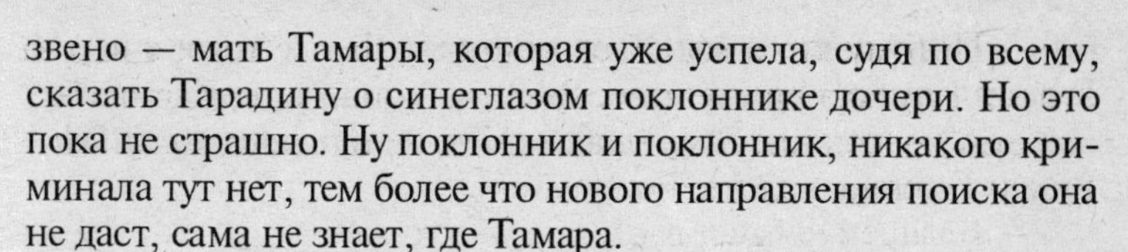

звено — мать Тамары, которая уже успела, судя по всему, сказать Тарадину о синеглазом поклоннике дочери. Но это пока не страшно. Ну поклонник и поклонник, никакого криминала тут нет, тем более что нового направления поиска она не даст, сама не знает, где Тамара.

Но все-таки любопытно, неужели Тарадин — та самая фигура, которой опасался заказчик? Если так, то, выходит, заказчик этот вступает в конфликт с самим Денисовым. Камикадзе! Интересно, чего они не поделили? Для того чтобы воевать с Денисовым, нужно иметь недюжинную храбрость. Кто ж такой этот Шоринов? Президент акционерного общества, владелец большого завода. Невелика шишка. Как у него духу хватило пойти поперек дороги могущественного Эдуарда? Надо бы выяснить, кто за ним стоит, чей он человек. Арсен всегда хотел точно знать, на кого работает.

Как он обрадовался, узнав, что в орбиту его деятельности снова попала Каменская! Упрямая девчонка, но чувству страха подвержена не меньше, чем любая женщина. Тогда, два года назад, ему удалось напугать ее и заставить сделать так, как ему нужно. Правда, вся операция с треском провалилась, заказчик застрелился, поняв, что арест неминуем. Но вины Арсена в этом не было, все испортил сам заказчик, подключив к делу неквалифицированных людей. Если бы тогда все получилось, у Арсена в руках оказалось бы мощное оружие, которым он успешно мог бы шантажировать Каменскую и заставить работать на себя. Но по несчастливому стечению обстоятельств ничего не вышло. Арсен потерял перспективного парня, которого надеялся использовать еще много лет, а с девчонкой разошелся, как говорится, «с ничейным счетом».

Но зато сейчас он своего не упустит. Сразу же позвонил Каменской, не мог отказать себе в удовольствии снова напугать ее. И она испугалась. Еще как испугалась! Ее голос был красноречивее любых слов. Если Тарадин — человек Денисова, а Каменская ему в чем-то помогает, то уж тут-то Арсен порезвится. Уж тут-то он непременно найдет крючок, на который можно подловить малышку. Связь с мафиозными структурами — не хрен собачий. Новый министр внутренних дел засучив рукава взялся за борьбу с коррупцией и за очищение милицейских рядов от двурушников и взяточников. И если Каменскую на этом зацепить, то никуда она, голубка нежная, не денется. Будет работать на Арсена как миленькая. Еще и спасибо скажет.

* * *

Слабый рассвет никак не мог пробиться сквозь плотные шторы, которыми Оборин на ночь занавешивал окна. На часах было уже семь, а в комнате по-прежнему царил сумрак. Он открыл глаза и понял, что Ольга не спит.

— Ты давно проснулась? — шепотом спросил он.

— Я совсем не спала, — ответила она, поворачиваясь и обнимая его.

Юрий крепко прижал ее к себе, вдохнул запах ее тела. Ему хотелось лежать вот так рядом с ней и никогда больше не вставать.

Через полчаса Ольга решительно откинула одеяло.

— Все, милый, все. Пора. К десяти я должна быть дома.

Она пошарила ногами возле дивана, потом опустилась на колени.

— Ты чего?

— Тапочек под диван убежал, — объяснила она, пригибая голову. — Вон он, сейчас достану. Юра, у тебя там листок какой-то валяется.

Она поднялась с пола, всунула ноги в шлепанцы и протянула Оборину лист бумаги с написанным номером телефона.

— Небось ищешь всюду этот телефон, растяпа, — улыбнулась она.

Оборин взял листок, глянул мельком. Он узнал почерк Тамары, видно, она что-то записывала, пока жила здесь.

— Что это? Что-нибудь нужное? — спрашивала Ольга, закутываясь в халат Юрия, который был ей великоват.

— Да нет, ерунда всякая, — отмахнулся Юрий.

Он смял лист бумаги в комок и легко выпрыгнул из постели.

Завтракали они в напряженном молчании, ему даже показалось, что Ольга чем-то расстроена.

— Что с тобой, Оля? — встревоженно спросил он. — Ты жалеешь, что осталась?

— Нет, — коротко ответила она, но глаз не подняла.

— Может, ты стыдишься, что осталась у меня в первый же день знакомства?

— Нет, Юра. Не жалею и не стыжусь. Все у нас было прекрасно. Но именно было.

— То есть?

— Было. И больше не будет.

— Но почему, Оля? Почему? Что произошло?

Она поставила чашку и повернулась на табуретке так, чтобы он не видел ее лица. Потом торопливо провела пальцами по щеке, словно смахивала слезы.

— Это будет трудно, Юра. Для того чтобы остаться у тебя, мне пришлось солгать мужу. Но всякая ложь хороша только в первый раз. На второй раз тебе уже не поверят. Муж меня контролирует, и очень жестко.

— Почему? — на этот раз Оборин усмехнулся. — Повод давала?

Она повернулась и посмотрела ему в глаза.

— Давала, — спокойно ответила она. — Может быть, ты полагаешь, что я должна была думать об этом заранее? Стараться не давать ни малейшего повода с расчетом на то, что когда-нибудь в моей жизни появится единственный мужчина, тогда и пригодится моя безупречная репутация, чтобы спокойно начать изменять мужу? Ни одна женщина не способна на подобную предусмотрительность.

— И что же теперь? Мы больше не увидимся?

— Пока я в отпуске, мы сможем встречаться днем, если ты хочешь. А потом все это придется прекратить. Муж отвозит меня на работу и забирает после работы. Шаг вправо или влево считается побегом. У нас в семье суровые порядки. Отлучаться с работы я не могу, ты сам понимаешь. Поэтому я и предлагаю тебе больше не встречаться. Осталось всего четыре дня, так имеет ли смысл? Зачем себя мучить?

Оборин встал, подошел к ней и опустился на колени. Взяв ее руки в свои, он нежно поцеловал ее пальцы и прижал к своим щекам.

— Оленька, зачем заранее думать о грустном? Впереди еще четыре дня, целых четыре дня! Давай проведем их вместе, а дальше — как бог пошлет. Не надо отнимать у себя кусочек счастья, который нам подарил случай. Если мы добровольно откажемся от него, судьба на нас рассердится и больше никаких подарков мы до конца жизни не получим. Нельзя быть такими неблагодарными. Ну? Уговорил?

Ольга слабо улыбнулась, потом наклонила голову и поцеловала его в висок.

— Если ты надумаешь стать адвокатом, тебя ждет блестящее будущее. Ты кого угодно уговоришь.

* * *

Она действительно расстроилась. Задвинутый под диван тапочек был лишь поводом для того, чтобы достать листок с телефоном, о котором предупреждал Саприн. Ольга очень рассчитывала при помощи этого листка вывести разговор на Тамару. Но фокус не получился, Оборин на удочку не попался, и она искренне огорчилась. Но тем не менее за завтраком приступила к выполнению следующей части своего плана. На первом этапе ей нужно убедить Юрия в том, что через четыре дня они больше не смогут встречаться, а он, со своей стороны, должен очень захотеть продолжать эту связь. Для выполнения этой задачи у Ольги Решиной был целый арсенал хорошо отработанных и многократно использованных приемов. Ведь своего мужа Бороданкова она поймала именно таким образом.

А вот на втором этапе Оборину в голову должна прийти гениальная идея. И она уже знала, какой эта идея должна быть.

Но в одном она сказала правду: ей и в самом деле пришлось солгать мужу, будто она едет к приятельнице на дачу и, если заболтается допоздна, возвращаться вечером уже не будет. Александр Иннокентьевич отнесся к этому совершенно спокойно, он был уверен, что если Ольга ждала его столько лет, то попусту рисковать своим семейным благополучием не станет. Иначе зачем были все эти жертвы? И потом, впереди их ждет такая жизнь, что было бы непростительной глупостью сейчас поставить их брак на грань развода. Нет, доктор Бороданков был достаточно трезвомыслящим человеком, чтобы не впадать в грех ревности. Единственный мужчина из окружения Ольги, вызывавший у него опасения, — Шоринов. Во-первых, он финансирует проект и, когда препарат будет готов, начнет получать невероятные прибыли, не уступая по степени богатства самому Бороданкову. А во-вторых, он был когда-то любовником Ольги, но это она так говорит. А что, если они не прервали отношений до сих пор? Не затевают ли они вместе какую-нибудь комбинацию, чтобы потом оставить его, Бороданкова, с носом?

Александр Иннокентьевич никогда не говорил жене об этом открытым текстом, но Ольга Решина знала, что он думает именно так. Она хорошо изучила своего супруга и ход его мыслей могла предсказывать на неделю вперед. И потом, она видела тень недовольства, которая каждый раз омрачала лицо Бороданкова, когда она разговаривала с Шориновым по телефону, а тем более когда собиралась на встречу с ним.

Но, как бы там ни было, будить в муже ревность ни в коем случае нельзя. Как знать, вдруг взбрыкнет. Ведь тогда Ольга останется у разбитого корыта. У Шоринова молоденькая любовница, и если он и решится на развод, то уж точно не ради нее, Ольги. Бороданков завоюет мировую славу и уедет на постоянное жительство за границу. Шоринов будет грести деньги на эксклюзивном производстве бальзама. А она?

Нет, рисковать нельзя. Поэтому ни о каком Оборине ее муж знать не должен. А когда узнает, то это будет уже совсем другая песня...

* * *

Ночь Настя Каменская провела без сна. Снова и снова в голове ее возникал приятный баритон, который она хотела бы никогда больше не слышать. Снова и снова вспоминала она осень девяносто третьего года, два года назад, когда впервые услышала этот голос. Тогда он подчинил ее себе, заставил взять больничный, сидеть безвылазно дома и временно устраниться от работы по раскрытию убийства никому не нужной алкоголички Вики Ереминой. Она сделала так, как он велел, но сумела собраться, сосредоточиться и, заручившись помощью и поддержкой своего начальника полковника Гордеева, внесла смуту в ряды противников, перессорила их и разрушила, не выходя из квартиры, всю их хитроумную постройку. Тогда они потеряли двух человек. Один погиб, другой остался инвалидом и комиссовался. Но то было тогда... А что ему нужно сейчас?

Он ничего не требовал, не угрожал, не ставил никаких условий. Он просто поинтересовался ее самочувствием. Напомнил о себе. Зачем? Почему именно сейчас? Неужели Тарадин?

Этот человек, имени которого Настя не знала, позвонил как раз тогда, когда Тарадин засветился в «Лозанне» и, отсидев больше суток в камере для задержанных, пришел к ней домой. Выходит, его отслеживали из отделения милиции и довели до Настиного дома. Но что они хотят? Зачем она им?

Несмотря на взвинченность и нервозность, она принялась по обыкновению просчитывать варианты — это всегда ее успокаивало. Вариант первый: человек с приятным баритоном является представителем тех людей, которые замешаны в убийстве любовницы Денисова. И если он позвонил именно сейчас, значит, Тарадин подошел к ним слишком близко.

Вариант второй: этот человек не имеет ничего общего с убийцами Лилианы Кнепке. Тогда кто он? Для чего звонит ей? Ответ очевиден и крайне неприятен. Это человек самого Денисова. Эдуард Петрович достаточно проницателен, чтобы понимать: она, Настя, боится оказаться повязанной с ним. А использовать ее ему нужно. И сейчас он пытается сломать ее руками человека с приятным баритоном, а потом заставить работать на себя опять же через него. Она и знать не будет, что выполняет задания Эдуарда Петровича. Денисов, услышав ее лишенный энтузиазма голос по телефону, понял, что она отнюдь не рада его просьбе, и решил использовать объективно сложившуюся ситуацию с Тарадиным и поисками убийцы для того, чтобы сделать Настю своим послушным орудием. Вот это уже совсем плохо. О том, что неведомая контора имеет длинные руки, недреманное всевидящее око и своих людей во всех правоохранительных органах, Настя узнала еще два года назад. О чем-то догадалась сама, а об остальном ей рассказал Володя Ларцев, которого контора шантажировала дочерью и в конце концов похитила девочку. И если к такой сильной организации сейчас присоединился сам Денисов, то головы Насте Каменской не сносить, это уж к гадалке не ходи.

Хмурая, невыспавшаяся и вялая, она с трудом поднялась с постели, стараясь не разбудить Лешу, долго стояла под душем, чтобы хоть немного взбодриться, влила в себя две чашки горячего крепкого кофе и поплелась на работу. Чем ближе подходила она к зданию на Петровке, тем больше крепла в ней решимость немедленно поговорить с Гордеевым. Если помощь Тарадину можно было оказывать партизанскими методами, то теперь ситуация повернулась так, что скрывать ничего нельзя. Выйдет только хуже.

Войдя в кабинет, она торопливо скинула куртку и позвонила по внутреннему телефону Гордееву.

— Заходи, — разрешил полковник.

Небольшого росточка, круглый, с блестящей необъятной лысиной, он меньше всего походил на великого сыщика и грозу преступного мира, зато внешне полностью соответствовал прозвищу Колобок, которое тянулось за ним с незапамятных времен. В это утро он, в отличие от Насти, пребывал в хорошем расположении духа и даже что-то напевал.

— Что у тебя, Стасенька?

— Беда, — бухнула она прямо с порога.

— Ну уж так и беда! — весело улыбнулся Виктор Алексеевич. — Что, прямо с самого утра?

— Нет, со вчерашнего вечера, — ответила она серьезно. — Виктор Алексеевич, похоже, меня опять контора достала.

— Какая контора? — не понял полковник.

— Та же, что и два года назад. Та, на которой Ларцев сломался.

Гордеев снял очки, швырнул их на разложенные на столе бумаги, поднялся и медленно подошел к окну. Какое-то время он стоял спиной к Насте, и она пыталась угадать, какое у него сейчас выражение лица. Злое? Растерянное? Задумчивое? Наконец он повернулся и снова сел за свой стол.

— Так, — произнес он.

Настя ждала продолжения, но Гордеев опять умолк. Он сидел неподвижно, как каменное изваяние, сложив руки перед собой точно так же, как держит их один известный политический деятель на рекламном плакате «Если дорог тебе твой дом». Смотрел он при этом не на Настю, а на стену поверх ее головы. Потом он перевел взгляд на наручные часы.

— Очень коротко — историю. Потом детально — свои выводы.

Настя постаралась как можно короче изложить всю ситуацию с просьбой Денисова и работой Тарадина. Она знала, как начальник относится к ее знакомству с Эдуардом Петровичем, и хорошо помнила, как в прошлом году, когда погиб сын Денисова, он ее предупреждал о том, что этот долг она будет отдавать до конца жизни. Сейчас, во время рассказа, он ее не перебивал, и она была благодарна ему за то, что он не вставлял время от времени правильные, но никому не нужные фразы типа «Я тебя предупреждал» или «Я так и знал».

— Выводов у меня получилось три, — закончила она. — Либо исчезновение Тамары Коченовой связано с убийством, которое расследует Тарадин, и контора получила заказ ему помешать и убила Карину Мискарьянц, которая знает, где Тамара. Либо убийство Карины к Тамаре Коченовой никакого отношения не имеет, просто случайно совпало, что Тарадин в поисках следов Коченовой ткнулся как раз туда, где есть убийство и заказ помешать его раскрытию. Либо все это дело рук самого Денисова, который хочет в той или иной форме получить с меня долг. У меня все.

— Ну слава богу! — облегченно вздохнул Гордеев. — Я боялся, что до второго вывода ты не додумаешься.

— Как же я могла не додуматься? — удивилась Настя. — Это же очевидно.

— Ну, ты к своему Денисову относишься необъективно. Так что тебе это могло в голову не прийти. Значит, так, деточка. Сиди тихонько и не дергайся. С Тарадиным пока не встречайся, сведи контакты с ним к минимуму. Ссориться с ним, конечно, не надо и обижать его тоже не надо, придумай благовидный предлог, но от встреч уклоняйся. Перво-наперво нам нужно прояснить, какой из твоих выводов правильный. Поэтому убийство Карины Мискарьянц заберем себе. Я договорюсь. У тебя должно быть формальное основание работать по нему. А теперь скажи мне, ты до самой смерти будешь защищать своего Эдуарда? Или ты уже наконец созрела для того, чтобы объяснить ему, что он не прав?

— Не берите меня за горло, — тихо сказала Настя. — Я знаю, что не права. Я знаю, что не должна была затевать в прошлом году эту эпопею с людьми Денисова. Я все знаю. Я признаю, что совершила ошибку, но ситуация уже сложилась так, как она сложилась, изменить ее я не могу. Если вы знаете, как исправить положение, — скажите. Я все сделаю. Только не ругайте меня.

— Ладно, не буду, — неожиданно улыбнулся Колобок-Гордеев. — Хотел, конечно, что скрывать, уже и слова подобрал пострашнее, но, раз ты просишь, — не буду. В каком направлении работать по делу Мискарьянц, тебе понятно?

— Более или менее. Подозреваю, что все дело в Коченовой, поэтому надо вплотную заниматься ее связями.

— Занимайся. И через два дня положишь мне на стол план разработки. Будем пробовать руками этой таинственной конторы прижать в углу твоего дружка Денисова.

— А если он ни при чем? Ведь это только один из трех вариантов, — робко возразила Настя.

— Да ты сама в это не веришь! — внезапно рассердился Гордеев. — Ты же уверена, что это его рук дело.

— Но все-таки... А вдруг нет?

— Все-таки, все-таки, — пробурчал полковник. — Вот тебе и «все-таки». План через два дня положишь мне на стол. А реализовывать разработку или нет — посмотрим. Проверим твои варианты.

* * *

Молодой человек с кривоватым носом, Виктор, по здравом размышлении решил внести коррективы в выполнение вчерашнего задания Арсена. Конечно, девочки из «Лиры» произвели на него хорошее впечатление, но как знать, может, они и притворялись. А вдруг в «Лире» побывал Тарадин и они сказали ему, что некий молодой человек хорошо заплатил им за молчание? Вдруг Тарадин понравился им больше или легенда у него оказалась симпатичнее? Тогда в «Лиру» соваться нельзя, там его могут поджидать. Цветочки и конфетки — это, конечно, здорово, но телефон как-то безопаснее. Поэтому Виктор решил попусту не рисковать и ограничиться звонком.

То, что он услышал от девушек, его не порадовало. Да, Тарадин и Каменская приходили в «Лиру». Нет, конечно, ни диспетчер Таня, ни старший менеджер Лариса ничего не рассказали. Они же обещали...

Значит, Тарадин идет по следам Коченовой. Вовремя Арсен подсуетился, все каналы перекрыл. Девочки будут молчать, Карина, естественно, тоже. Можно спать спокойно.

Но спокойно спать может только Арсен, а не Виктор. Очень ему не понравилось вчерашнее высказывание Арсена о Каменской. Хорошая, дескать, девочка, ее бы завербовать — и можно в ее руки отдать контору. Интересное дело! Как это «в ее руки»? А он, Виктор? Его что же, побоку?

Виктор Тришкан считал себя правой рукой Арсена. Он был одним из тех, кого готовили к службе в конторе с юных лет. Когда он уходил в армию, с него взяли обязательство служить добросовестно, а по возвращении идти работать в милицию. За это в течение двух лет службы обещали материально поддерживать подружку Виктора, которая считалась его невестой, так как была уже на сносях. По возвращении из армии с подружкой, матерью своего ребенка, он жить не стал, за два года успел к ней полностью охладеть, но организация, выполняющая свои обещания, произвела на него впечатление, поэтому через два дня после приезда в Москву он пришел к своему вербовщику. И с этого момента вся дальнейшая жизнь Виктора Тришкана была неразрывно связана с конторой, которая создавалась и существовала для одной-единственной цели: помогать заинтересованным субъектам налаживать отношения с системой правосудия. А если совсем просто — в соответствии с конкретными заявками делать так, чтобы то или иное преступление не было раскрыто и винов-

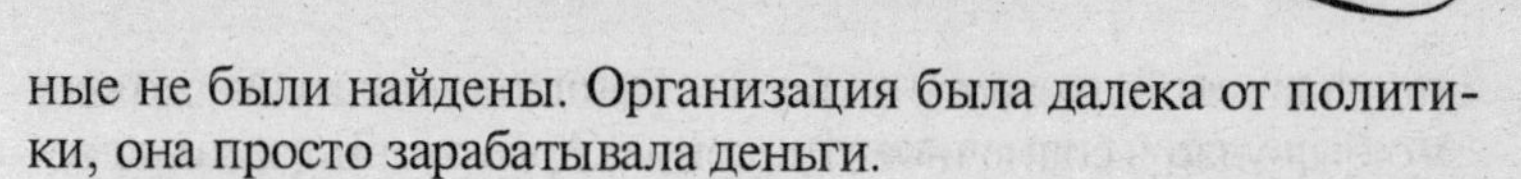

ные не были найдены. Организация была далека от политики, она просто зарабатывала деньги.

Конспирация в конторе была налажена на высшем уровне, и Виктор был одним из трех человек, кому был доверен номер телефона Арсена. Никто, кроме этих троих, не мог связаться с Арсеном напрямую. Но оставшихся двоих Виктор конкурентами не считал. Один из них был инвалидом, передвигающимся в коляске. Он вообще не знал, на кого работает, но был уверен, что на контрразведку. Его дело — фиксировать время поступления звонков на свой аппарат и номер, высвечивающийся на определителе, трубку при этом не снимая. Через определенные промежутки времени ему звонил Арсен и выслушивал доклад. По времени поступления звонков и номерам телефонов он совершенно безошибочно определял, кто и зачем ему звонил. Для этого был специально разработан жесткий график.

Второй человек, имеющий непосредственную связь с Арсеном, был уже в годах и частенько прихварывал. На него Арсен вряд ли решился бы оставить контору. Вот и выходило, что самый первый кандидат в преемники — Виктор Тришкан. А теперь вдруг вылезла какая-то Каменская. Этого еще не хватало.

Нужно было выполнять второе задание шефа — собрать как можно больше сведений о заказчике, Михаиле Владимировиче Шоринове. Виктор подключил все свои связи и теперь сидел и терпеливо ждал, когда начнет поступать информация. А из головы все не шла Каменская. Ее надо во что бы то ни стало вывести из игры. И путей для этого только два. Либо помешать Арсену ее зацепить, либо скомпрометировать в его глазах как человека, неспособного возглавить работу конторы. Какой из этих двух путей выбрать — он еще посмотрит.

К семи часам вечера начали поступать звонки с информацией о Шоринове. Женат, имеет двоих детей. Есть молоденькая любовница, адрес, телефон. В прошлом году оперировался по поводу камней в желчном пузыре. Адрес больницы, фамилия хирурга, делавшего операцию, имена соседей по палате. Виктору сообщили множество сведений, но один звонок заставил его подпрыгнуть в кресле. Такого он никак не ожидал. Это был удар в солнечное сплетение. Арсен утром задал вполне справедливый вопрос: кем должен быть этот Шоринов, если ухитрился перейти дорожку самому Денисову и не боится с ним воевать. Так вот кто он, оказывается... Черт возьми, это сильно осложняет ситуацию!

* * *

Почти полдня Настя просидела в Министерстве здравоохранения, собирая сведения о всех международных научных собраниях, где требовались переводчики, и выясняя, откуда эти переводчики брались. Одним из наиболее часто упоминаемых участников таких собраний был медицинский институт, и Настя решила в первую очередь заняться им. Тогда впервые всплыло имя Ольги Решиной, но она оказалась в длинном списке прочих сотрудников мединститута и ничем примечательным в глаза не бросилась.

Прошло несколько дней, прежде чем Ольгу упомянули во второй раз.

— Знаете, года три назад она где-то отыскала совершенно изумительную переводчицу. Синхронный перевод с большим количеством специальных терминов — и ведь эта девушка не сделала ни одной ошибки. Уж не знаю, где Оля ее раскопала, но, когда завкафедрой акушерства и гинекологии ехал в Мюнхен на симпозиум с докладом, он попросил Решину, чтобы та нашла эту переводчицу. Потом такие дифирамбы ей пел! И умница, и красавица. После этого все наши делегации ее с собой брали, а если международная конференция проходила в России, все равно ее приглашали доклады гостей переводить.

— Как ее звали, не припомните?

— Нет, не помню. Вернее, не знаю.

Что ж, Ольга Решина — это уже ниточка. Может быть, она знает, с какими агентствами сотрудничала Тамара. А если очень повезет, то знает каких-нибудь ее друзей или знакомых, которые пока в орбиту поиска не попали. Ведь мать Тамары, как оказалось, совсем ничего не знала о жизни дочери и на-

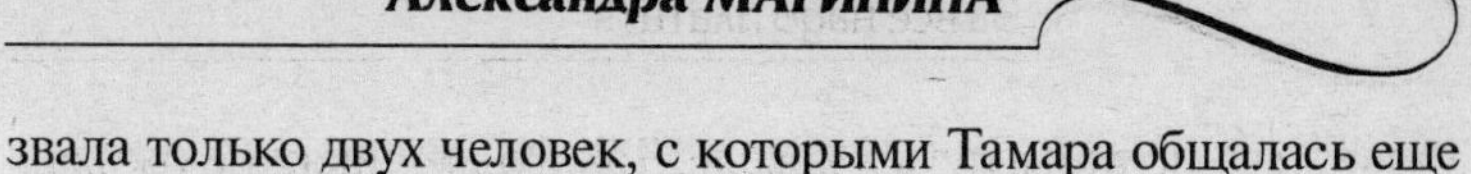

звала только двух человек, с которыми Тамара общалась еще в институте. С тех пор, как мать и дочь стали жить раздельно, Тамара ни с кем Аллу Валентиновну не знакомила.

Однако прежде чем бежать сломя голову к Решиной, Настя вернулась на работу. Она слишком хорошо помнила стиль и методы работы конторы и знала, что трогать возможных свидетелей нужно очень осторожно. Если человек что-то знает, с ним наверняка уже поработали и ничего интересного он все равно не расскажет. Если же с ним еще не работали, то после Настиного визита могут взять его в оборот, даже если он ничего и вправду не знает. Навлекать неприятности на безвинных людей Насте не хотелось, поэтому она собралась попросить у Гордеева разрешения сначала понаблюдать за Решиной, навести о ней справки, а только потом разговаривать с ней о Тамаре Коченовой.

— Хорошо, — кивнул лысой головой Виктор Алексеевич, — я считаю это разумным. А что с Мискарьянц? Убийство мы себе забрали, так делай же по нему что-нибудь.

— Я делаю, Виктор Алексеевич. Я считаю, что Карину убили потому, что она что-то знала о Коченовой. Выяснив правду о Тамаре, мы поймем, кому выгодно было ее скрывать. Кому выгодно — тот и убийца.

— Эк у тебя все ладно выходит, — крякнул полковник. — А ну как эту Мискарьянц убили совсем по другому поводу? А?

— Другими поводами занимается Коротков. А я хочу пойти в эту «Лозанну» и попробовать узнать, с какими заказчиками Мискарьянц работала в последнее время. Контракт с Тамарой через них не проходил, документов во всяком случае никаких нет. Но мы же с вами не вчера на свет родились, мы понимаем, что менеджер может «устроить» заказчику хорошего переводчика или, наоборот, знакомому переводчику — хороший заказ. И комиссионные возьмет лично сам, положит их в свой близкий к телу карман, не ставя агентство в известность. Все же живые люди, дополнительно подзаработать каждый хочет. Вот я и думаю, что Карина могла связать Коченову с заказчиком, не оформляя документы. Тогда естественно, что в «Лозанне» конкретно об этом контракте никто не знает, но могут знать, что какая-то фирма или какой-то

человек обращался к Карине. Я хочу попробовать найти всех этих «обращавшихся».

— Мартышкин труд, — фыркнул начальник. — Если в «Лозанне» уже пошустрили люди из конторы, то они это учли, можешь не сомневаться. Они не глупее нас с тобой. Все сотрудники фирмы будут молчать, ты ничего от них не добьешься. И потом, дорогая моя, ты строишь какие-то поистине наполеоновские планы. Ты проверяешь всю медицинскую общественность, которая так или иначе могла быть знакома с Тамарой Кочсновой. Ты хочешь проверить всех, кто общался с убитой Мискарьянц, чтобы выяснить, не заключали ли они с Коченовой «левый» контракт. А как, позволь спросить, ты собираешься все это делать? У тебя сколько рук? Десять? Шестнадцать? Или ты рассчитываешь на то, что добрый дядя Колобок освободит всех сотрудников от раскрытия убийств и изнасилований и бросит всех единым фронтом на работу по Мискарьянц и Коченовой? Я хочу услышать от тебя членораздельный ответ — каковы первоначальные цели и задачи, какой ожидается результат и сколько тебе на это нужно времени. И прошу не забывать, что по убийству Горелова сроки все прошли, полностью вырезанная семья художника тоже висит на тебе, насильник-маньяк, на счету которого уже двенадцать жертв, до сих пор не пойман.

— Виктор Алексеевич, речь идет не о Коченовой и не о Мискарьянц, вы же прекрасно это понимаете. Речь идет о конторе...

— И о твоем дружке Денисове, — ехидно вставил полковник.

— Хорошо, и о нем тоже. Мне безразлично, где находится Коченова и кто убил любовницу Денисова, это не те преступления, за которые у меня, как говорится, душа ноет. Может, я безразличная и бездушная, может, я неправильно устроена, но судьба Лилианы Кнепке меня никаким образом не трогает. А вот Карина — совсем другое дело. Карину убила контора, чтобы скрыть какое-то преступление. Или Карину убили по совсем другим причинам, а контора теперь только прилагает усилия к тому, чтобы преступление не было раскрыто.

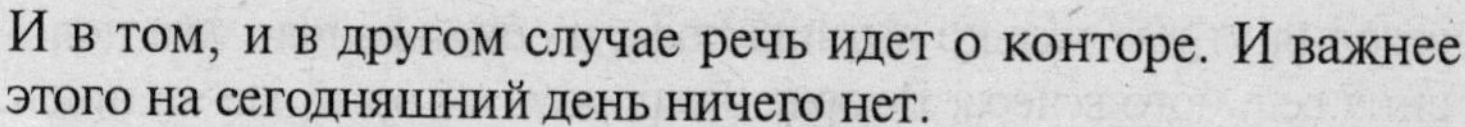

И в том, и в другом случае речь идет о конторе. И важнее этого на сегодняшний день ничего нет.

— Лихо сказано, — хмыкнул Гордеев. — Значит, убийца целой семьи вместе с малыми детьми гуляет на свободе — пусть. Насильник с перевернутыми мозгами шляется по темным улицам — тоже пусть. Вообще все — пусть. Мы должны встать стройными рядами и двинуться на борьбу с невидимой и неведомой конторой. На каком, спрашивается, основании? Будем мстить за то, что два года назад они убили Женю Морозова и сделали инвалидом нашего Ларцева? Или будем их шлепать по попке за то, что они тебя беспокоят телефонными звонками? Я хочу услышать от тебя четко сформулированную цель нашего похода против конторы. И если твоя цель совпадет с моей — будем действовать вместе.

— Виктор Алексеевич, — Настя сделала глубокий вдох и задержала воздух в легких, потом медленно выдохнула, — наш разговор ушел в сторону. Вы хотите услышать от меня, что разработка конторы даст нам возможность свернуть шею Денисову. Посадить его вряд ли удастся, мы с вами не склонны переоценивать свои силы. Но по крайней мере мы сможем сделать так, что он больше никогда не обратится ко мне ни с какими просьбами, даже самыми невинными. Он даже закурить у меня не посмеет попросить. Он вообще забудет мой телефон и мое имя. Вы хотите это услышать? Считайте, что вы это услышали. План разработки я принесу вам через два часа.

— Ну что ж, — задумчиво произнес Гордеев, — ты оказалась сильнее, чем я думал. Взрослеешь, Стасенька. Между прочим, я давал тебе на составление плана два дня, и они уж три дня как прошли.

— План был готов вовремя. Просто я его не отдавала.

— Понятно, — усмехнулся начальник. — А сейчас будешь за два часа его переделывать?

— Буду. Появились новые данные, и они должны быть учтены в плане.

— Ладно, через два часа жду. Иди, Анастасия.

Она поднялась и пошла к двери. Сильно болела голова, она вдруг вспомнила, что последний раз ела вчера вечером,

7 Зак. 670

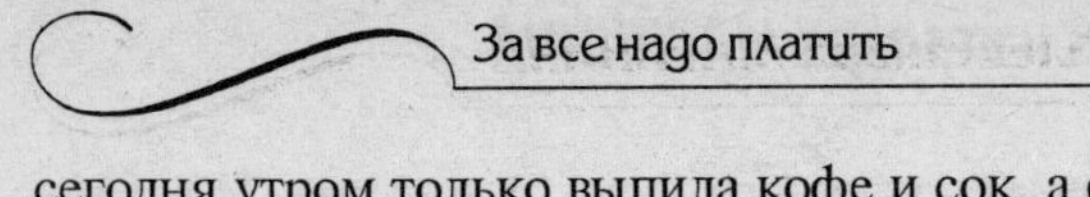

сегодня утром только выпила кофе и сок, а сейчас уже половина седьмого вечера. В горле стоял ком, который Настя никак не могла сглотнуть, это часто случалось, когда она нервничала, и продолжалось порой по полтора-два месяца.

Она уже взялась за ручку двери, как услышала за спиной:

— Стасенька!

— Да, Виктор Алексеевич? — спросила она, не оборачиваясь.

— Тебе очень тяжело?

Почему-то ее глаза прилипли к царапине на деревянной обшивке двери. Настя тупо вглядывалась в эту длинную, сантиметров двенадцать, светлую полосу, словно хотела выискать там ответ на вопрос Гордеева. Внезапно глаза ее наполнились слезами, губы свело противной судорогой. Она понимала, о чем спрашивал ее Колобок. Не о том, что она устала, что взвалила на себя непомерно много работы. И не о том, что она безумно боится конторы и живет в постоянном страхе перед столкновением с ней. Он спрашивал ее о Денисове. Да, ей было очень тяжело, потому что Эдуард Петрович Денисов нравился ей и был ей глубоко симпатичен. Она отдавала себе отчет в том, что он крупный криминальный воротила, что он купил, приручил и положил себе в карман целый город вместе со всей администрацией, органами власти и управления. Но она помнила, что, как только Эдуард Петрович заподозрил, что в ЕГО городе какие-то уголовники совершают тяжкие и жестокие преступления, он немедленно поднял на ноги всю милицию и не успокоился, пока убийцы не были найдены. Она помнила, как прощалась с ним, уезжая из его города. Помнила его слова: «Я сделаю для вас все, Анастасия, все, что могу, а могу я даже то, что невозможно». Она помнила, как он приехал в Москву за телом сына и вместе с Настей пошел на похороны человека, защищая и охраняя которого погиб его сын. И как он ни словом не упрекнул ее за то, что не сберегла его мальчика.

Она все понимала про Эдуарда Петровича Денисова. И в то же время она все помнила. А вот теперь ей нужно решить, что же все-таки важнее: то, что она понимает, или то, о чем помнит. Но, похоже, возможности выбора у нее нет. И ей нужно заставить себя смириться с этим.

Она ничего не ответила начальнику, боясь, что голос выдаст ее. Она только молча кивнула, так и не повернувшись к нему лицом, и торопливо вышла из кабинета.

Глава 10

Юрию Оборину предстояло много дел, ведь он собирался «уйти в подполье» как минимум на две недели, а если повезет, то и на месяц. В аспирантской среде такие «уходы» были распространены довольно широко. Когда молодой ученый набирал достаточное количество материала и нужно было плотно садиться, чтобы его систематизировать, анализировать и описывать, как назло случались всякие непредвиденные вещи, которые никак не давали сосредоточиться и углубиться в работу. Это был злой рок, висящий над всеми аспирантами юрфака, а может быть, и всего университета. Как только дело доходило до написания параграфа или главы, сей же час либо заболевали все преподаватели кафедры и нужно было немедленно все бросать и бежать вместо них на занятия, либо на кафедру сваливалось невероятное количество поручений на рецензирование каких-то монографий, диссертаций, законопроектов и прочих творений, и к делу подключались все вплоть до аспирантов-первогодков (рецензировать они еще не умеют, но хоть текст напечатают). Очень популярным был «прикол» в виде внезапного приезда родственников, которым негде остановиться, кроме как у означенного аспиранта. В свете необходимости интенсивно поработать над текстом диссертации очень выгодно смотрится любое, даже крошечное изменение законодательства, потому что немедленно после опубликования нового закона в газете нужно хватать, во-первых, фондовые лекции, во-вторых, рукописи, готовящиеся к изданию, и срочно вносить коррективы. На этот аврал тоже поднимали всех — и хворых, и бесталанных. А если принять во внимание, что разговоры о принятии новых уголовного и уголовно-процессуального кодексов ведутся уже три года, но вместо цельных и внутренне логичных кодексов Дума все время принимает какие-то законы, вносящие частные изменения, неумело латая тришкин кафтан устаревшего законодательства, то постоянная переделка учебных и научных материалов, программ, рукописей, методичек висела над сотрудниками кафедры уголовного права дамокловым мечом.

Одним словом, если аспирант хотел написать более или менее связный текст, ему приходилось «уходить в подполье», иными словами, становиться недоступным, не выходить из дома и, главное, не подходить к телефону. Во избежание недоразумений перед «уходом» следовало предупредить всех заинтересованных лиц, чтобы не беспокоились и не звонили в милицию с криками о пропавшем человеке, не приезжали и не взламывали дверь. Кроме того, нужно было сделать какие-то обязательные дела, нанести все обязательные визиты и купить продукты. После этого можно было смело раскладывать на столе бумаги и садиться за машинку или за компьютер.

Оборин на начало октября «подполье» не планировал. У него была полностью готова первая глава диссертации, собран эмпирический материал для второй главы и даже написан теоретический параграф, так что для завершения второй главы ему осталось проанализировать эмпирику, а уж потом ее описывать. Из результатов этого анализа будут вытекать теоретические положения и практические рекомендации, которые предполагается изложить в третьей главе. И Оборин составил для себя график, согласно которому он до Нового года закончит обработку эмпирики, а потом скроется от всех месяца на полтора и спокойно все допишет. На самом деле ему уже сейчас было ясно, какие именно выводы следуют из собранного материала, так что третью главу он мог бы написать хоть сейчас. Но правила требовали, чтобы эмпирический материал был подан в определенном виде — с таблицами, диаграммами, расчетами, с подробным описанием, где и как изучались уголовные дела, по какой анкете. Эта работа не требовала большого интеллектуального напряга, ее можно было делать урывками, по два часа в день, чем Оборин и собирался заниматься в предстоящие три месяца, вплоть до Нового года.

Однако появление в его жизни Ольги заставило Юрия внести коррективы в тщательно разработанный план завершения диссертации. Они провели вместе четыре упоительных дня, а потом пришлось открыть глаза перед суровой действительностью в лице Ольгиного ревнивого и строгого супруга. О том, чтобы медсестра оставила свой пост и ушла с работы во время дежурства, не могло быть и речи. После смены все ее передвижения жестко контролировались мужем.

— Давай я буду приходить к тебе на работу, когда ты дежуришь в ночную смену, — предлагал Юрий. — Ведь ночью у вас наверняка спокойно, все спят.

— Ты с ума сошел, — грустно усмехалась Ольга. — Весь персонал отделения знает моего мужа, он в профилактических целях со всеми перезнакомился. Дежурный врач тут же доложит ему о твоем приходе.

— Как же быть? — растерянно спрашивал Оборин. — Что же, мы теперь вообще не сможем видеться?

— А я тебя предупреждала, что так и будет.

— Да, конечно, — кивал он. — Но ведь должен быть какой-то выход. Не может быть, чтобы его не было.

— Не знаю, — пожимала плечами Ольга. — Лично я никакого выхода не вижу.

В таких пустых телефонных переговорах прошло два дня, когда Юрия осенило.

— А я могу лечь в твою больницу?

* * *

Она с трудом сдержала облегченный вздох. Господи, как много времени ему понадобилось, чтобы додуматься до этого! Ольга уже начала побаиваться, что Юрий не сможет самостоятельно дойти до такой простой мысли. Но сейчас нужно было сыграть точно, нигде не пережать, чтобы не спугнуть.

— Ну, в общем... — промямлила она как бы неуверенно. — Это можно устроить. Но это стоит денег, и немалых. Ты сможешь заплатить?

— Взятку, что ли, дать?

— Нет, ты не понял. У нас коммерческое отделение, лечение платное. Примерно сто долларов в сутки. Потянешь?

— Господи, да от чего ж у вас там лечат за такие деньги?! — изумился Оборин.

— Да ни от чего, — рассмеялась Ольга. — Когда-то это было закрытое отделение Четвертого главного управления Минздрава, здесь выводили из запоев членов ЦК и правительства и их родственников. Жен отхаживали после стрессов, детей — после суицидальных попыток. Лечили от пристрастия к наркотикам. Были такие, кто полностью менял зубы, удалял все свои и имплантировал новые, но после удаления собственных зубов нужно было где-то отлежаться, чтобы никто эту небесную красоту не увидел. Так что в нашем отделении не только выдающиеся члены партии и правительства полеживали, но и народные артисты, любимцы публики, телевизионные дикторы. Здесь роскошные одноместные палаты типа гостиничного «люкса», ресторанное питание по предварительному заказу, но в соответствии с прописанной врачом диетой, первоклассный уход, витамины, поддерживающая терапия. Только раньше это все было за счет налогоплательщиков, а теперь — за счет желающих поправить здоровье.

— И кто же у вас теперь лечится? Опять члены правительства и их семьи?

— Не скажу.

— Как это? — оторопел Оборин. — Почему не скажешь?

— Нельзя.— Она ласково засмеялась. — Это одно из условий пребывания в нашем отделении. Мы сохраняем полную анонимность. У нас даже палаты запираются снаружи, чтобы пациенты не разгуливали по коридору и не заглядывали «в гости» к соседям. Каждый наш пациент может быть абсолютно уверен, что в его палату не войдет никто, кроме медсестры и врача, и никто из посторонних не узнает, что он здесь лежит.

— Значит, когда ты дежуришь, в мою палату не может войти никто, кроме тебя и врача? — обрадовался Оборин, и Ольга поняла, что он клюнул. Он сказал «в мою палату» — мысленно он уже лежал в клинике.

— Никто, — уверенно подтвердила она. — Но наши пациенты, знаешь ли, народ капризный, они не любят, когда их беспокоят, поэтому существует расписание, которое никогда не нарушается. В девять утра приходит медсестра, приносит утренние лекарства и завтрак. В три часа — дневные лекарства и обед, в восемь — ужин. Перед ужином, с семи до восьми, по палатам ходит врач и беседует с каждым пациентом. У нас обходы вечерние, а не утренние. Так повелось с самого начала. Вот и все. Больше к тебе в палату никто входить не будет. Три раза придет сестра и один раз — врач. Все остальные визиты — только по твоему вызову. В каждой палате есть кнопка вызова медсестры и отдельная кнопка для врача. Можно, например, позвонить медсестре и попросить чаю или кофе, или что-нибудь перекусить, если голоден и если диетой не запрещено. Одним словом, у нас, конечно, хорошо, но и дорого. Так что не знаю даже, Юра, имеет ли смысл...

— Господи, да, конечно же, имеет! — горячо перебил ее Оборин. — Тут и думать нечего. Деньги я найду, хотя бы недельки на две, ты не сомневайся. Что мне нужно сделать? Направление какое-нибудь взять? Анализы?

— Ничего не нужно, Юра. Я запишу тебя на консультацию к заведующему отделением, ты придешь и скажешь ему, что хотел бы полежать две-три недели в нашем отделении. Тебе нужно заканчивать диссертацию, а у тебя работа не идет. Слабость там, вялость, голова болит, бессонница, сосредоточиться не можешь. В общем, эту часть ты сам придумай, можешь говорить все, что хочешь, диагноз значения не имеет, потому что у нас, как я уже сказала, ни от чего не лечат, у нас скорее в чувство приводят, дают человеку отоспаться, привести нервы в порядок, набраться сил. Понимаешь? Скажешь Александру Иннокентьевичу, что тебе нужно срочно дописывать диссертацию, время поджимает, а голова не варит. Этого будет достаточно, чтобы он тебя положил к нам. А дальше все просто. Возьмешь свои бумаги, придешь к нам, будешь целыми днями работать над диссертацией, а я буду к тебе приходить каждую свободную минутку.

— Здорово! — обрадовался Оборин. — А пока я буду там у

вас лежать, глядишь, что-нибудь и придумаем насчет наших будущих встреч.

— Твоему оптимизму можно позавидовать, — усмехнулась в трубку Ольга. — Так записывать тебя на консультацию или еще подумаешь?

— Чего тут думать, — отмахнулся он. — Записывай, конечно.

— Когда тебе удобно?

— Да хоть сейчас.

— Размечтался... Ладно, по блату сделаю тебе на завтра, на десять тридцать. Записывай адрес.

Она подробно объяснила ему, где находится больница и как найти кабинет, в котором Александр Иннокентьевич Бороданков принимает для консультаций. Все, подумала она, попался. Никуда теперь не денется. В те четыре дня она так выложилась и в постели, и вне ее, что два дня без встреч с Ольгой показались Оборину мучительными и горько-безрадостными. Уж что-что, а превращать жизнь мужчины в сверкающий радостный праздник Ольга Решина умела как никто.

За четыре дня ей не удалось выяснить, знает ли он, где Тамара. Он ни разу не упомянул ее, на какие бы темы Ольга ни затевала разговор — о старых ли друзьях, об ошибках юности, о первой студенческой влюбленности, о легкомыслии, из-за которого можно запросто вляпаться в какой-нибудь криминал. Даже об автомобилях, которые не следует заводить, если не можешь обеспечить их сохранность. Один раз она, уже полностью отчаявшись, очень осторожно завела разговор о переводчиках. Но Юрий молчал, словно никогда и не знал такую переводчицу Тамару Коченову, с которой из-за ее легкомыслия случилась беда и с которой его связывал давний юношеско-студенческий роман. Но он не мог ее не знать. Ведь он забрал ее машину и поставил в свой гараж.

Если бы Ольге удалось точно установить, что Оборин не знает ровным счетом ничего, что Тамара прожила у него три-четыре дня, ничего не объясняя или сославшись на ссору с любовником, и уехала в неизвестном направлении, она бы оставила его в покое. Просто перестала бы звонить и исчезла бы из его жизни. Или сослалась бы на грозного мужа. Или

спровоцировала бы ссору. Да не проблема это, не в том суть. Но беда в том, что точно ничего выяснить не удалось. Оборин молчал о Тамаре, и было совершенно непонятно, рассказала она ему о событиях в Австрии и о том, куда уезжает, или нет. Поэтому с Обориным вопрос нужно было решать кардинально.

Во-первых, необходимо было все-таки выяснить, что именно ему рассказала Тамара, и если она все-таки что-то рассказала, то узнать, не пересказывал ли это Оборин кому-нибудь еще. Одним словом, следовало установить, как далеко разошлась информация о тройном убийстве на шоссе, ведущем в Визельбург. Во-вторых, Оборину следовало помочь замолчать навсегда.

* * *

Закончив неотложные и обязательные дела, Юрий начал собираться в больницу. Первым делом он внимательно перебрал все свои бумаги, чтобы не тащить лишнего, но в то же время не забыть дома что-нибудь нужное. Положил в папку целую пачку миллиметровой бумаги, на которой так удобно чертить графики и диаграммы и составлять таблицы. Достал из книжного шкафа толстенный темно-зеленый «Справочник по математике для научных работников и инженеров». Оглядел внушительную стопку, которая возвышалась на столе. Кажется, с бумагами все.

Он достал из шкафа легкую, но очень вместительную дорожную сумку и принялся паковать свой багаж — книги, бумаги, блокноты, папки, белье, туалетные принадлежности, множество мелочей, к которым он привык и без которых не желал обходиться, вплоть до крошечного стеклянного мышонка с длинным завитым спиралью хвостиком. Юра привык, что-то обдумывая, крутить в пальцах его округлую фигурку или посасывать кончик тоненького хвостика. Несколько лет назад он купил этого мышонка на вернисаже в Измайлове. Вообще-то он приехал туда за подарками к 8 Марта для всех своих знакомых женщин, увидел лоток со стеклянными фигурками и просто не мог не купить очаровательного мышонка. Влюбился в него с первого взгляда.

Следом за мышонком в сумку была отправлена маленькая серебряная ложечка, которую Оборин привез с Кипра. Ручка у нее была сделана в форме острова. К ложечке будущее светило юриспруденции тоже питало нежные чувства, ибо она напоминала ему о неделе безоблачного отдыха в компании с девушкой, в которую он тогда был сильно влюблен и которая оставила в его душе самые приятные воспоминания. Ложечку он брал с собой во все поездки, как в отпуск, так и в командировки.

Наконец в последнюю очередь Оборин подумал о том, что надо бы взять с собой что-нибудь почитать. Он быстро оглядел комнату в поисках купленных, но непрочитанных книг и, несколько секунд поколебавшись, положил в сумку «Камеру» Джона Гришэма и его же «Клиента». «Клиента» он, правда, уже читал раза три, но с удовольствием перечитает. Правовые перипетии, описанные в романе, довольно успешно будили в Оборине научную правовую мысль, он это замечал неоднократно.

Что ж, теперь он полностью готов к тому, чтобы провести две недели в отделении, которым командует Александр Иннокентьевич и в котором работает такая желанная Оля. Оборин ожидал от предстоящих двух недель сплошного удовольствия. Сосредоточенная спокойная работа над диссертацией без суеты и без хлопот, ежедневные встречи с Ольгой, отсутствие необходимости готовить еду и мыть посуду — о чем еще может мечтать обыкновенный не очень удачливый аспирант? Беседа с Александром Иннокентьевичем прошла в точности так, как предсказывала Ольга. Оборин жаловался на непонятное недомогание, которое мешает закончить диссертацию, наотрез отказывался ложиться на обследование, ссылался на переутомление и необходимость дописать диссертацию в кратчайшие сроки. Александр Иннокентьевич честно предупреждал, что причину недомогания в его отделении установить не смогут и тем более не смогут ее вылечить, но если речь идет о необходимости закончить творческую работу, невзирая на плохое самочувствие и в достаточно сжатые сроки, то, пожалуйста, он готов положить Юрия к себе в отделение и создать ему максимально благоприятные условия для интел-

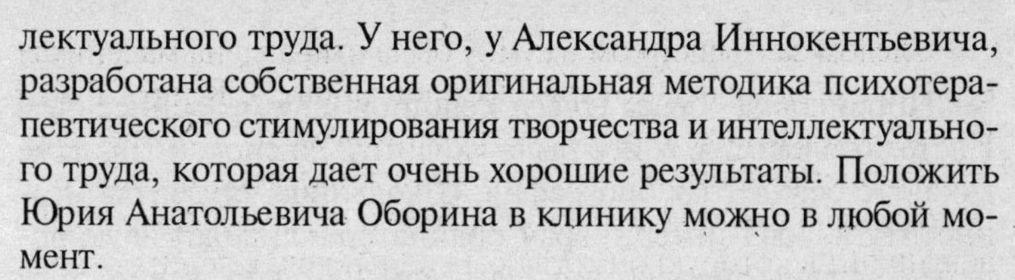

лектуального труда. У него, у Александра Иннокентьевича, разработана собственная оригинальная методика психотерапевтического стимулирования творчества и интеллектуального труда, которая дает очень хорошие результаты. Положить Юрия Анатольевича Оборина в клинику можно в любой момент.

— Сейчас есть свободные места, знаете, начало осени, люди только-только отгуляли отпуска, полны сил и бодрости, устать еще не успели. Вот в разгар весны в отделение будет огромная очередь, зимний витаминный голод очень сказывается на творческих способностях. Да-да, не смейтесь, я и сам не верил, пока не занялся проблемой вплотную, — говорил врач, добродушно улыбаясь Оборину.

Договорились, что Юрий приведет в порядок неотложные дела и прямо завтра же придет в клинику.

— Вы нас не найдете, — предупредил Александр Иннокентьевич. — Вы же понимаете, наше отделение создавалось как элитное, туда нельзя попасть случайно, по ошибке или по злому умыслу. Поэтому вы приходите сюда же, в основной корпус, и от вахтера звоните мне, я пришлю кого-нибудь вас встретить.

— Какой номер? — спросил Оборин, приготовившись записывать.

— Вахтер знает, — махнул рукой врач. — У него под стеклом список внутренних телефонов лежит. Не забивайте себе голову, он все равно не даст вам самому номер набирать. Спросит, к кому вы, и позвонит, узнает, ждут ли такого. Он еще с тех времен работает, когда здесь простые смертные не лечились, даже порог не переступали. Только государственная элита. А дед наш, вахтер-то, естественно, в те времена в КГБ служил, прапорщиком был, а может, сержантом. Так что выучка у него — будь здоров. Мышь не проскочит.

И вот теперь, собравшись и упругим шагом двигаясь в сторону метро, Юрий Оборин думал о том, что понял наконец, что такое «чувство глубокого удовлетворения». Это был один из тех нечастых моментов, когда ему казалось, что все в его жизни хорошо. Ну просто лучше некуда.

* * *

Прорисовка образа Ольги Решиной шла медленнее, чем Насте хотелось бы. У нее была удивительно спокойная, даже какая-то бесцветная биография. Школьница, студентка мединститута, врач-интерн, врач-ординатор, кандидат наук, доцент кафедры психиатрии. Замужем не очень давно, муж тоже врач и тоже психиатр, детей нет. В настоящее время работает в коммерческом отделении одной из престижных клиник. Такие отделения называют санаторными или кризисными. Ни в чем криминальном не замечена.

Как строить беседу с такой женщиной, Настя понимала плохо. Конечно, если она ничего не знает о Тамаре, то стратегия значения не имеет. Но, если Решина что-то знает и хочет это скрыть, нужно иметь в руках хоть какое-нибудь оружие, чтобы не сдаваться без боя. Где взять такое оружие, было совершенно непонятно, в этой Решиной уцепиться, казалось, было не за что.

Настя набралась терпения и решила выждать еще денек-другой. Она вообще не была сторонницей поспешных действий, может быть, оттого, что сама соображала медленно. Пороть горячку, говорила она, имеет смысл в первые сутки после совершения преступления, пока преступник сам еще находится во взвинченном состоянии и может сделать явную глупость, на которой его и выловят. По прошествии суток торопливость можно отставить, ибо преступник уже успокоился, понял, что его не поймали и ничего страшного не произошло. И он сам, и милиционеры, как говорится, переспали ночь с бедой, а утром все видится совсем в другом свете.

За эти два дня, которые Настя Каменская отвела себе для окончательного составления представления об Ольге Решиной, поступила только одна новая информация: Ольга встречалась с неким Михаилом Владимировичем Шориновым. Гордеев немедленно дал команду установить, кто это такой и какое отношение имеет к Решиной. К вечеру он позвонил Насте домой.

— Шоринов — ее бывший любовник, — сообщил Виктор

Алексеевич. — Ударился в коммерцию, купил конверсионный завод, выпускает всякий хозяйственный ширпотреб, но очень качественный, а цены — раза в три ниже, чем у импортных аналогов. В основном бытовая химия, товары из пластмассы и пластика, но качество, как мне сказали, чрезвычайно высокое. Видно, когда завод еще принадлежал оборонке, там была мощная химическая лаборатория.

— А почему вы уверены, что любовник бывший, а не действующий? — спросила она.

— А потому, моя дорогая, что они встречались на квартире у нынешней любовницы Шоринова и в ее присутствии. Или как у вас сейчас принято? Чай вдвоем, а секс втроем?

— Ну что ж, — вздохнула Настя, — лучше что-то, чем совсем ничего. Подумаю, что можно из этой информации выкроить, и завтра с утра поеду встречаться с Решиной. Ребята сказали, что сегодня она работает в ночную смену, значит, в десять утра сменится, вот по дороге из клиники домой я ее и перехвачу.

* * *

Рабочий день полковник Гордеев начал в половине восьмого утра, и к девяти часам переделал массу нужных, хотя и бесполезных дел, изо дня в день откладываемых и почему-то имеющих обыкновение не рассасываться, а, наоборот, накапливаться. Дела были бумажными и неинтересными, но делать их, как это ни прискорбно, все равно нужно было.

Ровно в две минуты десятого на его столе зазвонил телефон.

— Я могу говорить? — услышал он в трубке знакомый голос.

— Можешь. Что у тебя?

— Дополнительная информация по Шоринову.

— Говори, я слушаю.

Виктор Алексеевич слушал несколько секунд, потом вмиг побагровел, швырнул трубку на рычаг и тут же сорвал другую, с аппарата внутренней связи.

— Коротков? Немедленно найди Анастасию, немедленно!

Ты понял? Она хотела сегодня с утра встречаться с Решиной, собиралась перехватить ее по дороге из клиники домой. Она не должна даже близко к ней подходить! — кричал Гордеев. — Даже на километр! Перехвати ее. Любой ценой перехвати.

Коротков кубарем скатился по лестнице, выскочил на улицу и подбежал к своей старенькой, постоянно глохнущей машине. Клиника, где работала Ольга Решина, находилась очень далеко от Петровки, на краю Москвы, и если до семи утра на исправной машине этот маршрут можно было бы проделать минут за двадцать, то в десятом часу утра при капризничающем движке можно было смело «закладываться» на час. Но час Короткова никак устроить не мог, ему нужно было успеть к клинике до того, как оттуда выйдет Ольга. И не просто успеть, а найти поблизости Аську и увезти ее оттуда. Он ехал, нахально объезжая заторы и пробки то по тротуару, то по полосе встречного движения, обливаясь потом от ужаса, каждую секунду ожидая лобового столкновения и слыша доносящиеся из других машин выразительные пожелания долгой счастливой жизни, а также крайне лестные оценки его умственных способностей и знания правил дорожного движения. Это был, наверное, один из самых кошмарных часов в его жизни, но он успел. Когда он выехал на улицу, на которой находилась клиника, было без десяти десять. Теперь нужно было быстренько найти Анастасию. Где же ее искать?

Коротков вышел из машины и углубился в парк, окружающий клинику. Территория оказалась на удивление большой и ухоженной, с прямыми аллеями, обсаженными деревьями. Аллеи были не очень-то многолюдны, но Анастасию он не увидел. Он боялся отходить слишком далеко, старался, чтобы выход из ворот был ему постоянно виден.

Стараясь не слишком суетиться, чтобы не бросаться в глаза, он обошел аллеи вблизи выхода, досадуя на то, что не очень хорошо представляет себе внешность Решиной. Видел ее фотографии, но иногда этого бывает недостаточно. Разглядеть лицо издалека не всегда удается, а в чем Ольга должна быть одета, Коротков не знал. Лучше было бы найти Аську. Ну куда она запропастилась?

Решину он увидел внезапно всего в каких-нибудь трех-

четырех метрах от себя. Коротков почему-то ожидал, что она выйдет из стеклянных дверей центрального корпуса, а она появилась откуда-то из глубины парка и подошла к выходу по аллее, перпендикулярной той, по которой разгуливал Юра. Где же Анастасия?

Коротков пристроился «в хвост» Ольге и дошел следом за ней до самого метро, когда впереди мелькнула Аськина ярко-голубая куртка. Он метнулся вперед, расталкивая прохожих и бормоча извинения.

— Разворачивайся — и в метро, — тихо сказал он, обнимая Настю и изображая молодого человека, который опоздал на встречу со своей дамой.

Настя послушно повернулась, взяла его под руку, и они быстро пошли по подземному переходу. Однако вместо того, чтобы пройти турникеты и встать на эскалатор, Коротков вывел ее через переход на противоположную сторону улицы.

— Постой здесь, можешь покурить пока. Я сейчас подгоню машину.

Не дав ей возможности ответить, он почти побежал в сторону клиники. Настя огляделась, заметила поблизости киоск «Роспечать», купила какие-то газеты. Покупала она их без разбора, просто попросила у киоскера все, что есть за вчера и за сегодня. Она всегда так поступала, когда сильно сердилась или нервничала. Чтение газетных текстов, набранных мелкими буквами, требовало зрительного напряжения, и это помогало отвлечься и успокоиться.

Через несколько минут возле нее остановилась Юркина старенькая машина. Настя уселась впереди и яростно хлопнула дверцей.

— В чем дело? — сердито спросила она.

— Не знаю, — пожал плечами Коротков.

— Юра!

— Ну я правда не знаю. Колобок в десятом часу начал орать, чтобы я тебя срочно нашел, что тебе нельзя и близко подходить к Решиной.

— И ничего не объяснил?

— Ничего. Времени не было. Сейчас приедем — все узнаешь.

Весь путь до Петровки они молчали, Настя — сердито, уткнувшись в газеты, Коротков — устало.

Приехав на работу, они вместе поднялись по лестнице, прошли по длинному унылому казенному коридору и вошли в кабинет полковника Гордеева как раз в тот момент, когда он заканчивал утреннюю оперативку. Настино постоянное место было занято, на ее любимом стуле в углу сидел капитан из отдела по борьбе с кражами, и она поняла, что по недавнему убийству старого коллекционера подключили специалистов по сбыту ценностей. Она собралась было примоститься на единственном свободном стуле рядом с дверью, когда Виктор Алексеевич произнес:

— Все свободны. Каменская, останься. Лесников и Коротков, далеко не уходите, через полчаса будете нужны.

Оставшись в кабинете вдвоем с Настей, Колобок-Гордеев вышел из-за стола и пересел за длинный стол для совещаний, сделав ей знак рукой подойти поближе. Она села по другую сторону стола, напротив начальника.

— Ты не контактировала с Решиной? — спросил он.

— Не успела. Меня Коротков перехватил.

— Это хорошо. Видишь ли, деточка, я сегодня утром узнал одну неприятную вещь. У Михаила Владимировича Шоринова, приятеля и бывшего любовника Ольги Решиной, есть родная тетка, сестра его матери. И зовут эту тетку Вера Александровна. Фамилию назвать или сама догадаешься?

— Назовите, — спокойно попросила Настя, не ожидая ничего плохого.

— Фамилия этой Веры Александровны — Денисова.

— Нет!

Слово вырвалось раньше, чем она успела осознать смысл сказанного полковником.

— Да, деточка. А мужа Веры Александровны зовут Эдуардом Петровичем. Я понимаю, что тебе неприятно это слышать, но закрывать глаза на этот прискорбный факт мы не можем. И получается у нас не очень-то красиво. С одной стороны, Денисов посылает в Москву своего человека с каким-то заданием и просит тебя помочь ему. С другой стороны, он

связан с той компанией, которая имеет отношение к пропавшей Тамаре Коченовой. Как ты можешь это объяснить?

Настя угрюмо молчала, уткнувшись глазами в полированную поверхность стола.

— У нас нет твердых доказательств, что Решина имеет отношение к бегству Коченовой, — сказала она глухо. — Решина — просто одна из московских знакомых Тамары, не более того.

— Хорошо, — вздохнул Гордеев. — Твое упрямство достойно всяческого уважения.

Он потянулся к внутреннему телефону и набрал номер.

— Игорь? Зайди.

Через полминуты в кабинет вошел Игорь Лесников, один из самых красивых сыщиков на Петровке, всегда серьезный и редко улыбающийся.

— Езжай на Зубовскую, возьми справку, когда и в какие города были междугородные звонки с этих трех телефонов. — Он протянул Лесникову бумажку. — Быстренько.

Игорь молча взял бумажку и вышел, а Гордеев снова тяжело вздохнул, снял очки и принялся постукивать дужками друг о друга. Неритмичные мягкие щелчки вывели Настю из оцепенения, она подняла голову и посмотрела начальнику прямо в глаза.

— Вы дали ему телефоны Шоринова?

— Домашний, служебный и телефон квартиры, где живет его любовница, — подтвердил полковник.

— Значит, вы уверены, что Денисов затеял против меня какую-то гадость?

— И ты в этом тоже уверена, — кивнул Гордеев. — Ты же умница, ты не можешь этого не понимать. Просто тебе нужно смириться с тем, что твой Денисов не так уж чистоплотен по отношению к тебе, как тебе хочется надеяться. Посмотри правде в глаза, и давай уже наконец начнем нормально работать. Вот скажи мне, о чем ты сейчас думаешь?

— Я вспоминаю, как я плакала у него в кабинете, а он меня утешал и извинялся за то, что впутал в расследование таких страшных убийств.

— Перестань! — внезапно взорвался начальник. — Забудь

свои слюни и сопли! Денисов — крутой мафиози, который натравил на тебя контору и преследует этим свои цели. Конечно, ты готова ему все прощать, но я, дорогая моя, — это не ты. И я ему ничего прощать не намерен. А ты будешь делать то, что я скажу, потому что пока еще я твой начальник, а не Денисов. Если ты думаешь иначе — я жду твой рапорт об увольнении в течение десяти минут. Ну так как? Дать листок и ручку? Будешь писать рапорт?

Настя медленно встала и отошла к окну. Осень все еще размышляла, то ли начать жить в полную силу, то ли полениться, дав лету возможность потешить себя иллюзией собственной долговечности. Несколько дней шли дожди, мелкие и противные, а сейчас снова сияло солнце, и листва не опадала, и небо было ярко-голубым. Сколько можно, в самом деле? Все очевидно, двойная игра Денисова налицо, а она, как страус, прячет голову в песок и отгораживается от неприятной действительности воспоминаниями о доброте и благородстве Эдуарда Петровича. Да, ей больно, да, ей тяжело, но нельзя же до бесконечности позволять делать из себя идиотку.

Она крепко зажмурилась, под веками забегали яркие желтые пятнышки, принимающие причудливые формы. Потом она резко повернулась к Гордееву и улыбнулась.

— Все, Виктор Алексеевич, я готова. Что у нас там с телефонными звонками?

— Лесников только-только уехал, — осторожно откликнулся Колобок-Гордеев.

— Да ладно вам, — она рассмеялась. — Хоть вы-то из меня дурочку не делайте. Никуда он не уехал, вы эту справку уже по телефону получили, пока меня Коротков искал. Я же помню, у вас на Зубовской целых две тетеньки есть, которые вам все справочки дают по телефону в течение полутора минут. Что, нет?

— Помнит она, — пробурчал Виктор Алексеевич. — Никакой управы на тебя нет, Настасья. В общем, так. В город, где живет Денисов, звонки с этих телефонов были, причем один раз — с интервалом в час. Шоринов дважды звонил ему вечером из квартиры своей любовницы как раз в тот день, когда мать Тамары встретила в аэропорту синеглазого брюне-

та по имени Николай. Ты предполагаешь, что этот Николай — Саприн?

— Так полагает Тарадин. Он уверен, что правильно вычислил его.

— Я давал команду проверить корешки авиабилетов на всех домодедовских рейсах в тот день. Или эта женщина что-то напутала, или Саприн не улетел. Или это вообще не Саприн, а твой Тарадин ошибся.

— Или у него очередной фальшивый паспорт, — продолжила Настя. — На внутренних авиарейсах к ним не больно-то присматриваются, это ж не Шереметьево.

— Ладно, допустим, он в тот день улетел. И в тот же день Шоринов звонит своему дядюшке, причем два раза. А через день убивают Карину Мискарьянц. Ты все еще сомневаешься?

— А я всегда сомневаюсь, Виктор Алексеевич, вы же знаете. Но сути это не меняет. Все равно здесь что-то нечисто, а Денисов замешан по самые уши.

Они просидели в кабинете Гордеева почти два часа, уточняя и корректируя план, в соответствии с которым можно было попробовать затянуть петлю на горле самого Эдуарда Петровича Денисова. Настя изо всех сил старалась мыслить строго и логично, не давая боли застилать глаза и вырваться наружу. Но, когда она вернулась к себе, ей показалось, что из нее вынули душу, разрезали на мелкие кусочки и в хаотичном беспорядке запихали обратно. Да, она будет делать все так, как они только что спланировали, она начнет вести против Денисова хитроумную игру, используя в этих целях ту самую контору, при помощи которой он сам пытается выкрутить ей руки. Но, прежде чем начать игру, она сделает последний шаг. Пусть глупый и рискованный, ставящий всю тщательно разработанную комбинацию под угрозу срыва, но она сделает его. Она должна. Иначе она просто перестанет себя уважать.

* * *

Первая же ночь, проведенная Обориным в отделении доктора Бороданкова, совпала с ночным дежурством Ольги. И если в первые часы Юрия ужасно нервировало то обстоятельство, что дверь его палаты была заперта снаружи на ключ, то, когда около двенадцати ночи к нему пришла Ольга, он об этом вообще забыл, а когда вспомнил, то подумал, что в конце концов это не так уж глупо. Вдруг кому-нибудь станет ночью плохо или чайку горяченького захочется, он нажмет кнопку вызова медсестры, а когда та не прибежит, больной выйдет из палаты и начнет ее искать. Красиво же получится, если он, стоя в коридоре, услышит... А потом увидит, как из другой палаты выходит медсестра.

Палата была просторная и удобная, с собственным санузлом, холодильником и большим письменным столом. Вечером ему принесли вкусный ужин и стакан с какой-то микстурой.

— Что это? — спросил Оборин у хорошенькой сестрички в накрахмаленном халатике.

— Витамины, травы всякие, — ответила она, кокетливо улыбаясь.

— Горько, наверное?

— Что вы, вкус очень приятный. Немножко горчит, это верно, но ведь травы всегда горчат. Вы попробуйте.

Оборин отпил маленький глоточек. На вкус микстура напоминала слабо заваренный зверобой. Ему понравилось.

— А вы до которого часа работаете? — поинтересовался он вполне невинным тоном.

— До десяти вечера. В десять заступает другая медсестра.

Он знал, что этой другой будет Ольга, и ему хотелось, чтобы время шло быстрее, ведь он так по ней соскучился. В течение нескольких дней он только разговаривал с ней по телефону и теперь, сгорая от нетерпения, ждал, когда можно будет снова обнять ее, раздеть, смотреть в ее расширяющиеся от страсти глаза, слушать ее прерывистое дыхание.

Когда Ольга наконец появилась, он даже не нашел в себе сил поговорить с ней, накинулся на нее как сумасшедший и только потом, успокоившись, сообразил, что не обменялся с ней ни словом, повел себя как грубая скотина. К счастью, она совсем не обиделась.

— Ну надо же, — прошептала она, водя ладонью по его

груди, — я и не подозревала, что до такой степени соскучилась по тебе.

После ее ухода Юрий заснул крепким сном и проснулся утром совершенно счастливым. На завтрак ему принесли сыр, творог, джем, яичницу и йогурт, а также очередной стакан с горьковатой, но приятной на вкус микстурой. Он с аппетитом все съел, залпом выпил темную жидкость и принялся за работу. Принеся завтрак, Ольга предупредила, что в десять, когда она будет сменяться, в отделении уже будут врачи, поэтому она не станет заходить, чтобы попрощаться. Это не принято и может вызвать удивление.

— Когда мы увидимся? — спросил Оборин.

— Я работаю завтра с десяти утра, у нас смены по двенадцать часов, так удобнее.

— Как еще долго! — протянул Оборин. — Я не доживу. Я умру от тоски по тебе.

— Ничего. — Она тихонько засмеялась. — Ты будешь работать над своей диссертацией и даже не заметишь, как время пролетит.

Конечно, Оборин ей не поверил, он знал свою влюбчивость и точно так же знал, что никакая, даже самая интересная работа не в состоянии заставить его забыть о предмете своих воздыханий в тот первый период, когда острота чувств еще не притупилась. Тем не менее после завтрака он добросовестно принялся за работу, разложил анкеты, выписки, заметки и начал составлять таблицы, в которые аккуратно заносил данные эмпирического исследования. Ему уже давно не удавалось поработать спокойно, ни на что не отвлекаясь, и он даже удивился, что работа доставляет ему удовольствие. В три часа новая медсестра, которую он еще не видел, принесла ему обед и микстуру. Оборин торопливо проглотил борщ и жареного цыпленка с салатом из капусты и свеклы, запил микстурой и снова кинулся к своим бумагам.

День пролетел, против всяких ожиданий, незаметно, и, укладываясь спать, он с удовольствием думал о том, что утром снова увидит Ольгу. Нет, что ни говори, а мысль лечь в больницу оказалась более чем удачной.

Глава 11

Новость, сообщенная Виктором, заставила Арсена оставить все дела и погрузиться в невеселые раздумья. Подумать только, заказчик оказался племянником Денисова. Как же тогда прикажете все это понимать? Денисов засылает в Москву частного сыщика Тарадина, сводит его с Каменской, а потом дает заказ на то, чтобы помешать им в поисках конкретных людей? Очень интересно.

Вывод из этого следовал совершенно определенный, и результат тяжких раздумий Арсена не порадовал. А вывод очень простой: он, Арсен, чем-то досадил могущественному Эдуарду, и теперь Денисов сводит с ним счеты. Путем двойной комбинации пытается прихлопнуть детище Арсена — контору. Наверняка он вступил в сговор со своей приятельницей Каменской, и они совместными усилиями начнут разваливать организацию Арсена. У Каменской к Арсену тоже есть свой счет, и не маленький.

Ну ладно, с Каменской понятно, ей Арсена любить не за что. Но Денисов? Он-то зачем это делает? Без причины, из одной только любви к белобрысой крыске с Петровки? Конечно же, нет. Для того чтобы Эдуард собственными руками стал рубить сук, на котором сидит, разваливая организацию, оказывающую людям его пошиба совершенно неоценимые услуги, причина должна быть более чем веской. И причину эту необходимо найти, чем скорее — тем лучше. Может быть, произошло недоразумение, или Денисова неправильно информировали, или он что-то не так понял? Может быть, Эдуард увидел злой умысел там, где имеет место всего лишь небрежность, хоть и непростительная для конторы Арсена, но не смертельная? Нужно разобраться и устранить причину конфликта. Если надо, Арсен готов вступить с Денисовым в переговоры, объясниться, возместить ущерб, если таковой был причинен неумелыми действиями его людей, извиниться. Но уж ни в коем случае не воевать с Эдуардом Петровичем.

На то время, пока он будет разбираться в ситуации, интенсивную деятельность следует заморозить. Он так и сказал Виктору.

— За девочкой продолжай смотреть, каждый ее шаг фиксируй. Из ее поведения должно быть понятно, что они затеяли. Если, конечно, затеяли.

— Да что вы ее девочкой-то называете! — фыркнул Тришкан, не сдержавшись. — Она же старше меня на семь лет.

Арсен ничего не ответил. Зыркнул на Виктора острыми глазками, но смолчал. Не нравится Каменская ближайшему помощнику Арсена, это очевидно. Но точно так же очевидно, что сам Виктор пока не дорос до того, чтобы дело передавать в его руки. Зелен, ему еще зреть и зреть на веточке, как яблоку, опытом наливаться. Бесится, ревнует. Ничего, пусть ревнует, глядишь, от ревности-то и поумнеет. Все равно подходящих кандидатов в преемники нет, и если с Каменской дело не выгорит, тогда, конечно, Витя на первом месте окажется. Вот и пускай, пока суд да дело, приучается не путать эмоции с работой и на глотку самому себе первым наступать, не дожидаясь, пока это сделают другие. Потому как самому себе на горло наступить можно мягкой лапкой в меховом тапочке, а у других-то на такой случай кованые сапоги припасены.

— Проверь все наши заказы за последние два года, — продолжал Арсен как ни в чем не бывало, будто и не слышал слов Виктора. — И посмотри внимательно, не пересекались ли мы где-нибудь с Денисовым или его людьми. Особенно тщательно проверь всех людей, которые работали на нас в эти годы. Я должен понять, где и в чем мы наступили Эдуарду на мозоль. Передай Натику, пусть покажет тебе все материалы проверок наших сотрудников. Сядьте вместе и пройдитесь по каждому персонально.

Натик Расулов отвечал в конторе Арсена за кадровую работу, тогда как Виктор Тришкан — за информацию. Информацию Арсен ценил превыше всего и еще тогда, восемь лет назад, когда Виктор пришел из армии и выразил готовность оплатить долг работой на контору, говорил ему:

— Ты можешь быть первым кикбоксером мира, ты можешь обвешаться оружием от ушей до щиколоток, как папуас бусами, но, когда ты добежишь до пропасти, о которой тебя не предупредили, ты поймешь, что нужно было позаботиться о вертолете. И ты будешь стоять на краю, тоскливо глядя в

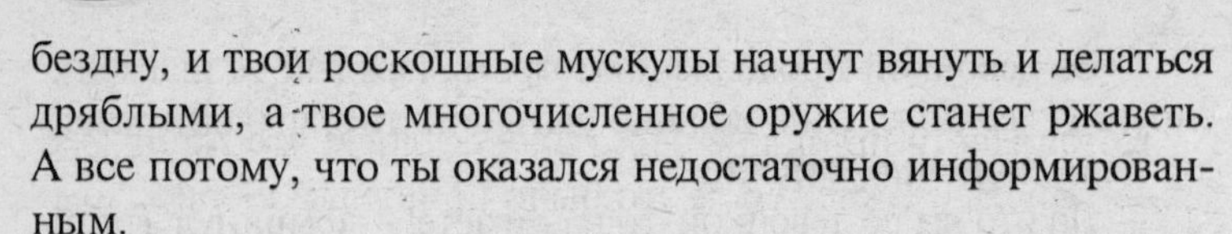

бездну, и твои роскошные мускулы начнут вянуть и делаться дряблыми, а твое многочисленное оружие станет ржаветь. А все потому, что ты оказался недостаточно информированным.

Виктор урок усвоил накрепко и за восемь лет службы в милиции обзавелся самыми разнообразными источниками информации по всей Москве и даже за ее пределами. Трудно было придумать такое, о чем Виктор Тришкан не смог бы узнать за рекордно короткий срок.

— Информация, — поучал его Арсен, — это то, что позволяет одним людям руководить другими. Чем выше твой пост, тем больше информации тебе доступно. Чем больше ты можешь узнать, тем выше твоя цена. Это азы науки управления. Ты помнишь те времена, когда статистика преступности была секретной? И тогда те, кому она была доступна, кому разрешали после всяческих проверок с ней ознакомиться, ходили надутые от гордости, как индюки. А секретные постановления ЦК? Хотя ты, конечно, знать о них не можешь, ты еще маленький был. Зато я помню, какими глазами смотрели на людей, которые эти постановления читали. Они были приближенными к Олимпу, на них падала тень богов. Богов-то уже нет, Олимп упразднили, а психология осталась. Так что создавай сеть, ищи источники, они тебя до самой смерти кормить будут.

И Виктор Тришкан свято верил, что коль ему доверена работа с информацией, то и перспектива управлять людьми сияет именно перед ним, а не перед Расуловым. Арсен это понимал, но поступаться принципами только лишь для того, чтобы не обмануть ожидания Виктора, он не хотел. А принципы у Арсена были, причем, как у всякого безнравственного человека, у него их было много. Если у порядочного человека принципов может быть всего три — не убивай, не воруй, не желай другому зла, а все остальное как бы вытекает из этого, то Арсену нужно было множество постулатов для организации своей деятельности. Одним из них был жесткий запрет на жалость и сочувствие.

* * *

Когда Настя пришла с работы, оказалось, что Леша уже давно приехал и ждет ее, и это было приятным сюрпризом. Но тут же, по закону чересполосицы, возник сюрприз неприятный.

В центре комнаты, прямо на полу, стояла огромная ваза с разноцветными гладиолусами чуть ли не в метр длиной. Гладиолусы Настя не любила, просто терпеть их не могла, но Лешка так редко дарил ей цветы, что она обрадовалась самому факту.

— Солнышко! — радостно закричала она. — Спасибо тебе! Какие красивые!

Леша молча подошел к ней и остановился рядом. Потом нагнулся и поправил несколько цветков, чтобы букет смотрелся симметрично.

— Красивые, это точно, — спокойно подтвердил он. — Но не от меня.

— А от кого же? — удивилась Настя.

— Это у тебя надо спросить.

— То есть?

— Когда я пришел, цветы в вазе стояли на лестничной площадке возле нашей двери. Там и записочка была, тебе адресована.

— Где записка?

Алексей протянул ей аккуратно сложенный вдвое белый листок, на котором красивым шрифтом было напечатано: «Самому верному другу и надежному человеку».

— Я не знаю, от кого это, — тихо сказала Настя, прекрасно зная, кто прислал эти цветы.

— Не ври, — вполне миролюбиво ответил муж. — Знаешь ты все. Нового поклонника завела?

— Ну Леша... — с упреком произнесла она. — Ну какие поклонники? Ты с ума сошел?

— А тот, который тебе недавно звонил? Ты потом всю ночь не спала, ворочалась. Думаешь, я не заметил?

— Это не поклонник, это гадость. Пойдем поедим, а?

— Пошли, — согласно кивнул Алексей.

Он приехал незадолго до ее возвращения с работы, поэтому ужин еще не был готов. Картошка только-только закипела, а на столе лежали вымытые овощи, приготовленные для салата. Чтобы не обсуждать неприятную тему, Настя быстренько повязала фартук и принялась делать салат, преувеличенно громко рассуждая о том, что как бы ни ругали новую экономику, а свежие овощи теперь есть круглый год и вообще есть все, проблема что-либо достать умерла окончательно, и это существенно экономит время и силы, которые в прежние времена тратились столь непродуктивно на беготню по магазинам и стояние в очередях. Леша сидел за столом и насмешливо наблюдал за ней, но встречных реплик не подавал. Настя понимала, что ситуация ему не нравится.

— С чем будем салат? — спросила она, закончив резать овощи. — С майонезом или с кукурузным маслом?

— Со сметаной, — ответил он. — Майонез кончился, я уже проверил.

Он снова умолк, и ей стало совсем тошно. Нужно, наверное, объясниться с ним, сказать ему правду, но так не хочется заставлять его волноваться и беспокоиться.

— Лешик, — осторожно начала она и запнулась.

— Да?

— Лешик, я, кажется, опять влипла.

— И куда на этот раз?

— Да все туда же, куда я обычно влипаю. В неприятности.

Она сняла фартук, повесила его на крючок возле раковины и только тут почувствовала, что в квартире холодно. «Надо же, — подумала она, — я так распсиховалась из-за этих цветов, что даже мерзнуть забыла».

Она вышла в прихожую и через несколько секунд вернулась с теплой шалью в руках. Закутавшись в нее поплотнее, Настя уселась за кухонный стол напротив мужа, достала сигареты и зажигалку.

— Не кури перед едой, — сказал Леша. — Аппетит перебьешь. Лучше расскажи, как это тебя снова угораздило.

— Если б я сама знала! — в сердцах бросила она. — Это опять те же люди, из-за которых мы с тобой два года назад взаперти сидели. Помнишь?

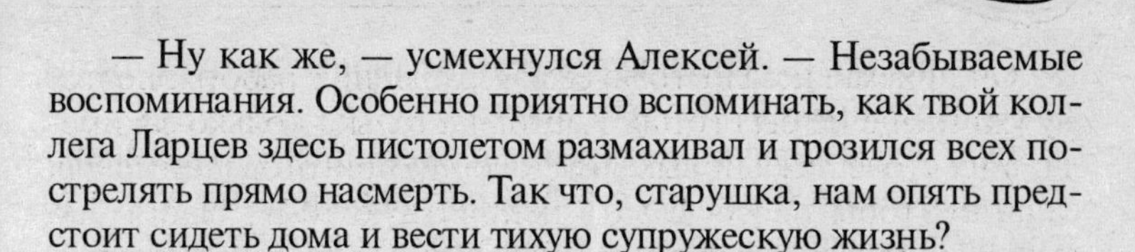

— Ну как же, — усмехнулся Алексей. — Незабываемые воспоминания. Особенно приятно вспоминать, как твой коллега Ларцев здесь пистолетом размахивал и грозился всех постреля прямо насмерть. Так что, старушка, нам опять предстоит сидеть дома и вести тихую супружескую жизнь?

— Ой, Леш, не знаю. — Она протяжно вздохнула и глубоко затянулась сигаретой. — Они пока ничего не требуют, только напоминают о себе. Чтоб не забывала, надо полагать. Поэтому я прошу тебя, солнышко...

— Ага, я понял, — перебил ее муж. — Быть осторожным и внимательным, с незнакомыми дядьками на улице не разговаривать, переходить дорогу только на разрешающий сигнал светофора. Ася, мы с тобой знакомы двадцать лет. Когда ты наконец научишься ничего от меня не скрывать?

— Ну хорошо. В общем, я боюсь, что это связано с Денисовым. Но я не понимаю, каким образом и почему.

— И снова ты врешь. — Алексей протянул руку и щелкнул ее по носу. — Убавь огонь под картошкой. Если бы ты не знала, каким образом и почему, ты бы не была такая смурная.

— С чего ты взял?

— А с того, Асенька, что, когда тебе что-то непонятно, в тебе просыпается азарт и тебе хочется непременно решить очередную задачку. У тебя тогда глаза горят и голос звенит. А сейчас ты как в воду опущенная и лица на тебе нет, из чего старый мудрый Чистяков, твой законный супруг, делает вполне обоснованный вывод, что ты все прекрасно знаешь и это знание тебя не устраивает. Оно тебя угнетает и портит тебе настроение. А теперь докажи мне, что я не прав.

— Ты прав.

Она сидела, уставившись на голубое пламя под кастрюлей и опустив плечи, закутанные в теплую черную шаль.

— Ты прав, — повторила она грустно. — Наверное, картошка уже сварилась. Давай будем ужинать.

— Нет, Асенька, мы не будем ужинать до тех пор, пока ты мне не расскажешь, что происходит. Я не могу смотреть, как ты мучаешься, и не понимать, что у тебя случилось. Я понимаю, у тебя, может быть, нет потребности делиться со мной, ты девушка самостоятельная и независимая. Но у меня-то есть потребность быть в курсе если не твоих дел, то хотя бы твоих переживаний. Это тебе понятно?

Она молча кивнула, не отрывая взгляда от синего пламени.

— Последний раз мы с тобой остановились на том, что тебе не понравилась просьба Денисова помогать этому сыщику с битой рожей. Ты пошла на поводу у своих эмоций, и в результате возникло опасение, что из-за затянувшихся поисков какая-то женщина может погибнуть. Я правильно излагаю?

Настя снова кивнула. Ровный тон мужа ее успокоил, она сумела немного расслабиться и поняла, что жутко хочет есть. Это было хорошим признаком.

— И что же было дальше? Из-за чего ты так дергаешься?

— А дальше я увидела, что есть кто-то, кто очень не хочет, чтобы мы нашли эту женщину. И у меня есть сильное подозрение, что этот кто-то — Денисов собственной персоной.

— Вот это номер! — охнул Леша. — Он что же, играет в четыре руки против тебя?

— Похоже. Вот и представь себе, что выйдет, если против меня будут играть Денисов вместе с этой чертовой конторой. Есть у меня шансы?

— Ни одного, — категорически ответил Леша. — И не мечтай. Ноги бы унести — и на том спасибо. Может, тебе уволиться?

— Куда? У меня выслуги — тринадцать лет. Что ж мне, без пенсии оставаться?

— Ну не совсем уволиться, а перейти в другую службу, где поспокойнее.

— Все равно достанут. — Она безнадежно махнула рукой. — Им на любой службе люди нужны. Что мне делать, Леш? Посоветуй что-нибудь, ты же умный.

— Господи, Асенька, ну как я могу тебе советовать? Была бы ты мужиком, я бы знал, что тебе сказать.

— Ну скажи. Забудь, что я твоя жена, считай, что я просто работник уголовного розыска без половых признаков.

— Если так... — Он задумался на мгновение. — Не позволяй никому управлять собой. Не позволяй собой манипулировать. Как реагировать на обман — это личное дело каждого из нас, но не видеть обман и позволять себя обманывать мы не должны. И если уж тебе суждено этот раунд проиграть, а ты его наверняка проиграешь, то сделать это нужно так, чтобы о тебе никто не сказал: «Вот дурочка, как легко мы ее сделали».

— А что должны сказать?

— «Она достойный противник и билась до последнего».

Ей вдруг стало смешно, и она почувствовала, как уходит из груди тоскливая тяжесть.

— Лешка! Ты соображаешь, что говоришь? На что ты меня толкаешь? На войну с этими монстрами? Я одна — против них? Ты мечтатель, миленький.

— Во-первых, не тебя я толкаю, а условного оперативника без половых признаков. А во-вторых, ты не одна. Есть Гордеев, есть твои друзья на работе. И, между прочим, есть я, о чем ты, конечно, регулярно забываешь. Ася, пойми меня, лично я не хочу, чтобы ты начинала войну с мафией, это дело бесперспективное и дохлое с самого начала. С мафией воюют целые государства со всей своей правоохранительной системой, а что-то у них не больно-то получается. Но я не хочу, чтобы ты сломалась. Я не хочу, чтобы ты перестала себя уважать, чтобы ты начала сама себя стыдиться. Я собираюсь прожить с тобой до глубокой старости, и мне совсем не хочется доживать свой век рядом с нравственным калекой. Пусть тебя лучше с работы выгонят, пусть ты останешься без пенсии, в конце концов я много зарабатываю, и пока я могу выходить на трибуну и читать лекции, пока мне платят за научное руководство аспирантами, деньги в нашей семье никогда не будут проблемой. Да на худой конец я приму это дурацкое приглашение в Стэнфорд, буду там преподавать, а ты будешь моей переводчицей. Не помрем с голоду-то, не бойся. Но я хочу, чтобы ты сохранила свою личность, которую я люблю и ценю, иначе зачем же я столько лет ждал, пока ты выйдешь за меня замуж? Все, старушка, кончай хандрить, сливай картошку, она уже готова.

Она послушно поднялась, слила в раковину кипяток из кастрюли и немного подсушила картофель. Поставила на стол тарелки, положила приборы, водрузила в центр миску с салатом, достала из холодильника буженину. Несколько минут они молча ели, потом Настя вдруг положила вилку на стол, подперла рукой подбородок и уставилась на мужа.

— Леша, а как же Денисов?

— А что Денисов? — не понял он.

— Почему он это делает? За что он так со мной? Мне казалось, мы никогда друг друга не обижали, всегда вели себя по правилам нейтральной полосы.

Алексей тоже положил вилку и скрестил руки на груди.

— Ася, я знаю, о чем ты думаешь. И я догадываюсь, что ты хочешь сделать. Я бы не стал, но я — другой, ты на меня не оглядывайся. Делай как решила. Может, так и вправду будет лучше.

— Я боюсь, — призналась она.

— Ну, тут уж в соответствии с древней мудростью: боишься — не делай, а если делаешь — тогда не бойся.

Настя сорвалась с места и кинулась в комнату.

— Ты куда? — крикнул ей вслед Леша.

— Буду делать, пока не начала еще сильнее бояться, — откликнулась она, хватаясь за телефонную трубку.

* * *

От разговора с Шориновым Виктор Тришкан испытывал какое-то болезненное удовольствие. Так всегда бывало, когда он чувствовал свою власть над собеседником, с наслаждением вдыхая воздух, который, ему казалось, пропитан запахом страха и нервозности.

— Свяжитесь с вашим человеком, который уехал в Среднюю Азию, и скажите ему, чтобы девушку пока не трогал. Пусть сидит там и присматривает за ней, а еще лучше — пусть уедет куда-нибудь оттуда, не мозолит ей глаза.

— Но почему? — удивлялся Шоринов.

— Потому, — коротко и презрительно отвечал Виктор. — Ее пока трогать нельзя.

— И как долго?

— Пока я не разрешу.

— Но все-таки я хочу знать... — волновался Шоринов.

— Послушайте, Михаил Владимирович, вы поручили дело

нам, тем самым признав, что мы в этом более компетентны. Вот и оставайтесь при таком мнении, тем более что оно полностью соответствует действительности.

— Конечно, — неожиданно согласился заказчик, и Виктору показалось, что тот даже доволен. Любопытно, с чего бы это?

Расставшись с Шориновым, он связался с теми, кто должен был следить за Каменской. Пока ничего заслуживающего внимания не происходило, она утром пришла на работу и до сих пор из здания на Петровке не выходила. Мысль о «хорошей девочке» снова испортила Виктору настроение, и он решил для поднятия тонуса заняться Шориновым. Почему все-таки он обрадовался, что его человек должен застрять где-то в Средней Азии? Неспроста это. Может, как раз в этом и есть ответ на вопрос, который мучает Арсена? Найти этот ответ, полученный совсем не тем путем, каким требовал пойти шеф, и преподнести ему с легкой улыбкой — что может быть лучше для поднятия собственного престижа в его глазах? Он должен стать преемником, он, Виктор, и никто другой. А не какая-то там «хорошая девочка». У, крыса белоглазая!

Чутье у Виктора, бесспорно, было, именно поэтому уже через час в квартиру любовницы Шоринова Екатерины Мацур позвонила приятная женщина лет сорока.

— Девушка, это не у вас котенок сбежал? — спросила она, указывая пальцем себе под ноги.

Катя опустила глаза и увидела прелестного черного котенка. Она не успела даже ответить, как малыш пулей рванул в квартиру и исчез из поля зрения.

— Нет, это не мой, — растерянно ответила она. — Господи, куда же он делся? Надо его найти.

Она побежала в комнату, женщина устремилась за ней.

— Вы понимаете, он сидел на лестнице и так жалобно мяукал, — говорила незнакомка, идя следом за Катей и быстро оглядывая квартиру. — Я подумала, он сбежал от кого-то из жильцов, и хожу вот, все квартиры обзваниваю. Жалко, если потеряется, он же еще совсем маленький, пропадет без хозяев.

— Кис-кис-кис, — звала Катя, встав на колени и заглядывая под диван, под кресла и даже за мебельную стенку. — Ну куда он делся? Кис-кис-кис!

— Вы знаете, он, наверное, на кухню помчался, — сказала женщина. — Оттуда едой пахнет, а он, видно, голодный.

— Точно!

Катя вскочила на ноги и побежала искать котенка на кухне, оставив женщину в комнате одну.

— Вот он! — раздался ее торжествующий крик. — Вы были правы, он уже на стол забрался, у меня тут бутерброд с колбасой лежит. Ну иди сюда, хулиганчик, иди, маленький. Да не царапайся ты! Я тебе эту колбасу и так отдам.

Она вынесла котенка в прихожую и протянула женщине.

— Вот, возьмите.

— А может, оставите себе? — спросила та. — Я чувствую, хозяева все равно не объявятся, я уж столько квартир обошла.

— Нет, — Катя решительно покачала головой. — Я кошек не люблю. Извините.

— Жалко, — вздохнула женщина. — Смотрите, какой симпатичный. Может, передумаете?

— Нет, не могу! — Катя виновато улыбнулась. — Возьмите его себе, если он вам так нравится.

— Наверное, придется. Не бросать же его, такого кроху, на улице. Обойду еще несколько квартир, если никто его не заберет, придется мне. Извините за беспокойство, девушка. До свидания.

Катя закрыла за ней дверь и услышала, как женщина с котенком звонит в соседнюю квартиру.

А еще через два часа Виктор Тришкан узнал, что Кате Мацур звонил по межгороду мужчина по имени Николай. Разговаривали они друг с другом более чем ласково. Можно даже сказать, любовно разговаривали. Откуда был звонок, установить, естественно, не удалось, у передвижной «прослушки» таких возможностей нет, но уже одного имени было достаточно, чтобы Виктор сообразил: звонил не кто иной, как Саприн. Стало быть, у голубков роман за спиной у хозяина. Теперь понятно, почему Шоринов с энтузиазмом воспринял весть о том, что Саприну придется задержаться «на гастролях». Видно, знает про их связь, а управы на девчонку у него

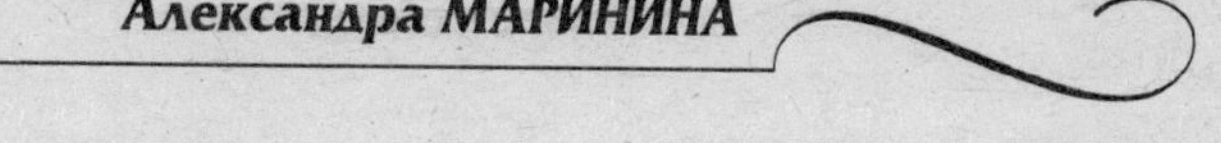

нет. Тоже мне, любовник-мафиози, с собственным наемником и с собственной потаскушкой справиться не может.

Тришкан был слегка разочарован, но надежды не терял. Его догадка оказалась неверной, но зато он сделал полезное дело — воткнул в квартиру Мацур «жучок», а там, глядишь, что и высветится.

Когда сотрудники, сидящие с ним в одном кабинете, стали собираться домой, он еще остался на работе.

— Начальство подсиживаешь? — дежурно пошутил старший инспектор, запирая свой сейф и пряча ключи в «дипломат».

— Звонка жду, — виновато улыбнулся в ответ Виктор. — Никогда моя принцесса вовремя не позвонит, каждый раз сижу как привязанный.

— А ты не сиди, — посоветовал другой коллега. — Собирайся да иди домой, чего ты ее балуешь.

— Нельзя, — покачал головой Тришкан. — С ней не забалуешь, характер тяжелый.

— Ну счастливо тогда, — попрощались сотрудники и ушли, оставив его в одиночестве.

Но ждал он не зря. В половине восьмого ему сообщили, что Анастасия Каменская вышла из здания ГУВД, но направилась не к метро, как обычно, а в совершенно противоположную сторону, вышла на Садовое кольцо и идет в направлении Новослободской улицы. Еще через пятнадцать минут выяснилось, что она зашла в небольшой грузинский ресторанчик. Виктор выскочил из кабинета как ошпаренный, на ходу застегивая плащ, подбежал к своей машине и помчался на Новослободскую. В ресторанчик заходить он не стал, ему почему-то было ужасно неприятно видеть Каменскую. Послал одного из наблюдателей.

— Она сидит за столиком вместе с пожилым человеком, — сообщил наблюдатель, выйдя из ресторана.

— Какой из себя?

— Высокий, крепкий, совсем седой. Лицо грубоватое, как из камня вытесанное.

Денисов, подумал Виктор. Это не кто иной как Денисов. Ну и нахальная же девка эта Каменская! Арсен ее пугает, дает

8 Зак. 670

понять, что она под постоянным присмотром, а она у всех на виду встречается с Денисовым, хотя по всему выходит, что они должны скрывать свои контакты. Неужели Эдуард действительно замыслил комбинацию против конторы? Похоже, что так, иначе зачем им встречаться? Официально у них разговоры могут быть только по поводу Тарадина, а в них нет ничего секретного, работа Тарадина и помощь Каменской ни от кого не скрываются. Об этом можно и по телефону поговорить, даже если и прослушивают, то пусть. А вот тот факт, что Денисов появился в Москве и кинулся встречаться с крыской, говорит о том, что у них есть и секретная часть общего дела, которую они не могут доверить телефону. Значит, Арсен был прав.

В этот момент Виктор испытал такой прилив ненависти к Каменской, что даже сам удивился. Как эта девка смеет не бояться! Как у нее наглости хватает открыто идти в ресторан с Денисовым! Неужели она так уверена в своих силах, неужели у нее такая фантастическая выдержка и хладнокровие? Конечно, если это так, то немудрено, что Арсен хочет ее переманить, сделать своей опорой, правой рукой. Но это не должно быть так, решил Виктор Тришкан. Не должно. И не будет. Пусть Арсен думает, что она глупая трусливая курица, ничем не лучше других. Пусть Арсен поймет, что ошибся в ней.

* * *

— Вы плохо выглядите, Анастасия, — заметил Эдуард Петрович Денисов, целуя Насте руку и пододвигая ей стул. — Но я все равно очень рад вас видеть.

— И я рада вас видеть. Спасибо, что приехали, да еще так быстро.

— Как же я мог не приехать, если вы просите? — удивился Денисов. — Что вам налить? Я помню, вы любите мартини, его сейчас принесут. Может быть, пока сок или воду?

— Сок, пожалуйста. Эдуард Петрович, давайте сразу покончим с делами, хорошо?

— Как скажете. Только сначала сделаем заказ, чтобы не прерываться. Вы будете смотреть меню или мне доверите?

— Доверю, — улыбнулась Настя. — Насколько я помню, вы хорошо изучили мои кулинарные пристрастия.

Подскочил официант — парнишка с типично русской внешностью, который почему-то старался казаться похожим на кавказца при помощи усов и легкого акцента. Денисов сделал заказ, при этом Настя не поняла почти ни одного слова, кроме «горячее», «холодное» и «не острое». Когда официант умчался, Эдуард Петрович спокойно сложил на столе массивные руки и выжидающе посмотрел на нее.

— Теперь можно и о делах. Так что у вас случилось, Анастасия?

— Боюсь, Эдуард Петрович, что случилось не у меня, а у вас, хотя меня это тоже некоторым образом касается. Я свою часть работы выполнила, вашему Владимиру Антоновичу помогла, как сумела. Он вычислил тех людей, которые вас интересуют, но людей этих в данное время нет в Москве. Однако Владимир Антонович почему-то не уезжает, он до сих пор находится в Москве, хотя делать ему здесь совершенно нечего. Одновременно с этим некая группа товарищей изо всех сил мешает ему и мне установить, куда выехали те люди, которых искал Тарадин.

— Что за люди? — вскинул брови Денисов. — Вы их знаете?

— Нет. Но я с ними регулярно общаюсь, как по телефону, так и при помощи подарков и записок, которые они мне присылают. Их кто-то натравил на меня, причем именно на меня, Тарадина они не трогают. Конечно, они мешают, но ему они не звонят и в контакт с ним не вступают. И это наводит меня, Эдуард Петрович, на грустные мысли.

Она умолкла и потянулась за сигаретами. Денисов терпеливо ждал, пока она прикурит и сделает несколько затяжек. Пауза затянулась, молчание сделалось тягостным.

— И каковы эти грустные мысли? — наконец спросил Денисов.

— А таковы, что ваш Тарадин каким-то образом связан с этими людьми. Вот посмотрите: поняв, что каналы информации об интересующих его людях полностью перекрыты, причем умело и оперативно, он должен был, по идее, немедленно убраться отсюда, вернуться к вам, доложить и вместе с вами подумать, что бы это означало. Он не уехал. Значит, он продолжает искать, пытается еще что-то предпринять. Тогда его непременно должны были остановить, причем самым радикальным способом. Поверьте мне, я знаю методы работы этих людей, я уже сталкивалась с ними, для них убить человека ничего не стоит. И вот у меня выстроились в ряд три вопроса. Первый: почему Тарадин не уехал? Второй: если он не уехал потому, что продолжает искать, то почему они его не трогают и не пытаются остановить? И третий: если они все-таки его тронули, то почему он скрывает это от меня?

— Я так понимаю, что ответы на эти вопросы у вас уже есть, — усмехнулся Денисов. — Я могу их услышать?

— Можете. Хотя боюсь, что вам будет неприятно это услышать.

— Ничего, перетерплю. Итак?

— Владимир Антонович Тарадин действует заодно с этими людьми. Именно поэтому они его не трогают и именно поэтому он не уезжает. Он нужен здесь, чтобы контролировать меня. И вот тут-то, Эдуард Петрович, у меня возникает четвертый вопрос. Самый неприятный. Говорить?

— Говорите, — кивнул Денисов.

— Тарадин действует за вашей спиной или по вашему указанию?

«Все, — подумала Настя. — Самое страшное сказано. Или сейчас все разъяснится, или до дома я уже не доеду».

Она смотрела на Денисова, пытаясь прочесть на его лице, о чем он в настоящий момент думает, но лицо Эдуарда Петровича оставалось непроницаемым и неподвижным.

— Это действительно неприятно, — наконец сказал он. — Я пока еще в своем уме, поэтому могу дать вам слово, что Тарадин действует не по моему указанию. А вот то, что он может действовать за моей спиной, нужно проверить, и немедленно. У вас есть варианты, как это лучше всего сделать?

«Он врет, — с тоской подумала Настя. — Боже мой, все было напрасно! Никакого недоразумения нет. Никакого логичного объяснения нет. Он врет. Я сама себе подписала приговор. Ну и черт с ним, теперь уже все равно, можно идти до конца. Я так все испортила, что хуже уже не будет».

— Я думаю, — медленно сказала она, выводя ножом замысловатые узоры на клетчатой скатерти, — вам нужно поговорить с вашим племянником.

Брови Эдуарда Петровича взлетели вверх, почти коснувшись линии волос. Такое изумление трудно сыграть, нужно быть превосходным актером, но кто сказал, что Денисов — плохой актер?

— А при чем тут мой племянник? Вы имеете в виду Мишу?

— Я имею в виду Михаила Владимировича Шоринова. А что, вы правда не знаете, при чем тут он?

— Постойте, — прошептал Денисов и сделал торопливый жест рукой, словно боялся, что еще одно сказанное Настей слово сыграет роль детонатора и бомба немедленно взорвется. — Помолчите минутку.

Его лицо стало серым, четче обозначились мешки под глазами. Он смотрел не на Настю, а куда-то в сторону. Потом вынул из кармана радиотелефон и набрал номер.

— Здравствуй, Миша, — произнес он спокойно, но по напрягшимся мышцам его лица Настя поняла, каких гигантских усилий стоило ему это показное спокойствие. — Не буду отрывать тебя надолго, у меня только один вопрос к тебе. Та женщина, вдова ученого, — в какой стране она живет? Да просто интересно... Нет-нет, все в порядке. Здорова твоя тетушка, не беспокойся. Так что насчет вдовы? Хорошо, Миша. Всего доброго.

Он убрал антенну, сунул телефон в карман пиджака и задумчиво посмотрел на Настю.

— Значит, в Нидерландах, — пробормотал он. — Ладно. Вы когда-нибудь слышали о профессоре Лебедеве?

— Лебедев? — переспросила она. — Кто это?

— Крупный ученый, работал на оборонку. Бальзамы делал для лысеющих импотентов, заседавших в Политбюро. Не слыхали?

— Нет. — Настя покачала головой. — Не приходилось.

— У него была молодая жена. Я хочу знать, где она сейчас.

— Зачем? Какое это имеет отношение к нашей с вами проблеме?

— Хотелось бы верить, что никакого. Анастасия, проблема у нас с вами действительно серьезная, и я прошу только об одном: продолжайте мне верить. Вы можете быстро узнать, где вдова Лебедева?

— Дайте телефон. И скажите мне ваш номер.

Она взяла радиотелефон и позвонила Лесникову.

— Игорь, мне срочно нужна справка. Очень срочно...

Они съели все, что заказал Эдуард Петрович, выпили по две чашки кофе, а Лесников все не звонил. Настя начала нервничать, ей казалось, что Денисов продолжает ее обманывать, играет с ней, как с мышонком, тянет время, попросив навести никому не нужную справку и насмешливо наблюдая за ней. Ей хотелось, чтобы этот ужин скорее закончился, но она вынуждена была ждать, ведя с Эдуардом Петровичем какие-то пустые, ничего не значащие разговоры. Наконец лежащий на столе перед ней телефон забибикал. Она выслушала то, что сказал ей Лесников, и яркий проблеск догадки на миг ослепил ее.

— Эдуард Петрович, вдова профессора Лебедева Вероника вышла замуж за некоего Вернера Штайнека и уехала с ним в Австрию. Этого достаточно?

— Да, — с тихой угрозой произнес Денисов. — Этого достаточно.

Настя услышала сухой треск — Эдуард Петрович раздавил тонкое стекло бокала.

* * *

Арсен любил гулять перед сном, ему нравились темные затихающие улицы, и даже грязь, вечная московская грязь под ногами его не раздражала. Если было можно, он предпочитал встречаться со своими доверенными людьми на улицах и по вечерам, чем позже, тем лучше. Но, конечно, не настолько поздно, чтобы одинокий пожилой человек мог привлечь внимание грабителей или милиционеров.

Вот и сегодня он вечером, уже после одиннадцати часов, прогуливался по переулку в компании Виктора.

— Что наша девочка? Как себя ведет? Чем занимается? — спросил Арсен.

— Работает, — пожал плечами Виктор. — Сегодня, например, весь день просидела на работе, до половины десятого, потом пошла домой. Похоже, вы напугали ее до полусмерти.

— Да? — оживился Арсен. — Из чего это видно?

— Походка неуверенная, оглядывается то и дело. В метро ей, видно, что-то померещилось, так она вдруг побелела вся, чуть в обморок не грохнулась. Нервы у нее, конечно, никудышные. И как ее только в милиции держат? Спит небось с каким-нибудь начальничком.

— Может быть, может быть, — покивал Арсен. — Ты проясни мне этот вопрос. Времена, конечно, уже не те, чтобы за аморалку выгонять, но в милиции еще проходит этот фокус. Если правильно подать пережаренный беляш, то будет полная иллюзия эклера. А, Витенька?

— Точно, — подтвердил тот с довольным видом.

Расставшись с помощником, Арсен еще немного погулял, потом удовлетворенно улыбнулся и посмотрел на часы. Без четверти двенадцать. Хорошее время для того, чтобы позвонить девочке. Витя сказал, она сильно напугана. И Арсен не мог отказать себе в удовольствии убедиться в этом лично. Он зашел в телефонную будку, опустил в прорезь жетон и набрал номер. Трубку сняли после четвертого гудка.

— Анастасия Павловна, добрый вечер, — начал Арсен низким приятным голосом. — Как вы себя чувствуете?

— Вашими молитвами, — послышался в ответ ее недовольный голос. — Если вы и дальше будете мне звонить, когда я уже сплю, то мое самочувствие станет несколько хуже. Вы этого хотите?

— Ну, не преувеличивайте, Анастасия Павловна, вы же только недавно пришли с работы. Вряд ли вы успели заснуть. Что ж, расскажите, чем жизнь украшаете?

— В каком смысле?

— Расскажите, что приятного происходит в вашей жизни, что радостного. Мне же интересно, чем вы дышите, о чем беспокоитесь, что вас тревожит. Вы мне небезразличны, Анастасия Павловна, более того, я надеюсь, что рано или поздно

мы станем друзьями. Скажу вам по секрету, я даже уверен, что это случится довольно скоро. Так что вы берегите себя, не перетруждайтесь на работе, вы мне нужны здоровенькая и веселенькая.

— С чего вы решили, что я перетруждаюсь? Я работаю как все, не больше.

— Неправда, голубушка, неправда, — захихикал Арсен. — Вы сидели сегодня на работе до половины десятого. Уверен, что вы ушли последней.

— Это ошибка, — сухо сказала Каменская. — Я ушла с работы в семь часов.

— Да? И куда же вы пошли, позвольте спросить?

— В ресторан.

— Ай-яй-яй, Анастасия Павловна! — укоризненно заквохтал Арсен. — Только-только вышли замуж — и уже в рестораны, да небось с посторонними мужчинами. Нехорошо, голубушка, стыдно.

— Моему знакомому, с которым я была в ресторане, уже под семьдесят. — Арсену показалось, что она улыбается, и он пожалел, что не может в этот момент видеть ее лицо. — Так что вряд ли мой муж расценит наш поход в ресторан как повод для ревности.

— Ну хватит, — мягко сказал Арсен, снова переходя на приятный баритон. — Я ценю ваш юмор, Анастасия Павловна, но должен вам заметить, вы переигрываете. По-видимому, вы недостаточно хорошо понимаете, с кем имеете дело. Мне известен каждый ваш шаг, поэтому лгать не имеет смысла. Вы должны постоянно помнить, что я за вами наблюдаю, и очень внимательно наблюдаю. Мои люди всюду следуют за вами как тень. Всюду. Вы слышите? Двадцать четыре часа в сутки они держат руку на пульсе вашей жизни. Не забывайте этого. Потому что, когда вы устанете от этого, вы сами придете ко мне и предложите свою дружбу.

— Ваши люди — дураки, бездельники и лентяи, — услышал он в ответ равнодушный холодный голос. — Я сегодня ужинала в ресторане с Эдуардом Петровичем Денисовым. Вы, кажется, с ним знакомы? Спросите у него, он вам подтвердит. И простите, но я устала и хочу спать.

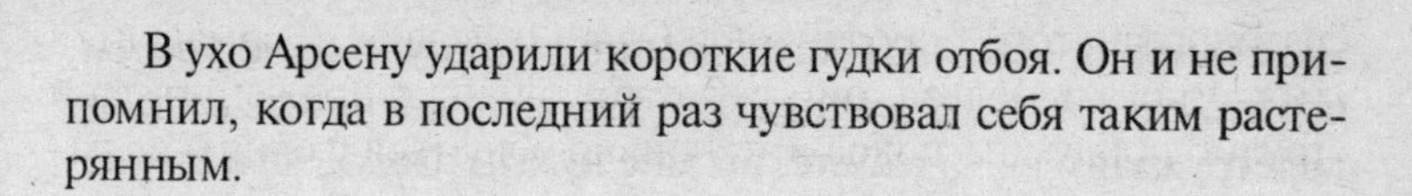

В ухо Арсену ударили короткие гудки отбоя. Он и не припомнил, когда в последний раз чувствовал себя таким растерянным.

Глава 12

Ольга Решина шла на работу в клинику в превосходном настроении. Погода снова стояла солнечная, а настроение у Ольги всегда зависело от того, было ли на улице ясно или, наоборот, пасмурно. Если вчера ситуация с Юрой Обориным начала ее беспокоить, потому что не сдвигалась с мертвой точки, то сегодня утром она нашла, как ей казалось, верное решение. Он лежал в клинике уже четыре дня, а ей так и не удалось выяснить, рассказывала ли ему Тамара о событиях в Австрии, и если да, то не рассказал ли он сам об этом комунибудь еще. А вдруг он умрет раньше, чем ей удастся все узнать? И может получиться так, что Оборин-то умолкнет навсегда, но останутся люди, которые тоже знают то, что знать им не положено. И кто эти люди? Где их искать? Как много он им рассказал?

У Ольги было не так уж много возможностей проводить с Обориным столько времени, сколько нужно для того, чтобы раскрутить его. В дневную смену она вообще могла забегать к нему только урывками, потому что в отделении неотлучно находился муж. В ночную же смену вести долгие разговоры «о жизни» тоже было не совсем удобно: Юрий, как все нормальные люди, днем бодрствовал и работал, а ночью откровенно хотел спать, особенно после занятий любовью. И потом, она сама напела ему о персонале, с которым ее ревнивый супруг хорошо знаком и который немедленно доложит ему, если она будет слишком часто подолгу задерживаться в одной и той же палате.

Значит, Обориным должен заниматься кто-то другой. Но кто? Выбор-то не особенно велик. Понятно, что это должен быть кто-то из «своих». А круг этих людей очень узок. Главный врач клиники, патологоанатом, трое фармацевтов, две медсестры, Бороданков и сама Ольга Решина. Главный врач, патологоанатом, Бороданков и Ольга отпадают. Фармацевтов тоже трогать нельзя, они работают очень напряженно, да и трудно придумать повод интенсивно общаться с одним из пациентов, если учесть постоянные напоминания об анонимности пребывания в отделении и о нежелательности контактов пациентов с кем-либо, кроме врачей и медсестер. Остаются, стало быть, медсестры, потому как никаких других врачей, кроме Александра Иннокентьевича, в отделении нет.

Ольга понимала, что и с медсестрой дело вряд ли выгорит. Для того чтобы ее визиты к Оборину выглядели естественно, нужно, чтобы между ними сложилось хотя бы подобие близких отношений, а это, учитывая его роман с Ольгой, вряд ли возможно. Обе медсестры были из числа тех самых «своих»: одна — жена фармацевта, другая — сестра главного врача. У них не было никакого медицинского образования, даже среднего, жена фармацевта вообще не имела за плечами ничего, кроме десяти классов средней школы, и раньше работала машинисткой в каком-то учреждении, а сестра главного врача была по образованию педагогом, учителем младших классов. Для работы в отделении они вполне годились, потому что никакие специальные навыки здесь не были нужны, уколов и прочих процедур никому не делали, а для того, чтобы разносить в белоснежном халатике еду и микстуру, особая профессиональная подготовка не требовалась. Для решения всех медицинских вопросов вполне хватало самого Бороданкова и Ольги.

Конечно, медсестры — люди надежные, проверенные, заинтересованные в деле, но на контакт с ними Оборин не пойдет. Значит, нужен новый человек. Нужен мужчина.

Ольга вошла в парк, окружающий клинику, обошла вокруг центрального корпуса и подошла к небольшому аккуратному двухэтажному зданию. На двери стоял кодовый замок, но в последние полгода он работал только по сигналу изнутри, из отделения. Нажатием кнопок снаружи открыть его было нельзя. Такое правило ввел Александр Иннокентьевич. Она нажала несколько раз на звонок.

— Кто? — послышался голос дежурного фармацевта.

— Это я, Ольга.

Замок зажужжал и щелкнул. Она толкнула тяжелую дверь и вошла внутрь. В глубине, между двумя колоннами, виднелась лифтовая шахта. Ольга услышала, как загудел лифт. Через несколько секунд решетчатая дверь распахнулась, в лифте стоял тот самый фармацевт, который открыл ей дверь. Лестницы в корпусе не было, вернее, она, конечно, была, но находилась за потайными дверьми, здание было спроектировано таким образом, что даже если кто-то из посторонних и проникнет через входную дверь на первый этаж, то на второй без ведома персонала он подняться не сможет. Дверь лифта запиралась на ключ на первом этаже изнутри, на втором — снаружи. Конечно, пациентам об этом не сообщали. К приходу каждого нового человека готовились заранее, и когда Александр Иннокентьевич приводил очередного подопытного кролика, дверь корпуса была открыта, а лифт с распахнутой дверью стоял на первом этаже. Это делалось ровно за три секунды до их появления и столь же быстро приводилось в первоначальный вид, как только за пациентом закрывалась дверь его персональной палаты.

Ольга прошла в комнату медсестер, повесила в шкаф плащ и весело кивнула сестре главврача, закончившей ночную смену.

— Что у нас происходит? — спросила она, надевая халат и шапочку. — Есть новости?

— Все спокойно, — ответила та. — Практически без изменений. Поэту стало немножко хуже, он совсем ослабел, я его перед завтраком еле добудилась. Режиссер пока творит, аппетит пропал несколько дней назад, но других ухудшений нет.

— А юрист? Как он себя чувствует?

— Не жалуется, — пожала плечами сестра главврача. — Ест много. Вчера работал почти до часу ночи, в половине первого попросил чаю и перекусить. Я зашла к нему — бумаги по всей комнате, а он что-то на калькуляторе считает. Труженик!

Она быстро переоделась, подкрасила губы, схватила сумку.

— Все, Оля, я побежала.

— Счастливо, — пробормотала Ольга машинально, не глядя на нее.

Через час после начала смены она зашла в палату к Оборину.

— Оленька! — радостно кинулся к ней Юрий. — Наконец-то! Я соскучился.

Он ласково обнял ее, заглядывая в глаза и целуя. Ольга осторожно высвободилась из его рук.

— Тише, Бороданков в коридоре, — сказала она вполголоса. — Как твои дела?

— Отлично! Просто отлично.

— Работа двигается?

— Семимильными шагами. Ты даже не представляешь, как много я успел сделать за эти дни. У меня такое ощущение, что если я пробуду здесь еще две недели, то напишу полностью первый вариант диссертации. Правда, здорово?

— Здорово, — согласилась она. — А как ты себя чувствуешь?

— Ты знаешь, Олюшка, оказывается, не зря говорят, что работа — лучший лекарь. Я никогда не чувствовал себя так хорошо, как сейчас. Голова не болит, тахикардии и след простыл. Вот что значит регулярно питаться, много спать и вести размеренный образ жизни.

— А что, раньше тебя беспокоили головные боли? — встревоженно спросила Ольга.

— Постоянно. Каждый день к вечеру начинала болеть голова, а иногда и днем. А здесь за четыре дня — ни разу. Просто удивительно.

— Я рада. Но ты не вздумай сказать об этом Александру Иннокентьевичу.

— Почему? — удивился Оборин.

— Он сразу же тебя выпишет. Раз у тебя все в порядке, то тебе нечего здесь делать, понимаешь? Ты же пришел сюда потому, что плохо себя чувствуешь и это мешает тебе работать над диссертацией. Мы с тобой его обманули, теперь нельзя отыгрывать назад.

— Ладно, — согласился он. — Ты меня проинструктируй, что я должен ему говорить, чтобы он меня не выпер отсюда.

— Жалуйся на слабость, головокружение, отсутствие аппетита.

— Ничего себе! — фыркнул Оборин. — Отсутствие аппетита! Да ему медсестра скажет, что я все съел подчистую. У меня аппетит зверский, я даже сегодня ночью просил сестричку принести что-нибудь поесть.

— А ты скажи ему, что силком заставляешь себя все съедать, потому что понимаешь, как важно для поддержания сил нормально питаться. Мол, давишься, мучаешься, но ешь. Понял? И физиономию делай кислую.

— Как скажешь.

— Все, дружок, я ухожу, у меня работы много. Увидимся в обед. Бороданков с трех до пяти уйдет в центральный корпус на консультацию, тогда я прибегу к тебе на часок. Договорились?

Оборин попытался было снова обнять ее, но она ловко увернулась, чмокнула его в щеку и закрыла за собой дверь палаты. Оказавшись снова в коридоре, она сунула ключ от двери Оборина в карман халатика и быстро прошла в комнату, где была устроена лаборатория фармацевтов.

— Леня, какой состав давали юристу? — спросила она маленького круглоголового очень смуглого человека.

— Сейчас посмотрю, — откликнулся он, отрываясь от какого-то хитрого прибора и доставая с полки толстый журнал.

— Так, юрист... Юрист... — бормотал он, листая страницы. — Вот, юрист, двадцать девять лет, жалоб нет, хронические заболевания отрицает. Этот?

— Этот, этот.

— Первый день — сорок второй вариант, начиная со второго дня — сорок четвертый.

— А сорок третий?

— На сорок третьем у нас поэт. Александр Иннокентьевич сказал, что, если сорок четвертый у юриста не пойдет, давать поэту сорок пятый, режиссеру сорок шестой, юристу сорок седьмой.

— Хорошо, Леня, я поняла.

— А в чем дело, Ольга Борисовна? Что-нибудь не так?

— Нет-нет, все в порядке. Просто юрист в прошлый раз жаловался на недомогание, и я подумала, что ему давали какой-то совсем неудачный вариант.

Она вернулась в комнату медсестер и заперлась изнутри. Ей нужно было подумать.

Значит, у Саши получилось. Он сделал-таки этот препарат. Сорок четвертый вариант лакреола не давал никаких неблагоприятных побочных эффектов, не заставлял сердечную мышцу и сосуды головного мозга изнашиваться с катастрофической скоростью. Он добился своего.

Но Юрий Оборин должен умереть, не выходя отсюда. Это даже не обсуждается. А умереть он может только в том случае, если будет три раза в день пить старую микстуру. Ему нельзя давать сорок четвертый вариант. И никому нельзя. Пока. Для этого необходимо, чтобы Саша не узнал о том, что у него все получилось.

* * *

Настя совсем завязла в текущих делах. Как назло, в начале октября посыпались одно за другим изнасилования с убийствами. Ей был знаком этот раннеосенний феномен: мальчики пятнадцати-шестнадцати лет возвращались в Москву после каникул. Весь год они сидели в классе с девочками-ровесницами, которые привыкли не воспринимать их всерьез, потом «отрывались» и начинали общаться с совсем другими девочками, в том числе и постарше, для которых были чужими и непривычными, а значит, воспринимаемыми достаточно серьезно. С этими девочками приобретался определенный сексуальный опыт, мальчики возвращались в свой класс, к своим ровесницам, обогащенные новым стереотипом поведения и новыми знаниями, и тут же кидались во все тяжкие доказывать одноклассницам и подружкам по двору, какие они теперь взрослые и крутые. Процесс доказывания сводился преимущественно к сексуальным посягательствам и дракам. Били мальчиков, которые нравились девочкам, били самих девочек, которые позволяли кое-что до определенного предела, а потом испуганно просили остановиться. Ну и убивали, конечно.

Днем ей пришлось поехать в отделение милиции в Южный округ, где произошло сразу три «малолеточных» изнасилова-

ния. Нужный ей кабинет оказался заперт, но характер доносившихся из-за двери шумов не оставлял никаких сомнений по поводу того, что там происходило. Шла банальная пьянка, причем посреди бела дня. Настя не стала стучать, зашла в соседний кабинет и позвонила гуляющим сыщикам по телефону.

— Что у вас за праздник? — спросила она недовольно, понимая, что потеряла время напрасно. Никакой работы сейчас не будет.

— Стукалкину вчера четырнадцать лет исполнилось, — объяснил ей оперативник, к которому она приехала.

— Да, это повод, — не могла не согласиться она. — Но я, к сожалению, уже приехала. Как поступим?

— Присоединяйся, — предложил ей хозяин запертого кабинета. — Я сейчас открою.

— Ну открывай, — вздохнула Настя.

Жора Стукалкин был многолетней головной болью всего отделения. Только за последний год на него было оформлено двенадцать материалов об отказе в возбуждении уголовного дела. Он постоянно воровал, грабил подростков помладше, участвовал в драках, но привлечь его к ответственности до достижения четырнадцати лет было нельзя по закону. Преступление раскрывалось, на это тратились силы и время, а потом следователь выносил постановление об отказе в возбуждении уголовного дела в связи с недостижением виновным возраста уголовной ответственности. Но сам Стукалкин — это еще полбеды. Самое неприятное заключалось в потерпевших, которых он ухитрялся обворовать. Они постоянно обивали пороги в отделении, требуя вернуть украденное и наказать виновного, они не желали мириться с тем, что Жорик уже все съел, выпил, продал, проиграл в зале игровых автоматов и взыскать ущерб с него лично как с малолетки нельзя, а пытаться брать за жабры его непутевых алкашей-родителей бесполезно. Потерпевшие кричали на работников милиции, топали ногами, а некоторые даже плакали и ограничения, установленные уголовным законом, воспринимали не иначе как пустую отговорку, спрятавшись за которую ленивые милиционеры просто не хотят ничего делать. Если раньше таких чудных деток отправляли в спецшколы, то теперь этим заниматься никто не хотел. Много бумаг, много возни, но в то же время еще больше работы по другим делам, связанным с более опасными преступниками, а людей, наоборот, мало. Раньше неблагополучными детьми занимались хотя бы комиссии по делам несовершеннолетних, которые были при исполкомах. А где они ныне? Школы тоже трудных подростков отторгают, переходят на престижное лицейное образование, где учиться могут только лучшие, иными словами — достаточно способные и имеющие родителей, которые в состоянии платить за обучение. А худшие оказались никому не нужны. Поэтому симпатяга Жорик Стукалкин терроризировал все отделение. Недели не проходило, чтобы он не попался на очередном подвиге.

— Вот пусть только попадется! — с грозной решимостью повторял огромный мускулистый капитан, поднимая рюмку. — Вот в первый же раз, как он мне попадется, я его упеку на максимальный срок в колонию. Господи, какое счастье, что теперь можно его в суд отправить! Давайте выпьем, ребята!

— Мечтатель ты, — грустно сказала женщина лет тридцати с усталым измученным лицом и сильно накрашенными глазами. — Суды теперь добрые и демократичные, они детишек любят и жалеют, особенно если у них родители пьющие. Не будет тебе никакой колонии. Дадут ему какую-нибудь ерунду условно и снова на мою шею повесят. Что в лоб, что по лбу.

Настя поняла, что женщина работала в службе по предупреждению правонарушений несовершеннолетних.

— Не повесят, — горячился рослый капитан. — Я на все пойду. Я судье взятку дам, только бы убрать этого мерзавца со своей территории.

Насте хотелось поскорее уйти отсюда. Она отозвала в сторонку того оперативника, который был ей нужен, попросила дать ей материалы по изнасилованиям и поклялась, что вернет их не позже чем завтра. В другой ситуации она бы эти материалы, конечно, ни за что бы не получила. Ни один опер свои материалы не показывает почем зря. Но, во-первых, сыщик из отделения был нетрезв, а во-вторых, ему тоже очень хотелось, чтобы девица с Петровки убралась отсюда побыстрее и не портила праздник. А ничего секретного в материалах все равно не было. Поэтому тоненькая папочка с записями легко перекочевала в Настину необъятную сумку.

На работу она вернулась хмурая и раздраженная, хотя сама не могла бы, наверное, сказать, отчего у нее испортилось настроение. Не успела она раздеться, как позвонил Леша.

— Слушай, тут в прихожей кипа газет валяется. Они тебе нужны или можно выбросить?

— Выбрасывай. Это я со злости купила, чтобы отвлечься и не наорать на Короткова.

Остаток дня Настя потратила на подготовку к ежемесячному анализу тяжких насильственных преступлений по Москве и административным округам, разложив перед собой справки, записи, статистические таблицы и карту города. Она уже собиралась уходить, когда оперативник из Южного округа «проснулся» после пьянки и позвонил.

— Слушай, мне материалы нужны. Я под горячую руку тебе отдал, не подумавши.

— Но я же обещала, что завтра верну. Завтра и получишь, — возразила Настя.

На самом деле материалы ей были уже не нужны, она выписала из них все, что представляло для нее интерес, и готова была их отдать, но впечатление от визита в отделение было неприятным, и она упрямилась из необъяснимой вредности.

— Не годится, — настаивал сыщик. — Мне нужно сегодня. Давай я подъеду сейчас на Петровку, заберу.

— Куда ты поедешь? Девятый час уже. Я домой собираюсь.

— Тогда давай встретимся по дороге.

— Мне это неудобно. Мы же договорились — завтра. Завтра прямо с утра я их привезу. Ты что, собираешься ночью с ними в обнимку спать? Все равно ведь до утра ничего делать не будешь.

Они препирались еще некоторое время, но Настя злилась все сильнее и поэтому не уступила. Выслушав в свой адрес массу «комплиментов» и швырнув трубку, она сложила в сумку свои бумаги, натянула куртку и отправилась домой.

* * *

Оперативник из Южного округа положил трубку и растерянно посмотрел на человека, который сидел по другую сторону стола.

— Сегодня не отдаст. Только завтра с утра.

— Черт! — в сердцах выдохнул тот. — Зачем ей эти материалы? Что она с ними делает?

— Не знаю, — пожал плечами оперативник. — Попросила, я и отдал сдуру. Ее у нас все знают, она то и дело материалы берет. А зачем — мы и не вникаем. Один раз была команда предоставлять ей сведения, с тех пор и повелось.

— Короче, как хочешь, но дело должно быть сделано. Ты понял?

— Да понял я, понял, — махнул рукой оперативник. — Сделаем, не беспокойтесь.

* * *

У нее болела голова, и больше всего на свете ей хотелось забиться в темный уголок, отвернуться к стенке и ни с кем не разговаривать. Она была замужем всего пять месяцев, и сейчас с ужасом думала о том, что ее ждет не пустая квартира, где можно помолчать и расслабиться, а Леша, с которым нужно будет общаться. Впервые за эти пять месяцев Настя Каменская пожалела о том, что вышла замуж. Ей до того сильно хотелось побыть одной, что она чуть было не пошла пешком от метро до дома. При ее фантастической лени четыре автобусные остановки, пройденные пешком, могли бы приравниваться к подвигу, достойному занесения в книгу рекордов. Но к подвигам она сегодня явно не была готова, поэтому все-таки села в автобус.

С Лешей Чистяковым она была знакома двадцать лет, из которых последние пятнадцать он упорно делал ей брачные предложения. Двадцать лет стажа зря не прошли. Алексею достаточно было одного взгляда на Настю, чтобы понять, в каком она настроении.

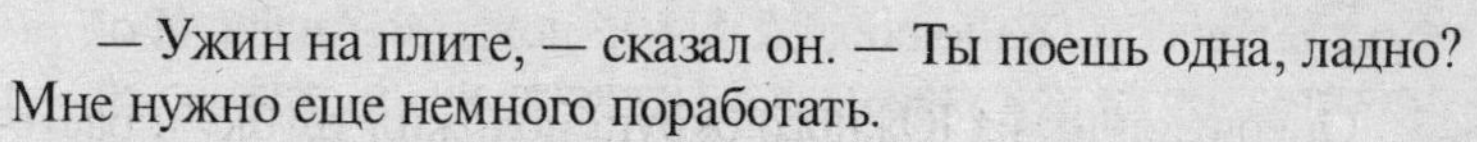

— Ужин на плите, — сказал он. — Ты поешь одна, ладно? Мне нужно еще немного поработать.

Она кивнула и слабо улыбнулась. Хорошо, что можно еще какое-то время не разговаривать.

Леша ушел в комнату и сел за компьютер, а она стала разогревать еду. Подцепив вилкой отбивную со сковороды, она вдруг заметила, что мясо на сковородке уложено плотно, кусок к куску. Похоже, отсюда еще не брали ничего. Выходит, Лешка не ужинал, ждал ее, но понял, что сейчас Настю лучше не трогать, и мужественно отправил ее на кухню одну. Сидит теперь голодный...

— Лешик, мне скучно! — крикнула она. — Поужинай со мной.

Муж так явно обрадовался, что она даже развеселилась. Нет, что ни говори, а она правильно поступила, выйдя замуж за Чистякова. Настя быстро достала еще одну тарелку, положила вилку и нож. Доставая хлеб из стоящей на подоконнике хлебницы, она увидела аккуратную пачку газет, тех самых, которые Лешка грозился выбросить.

— Чего ж ты их не выбросил? — спросила она, показывая на газеты. — Ты же собирался.

— Я их решил сначала почитать, расстроился и забыл как-то.

— Расстроился? Почему? Страна стоит на пороге экономического краха? Или ты боишься, что в декабре мы выберем не такую Думу, как тебе хочется?

— Я прочитал интервью с руководителем одного из банков. Он жалуется на то, что растет компьютерное мошенничество. Дескать, ждал новую компьютерную программу для защиты банковской информации, а та организация, которая должна была эту программу поставить, говорит, что талантливый программист, работавший над программой, скоропостижно умер, не успев закончить работу.

— И что тебя так огорчило?

— А там названа фамилия этого программиста. Это Герка Мискарьянц, мой сокурсник. Потому я и расстроился. Он ведь молодой совсем, наш с тобой ровесник. Знаешь, я вспомнил, как он с первого курса встречался с одной девчонкой с филфака. Герка был однолюб, он на ней потом женился. И он так трогательно за ней ухаживал... Представляешь, каково ей — в тридцать пять лет остаться вдовой.

Настя неторопливо доела свою отбивную, размышляя над тем, почему ей так не понравилось то, что сказал Леша. Ведь ничего нового она не узнала, о смерти Германа Мискарьянца ей было известно еще несколько дней назад, когда Тарадин рассказывал об убийстве Карины. Но что-то не понравилось, что-то насторожило. Она знала, что теперь это неведомое «что-то» будет терзать ее и мучить, лишая сна и не давая сосредоточиться ни на чем другом.

— Я, наверное, тебя еще больше огорчу, если скажу, что его жена тоже умерла. Ее убили, — сказала Настя, наливая себе кофе.

— Господи! — ахнул Леша. — Вот несчастье-то на семью! А за что ее?

— Пока не знаю, могу только догадываться. А ты думал когда-нибудь о том, что когда внезапно умирают молодые, то очень многое вокруг начинает разрушаться? Нет, правда. Человек в социально активном возрасте связан с окружающим миром тысячами живых нитей, которые с его смертью рвутся в один момент. Я хочу сказать, что жизнь такого человека входит обязательным элементом в чьи-то планы, хотя это звучит, может быть, несколько механистически. У него есть родители, которые надеются, что он скрасит им годы увядания. У него есть человек, который его любит и рассчитывает прожить рядом с ним свою жизнь, рассчитывает на его помощь и поддержку. Есть дети, которые вправе ожидать, что их вырастят и дотянут хотя бы до совершеннолетия. Есть дело, которое он делает, и от результатов этого дела тоже кто-то зависит. У пожилых людей все уже не так. Их любят, о них заботятся, ими дорожат, но их смерть не превращается в такую трагедию, как внезапная гибель молодых. Ты не согласен?

— Я не думал об этом в таком аспекте, — покачал головой Леша. — Но, наверное, ты права. Тебе с этим чаще приходится сталкиваться. Все-таки молодые чаще погибают, чем умирают сами. Хотя в последнее время, по-моему, среди них смертность тоже высокая.

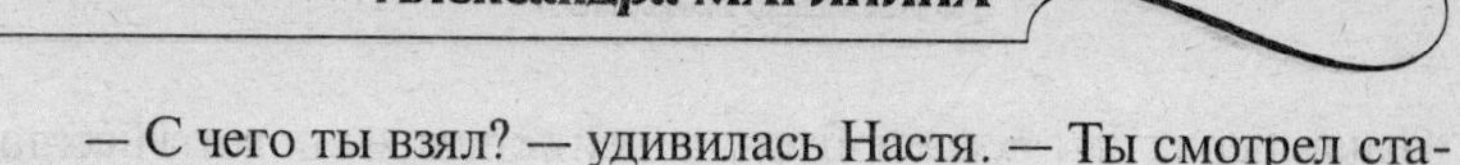

— С чего ты взял? — удивилась Настя. — Ты смотрел статистику?

— Нет, я прочитал твои газеты. Оказывается, это иногда бывает очень полезным.

— И что в газетах?

— То и дело мелькают фразы типа «потеряли молодого талантливого режиссера», «ушел в расцвете творческих сил» и так далее.

— Но ведь и раньше так было.

— Было, но не с такой интенсивностью. У тебя шесть газет за два дня, и в них эти фразы про разных людей встретились раз пять, наверное. Годовая норма на творческих работников.

— Ну уж и годовая, — улыбнулась Настя, и в этот момент поняла, что же ей так не понравилось в рассказе о талантливом программисте Германе Мискарьянце.

* * *

Николай Саприн чувствовал, что утратил контроль над ситуацией. Он нашел Тамару, он сделал практически невозможное, если учесть, что Тамара приложила максимум усилий к тому, чтобы исчезнуть бесследно. Но Саприн умел искать, и он ее нашел. И что же теперь? Сидеть и ждать у моря погоды? Если б он знал, что все так обернется, он бы вообще не стал браться за работу по поиску и устранению Коченовой. То есть понятно, что найти ее и заставить умолкнуть все равно нужно, но он сделал бы это сам, не будучи ни от кого зависимым, и сделал бы хорошо. Правда, бесплатно. А ему так нужны деньги для Иринки! Только из-за этих проклятых денег он и позволил Дусику себя нанять. А коль позволил нанять, коль добровольно пошел в услужение, то должен слушаться хозяина, не своевольничать, а то ведь можно и денег не получить, если что не так. Что же у Дусика там случилось, что он велел пока не трогать Тамару до особого указания?

Николай жил в райцентре в пятидесяти километрах от поселка нефтяников. Тамару он видел несколько раз — она приезжала в райцентр за покупками вместе с немецкими рабочими, но на глаза ей старался не попадаться, хотя наблюдал за ней внимательно. По результатам этих наблюдений он уже составил примерный план, как убить Тамару таким образом, чтобы подозрение пало на одного из немцев. По тому, как шли люди в группе, как разговаривали, как смотрели друг на друга, даже по тому, как они рассаживались в микроавтобусе, Николай точно определил, с кем из них спит Коченова. Таких было трое. По меньшей мере трое, мысленно поправил себя Николай, потому что Тамара приезжала в райцентр три раза с разными группами немцев, и в каждой из этих групп Саприн безошибочно вычленял одного, который считал, что имеет на Тамару кое-какие права. Так что классический случай убийства из ревности можно было инсценировать без труда. И он готов был сделать это в любой момент. А тут какая-то отсрочка непонятная...

Саприн нервничал, потому что время шло, и ребеночек в животе у Иринки рос, и муж ее Леня мог потерять с таким трудом найденную хорошую работу по специальности, потому что им нужно было переезжать в другой город и покупать жилье, которое соответствовало бы его служебному статусу. Первый взнос за дом он им обеспечил, а на второй денег уже не было. И взять негде — нищим эмигрантам кредит в банке на покупку дома не дадут.

Каждое утро он ходил на почту и звонил Кате, это было единственным радостным событием за весь день. Катя просила, чтобы он звонил пораньше, с восьми до девяти утра, потому что в это время Дусика гарантированно не было. Она была ласкова с ним, говорила, что скучает, но Николаю казалось, что с каждым днем ее голосок делается все прохладнее. Немудрено, чего ж еще ждать, когда пришел один раз с цветами, налетел как ураган, затащил в постель, предложил выйти замуж. Несерьезно, похоже на мальчишество. Конечно, она не может ждать его долго. Нельзя после таких поступков исчезать. Нужно или сразу идти дальше, или уже ни на что не рассчитывать. Саприн чувствовал себя виноватым перед ней, потому что понимал, что, встретившись с Дусиком поутру у Катиного подъезда, навлек на нее праведный гнев. По уму, после этого надо было бы забрать ее из этой квартиры, от Дусика. А он оставил ее один на один с ревнивым любовником и уехал, и, хотя сама Катя в телефонных разговорах ни разу не обмолвилась об этом, Николай знал, что отношения там складываются непросто. А все из-за его дурацкого порыва.

Он снял комнату у пожилых казахов, мужа и жены, дом которых окнами выходил на площадь — так торжественно именовался заасфальтированный пятачок, на котором шла наиболее оживленная торговля. Именно сюда в первую очередь подъезжали машины с нефтяниками. Шофер оставался в кабине и дремал, а немцы дружной толпой начинали обход крошечного городка в поисках мыла, зубной пасты, крема для бритья, продуктов, выпивки. Саприн большую часть времени проводил, сидя на стареньком продавленном диванчике у окна, и наблюдал за площадью, ожидая приезда Тамары. Когда она появлялась, следовал за группой на некотором удалении, отмечая про себя все, что его интересовало. Однажды он с удивлением поймал себя на мысли о том, а кричит ли Тамара «Я тебя люблю!», когда занимается любовью с немцами. И если кричит, то понимают ли они, что означают эти слова, или она настолько профессиональна, что кричит по-немецки? Воспоминание о близости с ней оказалось неожиданно приятным. А он-то думал, что Катя затмила ему все... Видно, в последние месяцы ненависть к матери так иссушила его, что душа настоятельно требовала ласки, тепла, любви, пусть и не настоящей, а только суррогата, как иссушенная зноем земля просит живительной влаги.

Чужих в городке не было совсем, кроме тех, кто работал на нефтеразработках и приезжал за покупками. Таких было, конечно, много, и на улице Николай в глаза никому не бросался. Но он оказался чуть ли не единственным приезжим, который здесь жил. Для хозяев он скроил легенду о том, что пишет книгу о нефтяниках и специально уехал подальше в азиатскую глушь, чтобы спокойно поработать. Неграмотные старики в легенде, конечно, не сомневались, но все равно Саприн чувствовал себя здесь неуютно, он был слишком чужим, чтобы остаться незамеченным. Спасало только то, что сюда, в богатый нефтью регион, периодически приезжали представители разных фирм типа «Интернефти», и поэтому появление хорошо одетых людей европейской внешности никого не удивляло.

Несмотря на достаточно спокойное и бесхлопотное существование, Николай ощущал себя запертым в клетку. Ему хотелось скорее вырваться отсюда, получить свои деньги и отправить сестре. У него болела душа за Иру. Ему хотелось увидеть Катю. И, как ни странно, чем сильнее он переживал из-за этих двух женщин, тем меньше ему хотелось убивать Тамару. Ведь Тамара, в сущности, не сделала ему лично ничего плохого. Более того, в том, что она стала нежелательным свидетелем, виноват был в первую очередь жадный Дусик. Вот кто давно под пулю просится. Дусик, который заставил его убить доверчивую глупышку-неудачницу Веронику Штайнек. Дусик, который купил Катю и крепко держит ее своими волосатыми лапами. Дусик...

Время шло, и чем дальше, тем больше крепло в Николае Саприне убеждение, что, пока еще не поздно, нужно придумать, как избавиться от Дусика, при этом заработать такие нужные для сестры деньги и сохранить жизнь Тамаре. Пока еще не поздно... Пока Дусик-Шоринов не дал команду убить Коченову.

* * *

Никогда еще Виктор Тришкан не видел своего шефа Арсена таким злым. Обычно старик прекрасно владел собой, и о его истинном настроении мог догадываться только тот, кто давно и хорошо его знал.

— Как ты можешь это объяснить? — сквозь зубы цедил Арсен. — Ты мне докладываешь, что она сидела на работе, а она утверждает, что ходила в ресторан, да не с кем-нибудь, а с самим Эдуардом.

— Она врет, — быстро отреагировал Тришкан. — Неужели вы не понимаете, что она врет?

— Зачем? Для чего она это делает?

— Ну как зачем? — усмехнулся Виктор. — Дразнит вас. Пытается изо всех сил показать, что ничуть не испугалась. Это же элементарно.

— Значит, ты уверен в своих людях? Уверен, что они не могли ее проморгать?

— Да, конечно же, уверен, — улыбнулся Тришкан. — Даже и не думайте об этом. Но, если вы настаиваете, я из ребят душу вытрясу, выясню, не могли ли они промахнуться.

— Вот-вот, — кивнул Арсен, — вытряси, уж будь любезен. Потому что я-то как раз заинтересован в том, чтобы ее встреча с Эдуардом оказалась правдой. Если они контактируют не только по телефону, но и лично, я из этого такой пирожок испеку — объедение. Она в один момент у меня на крючке окажется. Связь с мафией! Об этом только мечтать можно, особенно в свете политики нового министра внутренних дел. Она за этим пирожком, как осел за морковкой, пойдет и прямо ко мне в ласковые руки угодит. Если ты мне достанешь доказательства связи Каменской с Денисовым, я на этой компре ее завербую без шума и пыли. Так что ты уж постарайся, дружочек. Я даже твоих охламонов прощу, так уж и быть.

— Я постараюсь, — сказал Виктор.

Арсен, как обычно, остался, он никогда не уходил с таких встреч вместе с помощником, а Виктор сел в свою машину и поехал домой. Ему с трудом удалось привести в порядок мысли. Ну и наглость у этой Каменской! Мало того, что открыто встречалась с Денисовым, так еще и Арсену об этом сказала, не побоялась. Сама ему в руки компру на себя дает, в пасть ко льву лезет. Интересно, зачем? Понятно, зачем. Внедряться будет. Прикинется завербованной жертвой, а потом подлянку какую-нибудь выкинет. Конечно, Арсен не может этого не понимать, но надеется, что, когда предложит ей возглавить дело, она все свои милицейские глупости забудет и с радостью примет предложение. Кто ж от такого отказывается! Деньги-то огромные. Да, Арсен все правильно рассчитывает. Только вот о Викторе он позабыл. А это уже неправильно.

* * *

Чтобы выполнить обещание, данное оперативнику из Южного округа, и привезти ему материалы с утра, Насте пришлось встать почти на час раньше. Она с таким трудом про-

сыпалась по утрам, что уже готова была клясть себя последними словами за свою дурацкую неуступчивость. Ну зачем она вчера упрямилась из-за пустяков! Встретилась бы с ним по дороге домой, отдала бы материалы, а сегодня спала бы на час дольше.

Но отступать было некуда, и она, выпив две свои обычные чашки кофе и немного придя в себя, поплелась на автобус.

В отделение она приехала без десяти девять, но, к ее немалому удивлению, оперативник по имени Слава Дружинин уже ждал ее.

— Слушай, а что ты с ними делаешь? — спросил он, забирая у Насти папку с материалами и кладя ее в сейф.

— Читаю, — неопределенно ответила она.

— А зачем?

— Для анализа. Я каждый месяц готовлю аналитические справки о тяжких преступлениях по городу. Интенсивность, время, локализация, характеристика потерпевших, подозреваемые, неотложные мероприятия и так далее. Завожу в компьютер, потом раз в месяц обобщаю, анализирую.

— Ты и эти материалы в компьютер записала?

— Конечно.

— Зачем? В них же ничего интересного нет.

— Это тебе кажется. В каждом отдельном преступлении вообще нет ничего интересного, а когда их много, тогда появляется масса любопытных вещей...

Она уже готова была простить ему вчерашнюю пьянку, потому что он проявил интерес к ее работе, и собиралась рассказать о том, как полезно и важно систематически анализировать статистику, но кинула взгляд на часы и быстро схватила свою сумку.

— Я побежала, Славик, а то опоздаю. Лови своего Стукалкина. — Настя лукаво подмигнула ему и почти бегом помчалась к метро.

В ту минуту, когда она подъезжала к станции «Новые Черемушки», Слава Дружинин наконец дозвонился до своего вчерашнего собеседника.

— Она вернула материалы, но сказала, что записала данные в компьютер, — растерянно сообщил он.

В ответ он услышал весьма непарламентское, но очень выразительное и совершенно недвусмысленное высказывание.

Глава 13

Генерал смотрел на полковника Гордеева круглыми немигающими глазами, делавшими его похожим на сову.

— Ознакомьтесь, Виктор Алексеевич, — сухо сказал он, — а потом я хочу выслушать ваши объяснения.

Он швырнул Гордееву плотный пакет. Виктор Алексеевич осторожно вытащил содержимое — фотографии. Анастасия в каком-то ресторане с пожилым представительным мужчиной. Они разговаривают, мужчина улыбается и похлопывает ее по руке. Они пьют что-то из высоких бокалов. Анастасия что-то рассказывает, а мужчина внимательно слушает, подперев подбородок рукой. Они вместе выходят из ресторана. Садятся в машину. Выходят из машины возле ее дома. Прощаются. Мужчина, почтительно склонив голову, целует ей руку.

Все бы ничего, но лицо этого мужчины было Гордееву знакомо. И ничего хорошего от сложившейся ситуации полковник не ожидал. Рано или поздно это должно было случиться, вот и случилось.

— Не понимаю вашей озабоченности, товарищ генерал, — ответил он с олимпийским спокойствием. — Каменская под моим руководством ведет разработку Денисова. Естественно, что они должны встречаться, это соответствует легенде.

— Как могло получиться, Виктор Алексеевич, что ваше подразделение ведет разработку одного из крупнейших финансовых мафиози, а я об этом узнаю из анонимного послания? Более того, наши коллеги из службы по борьбе с организованной преступностью тоже об этом не знают, а ведь это в первую очередь их хлеб. Что за самодеятельность вы устроили?

— Виноват. — Гордеев покорно склонил круглую лысую голову. — Дело в том, что контакт с Денисовым был установ-

лен не в связи с финансовыми махинациями, а в ходе работы по делу об убийстве. Мы просто воспользовались удачно подвернувшимся случаем, чтобы попробовать начать разработку. Заверяю вас, если мы получим положительный результат, то немедленно подключим другие службы.

— Значит, так, — жестко отрубил генерал. — Каменскую от работы отстранить, табельное оружие изъять. Я немедленно назначаю служебную проверку. Если вы сейчас сказали мне неправду, если выяснится, что ваша Каменская спуталась с мафией, а вы ее покрываете, она будет немедленно уволена. Вопрос о вашем служебном соответствии будет решаться отдельно, и могу вам обещать, что ваша неискренность будет оценена должным образом. У меня все, идите. И захватите с собой фотографии, у меня есть дубликаты. Будете на досуге смотреть на них и думать о том, как нужно подбирать кадры в свой отдел.

Гордеев сделал четкий «строевой» поворот и вышел из кабинета начальника, чувствуя, как багровый румянец злости заливает его голову от лысины до шеи. Проходя мимо Настиной комнаты, он толкнул дверь и на ходу бросил:

— Иди со мной.

Войдя к себе, он сдернул с плеч китель и, стараясь не дать волю клокотавшей в нем ярости, аккуратно повесил его в шкаф на плечики, хотя больше всего на свете хотел в этот момент швырнуть его на пол. Все-таки сдержаться ему не удалось, и кителю повезло больше, чем креслу на колесиках, которое Колобок-Гордеев резким ударом ноги отправил к окну.

— Кто это вас так, Виктор Алексеевич? — сочувственно спросила Настя.

— Сейчас узнаешь, — буркнул полковник, водружая кресло на постоянное место перед рабочим столом. — Садись, не отсвечивай.

Он подождал, пока Настя усядется за длинный стол для совещаний, и протянул ей фотографии.

— Полюбуйся на свои подвиги.

Она быстро просмотрела снимки и отложила их в сторону.

— Значит, ты все-таки с ним встречалась, хотя я тебе за-

претил это делать, — констатировал Гордеев с угрозой в голосе.

— Встречалась, — подтвердила она спокойно. Отпираться было бессмысленно, а для комментариев время еще не наступило.

— Позволь узнать, зачем?

— Чтобы спросить у него о конторе.

— Ну и что, спросила?

— Спросила. Виктор Алексеевич, получилось чудовищное недоразумение. Денисов стал жертвой обмана.

— Ой-ой-ой! — замахал руками Колобок. — Денисов — жертва обмана? Анастасия, не строй напрасных иллюзий. Если кто и жертва обмана, то это ты. Генерал назначил служебное расследование, ты отстраняешься от работы. Вот цена твоим жертвам. Что делать будем?

— Работать. — Она пожала плечами. — Отстранили — и пусть, подумаешь. Думать-то мне никто не запретит.

— Ничего себе «подумаешь»! — взвился Гордеев. — Да ты понимаешь, что тебя уволить могут? И меня за компанию.

Настя побледнела, и Виктор Алексеевич увидел, как у нее задрожали руки, до этого спокойно лежавшие поверх сложенных на столе фотографий.

— Неужели так серьезно? — с ужасом спросила она.

— Представь себе. Генерал прямо из мундира выпрыгивает от праведного негодования. Я ему, конечно, сказал, что все это с моего ведома и в интересах службы, но он все равно будет проверять. Хотел бы я знать, какая сука сделала эти проклятые снимки. Неймется же кому-то! Может, контора? Они тебя пасут?

— Пасут, — кивнула Настя, — но как-то странно. В тот день, когда я была с Денисовым в ресторане, мне вечером позвонил тот тип, который мне всегда звонит, и мило так посетовал на то, что я, мол, себя не берегу, на работе допоздна засиживаюсь. Я уверена была, что они за каждым моим шагом следят, потому и сказала, что была не на работе, а в ресторане с Денисовым. Хотела посмотреть на его реакцию. И вы знаете, мне показалось, что он удивился. У меня было четкое ощущение, что он этого не знал. Хотя если в этой конторе такая мощная конспирация, то он мог и не знать. Вы же знаете, чем выше уровень конспиративности, тем больше идет запаздывание информации. Ему просто к тому моменту об этом еще не сообщили, потому что время контакта не наступило.

— Но если он к тому моменту не получил информацию, то почему думал, что ты сидела на работе? С чего он это взял? — резонно возразил Гордеев. — Если бы он совсем ничего не знал, то и не говорил бы ничего.

— Тоже верно, — согласилась Настя. — Потому я и говорю, что они какие-то странные. Скорее всего у них, как и в любой организации, есть случайные люди, дураки, халтурщики, лентяи. Они меня проспали, когда я выходила с работы, а потом просто наврали своему хозяину, вот и все.

— Похоже, — кивнул Виктор Алексеевич. — Значит, снимки делали не они. Тогда кто же? Федералы?

— Вполне возможно, если они со своей стороны разрабатывают Денисова и ходят за ним по пятам.

— И среди них попалась какая-то гадина, которая выяснила, с кем Денисов ходил в ресторан, и не удержалась от удовольствия сделать тебе пакость. У тебя там что, враги завелись?

— Не знаю. — Она недоуменно покачала головой. — Вроде я ни с кем ничего не делила. Я вообще с ними мало общалась.

— Ну, мало — не мало, а результат налицо, — вздохнул Гордеев. — Ладно, рассказывай, что полезного узнала у своего Денисова.

Она подробно пересказала начальнику свой разговор с Эдуардом Петровичем.

— Получается, что у Шоринова есть группа специалистов, которые пытаются воссоздать изобретение профессора Лебедева, но без его архива у них ничего не получалось. Они нашли вдову Лебедева и хотели купить у нее архив за миллион долларов, но в последний момент передумали и решили ее убить, чтобы не платить денег. Почему-то женщина приехала на встречу не одна, с ней в машине находилась бывшая любовница Денисова с маленьким ребенком. Убили всех троих. И если Тарадин не ошибся, то убийцы — Николай Саприн и

Тамара Коченова. Так что тут мне все понятно и уже неинтересно.

— Хорошенькое дело, — хмыкнул Гордеев. — Убийцы на свободе гуляют, а ей неинтересно.

— Ну, Виктор Алексеевич, не придирайтесь. Вы же понимаете, мне ловить неинтересно, мне интересно вычислять: КТО? А когда понятно, кто и почему, дальше уже дело техники. Это не мое.

— А что в данном случае твое?

— Мое — контора. Этот глупый эпизод с людьми, которые меня упустили, навел меня на мысль о том, что контора не так уж неуязвима, как я привыкла думать. У нее есть слабые места, нажав на которые ее можно развалить. Вот это — мое. И еще одно... Только вы не ругайтесь, ладно?

— Да куда уж дальше ругаться, хуже, чем сейчас, все равно не будет. Выкладывай.

— Ольга Решина. Она, с одной стороны, знакома с Тамарой Коченовой, замешанной в убийстве вдовы Лебедева. С другой стороны, она связана с Шориновым, который финансирует работу над препаратом. И она — врач, кандидат медицинских наук.

— Ты думаешь, она входит в эту таинственную группу специалистов?

— Ну... А вдруг? У меня есть кое-какие идеи.

— Ох, Настасья! — вздохнул Виктор Алексеевич. — Тебя, видно, не переделать. Только не забывай, что ты от работы отстранена. Оружие сдай. И будь осторожна, я тебя прошу.

— Я постараюсь, — очень серьезно ответила Настя.

* * *

Она разложила на столе фотографии, сделанные неизвестным доброжелателем, и стала внимательно их изучать. Интерьер ресторана она помнила плохо, потому что так нервничала из-за разговора с Денисовым, что по сторонам не оглядывалась. А вот улицу перед рестораном представляла себе довольно хорошо. Где-то там, на этой улице, стоял человек и снимал их, когда они спускались по ступенькам с высокого крыльца.

Одна из фотографий привлекла ее внимание какой-то неправильной формой кадра. Вглядевшись, она сообразила, что объектив захватил не только ее с Денисовым, но и закругленный край рамы бокового автомобильного стекла. Значит, снимали из машины.

Настя схватила телефон и набрала внутренний номер Гордеева.

— Виктор Алексеевич, можно мне отлучиться на полчасика?

— Да хоть вообще уходи, — проворчал полковник. — Ты же отстранена от работы.

— Ах да, я и забыла.

Ей стало обидно, и обида вдруг показалась ей такой нестерпимо острой, что даже слезы выступили на глазах. Но Настя быстро опомнилась и взяла себя в руки. Ну, отстранили. С кем не бывает! Она была уверена, что все обойдется, потому что не чувствовала за собой никакой вины и не хотела верить в то, что ее вот так запросто несправедливо уволят. Не может этого быть.

Она вышла на улицу и зашагала в сторону Садового кольца. До ресторана — минут пятнадцать, и она с удовольствием подумала о том, что прогуляться по солнечной погоде не только приятно, но и полезно. Дойдя до ресторана, она вытащила из кармана сделанную из машины фотографию и стала прикидывать, где должен был находиться снимающий, чтобы поймать тот ракурс, который получился. Ей пришлось перейти на противоположную сторону, и она с удивлением обнаружила, что стоит буквально в двух метрах от автобусной остановки. Ничего себе! Как же здесь могла стоять машина? Ведь правилами дорожного движения запрещено парковать автомобили так близко от остановки. А водитель должен был стоять здесь достаточно долго...

Настя подняла голову и внимательно изучила номера маршрутов, которые здесь останавливались. Один из номеров был обозначен красным цветом, это был очень короткий маршрут, по которому автобусы ходили только с 18 до 23.30,

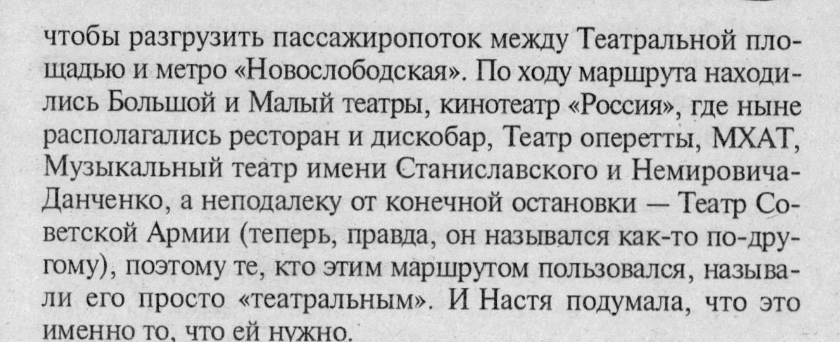

чтобы разгрузить пассажиропоток между Театральной площадью и метро «Новослободская». По ходу маршрута находились Большой и Малый театры, кинотеатр «Россия», где ныне располагались ресторан и дискобар, Театр оперетты, МХАТ, Музыкальный театр имени Станиславского и Немировича-Данченко, а неподалеку от конечной остановки — Театр Советской Армии (теперь, правда, он назывался как-то по-другому), поэтому те, кто этим маршрутом пользовался, называли его просто «театральным». И Настя подумала, что это именно то, что ей нужно.

* * *

Поскольку день начался с неприятностей, то глупо было бы надеяться, что ей повезет с первой попытки. На «театральном» маршруте работали четыре автобуса, больше и не было нужно, поскольку дорога от Театральной площади до станции «Новослободская» занимала не более двадцати минут, а иногда и намного меньше. Водители должны были подойти к пяти часам, и Настя терпеливо ждала, устроившись в комнатушке диспетчера.

Трое из четырех водителей были из Тернополя, приехали в Москву на заработки. Жили они, по-видимому, где-то в одном месте, потому что в парк явились одновременно, что-то оживленно обсуждая на ходу.

— Був, був такий, — закивал самый старший из них, толстый добродушный украинец. — Помнишь, Петро? Я тоби ще казав, який дурный водила, стоить поперек ходу.

— А не помните, какая была машина? — с надеждой спросила Настя, глядя по очереди то на толстяка, то на молодого парня, которого толстяк называл Петром.

— Та вроде синяя, а може, черная, — развел руками толстяк. — Темнело вже. Но «Москвич», оце точно.

— Вы, девушка, лучше у дяди Кости спросите, — сказал Петро, у которого оказалась неожиданно чистая русская речь. — Он у нас мужик принципиальный, нарушениям спуску не дает. Если он этот «Москвич» видел, то наверняка номер запомнил, чтобы потом в ГАИ жалобу накатать.

9 Зак. 670

Радость Настина оказалась преждевременной, потому что выяснилось, что дядя Костя, четвертый водитель с «театрального» маршрута, со вчерашнего дня лежит с тяжелым бронхитом. Она взяла его адрес и поехала на другой конец Москвы, в Бирюлево.

Жил дядя Костя в плохоньком панельном доме с окнами на железную дорогу, по которой то и дело грохотали проходящие поезда. Дверь ей открыла симпатичная девчушка лет восьми с короткой стрижкой и озорными глазами. Впрочем, факт открытия двери можно было считать чисто условным, так как на дверь была наброшена цепочка, которую девочка не сняла.

— Вам кого? — звонко спросила она.

— Константин Федорович дома?

— Он болеет, — с вызовом сообщила девочка, но пройти не предложила. — А вы кто?

— А я — Настя. Константин Федорович — твой дедушка?

— Вы что! — с презрением фыркнула маленькая хозяйка. — Он мой папа.

— Так ты, может быть, спросишь у папы, можно ли мне войти?

— А зачем?

— Мне нужно с ним поговорить.

— А о чем?

Настя начала терять терпение.

— Скажи, пожалуйста, а мама дома? — спросила она.

— А зачем вам мама? — последовал вопрос, которого вполне можно было ожидать.

— Попрошу у нее разрешения войти, если ты не пускаешь меня в дом.

Из глубины квартиры послышался хриплый простуженный голос:

— Машенька! Кто пришел?

— Тетя Настя! — оглушительно звонко откликнулась девочка.

— Константин Федорович, я к вам, — тут же встряла Настя, поняв, что пора брать инициативу в свои руки, иначе препирательства с осторожной Машенькой могут слишком затянуться.

Через минуту она уже была в квартире, сидела на кухне вместе с больным дядей Костей, а в чашке перед ней дымился крепкий ароматный чай. Константин Федорович оказался щуплым невысоким мужичком с обширной плешью и угрюмым лицом. Настя, ориентируясь на «дядю Костю», как его назвал молодой водитель, думала, что это связано с большой разницей в возрасте. Но теперь, глядя на его лицо, понимала, что в слово «дядя» вкладывалось чуть насмешливое уважение к человеку, который во всем стремится к порядку, не терпит нарушений и чувствует себя всегда правым. Такие люди, она знала, бывают невероятно занудливыми и дотошными, но в то же время порядочными и очень добрыми.

— Вы не обижайтесь на Машеньку, — извиняющимся тоном говорил хозяин. — Их в школе так пугают ворами и грабителями, что она запросто никому не открывает.

— Это хорошо, — похвалила Настя. — Лишняя предосторожность никогда не помешает, особенно когда она дома одна.

Она с любопытством разглядывала хозяина квартиры. Он выглядел лет на пятьдесят, и было странно думать, что у него такая маленькая дочка.

— Константин Федорович, — начала она, — вы не помните темный «Москвич», который три дня назад стоял прямо на остановке напротив грузинского ресторана?

— Ну, слава богу, — хрипло закашлялся дядя Костя, — наконец-то на них управу нашли. Совсем совесть потеряли, правила будто не для них писаны, паркуются где ни попадя.

— Значит, помните? — обрадовалась Настя.

— А то. В первый раз подъезжаю — стоит, придурок, другого места ему нет. Я ему сигналю, мол, подай вперед, дай с остановки выехать. Он проехал несколько метров вперед, а потом гляжу в зеркало, он опять назад подался. Через полчаса или минут, может, через сорок я снова к этой остановке подъезжаю, а он стоит! Нет, ну вы подумайте! И опять встал так, что мне не выехать. Ну, тут уж я со злости и номер его запомнил. Мы, водители, на лицо-то не смотрим, для нас номер — визитная карточка. Думал, если в третий раз будет тут стоять, когда я подъеду, не поленюсь, выйду и ГАИ вызову. Таких наглецов учить надо.

— Надо, — согласилась Настя. — А номер не забыли?

— М 820 ЕВ.

— А водителя не разглядели?

— Нет. Я ж не знал, что понадобится. Номер есть — этим все сказано.

— Конечно, если за рулем хозяин машины. А если нет?

— Так она что, ворованная? В угоне?

— Не знаю, проверять будем. Но вам, Константин Федорович, огромное спасибо. Вы даже не представляете, как много вы для меня сделали.

— Да чего же я такого особенного сделал-то? — удивился дядя Костя. — Номер только запомнил.

— Хотите, правду скажу? — внезапно спросила Настя.

Она и сама бы, наверное, не смогла объяснить, отчего ей вдруг захотелось сказать правду этому простуженному, небритому, угрюмому дяде Косте. Может, оттого, что он был неравнодушным.

— Понимаете, человек, который сидел в машине, меня фотографировал, а сегодня прислал эти фотографии ко мне на работу. Теперь у меня неприятности, но я хочу его найти, чтобы спросить: а зачем он это сделал?

— На работу прислал? — удивленно переспросил дядя Костя. — Для чего? Он вас с любовником, что ли, застукал?

— Если бы с любовником, тогда бы он снимки мужу послал, а не начальству моему.

— Тогда я не понимаю. В этих снимках что-то неприличное? Что можно сфотографировать на улице такое, чтоб у человека неприятности были?

— А я вам объясню, Константин Федорович. Я хочу поймать и вывести на чистую воду одного крупного преступного деятеля. Для этого мне нужно было получить кое-какую информацию. А у кого я могу получить такую информацию? Только у преступников. Вот я с одним из них и пошла в ресторан, овцой прикинулась, чтобы выведать то, что мне нужно. А теперь мои начальники собираются меня уволить за связь с преступным миром. За коррупцию, одним словом. Понятно?

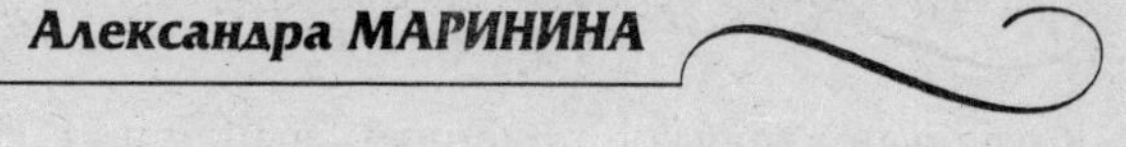

— Вот гад! — от души крякнул шофер. — Я прямо как чуял, что этот водитель — сволочь. Жалко, не вылез тогда, ГАИ не вызвал. Может, он бы уехал, не успев вас сфотографировать.

— Да нет, дядя Костя, не жалко, наоборот, хорошо, что вы его не тронули.

— Это почему же?

— А потому, что сфотографировать меня он все равно успел бы, но тогда я бы вас не нашла и номер его машины не узнала. Понимаете, среди фотографий была одна, по которой точно видно, что он снимал из машины. Я пошла к ресторану и нашла то место, откуда велась съемка. Оказалось, что это прямо в двух метрах от остановки. Вот тогда я и стала искать водителей «театрального» маршрута. И вас нашла. А вы номер вспомнили. Если бы он не успел сделать именно этот снимок, я бы так ничего и не узнала. Так что все к лучшему.

— Ну, если так, — закивал Константин Федорович, — тогда конечно. Все-таки жалко мне вас.

— Почему? — рассмеялась Настя.

— Вы такая худенькая, бледненькая, с виду болезненная. У какого мерзавца на вас рука поднялась? Это ж все равно что ребенка обидеть, вот хоть Маняшку мою. Все едино. Женщину обижать — последнее дело.

— Спасибо вам, — тепло сказала она, чувствуя, как в груди поднимается волна благодарности к этому простому угрюмому мужику. — А за меня вы не переживайте, я только с виду хлипкая, а так — ничего еще, крепенькая.

Из квартиры Константина Федоровича Настя дозвонилась до Короткова и попросила его найти сведения о хозяине темно-синего или черного «Москвича» М 820 ЕВ. На работу возвращаться было поздно, да и незачем, учитывая утренние события. Она распрощалась с дядей Костей и его бдительным чадом и поехала домой.

Ее удивила огромная толпа пассажиров на платформе метро на «Киевской», где она делала пересадку на свою ветку. Оказалось, что по техническим причинам поезда на арбатско-покровской линии идут с увеличенным интервалом, который вместо обычных полутора минут растянулся аж до двадцати. Голос, доносящийся из громкоговорителя, настоятельно советовал пассажирам пользоваться наземным транспортом, но Насте этот совет никак не годился — до «Щелковской» наземным транспортом она бы добиралась до утра. Поэтому она терпеливо ждала поезд, предусмотрительно пристроившись прямо перед солидным мужчиной с внушительным животом. На лице у мужчины была написана такая ярая решимость вбиться в переполненный вагон, что Настя не сомневалась: он будет переть с мощью разгневанного слона и втиснет ее в поезд, даже если чисто теоретически это будет казаться невозможным. Так и вышло. На первый взгляд в вагонах подошедшего наконец поезда не было ни одного свободного сантиметра, но дядечка с животом свою функцию выполнил добросовестно и Настины надежды оправдал.

В вагоне было душно, и очень скоро Настя почувствовала знакомое противное головокружение и легкую дурноту. У нее были слабые сосуды, и духоту и давку она переносила плохо. В обычной ситуации она в таких случаях выходила из поезда на ближайшей станции и отсиживалась на скамеечке на прохладной платформе, дожидаясь, пока дурнота отступит. Но сейчас она боялась рисковать. Поезда ходили редко, а второго «живота» может и не подвернуться. Она решила терпеть.

После «Измайловского парка» толпа несколько поредела, и Насте удалось свободно вздохнуть. На «Щелковской», когда она уже поднялась по лестнице в подземный переход, она услышала сзади:

— Девушка! Девушка в голубой куртке!

Она обернулась и увидела женщину средних лет, которая делала ей какие-то знаки.

— Вот. — Женщина протянула ей кошелек. — Вы обронили.

Настя с удивлением взяла кошелек. Как она могла его обронить? Как он мог выпасть из застегнутой на «молнию» сумки?

— Спасибо, — растерянно сказала она женщине и стала засовывать его обратно, все еще не понимая, что произошло.

— А у вас еще что-то выпало, — заметила глазастая дама. — Вон, сигареты.

Настя опустила глаза и увидела прямо у себя под ногами

пачку сигарет. Она судорожно провела рукой по дну сумки. Так и есть, дно разрезано чем-то острым. Только этого не хватало! Она отошла в сторонку, поставила сумку на пол, присела рядом на корточки и стала проверять содержимое. Главное — удостоверение. Слава богу, оно оказалось на месте — в застегнутом на кнопку внутреннем кармашке. Кошелек и удостоверение уцелели, а все остальное уже не так важно. Но странный нынче вор пошел, подумала она, перебирая на ощупь вещи и папки с бумагами. Кошелек не взял, а зачем тогда разрез делал? Может, собрался, но не успел? Пассажиры начали выходить толпой, в вагоне стало намного свободнее, и лезть в сумку стало опасно.

Домой она пришла расстроенная, главным образом из-за сумки. Настя привыкла к ней, носила ее уже три года, а другой такой же большой и удобной сумки у нее не было. Придется покупать новую, а это трата не только денег, но и времени. Надо же, как все неудачно!

— Ася, тебе с работы звонили, — сообщил Алексей.

— Кто?

— Не знаю, он не представился. Просил передать, чтобы ты завтра с утра была на месте и написала какое-то объяснение.

— Понятно.

Служебная проверка, обещанная генералом, началась.

* * *

Юрий Оборин подумал, что сглазил сам себя. Стоило ему три дня назад сказать Ольге о том, как хорошо он себя чувствует, как снова вернулись головные боли, а гнусная тахикардия заставляла сердце выпрыгивать из грудной клетки, мешая заснуть. Голова, правда, работала по-прежнему интенсивно, текст писался легко и получался стройным и логичным.

К вечеру он неожиданно почувствовал, что устал, причем усталость была такая, словно он разгрузил вагон угля. Ручка буквально выпадала из пальцев, такая слабость его одолела. Когда около восьми часов к нему зашел Александр Иннокентьевич с вечерним обходом, Юра, жалуясь на плохое самочувствие, с досадой отметил про себя, что если все предыдущие дни он лгал, то сегодня говорил чистую правду.

В половине десятого заглянула Ольга, чтобы попрощаться. Сегодня она работала днем, и в десять часов должна была заступать другая медсестра.

— Я что-то не уловлю ваш распорядок, — заметил Юра. — Ты же вчера работала в дневную смену и сегодня тоже.

— Это потому, что у нас все время идут подмены, — объяснила она. — У одной из сестер очень сложная обстановка дома, дети постоянно болеют, мы меняемся сменами, и никак не удается выдержать график. Но, слава богу, теперь все войдет в нормальную колею. Нашелся студент-четверокурсник из мединститута, которому надо подработать. Он весь ближайший месяц будет выходить в ночную смену, а мы с девочками будем работать только днем. Хоть поживем нормальной жизнью. А то после ночи полдня отсыпаешься, а там уж и вечер наступил. А на следующий день с утра выходить.

— А как же я? — огорчился Оборин. — Значит, ты теперь по ночам работать не будешь?

— Юрочка, не расстраивайся, — засмеялась она. — Мы с тобой и днем все прекрасно успеваем. А новый мальчик очень славный и, между прочим, шахматист. Ты, кажется, говорил, что любишь шахматы?

— Говорил, — хмуро кивнул Оборин. — Но тебя я люблю больше.

— Да? — Она взглянула на часы и лукаво улыбнулась. — Тогда докажи это. У нас есть еще двадцать минут.

И он доказал. Ольга умчалась, а через десять минут вернулась в палату вместе с симпатичным длинноносым очкариком в белом халате, который был ему велик и смешно болтался вокруг тонкого туловища.

— Познакомьтесь, — весело сказала она. — Это Сережа, наш ночной медбратик. А это Юрий Анатольевич, будущее светило адвокатуры.

Оборин нехотя пожал узкую ладонь худенького паренька.

— Очень приятно, — произнес он без энтузиазма.

— Ольга Борисовна говорила, что вы играете в шахматы, — робко сказал Сережа. — Я могу к вам зайти попозже?

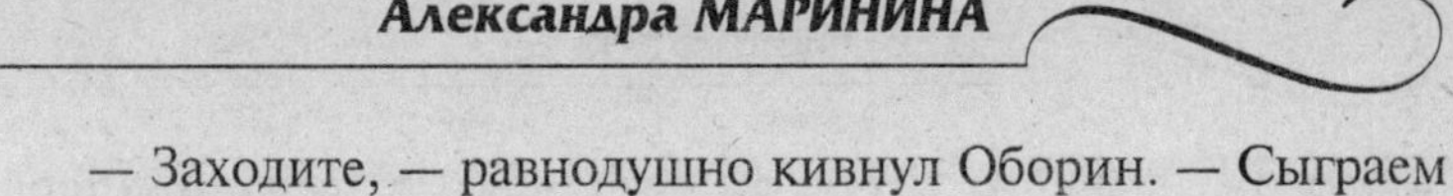

— Заходите, — равнодушно кивнул Оборин. — Сыграем партию. Только не очень поздно, я что-то неважно себя чувствую, хочу пораньше лечь, чтобы выспаться.

— В половине одиннадцатого нормально будет?

— Нормально. Приходите.

Оборин перехватил настороженный взгляд Ольги, когда сказал, что не очень хорошо себя чувствует.

— Вас что-нибудь беспокоит, Юрий Анатольевич? — озабоченно спросила она. — Самочувствие ухудшилось?

— Нет-нет, просто устал, — улыбнулся он. — Не обращайте внимания, все как обычно.

Она очень серьезно посмотрела на него, потом молча кивнула и вышла вместе с Сережей.

Паренек явился без двадцати одиннадцать, неся под мышкой шахматную доску. Оборин нехотя оторвался от своих таблиц и диаграмм и расчистил на столе место для шахмат. Они разыграли первый ход и приступили к партии.

Через четыре хода Оборин понял, что очкарик разыгрывает дебют одной из партий на прошлогоднем кубке претендентов. Юрий хорошо знал эту партию, она была исполнена изящества и какой-то внутренней гармонии, и он каждый раз испытывал удовольствие, разбирая ее по нотации, опубликованной в специальном шахматном журнале. Но точно так же хорошо он помнил, что шахматист, игравший черными, допустил ошибку в миттельшпиле. В том же журнале был опубликован комментарий партии, где была показана эта ошибка и проанализированы возможные более перспективные ходы. «Что ж, — с удовлетворением подумал Юрий, — мальчик в шахматах разбирается, пусть думает, что я иду у него на поводу. Только я постараюсь избежать ошибки, и тогда еще посмотрим, чья возьмет».

Он добросовестно придерживался плана сыгранной в прошлом году игры, позволяя себе небольшие вариации, но строго следя за тем, чтобы в целом ход партии почти не отличался от опубликованного.

— Юрий Анатольевич, а трудно писать диссертацию? — спросил Сережа, сделав очередной ход.

— Да нет, — рассмеялся тот, — не очень. Трудно понять,

как это делать, что это такое, с чем едят. А когда поймешь, что нужно делать, то дальше уже просто. Садись и пиши.

— Это во всех науках так или только у вас?

— Во всех примерно одинаково. В любом случае в диссертации должна быть история вопроса, чтобы было понятно, что в этой области уже сделано и почему этого недостаточно. Должна быть твоя собственная постановка проблемы, чтобы было ясно, что раньше этого никто не делал, но это нужно для того-то и того-то. Обзор литературы по проблеме надо сделать. Точки зрения проанализировать. Потом описываешь свое собственное исследование, показываешь результат. А потом излагаешь выводы, которые из этого результата вытекают. Вот так в общих чертах. А что, ты собираешься диссертацию писать?

— Да мне еще учиться сколько... — Сережа махнул рукой. — Это я так, на будущее. Может, это так сложно, что и мечтать не стоит.

Оборин сделал следующий ход, отметив про себя, что до той позиции в партии, когда черные должны сделать ошибочный ход белопольным слоном, осталось совсем немного, всего шесть ходов. Мальчик, видно, очень надеется, что Оборин ошибку повторит, поэтому и начал вести с ним разговоры, чтобы рассеять внимание и отвлечь. Юрию стало смешно, и, несмотря на слабость и головную боль, он даже развеселился. Что ж, поможем хитрецу, озорно подумал он, пусть считает, что его маневр удался.

— Как же ты будешь на занятия ходить, если по ночам работаешь? — спросил он, делая вид, что сосредоточенно разглядывает фигуры на доске. — Ты же заснешь на лекции.

— Ничего, выдержу, — улыбнулся Сережа, — организм молодой.

— Что, очень деньги нужны?

— Очень, — признался очкарик. — Я жениться собираюсь после летней сессии, хочу подкопить немножко на свадьбу, на подарки всякие. Сами понимаете.

— Жениться? — непритворно удивился Оборин. — Зачем же так рано? Чего тебе свободному не живется?

— Ну как же! — Сережа поднял на него глаза, в которых

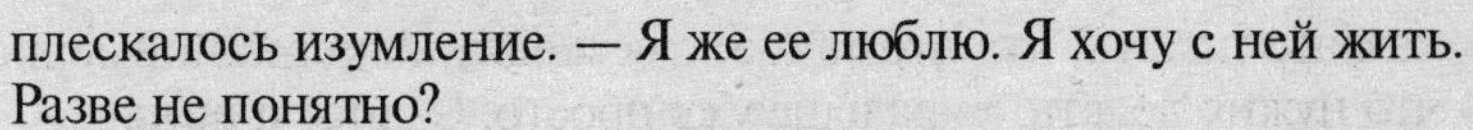

плескалось изумление. — Я же ее люблю. Я хочу с ней жить. Разве не понятно?

— Ты ее любишь, — хмыкнул Оборин. — А она тебя?

— И она меня любит, — уверенно ответил Сережа. Потом подумал немного, сделал ход и добавил: — Я надеюсь.

— Друг мой, — снисходительно произнес Юрий, — не мое дело давать тебе советы, но мой богатый опыт подсказывает, что торопиться со свадьбой никогда не нужно. Знаешь, сколько девушек у меня было в студенческие годы? И каждую из них я любил и надеялся, да что там надеялся, уверен был, что и они меня любят. Два раза чуть не женился, слава богу, судьба меня хранила от поспешных глупостей. А что вышло? Только сейчас, когда мне уже двадцать девять...

В этот момент Сережа сделал очередной ход, и Оборин с удивлением увидел, что его партнер допустил грубую ошибку. По нотации он должен был сейчас пойти ладьей h5 — f5, перекрывая черным возможность защитить коня. Вместо этого он пошел ферзем и открыл одновременно и свою ладью, и слона. С трудом сдержав удовлетворенную улыбку, Оборин сделал вид, что углубился в обдумывание очередного хода.

— Когда вам уже двадцать девять... — нетерпеливо подсказал Сережа. — И что же?

— Да, мне уже двадцать девять, и, к счастью, я до сих пор не женат, — рассеянно продолжал Юрий. — К счастью, потому что только сейчас я наконец встретил такую женщину, о которой мечтал всю жизнь. К сожалению, она замужем, поэтому мы не можем быть вместе, по крайней мере пока она не разведется. Но зато я свободен, а это гораздо лучше, чем если бы я оказался сейчас женат и у меня были бы дети. Понимаешь, о чем я говорю?

— А по каким признакам вы отличали, что те девушки, которых вы любили в студенческие годы, были не те, кто вам нужен?

— Ну, здесь, наверное, главное — интуиция. В молодости способность к трезвому анализу еще не развита. Кстати, работа над диссертацией очень в этом деле помогает, мозги начинают работать четче. А в юности в голове полный сумбур, каждый день кажется единственным и последним, а если и думаешь о будущем, то почему-то уверен, что всегда будет именно так, как сегодня. Поэтому любая неприятность превращается во вселенскую трагедию, у тебя портится настроение и тебе кажется, что отныне ты обречен прожить всю свою жизнь в тоске и печали. Верно?

— Верно, — кивнул Сережа.

— Так же и с любовью. Сегодня тебе с девушкой необыкновенно хорошо, она кажется тебе красивой, умной, доброй и ласковой, и ты наивно полагаешь, что так теперь будет всегда. А как только девушка перестает быть доброй и ласковой, ты жутко удивляешься.

— И с вами так бывало?

— О, — засмеялся Юрий, — сколько раз! Например, на первом курсе я был влюблен в совершенно замечательную девушку...

Сережа снова допустил ошибку, и Оборин отреагировал на нее ответным ходом так быстро, что продолжал свой рассказ практически без паузы.

— ...она казалась мне самой красивой и вообще самой лучшей на свете. И я, естественно, был уверен, что буду любить ее всю оставшуюся жизнь. Даже предложение сделал ей сгоряча. А потом у нее все лицо пошло жуткими прыщами. Представляешь? Оказывается, она купила какой-то новомодный крем, и у нее началась сильнейшая аллергия. Целый год потом лечилась в Институте красоты. Я как увидел, какая она стала страшная, — всю любовь как рукой сняло. В один момент. Это сейчас я понимаю, что дурак был, что прыщи к любви никакого отношения не имеют, что любить надо не чистую кожу, а человека. А тогда... Сережа, по-моему, все ясно. Я ставлю тебе мат в два хода. Согласен?

— Согласен. Лихо вы меня разделали. Юрий Анатольевич, я очень плохо играю?

— Ну что ты, — великодушно сказал Оборин, складывая фигуры в доску. — Просто ты, видно, подустал малость и начал делать ошибки. Ты, наверное, жаворонок? Просыпаешься рано?

— Точно. А как вы догадались?

— А чего тут догадываться? Жаворонки должны рано ложиться спать, у них к вечеру внимание заметно падает, голова

не варит. А я, наоборот, сова, с утра хожу как чумной, а ближе к вечеру самая работа начинается.

— Значит, вы больше не будете со мной играть? — огорченно спросил Сережа.

— Сегодня — нет. Уже поздно. А завтра приходи, если будет желание.

— В это же время?

— Да. Спокойной ночи, Сережа.

— Спокойной ночи, Юрий Анатольевич. Спасибо за игру.

Сережа закрыл за собой дверь, и Оборин услышал, как щелкнул ключ в замке. Пора было ложиться спать. Он собрался принять душ, но почувствовал, что у него нет сил, быстро стянул с себя джинсы и рубашку и забрался под одеяло.

* * *

Сережа зашел в комнату медсестер и аккуратно запер за собой дверь. Только что он проходил по коридору мимо кабинета Александра Иннокентьевича и видел полоску света между дверью и полом. Значит, Бороданков работает и Ольга Борисовна дома одна. Можно смело звонить.

— Ольга Борисовна, — тихо сказал он, когда та сняла трубку, — это я, Сергей.

— Как дела? Получилось что-нибудь?

— Пока не очень, но первые шаги сделаны. Вы оказались правы, разговор о ранней женитьбе попал в струю. Он начал рассказывать о своих девушках.

— Что ж, молодец. Продолжай в том же духе. Когда утром будешь разносить микстуру, ничего не перепутай. Всем наливай из той бутылки, которую я тебе оставила, а то, что даст фармацевт, ставь ко мне в сейф. Не забудешь?

— Не забуду, Ольга Борисовна.

Глава 14

Не успела Настя Каменская войти в свой кабинет, как зазвонил телефон.

— Анастасия Павловна, вы на месте? Я к вам зайду.

Вот и началось, подумала она с неожиданной злостью. Сейчас явится этот лощеный майор Дегтярев из отделения по воспитательной работе и будет требовать, чтобы она написала объяснение. С этого начинается любая служебная проверка. Господи, как противно!

Дегтярев явился почти через полчаса. Настя ненавидела эту манеру «привязывать» людей к месту обещаниями немедленно зайти. Сидишь, ждешь, как идиот, из кабинета боишься выйти, ничего спланировать не можешь, потому что не понимаешь, когда же наконец явится визитер и сколько времени займет разговор с ним. К тому моменту, когда Дегтярев все-таки появился в ее кабинете, она дошла до точки кипения.

— Я попрошу вас, Анастасия Павловна, письменно изложить вашу версию событий, — сказал он, даже не сочтя нужным извиниться.

— Каких событий? — Она сделала непонимающее лицо.

— Тех, из-за которых вас отстранили от работы.

— А я не знаю, из-за чего меня отстранили от работы. Мне об этом сообщили, ничего не объясняя, — нахально солгала она.

— Разве полковник Гордеев, ваш начальник, не поставил вас в известность?

— Нет.

Она знала, что Колобок всю первую половину дня проведет в министерстве на совещании в Главном управлении уголовного розыска, поэтому разоблачить ее ложь по горячим следам не удастся.

— Но фотографии он вам показывал?

— Какие фотографии?

— Хорошо, Анастасия Павловна, тогда придется мне все вам объяснить. Руководство ГУВД получило информацию о том, что вы вступаете в контакт с преступником Денисовым.

— Какого рода информацию?

— Фотографии, из которых видно, что вы вместе с ним посещали ресторан.

— Ну и что?

— Мне поручена служебная проверка, и я прошу вас дать письменное объяснение этому факту.

— Не буду я ничего писать, — равнодушно сказала она. — Я была с Денисовым в ресторане, я этого не отрицаю. Сей факт, имеющий, конечно же, всемирно-историческое значение, запечатлен на фотографии. Больше мне добавить нечего. И потом, с чего вы взяли, что Денисов — преступник? Мне лично об этом ничего не известно.

— Бросьте, Анастасия Павловна, — поморщился Дегтярев.

— Минуточку. — Настя подняла руку в предостерегающем жесте. — Мы с вами юристы и работаем в правоохранительной системе. И разговор у нас с вами происходит в служебном кабинете, а не на кухне у тети Сони. Давайте будем корректны. У вас на руках есть вступивший в законную силу приговор суда, по которому Денисов Эдуард Петрович признается виновным хоть в каком-нибудь преступлении? Ну хоть в чем-нибудь? Нет? Тогда сделайте одолжение, не называйте его преступником. И тем более не требуйте от меня, чтобы я его считала таковым. Денисов — мой знакомый, и я ходила с ним в ресторан. Что дальше?

— Анастасия Павловна, вы ставите меня в сложное положение. У меня есть поручение руководства...

— Меня это не касается. У меня лично никакого поручения ни от кого нет. Меня отстранили от работы — я и не работаю. Ни во что не вмешиваюсь, оперативно-розыскные мероприятия не провожу. Я вообще собиралась сегодня сидеть дома, это же вы меня сюда вызвали. Поэтому давайте договоримся так. У вас есть поручение провести служебную проверку? Это ваша проблема. Единственное, что я обязана сделать — дать вам первоначальные объяснения, а дальше вы работаете самостоятельно. Объяснение я вам дала. Если вы не поняли, я повторю: Эдуард Петрович Денисов — мой знакомый. Он приехал в Москву по делам, захотел со мной повидаться и пригласил меня поужинать. Никаких поручений, связанных с моей служебной деятельностью, он мне не давал и денег никогда ни за что не платил. Это все, что я имею вам сказать. Если вы хотите услышать от меня что-то еще, то прошу иметь в виду, что с моей стороны это уже будет одолжение,

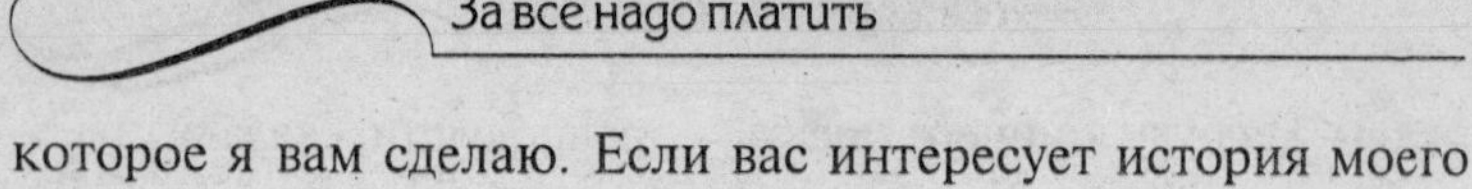

которое я вам сделаю. Если вас интересует история моего знакомства с Денисовым, я готова ее рассказать, но писать я ничего не буду.

— Но почему? — удивился Дегтярев. — Какая вам разница, рассказывать или писать?

— А мне лень.

— Но вы же понимаете, руководству нужны ваши объяснения, а не мой пересказ.

Она молча достала чистый лист бумаги и написала несколько строк.

— Вот, — она подвинула листок Дегтяреву, — мое объяснение. Вы просили объяснить, почему я встречалась с Денисовым? Я написала. Более того, я указала, что знакома с ним с 1993 года. Покажите это вашему начальству, пусть вам расскажут, что делать с этим дальше. Вы, товарищ майор, работаете на Петровке чуть меньше года, и на моей памяти это уже четвертая или пятая проверка, которую вам поручают. Вероятно, вы в этом деле специалист, так что не мне вас учить.

Он взял листок, положил его в папку и встал. Уже у самой двери он обернулся.

— Видимо, я в чем-то ошибся. Мне жаль, что мы не достигли взаимопонимания. Вы полагаете, что в ваших неприятностях виноват я лично?

— Ну что вы!— Она обезоруживающе улыбнулась. — Вы виноваты только в том, что шли ко мне полчаса. И я знаю, почему.

— Меня вызвали к начальнику, потом пришли люди...

— Перестаньте, товарищ майор. Вы что же, полагаете, я вчера на свет родилась? Этому трюку больше лет, чем нам с вами вместе. Вы привыкли считать, что сотрудник, в отношении которого проводится служебное расследование, обязательно виноват. Вы вызываете его для дачи объяснений, обещаете немедленно зайти и выжидаете, пока он дозреет. Потеряет самообладание от волнения и тревоги, утратит контроль над собой. А тут и вы являетесь как ясно солнышко. Он вас боится, потому что его судьба в ваших руках. Он полностью зависит от того, что вы напишете в своей справке. Какая будет справка — таким будет и решение руководства. И вы хотите, чтобы вам этот несчастный сотрудник достался тепленьким. А поскольку я не чувствую себя виноватой ни в чем, в том числе и в связях с мафией, которые вы так хотите мне навесить, то меня ваши полчаса не выбили из колеи, а просто-напросто разозлили. Вот поэтому у нас и разговор не получился.

— Понятно, — протянул Дегтярев, отходя от двери и снова садясь напротив Насти. — Ну что ж, значит, я действительно ошибся. Может, попробуем начать сначала?

— Давайте попробуем, — согласно кивнула она.

Ей надоело воевать с Дегтяревым, она сорвала на нем злость и теперь начала упрекать себя в том, что снова позволила эмоциям взять верх над интересами дела. В конце концов, он ведь тоже не виноват, что ему дали такое поручение. Виновата в первую очередь она сама. Во вторую — генерал, который не внял доводам Гордеева, не поверил ему и не выбросил эти фотографии в помойку. А Дегтярев — никто, пешка. Ему поручили — он делает. И если бы не эти полчаса, которые так вывели ее из себя, она бы разговаривала с ним совсем по-другому.

— Как давно вы знакомы с гражданином Денисовым?

— Мы познакомились осенью 1993 года.

— При каких обстоятельствах?

— Я отдыхала в санатории в том городе, где живет Денисов. В санатории произошло убийство одного из отдыхающих, Денисов обратился ко мне с просьбой помочь в расследовании.

— Почему он обратился к вам?

— Потому что я знала убитого, правда, не близко, просто была знакома.

— Почему понадобилась ваша помощь? Местная милиция не могла справиться?

— Так считал Денисов. Я предлагала свою помощь сотрудникам милиции, но они от нее отказались.

— И тогда вы предложили свою помощь Денисову?

— Нет, я уже сказала, Денисов сам ко мне обратился. До этого я не была с ним знакома и даже не знала о его существовании.

— Тогда откуда он вас знал? Почему обратился именно к вам?

— Это вы можете выяснить у него.

— Анастасия Павловна! — с упреком воскликнул Дегтярев. — Мне казалось, что мы с вами договорились.

— Я не знаю, почему он решил обратиться именно ко мне. Вероятно, он узнал, что я работаю в уголовном розыске. А поскольку я жила в санатории, где произошло убийство, он подумал, что я могу располагать полезными для расследования сведениями.

— Ну и как? Раскрыли вы убийство?

— Да.

— Почему Денисов был так в этом заинтересован?

— Я понимаю ваш вопрос. Нет, убитый не был его человеком и даже не был его знакомым. Просто Эдуарду Петровичу не понравилось, что в городе хозяйничают какие-то неучтенные уголовники.

— Нарушение конвенции?

— Ну, примерно.

— Денисов как-то отблагодарил вас за помощь?

— Он купил мне билет на поезд до Москвы. Вы считаете это взяткой? Тогда не забудьте, что я имею право на бесплатный проезд до места отдыха и обратно. И бесплатный билет до Москвы у меня уже был, просто мне не хотелось возиться с обменом, потому что я уезжала раньше времени. Так что в материальном плане я ничего не выгадала, позволив ему оплатить мой проезд.

— После этого вы поддерживали отношения?

— В течение года — нет.

— А потом?

— А потом я обратилась к нему за помощью....

* * *

Стоило только Дегтяреву выйти, как немедленно объявился Коротков.

— Ну что? — спросил он, озабоченно глядя на Настю. — Сильно доставал?

— Умеренно. Пока жива, — скупо улыбнулась она.

— Ася, я выяснил, кому принадлежит темно-синий «Москвич». Лажа какая-то получается.

— И кому?

— Некоему Тришкану Виктору Ильичу. Не слыхала про такого?

— Нет.

— Точно не слыхала?

— Да точно, Юрик. А он кто?

— А он работает старшим инспектором отдела кадров в одном из окружных УВД.

— Да-а-а, — протянула она ошарашенно. — Влипли. Может, машина в угоне?

— Я проверил. Заявления о краже нет. Кстати, пока ты еще не пришла в себя от изумления, сообщу тебе еще одну новость. Ты знаешь, что у Тамары Коченовой есть машина?

— Знаю, ее мать говорила.

— А знаешь, где эта машина сейчас?

— Нет. Где?

— Вот и я не знаю. И на эту машину заявления о краже тоже нет. Когда Тамара уехала в командировку, машина стояла возле дома, так утверждает ее соседка. Стояла-стояла, горя не знала, а потом в один прекрасный момент исчезла.

— Ну, стало быть, угнали, — вздохнула Настя. — Поскольку хозяйки в Москве нет, то и заявить об угоне некому. Черт с ней, с этой машиной! Меня больше Тришкан интересует. Может, он кому-нибудь доверенность дал на свою машину?

— Может, — согласился Коротков. — Поэтому я узнал адрес этого Виктора Ильича и собираюсь поглядеть, появляется ли по означенному адресу «Москвич» М 820 ЕВ. И кто на нем ездит.

— Разумно. Только, Юра...

Она умолкла, глядя в окно. Ее отстранили от работы. Имеет ли она право втягивать в решение своих проблем Короткова? Кем бы ни оказался Виктор Тришкан, для наружного наблюдения за ним необходим официальный рапорт Гордеева начальнику соответствующей службы. А поскольку Тришкан является сотрудником органов внутренних дел, то все еще более усложняется. Если и наблюдать за ним, то только своими силами. А сколько их, этих сил? Она да Коротков. Но Коротков по уши загружен работой и не может, в отличие от нее, целыми днями таскаться по пятам за владельцем синего «Москвича». Ей же вообще нельзя появляться в поле зрения Тришкана, потому что если это именно он ее фотографировал, то знает Настю в лицо. Очень соблазнительно снова обратиться к Денисову... Нет, ни за что. Хватит ей неприятностей на свою голову.

— Юра, убийство Карины Мискарьянц все еще за тобой?

— Да, вчера вечером Колобок подключил еще Лесникова вместо тебя.

— Попроси Игорька покопаться в жизни Николая Саприна. Мы эту сторону совсем запустили, а ведь его надо искать, пока нам не прислали уведомление об убийстве Коченовой.

Она пробыла на работе еще ровно столько времени, сколько потребовалось, чтобы выпить чашку кофе. Потом оделась, заперла кабинет и поехала к жене своего брата.

* * *

Даша, жена Настиного брата Александра, казалось, расцветала на глазах. После родов она стала заметно полнее, зато глаза светились каким-то невообразимым светом, в лучах которого меркли все неприятности и плохое настроение растворялось без следа. Настя часто навещала ее, но приезжала она не ради грудного племянника, а ради самой Даши. В ее присутствии Настя успокаивалась, расслаблялась и в тяжелые минуты снова обретала способность радоваться жизни.

Несмотря на лишние килограммы, Даша по-прежнему носилась по квартире как метеор, одновременно стирая, убирая, занимаясь приготовлением еды отдельно для малыша и отдельно — для мужа, при этом постоянно что-то напевая, не теряя хорошего настроения и не чувствуя усталости. Она обрадовалась Настиному приходу и повисла у нее на шее, словно они не виделись по меньшей мере год, хотя со времени их последней встречи прошло не больше двух недель.

— Как хорошо, что ты пришла, Настюшка, — щебетала

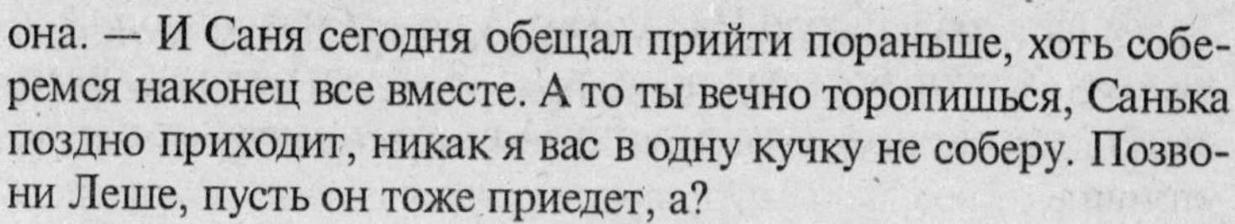

она. — И Саня сегодня обещал прийти пораньше, хоть соберемся наконец все вместе. А то ты вечно торопишься, Санька поздно приходит, никак я вас в одну кучку не соберу. Позвони Леше, пусть он тоже приедет, а?

Настя подумала, что идея вовсе не плоха. В самом деле, когда вокруг одни неприятности и тревоги, так хорошо бывает посидеть в кругу близких и приятных тебе людей. Она позвонила Алексею, тот, правда, несколько удивился неожиданному приглашению, но обещал подъехать через пару часов.

Квартира у Настиного брата была огромная, он купил ее незадолго до свадьбы и еще не закончил обставлять мебелью. Поскольку к моменту покупки квартиры Дарья была уже беременной и до родов оставались считанные недели, в первую очередь приобреталось все необходимое для кухни и детской. Саша был, в отличие от своей юной супруги, чрезвычайно придирчив, пытался найти то, что полностью соответствовало бы его вкусу, поэтому спальню они купили чуть ли не накануне свадьбы, а гостиная до сих пор пустовала.

— Я не понимаю, — то и дело жаловалась Даша. — Столько красивой мебели кругом, только покупай, а ему все не нравится. На мой вкус, я бы давно уже все приобрела и успокоилась, я вообще терпеть не могу выбирать, хватаю первое, что под руку попадет, лишь бы в общих чертах годилось. А Саша все что-то ищет, ищет...

Настя каждый раз с ужасом смотрела на четырехкомнатные хоромы, представляя себе, сколько сил и времени нужно на то, чтобы поддерживать здесь порядок. Конечно, им с Лешкой было тесновато в ее крошечной однокомнатной квартирке, но зато уборка занимала минимальное время. И как Дашка справляется, когда на руках грудной ребенок?

— Я же не спрашиваю тебя, как ты ловишь своих уголовников, — отшучивалась Даша, слыша Настины вздохи. — У каждого свое призвание. У меня — быть женой и матерью. У меня это получается лучше всего другого, поэтому и радость доставляет, и не утомляет. Я как только маленького Сашеньку кормить перестану, сразу буду второго рожать. Девочку еще хочу.

— Маленькую Дашеньку? — смеялась Настя.

— Нет, маленькую Настеньку. А потом маленького Алешеньку. У меня большая программа. Я должна всех любимых людей увековечить в своих детях. А вы трое у меня самые любимые.

Проведя у колыбельки племянника протокольные четверть часа и повосхищавшись неземной красотой, бурным развитием ребенка и его несомненным сходством с родителями, Настя увела Дашу на кухню.

— Дашуня, кажется, мой брат выписывает кучу газет. Ты их куда-нибудь складываешь?

— На антресоли, — кивнула Даша. — Они тебе нужны? Я сейчас достану.

— Сиди, я сама достану.

Настя вышла в прихожую, приподнялась на цыпочки и достала огромную кипу газет, которую немедленно оттащила в просторную и вызывающе пустую гостиную. Здесь стояли три шезлонга, которым после покупки гарнитура предстояло перекочевать на лоджию, и низенький столик, который ожидало такое же почетное изгнание.

— Что ты собираешься делать? — с ужасом спросила Даша, увидев заваленный газетами пол в гостиной.

— Читать.

— А я? — недоуменно спросила она. — Ты же ко мне пришла. Я так обрадовалась... Тебе скучно со мной разговаривать?

— Что ты, Дашенька, просто мне для работы нужно кое-что в них поискать. Хочешь помочь мне?

— Конечно.

Даша с готовностью уселась в шезлонг и положила на колени несколько газет.

— Говори, что нужно делать.

— Знаешь, это так расплывчато, неопределенно... Короче говоря, мне нужны все упоминания о деятелях науки, литературы, искусства, вообще о людях интеллектуального труда, которые умерли за последние полгода.

Дашины огромные глазищи еще больше расширились от удивления.

— Зачем это? Ой, Настюшка, расскажи, я умру от любопытства.

— Расскажу, но при одном условии.

— Я согласна, — тут же выпалила Даша. — Ну рассказывай же скорее.

— Нет, сначала про условие. Потому что если ты не согласишься, то я и рассказывать не буду.

— Ну Настя! — взмолилась Даша. — Ну не тяни же!

— Во-первых, не трепаться.

— А Сане?

— Саньке можно, я ему и сама расскажу. Во-вторых, согласиться на то, что я попрошу твоего мужа о помощи. Если он начнет мне помогать, это потребует от него какого-то времени, а я знаю, что он и так поздно приходит. Согласна?

— Господи, Настя, о чем ты спрашиваешь! Ты же знаешь, как мы оба тебе обязаны...

— Прекрати, — рассердилась Настя. — Слышать не хочу.

— Ладно-ладно, не кипятись, я на все согласна. Рассказывай.

— Значит, так, Дашуня. Есть некая группа медиков-специалистов, которые работают над препаратом для стимулирования интеллектуальной деятельности. Работа идет уже полгода, но пока что препарат у них не получился. Работают они тайком, широкую общественность в известность не ставят. Но им, как я понимаю, нужно на ком-то ставить опыты. И вот закралось в мою больную голову сильное подозрение, что они их ставят, а люди от этих опытов умирают. Но им ведь не всякий человек подойдет, правда? Им нужен тот, кто занимается этой самой интеллектуальной деятельностью, творчеством.

— Я поняла, — перебила ее Даша. — Мы ищем только некрологи или что-то еще?

— В первую очередь некрологи. А в целом — все виды публикаций, в которых может так или иначе затрагиваться интересующая нас проблема. Лешка, например, нашел имя скоропостижно скончавшегося талантливого математика-программиста в статье о проблемах борьбы с компьютерным мошенничеством.

— Ясно.

Маленький Сашенька крепко спал, зажав в крохотном кулачке принесенную Настей игрушку, и в квартире наступила благословенная тишина, нарушаемая только шелестом газетных страниц. Периодически Даша задавала короткие вопросы, получала столь же лаконичные вопросы, и снова становилось тихо.

— Спортсмены нужны?

— Нет, спортсмены не нужны.

— Певец нужен?

— Обязательно.

— Есть известный писатель, но старенький, давно болел.

— Клади в отдельную кучку.

Они не заметили, как бежало время, и очень удивились, когда на пороге гостиной возникла фигура Александра Каменского.

— Девочки! — радостно и в то же время изумленно воскликнул он. — Что у вас происходит?

— Готовимся к выборам, повышаем политическую культуру, — тут же отозвалась Даша, вскакивая с шезлонга и бросаясь обнимать мужа.

Саша поцеловал жену и подошел к Насте.

— Здравствуй, сестренка, — ласково сказал он, обнимая ее. — Какими судьбами? Мимо пробегала?

— Нет, Саня, я по делу. Сейчас еще Лешка приедет, буду с вами обоими разговоры разговаривать.

— Ну наконец-то, — улыбнулся брат. — Человеческий ужин в семейном кругу.

Он ушел переодеваться, Дарья помчалась на кухню, а Настя снова уселась в шезлонг и взялась за газеты. К тому моменту, когда явился Чистяков, были найдены по меньшей мере девять имен, обстоятельства скоропостижной смерти которых неплохо было бы проверить.

* * *

Домой они вернулись поздно. После нескольких часов, проведенных рядом с Дашей, Настя чувствовала себя умиротворенной и спокойной.

— Все-таки Дашка наша — удивительное существо, правда? — сказала она. — Ходячий транквилизатор.

— Это точно, — поддакнул Алексей. — Надо нам почаще у них бывать, а то ты в комок нервов превратишься.

Настя уже собралась было раздеться и залезть под душ, как раздался телефонный звонок. Она даже не удивилась. С тех пор, как контора снова начала ее терзать, Настя ждала звонков в любую минуту, но особенно — поздним вечером. Это было любимым временем невидимой организации.

— Добрый вечер, дорогая, — услышала она голос, который стал ей уже хорошо знакомым.

* * *

Арсен стоял в телефонной будке, уютно прислонившись в уголке и отпивая мелкими глоточками плохой, но горячий кофе, который он принес в пластиковом стаканчике из киоска, расположенного в нескольких метрах отсюда. Он был в прекрасном настроении, потому что собирался сегодня начать атаку на строптивую девчонку. Одним из элементов этой тщательно продуманной атаки было слово «дорогая» вместо привычного обращения «Анастасия Павловна».

— Добрый вечер, — откликнулась она, как ему показалось, совершенно спокойно. — Мы переходим к фамильярности?

— А вы имеете что-нибудь против? — осведомился Арсен, сделав очередной глоточек. — По-моему, нам с вами давно пора переходить к более простым и более теплым отношениям. Ведь мы с вами знакомы без малого два года. Это срок, согласитесь. Хотя у вас, голубушка, весьма своеобразное представление о сроках. Своего новоиспеченного мужа вы, как я знаю, мариновали в женихах лет пятнадцать. Видите, я все это время не оставлял вас своим вниманием. Неужели вам не лестно, что такой старый человек, как я, проявляет к вам столь пристальный интерес? И неужели человек, который знает о вас так много, не вправе называть вас «дорогая»?

— Вправе, — согласилась Каменская. — А как мне называть вас? Папаша?

— Почему «папаша»? — опешил Арсен.

— Ну вы же сами только что сказали, что вы человек немолодой. Почти что старый.

«Вот сучка зубастенькая, — подумал он почти с умилением. — Заметила-таки. Кусайся, кусайся, голубка нежная, придет время — ластиться начнешь».

Но ее спокойный голос без малейших признаков страха и нервозности ему не понравился. Пора приводить девочку в чувство, пусть знает, кто здесь хозяин.

— Положим, насчет возраста я вам солгал, — сказал Арсен.

— Зачем же?

— А я знаю, что вы вообще-то предпочитаете пожилых мужчин. Молодые у вас успехом как-то не пользуются.

— С чего вы так решили?

— Ну как же, милая моя, а Денисов, с которым вы посещаете рестораны? Вас связывает с ним нежная дружба и весьма неформальные отношения. Слава богу, о вашей взаимной любви пока что знаю только я. И о том, как вы ходили к нему в гости, когда были в его городе. И о том, как целовали его в старческую морщинистую щечку, когда прощались с ним на вокзале. И даже о том, как вы оплакивали его внебрачного сына. Да, кстати, я ведь знаю примерно, в какую сумму обошлась ему та помощь, которую он вам оказывал в прошлом году. Ох, и немаленькая эта сумма! И ведь если обо всем этом узнает ваше руководство, никто не поверит, что Эдуард Петрович делал все это из чистой старческой благотворительности.

— Ну и что в связи с этим? — спросила Каменская по-прежнему спокойно, даже голос не дрогнул.

— А ничего, дорогая моя. Ничего ровным счетом. Или мы с вами будем все-таки дружить и эта информация останется нашей с вами маленькой тайной, или мы с вами дружить не будем, и тогда эта информация будет предана огласке. Так как?

— Никак.

— То есть?

— Дружить не будем.

— Значит, не боитесь?

— Нет, не боюсь.

— Ну что ж, завтра утром вас на работе будет ждать сюрприз. Могу заранее пообещать, сюрприз неприятный.

— Не получится.

— Отчего же?

— Меня завтра не будет на Петровке. И послезавтра тоже.

— Вы уезжаете?

— Меня отстранили от работы. И знаете, за что? За связь с Денисовым. Так что вы, уважаемый, опоздали. У меня и кроме вас, как выяснилось, полно доброжелателей. Мне жаль вас разочаровывать, но эту карту из вашей колоды банально сперли и уже успели с нее пойти. Ждите следующей раздачи.

Она бросила трубку, и в ухо Арсену ударили короткие частые гудки.

* * *

Утром Настя спала в свое удовольствие, а проснувшись, с грустной усмешкой подумала о том, что в отстранении от работы есть свои положительные стороны. Не нужно вскакивать ни свет ни заря.

Леша уже давно встал и раскладывал на кухне пасьянс, терпеливо ожидая, пока можно будет сесть за компьютер. Сонно волоча ноги, Настя приплелась на кухню, чмокнула мужа в макушку и полезла в холодильник за апельсиновым соком. Пока она стояла под горячим душем, Леша смолол кофе и поджарил на сковородке гренки с сыром.

— Питайся, соня, — сказал он. — Я пошел работать.

Настя взяла в руки чашку с горячим кофе, но не успела поднести ее ко рту, как из комнаты донесся Лешин голос:

— Эй, ты у меня лунатик?

— Почему?

— Когда ты успела поработать на компьютере? Ночью вставала?

Она торопливо поставила чашку обратно на блюдце и подошла к нему.

— Я работала на нем позавчера, больше не подходила. А в чем дело? Что-то неисправно?

— Да вот и я удивляюсь. Тебя вчера целый день дома не

было, а я творил очередную лекцию. Ну-ка посмотри на экран.

Настя встала у него за спиной и глянула на монитор. На правой панели был корневой каталог, на левой — перечень файлов из текущего каталога, то есть из того, в котором работали перед тем, как выключить компьютер. Она с изумлением увидела на экране названия собственных файлов, а вовсе не тех, которые во время работы создавал Алексей. Его файлы она узнавала сразу. Если он работал над книгой, то называл их gl-1, gl-2 и так далее, что должно было означать главы, а если писал курс лекций, то ставил буквы lec. Сейчас же на левой панели светились обозначения не глав и лекций, а справок и аналитических материалов, которые писала Настя.

— Признавайся, — шутливо сказала она, дергая мужа за волосы, — ты не мог удержаться от любопытства и залез в мои справки, а теперь хочешь сделать из меня сумасшедшую лунатичку, которая по ночам работает на компьютере, а потом сама об этом не помнит.

— Ася, но я серьезно! — возмутился Алексей. — Я в твои каталоги не влезал. Я же не могу этого не помнить. Кто-то из нас двоих рехнулся.

— Ну конечно, и тебе больше нравится думать, что рехнулась я. Перестань меня разыгрывать, у меня кофе стынет.

— Я не разыгрываю.

Он сказал это так серьезно, что она вдруг поверила. Ее сразу зазнобило и захотелось присесть.

— Значит, они сюда приходили, — тихо произнесла она. — Они опять принялись за свое. Черт бы их взял!

Она помнила, что первый ее контакт с конторой начался точно так же: она пришла домой и обнаружила, что дверь в квартиру открыта. Не взломана, а аккуратненько открыта точно подобранным ключом. А после этого ей впервые позвонил приятный баритон, который теперь она узнавала с полуслова, и предупредил, что тот страх, который она испытывает, находясь одна ночью в квартире и зная, что у неведомого противника есть ключи, так вот этот страх — только мягкое начало, тихая увертюра. Если она, Анастасия Каменская, не будет слушаться, то ей быстро объяснят, что такое настоящий страх. Тогда приятный баритон сказал ей: «Сегодня вам дали попробовать маленький глоточек. Будете вести себя неправильно — придется выпить всю чашу до дна и залпом».

Замок Настя сменила, но для конторы, как, впрочем, и для множества других «специалистов», это не было проблемой. Ставить стальную дверь и хитрый сейфовый замок ей и в голову не приходило, красть у нее было нечего, а с точки зрения защиты от конторы тратить деньги на укрепление дверей было бессмысленно. Они все равно найдут способ напугать до полусмерти. И чего они к ней прицепились?

— Слушай, а чего они к тебе прицепились? — спросил Леша, словно прочитав ее мысли. — Тебя же от работы отстранили, ты все равно ничем не можешь быть им полезна.

— Знаешь, Лешик, еще вчера мне казалось, что я понимаю смысл их действий, — задумчиво ответила она. — В них была определенная логика. Они хотят, чтобы я с ними сотрудничала, они хотят меня завербовать, как в свое время завербовали Володю Ларцева. Поэтому и влезли в нашу квартиру, пока мы с тобой вчера в гостях чай распивали и планы строили. Но вечером они мне позвонили, и я, честно признаться, растерялась. Я ведь была уверена, что фотографии генералу прислали именно они, чтобы выбить меня из равновесия, устроить мне неприятности на работе вплоть до угрозы увольнения. Расчет простой. Если меня не уволят, то крови столько попортят, что повторения мне уже не захочется и я буду делать все, что прикажут. Если же уволят, то меня, несчастную и несправедливо обиженную, пригреют, утешат, протянут мне руку помощи, постараются сыграть на эмоциях и пробудить пакостную мстительность. Каков бы ни был результат проверки, я сделаюсь для них легкой добычей. Вот так примерно я рассуждала вчера.

— А потом что случилось?

— А потом мне показалось, что все не так. Тот тип, который мне звонил, был так удивлен, услышав о моих неприятностях, что, по-моему, дар речи потерял. Значит, фотографии пришли не из конторы. Тогда откуда? Кому нужно, чтобы меня отстранили от работы? Кто это все затеял? Я вообще перестала ориентироваться в ситуации, и мне это не нравится.

— Но ты же говорила, что выяснила, кто тебя фотографировал.

— Я выяснила, чья машина, и не более того. Кто в ней сидел? Кто делал снимки? Поэтому я и просила вчера тебя и Сашу мне помочь. Сегодня этим Тришканом будет заниматься Коротков, а дальше посмотрим, как дело повернется. Ладно, солнышко, работай, не буду я тебе голову морочить. Пойду кофе допью, может, что придумается.

Она снова ушла на кухню. Кофе стал совсем холодным, она с отвращением отставила чашку и закурила. Потом вылила кофе из чашки обратно в джезву и зажгла газ под ней. Мысль о том, что в ее квартире побывали в ее отсутствие посторонние, была неприятной. Интересно, заходили ли они на кухню? Может быть, сидели на том же стуле, на котором сейчас сидит она?

Настя непроизвольно вскочила и уставилась на стул. Да что это с ней? Они трогали компьютер, включали его, смотрели ее материалы. Хорошо, что Лешка умеет об этом не думать, сел и работает себе спокойно. Она бы не смогла. Она бы все время помнила о том, что к этим клавишам прикасались чужие враждебные руки, и вряд ли сумела бы преодолеть отвращение.

Интересно, а сумку тоже они разрезали? Очень похоже на их манеру — реального вреда не наносить, но попугать от души. Ничего не пропало, но ведь могли украсть удостоверение. Мороки было бы! Пришлось бы срочно бежать в отделение милиции, писать заявление о краже, потом долго уговаривать, чтобы его приняли и зарегистрировали. В милиции такого рода кражи терпеть не могут, шансов на раскрытие никаких, только лишний «висяк». Но справка о возбуждении уголовного дела в таких случаях нужна позарез, без нее будет считаться, что удостоверение Настя потеряла по халатности. Одним словом, головная боль и строгий выговор ей были бы обеспечены.

Она без удовольствия выпила подогретый кофе, сжевала гренки, почти не чувствуя их вкуса, и стала одеваться. Раз уж у нее появилось свободное время, нужно пойти поискать новую сумку взамен испорченной.

* * *

Грузный человек с гладким моложавым лицом недовольно поморщился, слушая голос, доносящийся до него из телефонной трубки.

— Я сделал все, что мог, нашел в ее компьютере записи о том изнасиловании.

— Там была моя фамилия?

— Была. Я ее стер. Что еще вы от меня хотите?

— Гарантий, Славик, гарантий. Я заплатил тебе хорошие деньги за то, чтобы моя фамилия там не фигурировала, и хочу быть уверен, что ты сделал все как надо. Какие у тебя основания думать, что моей фамилии больше нигде нет?

— Но я просмотрел все материалы, в которых речь идет об изнасилованиях за последний месяц. Все, вы понимаете? И ваша фамилия мне попалась только один раз. Что я могу еще сделать?

— Ты должен был посмотреть ее бумаги. Мы, кажется, об этом договаривались.

— Я поручил это своему человеку, но он не смог.

— Что значит «не смог»?

— Обстоятельства не сложились.

— Послушай, — вскипел мужчина с моложавым лицом, — я не хочу этого слышать. Я плачу тебе за то, чтобы у тебя обстоятельства складывались так, как нужно. Не можешь сделать — нечего было браться.

— Не понимаю я, — буркнул в трубку Дружинин. — Вы же никого не насиловали, вы свидетель. Чего вы боитесь-то?

— Не твое дело. И учти, если мое имя всплывет, головы ты не сносишь, я тебе обещаю.

* * *

К утру Арсен совершенно успокоился. Неудачи и мелкие провалы никогда не выбивали его из колеи надолго, он был оптимистом, умел не унывать и в свои без малого семьдесят лет любил жизнь так, как не любил ее в молодости. Жизнь тем и хороша, рассуждал он, что все время преподносит сюрпризы и неожиданности, заставляя постоянно быть в тонусе, не расслабляться. Непредвиденные препятствия будили в нем спортивный азарт и желание непременно сделать по-своему.

Он дождался, пока жена уйдет навестить дочь и внуков, с аппетитом позавтракал, просмотрел свежие газеты, потом позвонил Виктору и велел приехать. Тот примчался минут через тридцать, благо было не особенно далеко.

— Что ты выяснил о нашем конфликте с Денисовым? — спросил Арсен, усаживаясь вместе с гостем в мягкие кресла. — Ты должен был посмотреть, где мы перешли ему дорогу.

— У меня есть несколько предположений, — неторопливо начал Тришкан. — Главным образом виноват Расулов, это он подбирает вам людей...

— Я не просил тебя искать виноватых, — сухо перебил его Арсен. — Я просил только установить факты.

— Но факты вопиющие! — воскликнул Тришкан. — Арсен, вы просто не понимаете, что творится вокруг нас. Вы привыкли доверять Натику, а он работу уже давно запустил, сам кандидатов не проверяет, на нас работают черт знает кто. Ваше детище превратилось в кормушку, из которой пытаются урвать кусок и жук, и жаба, и удавы, и кролики. За последние два года у нас не было ни одного заказа непосредственно от Денисова, но дважды мы выполняли контракт для крупных банкиров, которые совершенно точно с ним связаны. В одном случае наш человек допустил непростительный промах и дело сорвалось в самом конце, когда было потрачено столько денег и вложено столько труда. В другом случае мы вообще показали себя с чудовищной стороны. Заказчик планировал организацию убийства, но понимал, что на месте преступления останутся стреляные гильзы. Обстоятельства были таковы, что было ясно: у убийцы заведомо не будет времени их искать и собирать, а поскольку убийство намечалось на половину второго дня и должно было быть совершено на улице, то понятно, что приезд милиции ожидался довольно быстро. Заказчику нужно было, чтобы среди сотрудников милиции оказался человек, которому поручат поучаствовать в осмотре места происшествия и который смог бы быстро и незаметно найти гильзы и спрятать их. Желательно было тогда найти и второго человека, который начал бы опрос очевидцев и внес в их слова определенные коррективы, касающиеся внешности убийцы и примет его автомобиля. Расулов по вашему указанию должен был подобрать такую пару сотрудников и назвать заказчику день, когда они в половине второго окажутся в одной группе и выедут на запланированное место. И что вы думаете? Один из подобранных Расуловым людей слег, видите ли, с гриппом прямо накануне задания, а второй нажрался водки с вечера, попался начальнику в непотребном виде и был отстранен от дежурства. Конечно, контракт был сорван. Мы, если помните, потом на уши становились, чтобы помешать поймать этого киллера. Простите, что лезу не в свое дело, Арсен, но Расулова надо заменить кем-нибудь помоложе. Он утратил интерес к делу, у него пропало чувство ответственности.

— Что ж, — Арсен задумчиво постучал костяшками пальцев по полированной ручке кресла, — может быть, в этом есть резон. Старики не должны слишком долго занимать денежные места. Они уже заработали все что нужно и от сытости расслабились. Я подумаю насчет Натика.

— А как ваши успехи с Каменской? — поинтересовался Виктор.

— Ты знаешь, никак, — оживился Арсен, радостно улыбаясь. — Нас с тобой кто-то опередил.

— В чем опередил?

— В использовании сведений о ней и Денисове. Ты представляешь, какой-то шустрик их выследил и настучал на Петровку. Остряк-самоучка, борец за справедливость. И, между прочим, выследил он их как раз в тот день, когда твои ребята их проспали. Ты, кстати, наказал их за разгильдяйство?

— Конечно. Не сомневайтесь, Арсен, они у меня надолго запомнят. Больше это не повторится, я вам ручаюсь. Так что насчет Каменской?

— Я же сказал — ничего. Пока ничего. Ищи, на чем еще ее можно зацепить. И ищи быстро, Витенька. Сейчас момент благоприятный, другого такого может больше не быть. В отношении Каменской проводится служебное расследование, она отстранена от работы, обижена, расстроена, встревожена.

10 Зак. 670

Она не может не думать о том, что ей делать, если ее уволят, куда идти работать. А такие мысли — благодатная почва, на которой можно вырастить все что нужно, если правильно бросать зерна и грамотно ухаживать за ростками.

— Но я не понимаю, Арсен, зачем она будет вам нужна, если ее уволят? Она хороша только до тех пор, пока работает на Петровке, да не где-нибудь, а у самого Гордеева.

— Правильно, Витенька, ты не понимаешь. Куда тебе понимать, молодой ты еще. Да мне ее должность — тьфу! Наплевать и растереть. Надо будет — я себе сыскарей навербую из каких хочешь отделов. Мне ОНА нужна. Она, понимаешь? Ее голова, ее характер, ее мышление. Она — моя копия, только моложе в два раза. Я, Витенька, дело свое люблю не из-за денег, которые оно приносит, хотя деньги эти и немалые. Я его создавал из любви к искусству, оно закономерно вытекает из особенностей моей души. Я сам его придумал и сам его создал. И поддерживать в нем жизнь может далеко не каждый, а только тот, кто похож на меня. Вот Каменская — похожа. Она такая же спокойная, как я, расчетливая, умеет ждать, не суетится. Она холодная и безжалостная, умная и в меру циничная, лишенная романтических закидонов. И я сделаю все возможное, чтобы передать свое детище в ее руки. Она его по крайней мере не погубит.

Они обсудили еще ряд текущих вопросов, выпили по чашке чаю, и Виктор стал прощаться.

Глава 15

До четырнадцати лет Юра Оборин был открытым и абсолютно доверчивым. Потом случилось нечто, что превратило его в человека, который больше всего на свете боялся быть обманутым. До головной боли, до паники, до маниакальной подозрительности. Разумеется, он не был сумасшедшим, ни в коем случае. Но ощущение, что его держат за идиота, могло привести его в ярость и подвигнуть на действия, которые ему, спокойному трудолюбивому аспиранту кафедры уголовного права, будущему доценту, а затем, возможно, и адвокату, были, в общем-то, несвойственны. Оборин любил размеренность, старался избегать конфликтов и открытого выяснения отношений, не принимал участия в кафедральных интригах и никогда не цеплялся к людям по пустякам. Но стоило ему почувствовать, что его хотят обмануть, держат за болвана и пытаются объехать, как он сам говорил, на кривой козе, он начинал злиться и старался во что бы то ни стало разоблачить ложь. Его недавнее «выступление» на заседании кафедры во время обсуждения конкурсных работ студентов было продиктовано именно этим.

Детство его было вполне счастливым. Родители жили дружно, не ссорились, не скандалили. Отец Юры был геологом и подолгу находился в экспедициях, а с мамой мальчик жил душа в душу.

Лена появилась в их доме, когда Юре было четырнадцать. Она пришла к ним в гости вместе с братом, маминым коллегой по работе в конструкторском бюро. Мама и дядя Женя уселись за стол в комнате и разложили какие-то бумаги, а Лена поскучала минут десять и сказала:

— Я слышала, в вашем районе есть хороший магазин с импортными тряпочками. Я, пожалуй, схожу туда. Вы мне объясните, где он находится.

Мама подняла голову от бумаг и улыбнулась.

— Юра тебя проводит. К магазину нужно идти переулками, ты не найдешь. Проводишь, сынок?

Он нехотя оторвался от новой книжки Стругацких, но возражать не стал. Во-первых, мама попросила, а это закон. А во-вторых, Лена была гостьей, и отказывать было неприлично.

Они вышли на улицу, и Лена тут же взяла Юру под руку. Он с трудом сдержался, чтобы не отшатнуться — не дай бог увидит кто-нибудь из ребят, как он ходит под ручку. Позора потом не оберешься. Но Лена будто прочитала его мысли.

— Стесняешься? — засмеялась она. — Ну и напрасно. А я, наоборот, горжусь, что иду под руку с таким классным парнем. Пусть мне все завидуют.

Она была на пять лет старше Юры, но на полголовы ниже ростом. Он рано вытянулся, в четырнадцать лет он уже был почти таким, каким потом и остался, больше уже не вырос, но для своего возраста был и в самом деле довольно рослым. Всю дорогу до магазина Лена расспрашивала его о тренировках по тяжелой атлетике, на которые он ходил три раза в неделю, а также проявила недюжинные знания в области фантастических романов не только братьев Стругацких, но и Айзека Азимова, Артура Кларка и Роберта Шекли. Разговор настолько увлек паренька, что он подсознательно выбрал самый длинный маршрут, хотя до магазина можно было дойти и в два раза быстрее.

Лена не спеша обошла все отделы, придирчиво перебирая пиджаки, юбки и блузки, но ничего не купила, хотя перемерила, наверное, штук десять нарядов. Юра терпеливо ждал, надеясь, что на обратном пути она перескажет ему, как обещала, книгу «Обмен разумов», которую он никак не мог достать. Наконец в секции галантереи девушка купила симпатичную голубую расческу, подхватила его под руку, и они вышли из магазина.

— Давай зайдем, — предложила она, проходя мимо кафе. — Есть хочется, а Женька с твоей мамой в чертежи уткнулись, наверняка ведь покормить забудут.

— Я деньги не взял, — покраснел Юра и подумал, что, даже если бы и взял, это ничего не изменило бы. Тех денег, которые у него водились, хватало в лучшем случае на книгу рубля за полтора, на кино и пару порций мороженого, но уж никак не на кафе.

— Ерунда! — махнула рукой Лена. — У меня есть. В следующий раз ты меня кормить будешь, договорились?

От этого «в следующий раз» у Юры дух захватило. Значит, Лена собирается прийти к ним в гости еще раз!

Кафе было чистеньким и симпатичным, они уселись за покрытый белой скатертью столик в углу у окна, и Лена протянула ему меню.

— Выбирай, — сказала она.

— А ты? — удивился Юра. — Ты первая.

— Ну что ты. — Она легко и мелодично рассмеялась. — Ты же мужчина, ты сам должен сделать заказ.

— Но я же не знаю, что ты любишь, — смутился он.

— А ты читай вслух, вместе выберем.

Они заказали традиционный для общепита 80-го года салат «Столичный» и эскалопы с жареным картофелем. Толстая сонная официантка записала заказ и вопросительно посмотрела на Лену.

— Пить что будете?

— Пить будем кофе, — ответила та.

На лице у официантки явственно проступило презрение к клиентам, которые не берут спиртное, она гордо вильнула пухлым задом и направилась в сторону кухни. Юра почувствовал неловкость, но тут же забыл о ней, потому что Лена начала рассказывать сюжет «Обмена разумов». Еда оказалась на удивление невкусной, но он этого даже не заметил, настолько был захвачен увлекательной историей.

— Слушай, — вдруг спохватилась она, — мы с тобой ушли из дома три часа назад. Наверное, твоя мама с ума сходит, волнуется, куда мы подевались. Давай-ка позвоним, скажем, что уже возвращаемся, чтобы она не нервничала.

Расплатившись, они побежали к ближайшему автомату, на ходу выискивая в карманах двушку. Зайдя в будку, Лена сняла трубку и протянула ее Юре.

— Не боишься, что ругать будут?

— Побаиваюсь, — признался он.

— Ладно, я сама покаюсь. Набирай номер.

Они стояли так близко друг к другу, что Юра, набирая номер, невольно касался локтем ее груди.

— Татьяна Алексеевна? Это Лена. Вы нас ради бога извините, это я во всем виновата, как начала тряпки мерить, так уже и не остановиться. Да, мы уже идем домой. Нет, недалеко, рядом с кафе «Звезда».

Она повесила трубку и радостно улыбнулась.

— Уф, кажется, пронесло. Твоя мама не сердится, так что можно спокойно возвращаться.

Вечером, лежа в своей комнате в темноте и вспоминая сегодняшний день, Юра Оборин понял, что влюбился.

Через несколько дней Лена вместе с братом снова пришла к ним. Все повторилось, все было, как и в прошлый раз, только теперь она уже не просила проводить ее в магазин, где продавались импортные товары, а почти сразу сказала Юре:

— Слушай, пошли отсюда. Чего нам с ними сидеть?

На этот раз Юра заранее готовился к ее приходу и, робея и путаясь в словах, попросил у матери денег на кафе. Он очень боялся, что мама будет сердиться или, что еще хуже, смеяться над ним, мол, ухажер нашелся, сам еще ни копейки в жизни не заработал, а уже девушек в кафе приглашает. Но, к его большому облегчению, мама восприняла его просьбу совершенно спокойно, как будто так и надо, и даже поощрительно улыбнулась.

— Ты уже взрослый, сынок, — вздохнула она. — А я и не заметила, как ты вырос.

Домой они вернулись, когда уже совсем стемнело. Мама и дядя Женя по-прежнему сидели, склонившись над чертежами и расчетами, и ничуть не ругались. Лена по дороге купила торт, и они все вместе долго пили чай, много смеялись, дядя Женя рассказывал забавные истории про рыбалку, а мама — про соседскую болонку Бетси. Юра сидел рядом с Леной, порой ловил ее улыбку, обращенную только к нему одному, и ему было так хорошо, как никогда в жизни. Он ужасно жалел, что с ними сейчас нет отца, который должен был вернуться из очередной экспедиции еще через месяц. Сидел бы с ними папа, слушал веселые рассказы дяди Жени, смех мамы, сам бы что-нибудь рассказал — и было бы просто замечательно.

Никто никогда не объяснял Юре Оборину, что четырнадцатилетний подросток ни при каких условиях не может быть интересен девятнадцатилетней красивой девушке, если, конечно, девушка не отстает в умственном развитии. Ни при каких условиях. Кроме одного. Ему казалось, что Лена ждет встреч с ним с таким же нетерпением, как и он сам, и с удовольствием гуляет с ним подолгу то в парке, то просто по улицам, обсуждая то, что ему, Юре, интересно. Когда она брала его под руку и словно ненароком прижималась грудью к его локтю, у него сладко замирало сердце, во рту пересыхало и начинала кружиться голова. Он был нормально развитым парнем, знающим о сексе, конечно, немного, но вполне доста-

точно, чтобы понимать, что к чему, отчего кружится голова и тянет в паху и зачем девушкам грудь. И ему казалось, что миниатюрная стройная Леночка... Одним словом, казалось. Более того, он был в этом уверен. Потому что то единственное условие, которым можно было все объяснить, просто не приходило ему в голову.

Прошел месяц, и вернулся из экспедиции отец. К этому времени Юра совсем осоловел от любви, но визиты дяди Жени и его сестры почему-то прекратились. Парень страдал, мучился от тоски и неизвестности, но звонить не смел. В дневнике впервые за все школьные годы замелькали тройки, а тренер в спортивной секции начал недовольно поглядывать на него: для рывка и толчка необходима полная концентрация внимания и собранность, а Оборин витает где-то, не может сосредоточиться, и результаты его неуклонно падают.

Наконец он не выдержал и поделился своими страданиями с приятелем из соседнего дома. Тот оказался куда более искушенным в непривлекательных сторонах жизни, ибо рос в неполной семье и с детства был свидетелем легкомысленных отношений своей матери с мужчинами.

— Да она просто-напросто уводила тебя из дома, — авторитетно заявил он Юре. — Ты что, не въехал?

— Зачем ей меня уводить? — не понял Юра.

— Ну как это зачем? Чтобы твоя мамка с ее братом трахалась на свободе. Ты что, маленький, простых вещей не понимаешь?

— Ты врешь, — сквозь зубы выдавил Юра. — Этого не может быть.

Приятель расхохотался.

— Да почему же не может-то? Твоя мать что, не живая? Отец по три месяца в поле, а она одна кукует. Все нормально, Юрась, все так делают. Не бери в голову. Твоя мать еще ничего, стесняется, а моя всю жизнь мужиков приводила у меня на глазах, я их знаешь сколько насмотрелся.

У Оборина руки чесались вмазать приятелю за такие слова, но он сдержался. Сначала нужно спросить у мамы, правда ли это. Вспомнилось, что Лена почему-то всегда звонила его маме, когда они после долгих прогулок возвращались домой, и при этом обязательно указывала, где они в данный момент находятся. Неужели она это делала для того, чтобы мама и дядя Женя могли рассчитать время, одеться и застелить диван? Гадость какая!

Улучив момент, когда отца не было дома, он подошел к матери.

— Мама, а почему дядя Женя и Лена больше не приходят к нам в гости?

— Дядя Женя очень занят, сынок, — спокойно объяснила мать. — На работе запарка. Ты же видишь, я и сама поздно прихожу, нужно сдавать проект, а мы не успеваем.

— А когда папа уедет в экспедицию, запарка кончится? — спросил он.

По тому, как мгновенно залилось краской лицо матери, он понял, что приятель не ошибся. Ему стало противно от мысли, что его так легко обманули. Он-то, дурак, думал, что нравится Лене, а она, оказывается, водила его за собой, как послушного бычка на веревочке. Господи, он мечтал о ней, лежа по ночам без сна, вспоминал ее голос, улыбку, глаза, руки, иногда даже осмеливался представлять себе, каковы на вкус ее губы. А она...

Но даже тогда, в состоянии ужаса и растерянности, ему и в голову не приходило винить в чем-то Лену. Он сам виноват, потому что дал себя обмануть. Сам дурак. Но больше он никому и никогда этого не позволит.

* * *

Сережа приходил к Оборину поиграть в шахматы третью ночь подряд. Несмотря на то что чувствовал себя Юрий не очень хорошо, игра доставляла ему удовольствие. Сережа был достаточно сильным партнером, и было заметно, что он увлекался шахматами всерьез, хорошо знал партии, разыгранные когда-то известными спортсменами, но гибкости ему не хватало. Он обладал, судя по всему, превосходной памятью, а вот способностей к вариациям и экспромтам за доской у него не было. Кроме того, он, похоже, быстро уставал, не мог сконцентрировать внимание одновременно на игре и беседе, поэ-

тому и во второй вечер проиграл партию, допустив позорную ошибку и прозевав поставленную Обориным «вилку».

Видно, разговоры о неоправданно ранних браках и отношениях с женщинами интересовали его не меньше шахмат, потому что и сегодня он после первых четырех ходов вернулся к волнующей его теме.

— Знаете, Юрий Анатольевич, иногда приходится поддерживать отношения с девушкой, которая не понимает, что мужчина и женщина могут просто дружить. Ей кажется, что должен непременно присутствовать секс, и вот стараешься, мучаешься, делаешь вид, что без ума от нее. А на самом деле она просто приятный умный человек, с которым хочется поддерживать товарищеские отношения, а спать с ней совсем не хочется. Но ведь если она это поймет, то смертельно обидится, и тогда уж никакой дружбы не получится. У вас так бывало?

— Бывало, — кивнул Оборин. — Должен тебе сказать, что если девушка не понимает этого, то не такая уж она и умная. С девушками надо обращаться умело, поддерживать в них уверенность, что хочешь их постоянно, но вот, к сожалению, то одно, то другое мешает. Посидеть и поговорить — пожалуйста, а вот побыть наедине негде или некогда. Знаешь хороший прием для этого? Звонишь и говоришь ей: мол, соскучился, сил нет терпеть, но время поджимает, сейчас должен бежать туда-то, а потом еще куда-то, но между этими двумя мероприятиями есть «окошко» часа на полтора, давай встретимся, если ты не занята, потому что очень уж я хочу тебя видеть. Назначаешь ей встречу на улице, подходишь с сияющим лицом, обнимаешь и полтора часа отводишь душу в разговорах, коль уж тебе так нравится с ней беседовать. И все. Только ни в коем случае не говори ей, что хочешь с ней пообщаться. Обязательно говори, что хочешь именно увидеть. Понял?

— А они не догадываются? — спросил Сережа.

— Будешь умно себя вести — не догадаются. Некоторые вообще остаются друзьями на всю жизнь. Замуж выходят, детей рожают, а к тебе на свидание бегут по первому зову. И когда у них проблемы, тоже к тебе бегут, совета просят или участия. Ты давай ходи, ты же руку над своим конем уже минут пять держишь.

— Сейчас, — пробормотал Сережа, уткнувшись в доску. — А у вас есть такие подруги?

— Конечно. Вот, например, была у меня такая славная девушка Тамара, я с ней на втором курсе познакомился. Я на юридическом учился, а она на филологическом, на романо-германском отделении... Слушай, ты меня, конечно, извини, но как ты ходишь? Я же тебе поставлю мат в четыре хода из этой позиции. Ты что, не видишь?

Сережа расстроился и даже не скрывал этого.

— Да, действительно, — огорченно согласился он. — Как это я просмотрел? Сдаюсь.

Он начал собирать фигуры.

— Так что Тамара?

— Тамара? — переспросил Оборин.

— Ну, вы же рассказывали о Тамаре с романо-германского отделения.

— Ах, да. Да ничего. Повстречались мы с ней месяца три, а потом на много лет остались друзьями, вот и все.

— Как же вам это удалось?

— Обыкновенно. Да она и сама такая же, как я. Так что рассказывать особенно нечего. Прости, Сережа, устал я что-то, хочу прилечь. Давай расходиться.

Сережа ушел, заперев за собой дверь. Оборин лег в постель, но, несмотря на слабость и усталость, заснуть не мог. Сердце колотилось как бешеное, такой тахикардии у него раньше не было. Он принялся обдумывать формулировки выводов, вытекающих из анализа эмпирического материала. Описание собранной информации он полностью закончил, составил все таблицы, провел все необходимые математические расчеты, которые обязательны при работе со статистикой, осталось только отточить формулировки — и вторая глава диссертации будет закончена. Мысль плавно перешла к тому, что при такой интенсивности работы он вообще может к Новому году закончить полностью первый вариант диссертации и отдать ее для обсуждения на кафедре. Тогда у него останется целых восемь месяцев для того, чтобы, не торопясь, устранить замечания, подчистить все неровности и огрехи в тексте и подготовить документы для представления работы в диссертационный совет. Целых восемь месяцев до официального окончания срока пребывания в аспирантуре! Вот когда можно будет отдохнуть всласть. Если бы можно было использовать это время для встреч с Ольгой...

Засыпал Юрий Оборин с воспоминаниями о том, как хорошо ему было сегодня с Ольгой, и с приятной мыслью о том, что послезавтра он снова увидит ее.

* * *

Ожидая мужа, Настя Каменская извелась от тревоги. Напрасно она втянула его и брата в свои проблемы, не имела она права этого делать. Но, с другой стороны, выхода у нее не было. Ей хотелось узнать как можно больше о хозяине синего «Москвича» Викторе Тришканс, и помочь ей могли только Леша и Александр. Конечно, и Коротков делал что мог, но у него просто не хватает времени на все. Снова мелькнула в голове мысль о Тарадине — все равно ведь в Москве сидит, пусть бы делом занялся. Но Настя тут же одернула себя: пока ситуация не прояснилась, пока идет служебное расследование, она не должна пользоваться услугами людей Денисова.

Когда в замке клацнул ключ, она опрометью кинулась в прихожую. Слава богу, живой и невредимый!

— Аська, мы с тобой разоримся на бензине, — заметил Чистяков, набрасываясь на ужин. — За твоим Тришканом ездить — замучаешься. Но одно мы с Саней установили точно: на «Москвиче» ездит он сам, ключи никому не дает.

— Выходит, это все-таки он меня фотографировал. Хотела бы я знать, на кой черт я ему сдалась? Зачем он устроил мне это удовольствие?

Телефонный звонок раздался минут через пять, как раз тогда, когда Алексей приканчивал вторую половину жареной курицы, а Настя наливала себе кофе.

— О, иди, твой звонит, — сказал Леша с набитым ртом. — У Юрия Олеши был девиз «ни дня без строчки», а у этого — ни дня без звонка.

Настя молча ушла в комнату и сняла трубку.

— Как вам отдыхается, Анастасия Павловна? — поинтересовался баритон. — Правда, приятно не бегать по утрам на работу? А ведь вы могли бы жить в таком режиме постоянно, если бы подружились со мной. Будете спать до одиннадцати, пить свой кофе до двух, никуда торопиться не будете. Неужели вас не интересует такая перспектива?

— Меня интересует, зачем ваши люди влезли в мою квартиру и в мой компьютер, — сухо ответила она. — Напугать меня они все равно этим не сумели, а вот разозлить смогли. Вам нравится, когда я злюсь?

Возникшая пауза ее насторожила.

— Алло! — позвала она. — Вы меня слышите, доброжелатель?

— Слышу, — ответил баритон. — Я не понимаю, о чем вы говорите. Кто залез к вам в квартиру?

— А это я у вас хотела спросить. Манера-то типично ваша.

— Это недоразумение. Мои люди такого задания не получали.

— Вы уж разберитесь, будьте любезны, — жестко сказала Настя. — И завтра мне доложите. А то непорядочек получается.

Она бросила трубку, не попрощавшись, и звонко расхохоталась.

— Ты чего? — изумленно уставился на нее Алексей. — Рехнулась? Чего ты хохочешь?

— Ой, Лешик, не все спокойно в Датском королевстве. Поклонник-то мой прямо поперхнулся от удивления. Видно, кто-то из его людей решил влезть в пекло поперек батьки, не дожидаясь команды. А ведь это уже второй прокол. Теперь я уверена, что и с фотографиями вышло точно так же. Кто-то хотел выслужиться перед боссом, а вышло только хуже. Босс-то собрался меня этими снимками к рукам прибрать, чтобы я забоялась и стала послушной, а прихвостень его, похоже, в эти грандиозные планы посвящен не был и сделал по своему усмотрению. И в квартиру по собственной инициативе залез. Вот умора-то!

— Знаешь, Асенька, чувство юмора у тебя какое-то специфическое, — покачал головой Леша. — Тебе звонят по телефону и угрожают, а ты веселишься.

Настя мгновенно стала серьезной. Сев за стол напротив мужа, она обеими руками обхватила чашку с кофе, как делала всегда, чтобы согреть ледяные пальцы. Из-за плохих сосудов она постоянно мерзла, и руки у нее всегда были холодными.

— Я веселюсь, солнышко, потому что время плакать и бояться кончилось. Я веселюсь, потому что поняла, что и как надо делать дальше. И даже если это не приведет к тому результату, на который я рассчитываю, хуже все равно не будет. А человек, который смог понять, что хуже уже не будет, перестает плакать и бояться и начинает веселиться. У нас есть что-нибудь выпить?

Леша внимательно посмотрел на нее. Обычно Настя дома, вне праздников, пила только мартини перед сном вместо снотворного, но и это бывало нечасто. К спиртному она была равнодушна, водку и коньяк не любила, впрочем, как и различные вина, даже очень хорошие. Кроме мартини, она с удовольствием пила только полусладкое шампанское.

Он достал из шкафчика бутылку мартини и два высоких стакана, налил в каждый понемногу и поставил на стол.

— За что пьем?

— За простоту, Лешик. Простота — это самое умное, что придумало человечество. Даже самая сложная конструкция может быть выведена из строя простейшими действиями. Вот за эти действия и выпьем.

* * *

Участковый Гаврилюк к вечеру ног не чуял от усталости. Он терпеть не мог общегородские мероприятия, особенно такие, как «Гараж». Второй день подряд вместе с работниками ГАИ он обходил все автостоянки и гаражи на своей территории, потому что кому-то вступило в голову назначить «Гараж» для поиска находящихся в розыске машин. В глубине души он не мог не признать, что такие операции давали обычно неплохой улов, потому что закрытые гаражи частенько использовались в качестве перевалочных пунктов, где ворованную машину полностью разукомплектовывали, перебивали номера на шасси и движках. Но участвовать в этих акциях он страсть как не любил. Ходишь целый день, ни поесть толком, ни попить, ни дух перевести. Гаврилюку было уже под пятьдесят, и такие упражнения были для него тяжеловаты. Особенно муторными были для него поиски владельцев закрытых гаражей, потому что без них открывать гараж было нельзя. То их нет дома, то они дома, но только что пришли с работы и смотрят на тебя волком, потому что хотят поесть и завалиться на диван перед телевизором, то они пьяны и крепко спят. Одним словом, сплошная морока.

— На вашей территории есть еще один большой гараж, — сказал старший из представителей ГАИ. — Проверим его, и на сегодня все.

Гаврилюк тяжело вздохнул и поплелся к машине, на которой ездил вместе с гаишниками. Оперативники, занимающиеся розыском автомобилей, ехали на другой машине. Гараж, который им предстояло проверять, был действительно большим, кооперативным, с собственной мойкой и автомастерской. Именно в таких чаще всего и творились всякие безобразия. Но у сидящего в будке сторожа были дубликаты ключей от всех боксов, это Гаврилюк знал точно, потому что со сторожем этим выпито было немало. Стало быть, одно хорошо: не надо за хозяевами бегать по всей Москве.

Список находящихся в розыске автомобилей был длинным, на нескольких листах, но зато номера, заведенные в компьютер, были расставлены в возрастающем порядке, поэтому проверять, не находится ли данная машина в розыске, было несложно. Кроме официального списка, имелся еще один, неофициальный. В нем стояли номера автомобилей, о краже которых никто не заявлял, но которые почему-то очень интересовали московских оперативников. Как только назначили операцию «Гараж», так сразу же посыпались просьбы «поиметь в виду» еще парочку номеров, или «жигуль» с царапиной вдоль правой передней двери, или «Мерседес» с причудливой игрушкой за лобовым стеклом. Все эти автомобили были вписаны в отдельный список. Был такой список и у группы, с которой обходил гаражи и стоянки участковый Гаврилюк. Однако надеяться на то, что какая-нибудь машина из неофициального списка будет найдена, не приходилось. Дело в том, что список первоначально был у оперативника, возглавлявшего группу, затем перекочевал в папку одного из работников ГАИ, который оставался «за старшего», когда оперативник этот покинул группу и отлучился на три часа по своим делам. У работника ГАИ этот список почему-то все время выпадал из папки, и в последний раз подобрав его с земли, Гаврилюк не стал его отдавать, а сложил в четыре раза и сунул к себе в карман. Так будет надежнее, решил он, хоть не потеряется. Через полчаса он об этом списке забыл начисто. Справедливости ради следует заметить, что и другие о списке не вспомнили.

Осмотр гаража начали с автомастерской, затем проверили мойку, а потом поднялись по пандусу на самый верх и стали методично, бокс за боксом, осматривать машины. Примерно через полчаса Гаврилюк полез в карман за сигаретами и с удивлением вытащил сложенный вчетверо список. «Ах ты, черт возьми! — мысленно выругался он. — Как же это я забыл про него. И ведь никто не вспомнил. Молодые, что с них взять».

Он развернул список и до самого последнего бокса сверял по нему все автомобили. Ничего интересного не попалось.

Закончив осмотр, они вышли на улицу и стали рассаживаться по машинам. Гаврилюк с ними не поехал, ему до дому было рукой подать, и он решил пройтись пешком. Пройдя полквартала, участковый остановился. Ему не давала покоя мысль о том, что про список он вспомнил только тогда, когда почти половина боксов была уже проверена. А вдруг в той, первой, половине стоит машина, которую разыскивают оперативники?

Он очень устал и был голоден, дома лежала жена с тяжелым гриппом, собаку выгулять было некому, и бедный пес, наверное, извелся, не понимая, почему его с семи утра не вывели пописать. А ведь сын специально предупредил, что придет сегодня поздно, и Гаврилюк обещал выйти с Филей хотя бы часов в пять, чтобы не мучить невинное животное, а сейчас уже половина девятого.

Он очень хотел пойти домой, тем более и подъезд уже

виден, вот он, в двадцати метрах отсюда. Но природная добросовестность взяла верх, и он повернул обратно.

— Ты чего? — высунулся из будки сторож дядя Гриша. — Забыл что-нибудь? Или с собой принес?

Он сделал выразительный жест, щелкнув себя по горлу.

— Забыл, дядя Гриша. Доставай свои ключи, давай-ка еще разок пройдемся по боксам.

— По всем? — испугался сторож.

— Да нет, по первым тридцати.

— Мне вместо себя посадить некого, а пост оставить не могу, — важно заявил дядя Гриша. — Бери ключи, сам иди.

Гаврилюк снова поднялся наверх и принялся за осмотр. В шестом боксе стояла машина, указанная в списке. «Ну слава богу! — подумал он с облегчением. — Не зря мучился. Чутье еще осталось». Он проверил все остальные боксы и, только дойдя до того места, где час назад доставал сигареты, сложил список и снова спрятал в карман.

— Дядя Гриша, у тебя шестой бокс за кем числится?

— Сейчас гляну.

Сторож полез за толстой потрепанной книгой, долго листал ее, ища нужную страницу.

— Шестой за Обориным, — наконец сказал он.

— Как его полностью?

— Оборин Юрий Анатольевич, вот тут и адрес его есть, и телефон. Будешь записывать?

— Буду.

Записав данные хозяина бокса номер шесть, участковый поспешил домой. Жалобный скулеж спаниеля Фили был слышен аж на лестничной площадке. Гаврилюк влетел в квартиру, скинул ботинки и, не раздеваясь, зашел в комнату, где лежала жена.

— Как ты, Зинуля?

— Ничего, — слабо улыбнулась жена. — Получше. Сейчас я встану, ужин согрею...

— Лежи, лежи, — замахал руками Гаврилюк. — Я сам. Сейчас с Филей выйду, потом поужинаю. Ты не вставай.

Он заскочил на кухню, отломил от длинного французского батона изрядный кусок, отхватил ножом толстенный ломоть колбасы, сунул ноги в ботинки и вышел гулять с собакой. Пес летел по лестнице с такой скоростью, словно за ним гналась стая волков.

Через сорок минут умиротворенный Гаврилюк восседал за столом, на котором стояла тарелка с дымящимся борщом. На полу у его ног спокойно лежал Филя. По телевизору показывали футбольный матч. Жизнь снова казалась участковому вполне сносной.

Доев борщ и две порции жаркого, он вымыл посуду, вытер руки и снова достал злополучный список. Рядом с каждой внесенной в него машиной стоял номер телефона, по которому об этой машине следовало сообщить в случае ее обнаружения. Гаврилюк достал бумажку, на которой были записаны данные о владельце шестого бокса, и потянулся к телефону.

* * *

Ни разу в жизни Настя не испытывала такого острого чувства неловкости, входя в здание на Петровке, 38 и идя по коридорам в сторону своего кабинета. Она работала здесь почти десять лет, знала каждую трещинку на стенах, каждое пятнышко на дверях, мимо которых проходила по десять раз на дню, но сегодня ей казалось, что она тайком проникла туда, куда вход ей был заказан, она находится здесь неправомерно и каждый встречный знает об этом и может взять ее за руку и выставить вон. Умом она понимала, что это глупость, что отстранение от работы — дело неприятное, но вполне обычное и никоим образом не означает, что сотрудник не может появляться на своем рабочем месте. Просто ему запрещается действовать как официальному лицу. А приходить на работу — пожалуйста, если есть желание.

Желание у Насти Каменской было. И необходимость тоже была. Поэтому она, преодолевая невесть откуда взявшееся смущение, мужественно шла в свой кабинет, стараясь не встречаться глазами с теми, кто попадался ей на пути. Она почему-то была уверена, что о служебном расследовании обстоятельств ее связи с мафией Денисова знает все ГУВД.

Кабинет тоже показался ей чужим и неприветливым, хотя раньше она могла сидеть здесь чуть ли не сутками, что-то анализируя, обдумывая, рассчитывая. Ей всегда было здесь хорошо и, несмотря на казенную обстановку, уютно. Не успела она снять куртку, как буквально следом за ней влетел Коля Селуянов. Чмокнув Настю в щеку, для чего ему пришлось задрать голову вверх, низкорослый Селуянов тут же по-хозяйски уселся за ее стол.

— Принесла? — только и спросил он.

Настя кивнула. Они с Колей давно уже задумывали сделать анализ работы оперативных аппаратов по выявлению очевидцев тяжких преступлений, совершаемых на улицах и в общественных местах. Долгое время до этого руки не доходили, наконец месяца два назад они все-таки собрались с духом и приступили к сбору данных. Для хорошего анализа, говорила Настя, нужна хорошая статистика. В данном случае «хорошая статистика» означала, во-первых, достаточно большой массив данных, а во-вторых, их точность. Они собирали сведения об адресах и местах работы тех лиц, которые были выявлены как очевидцы тяжких преступлений, и тщательно наносили эти данные на огромную карту Москвы.

Они расстелили карту на столе и склонились над ней.

— Вот смотри, — стала объяснять Настя. — Предположим, цифрой один, обведенной в кружочек, я обозначаю место совершения преступления. По этому преступлению на первоначальном этапе было выявлено десять очевидцев, то есть людей, которые видели либо само деяние, либо преступника. Четверо из этих десяти живут неподалеку, их адреса я обозначила цифрой один. Еще трое живут в других районах Москвы, но зато работают поблизости от места совершения преступления, потому и оказались там. Их места работы тоже обозначены единичкой, но обведенной квадратиком. И остальные трое не живут и не работают вблизи места происшествия, а оказались там случайно, например, шли в гости и так далее. Их адреса обозначены цифрой 1 со значком «с». Схема понятна?

— Угу, — промычал Селуянов. — И чего получается?

— А это уж ты сам смотри, чего получается. Вот тебе яркий пример: преступление, место совершения которого обозначено цифрой 3. Видишь, вот здесь оно было совершено. А теперь смотри, где у нас на карте тройки. По всей Москве разбросаны. То есть кто попался из случайных людей, тех и опрашивают, никакого целенаправленного поиска возможных очевидцев не проводится. Что такое поквартирный обход, все давно забыли. О том, что люди из вблизи расположенных учреждений ходят обедать, выбегают в магазин или за сигаретами, тоже никто не вспоминает. А уж о том, что в эти учреждения приходят посетители, вообще речь не идет. И это только на первый взгляд. Если мы с тобой покопаемся в этой схеме поглубже, еще что-нибудь вылезет.

— Бардак! — в сердцах бросил Селуянов. — Чего ж мы все такие неумехи стали, а? Обленились, что ли?

— Обленились, — согласилась Настя. — Но и очевидец теперь не тот, что раньше. Связываться с нами не хотят, добровольно в беседу с работниками милиции не вступают. Чтобы найти таких людей, надо ходить по квартирам и учреждениям, уговаривать, вызывать к себе симпатию и желание помочь, будить сочувствие к жертве. А кто теперь это умеет?

— Тоже верно. А почему у тебя точки разного цвета?

— Черные — убийства, синие — тяжкие телесные, зеленые — изнасилования, — пояснила она. — Чтобы не путаться.

Коля некоторое время разглядывал карту, потом ткнул пальцем в нижнюю часть, где находился Южный округ.

— А тут у них что? Центр сексуального буйства? Сплошь зеленый цвет.

— Примерно, — засмеялась Настя. — Тут демографическая структура такая специфическая. Много детей и подростков, соответственно и малолеточных изнасилований много. Посмотри, здесь же сплошь незастроенные участки и зеленые массивы, освещения нет, котлованы, стройки. Благодать.

Селуянов, который в детстве мечтал стать градостроителем, при этих словах оживился. Его до сих пор волновали проблемы застройки и планировки города, только теперь уже в несколько ином, профессиональном аспекте. И то, о чем сейчас говорила Настя, было ему понятно и небезразлично.

— Давай поподробнее про эти изнасилования, — попросил он.

— Можно и поподробнее, — согласилась она, вынимая из сумки распечатки, которые специально сделала вчера вечером перед встречей с Селуяновым, зная его дотошность и интерес к географии. — Какая у нас там цифра?

— Сто девять, сто десять, сто одиннадцать, восемьдесят шесть, девяносто, — назвал он, глядя в карту.

— Так, изнасилование под номером восемьдесят шесть. Потерпевшие — две девочки тринадцати лет, одноклассницы. Выявлены три человека, которые видели, как девочки шли в сторону зеленого массива в компании пяти парней.

Селуянов быстро отыскал на карте три числа 86, на мгновение задумался, потом кивнул.

— Давай дальше.

— Изнасилование, сопряженное с убийством, под номером девяносто. Потерпевшая — девушка семнадцати лет, пять очевидцев. Трое видели, как она стояла с группой молодых людей у входа в ночной бар-дискотеку, двое видели, как она оттуда выходила с теми же молодыми людьми.

— Дальше.

— Дальше номер сто девять. Изнасилование ученицы седьмого класса в строящемся здании. Восемь очевидцев, которые могут описать хоть какие-то приметы четырех мальчиков, которых они видели возле этой стройки. Сама девочка их не знает, они подошли к ней на улице вечером, схватили за руки и затащили на стройку. Она сначала думала, что они просто заигрывают с ней, познакомиться хотят. А потом со страху уже ничего не видела, да и темно было.

— Сколько, ты говоришь, очевидцев нашли?

— Восемь.

Он снова склонился над картой.

— Нет, не сходится. Один лишний.

— Кто лишний? — встрепенулась Настя.

— Ты сказала, выявлено восемь человек. А на карте у тебя число 109 встречается девять раз.

— Ты, наверное, место преступления посчитал, — предположила Настя, которая никогда не делала таких ошибок.

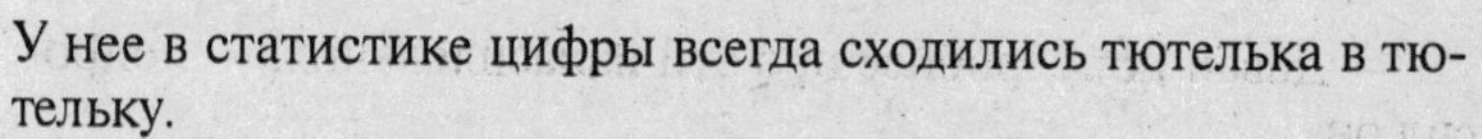

У нее в статистике цифры всегда сходились тютелька в тютельку.

— Нет, с местом преступления получается уже десять.

— Не может быть. Покажи!

Они вместе уткнулись в карту, и Селуянов показал ей девять точек, обозначенных числом 109.

— Ерунда какая-то, — растерянно сказала Настя. — Не могла я так ошибиться. Допускаю, что я могла кого-то пропустить, не поставить точку. Но выдумать из головы адрес и сделать отметку на карте? За мной такого не водится.

— Давай проверять, — предложил Селуянов, который тоже не очень-то верил в Настину рассеянность. Уж что-что, а этого за ней никогда не замечалось.

Она стала диктовать адреса людей, видевших малолетних насильников возле строящегося дома, а Селуянов тщательно проверял точки, нанесенные на карту.

— У меня все, — сказала она, продиктовав последний, восьмой адрес. — Кто остался?

— Остался адрес на улице Большие Каменщики, возле метро «Таганская».

— И кто же там живет? — задумчиво произнесла Настя. — Очень интересно.

Глава 16

— Ничего не понимаю, — с досадой произнес Александр Иннокентьевич Бороданков, откладывая в сторону журнал, в который заносились результаты наблюдений за находящимися в отделении людьми и сведения об их самочувствии. — Мы опять зашли в тупик, но теперь я уже не понимаю, как из него выбираться.

Ольга Решина обеспокоенно взглянула на мужа. Нельзя, чтобы у него опустились руки, ведь на самом деле он давно уже нашел то наилучшее сочетание и оптимальные характеристики компонентов, которые делают лакреол высокоэффективным и абсолютно безвредным. Но пока он не должен этого знать. До тех пор, пока в отделении находится Оборин, до тех пор, пока он жив, муж не должен узнать о своей удаче. О сорок четвертом варианте лакреола. Иначе как она сможет объяснить смерть Оборина?

— Тебе надо отдохнуть, Сашенька, — ласково сказала она. — Ты просто переутомился. Мы с тобой занимаемся лакреолом полгода, но я-то хоть даю себе передышку, а ты работаешь как вол. Нельзя так, милый. Ты же прекрасно знаешь, что для успешного решения задачи нужно умение взглянуть на проблему под иным углом зрения. А для этого необходимо делать перерывы, временно отвлекаться, отключаться. Это же твоя собственная методика, ты забыл? А согласно другой твоей методике, нужно полностью погружаться в решение задачи, отгораживаться от всего, что мешает работе. Но ты и этому не следуешь. Саша, я уверена, что если ты отдохнешь хотя бы три-четыре дня, выспишься, будешь много гулять пешком, этого будет достаточно, чтобы взглянуть на наши трудности свежим глазом. А я буду тебя кормить на убой, приготовлю что-нибудь экзотическое и изысканное и стану подавать тебе еду прямо в постель.

Они сидели в кабинете Бороданкова. Сумерки сгустились, но верхний свет не был включен, горела только настольная лампа. Ольга подумала, что если кто и зашел в тупик, то это она сама. С самого начала она не продумала всю комбинацию, с самого начала не предусмотрела, чем может все это обернуться. Ей казалось, что все так просто! Оборин добровольно ляжет в отделение, она, прикидываясь страстной любовницей, быстренько вытрясет из него всю информацию о Тамаре, а спустя некоторое, весьма непродолжительное время Оборин тихо скончается от инфаркта или инсульта. А что вышло? Оборин ничего не рассказывает о Тамаре, складывается впечатление, что он либо вообще о ней забыл, либо что-то подозревает и молчит о своей приятельнице умышленно. И, как назло, именно сейчас у Саши получился оптимальный состав бальзама. Но если Бороданков об этом узнает, то тихую смерть одного из пациентов трудно будет объяснить. Стало быть, пока Оборин не умрет, Саша не должен ничего узнать. А когда он наконец умрет, что тогда делать? Признаться мужу, что скрыла от него успех, потому что должна была довести до смерти одного из пациентов? Ни в коем случае! Саша должен быть уверен, что архив честно куплен у вдовы. Тогда как же быть? Как после смерти Оборина заставить Сашу заново изобрести этот проклятый сорок четвертый состав, будь он неладен? И что делать, если Оборин умрет, так ничего и не рассказав? Жить в вечном страхе, что где-то есть люди, которые знают об убийстве двух женщин и маленького мальчика и о том, кто и зачем эти убийства организовал и выполнил?

Вся надежда только на Сережу, но и здесь не все так гладко, как хотелось бы. Разумеется, всей правды мальчик не знает, этого еще не хватало! А потому и стараться будет, наверное, вполсилы. Вот это уже плохо. Сережа — студент, которого Ольга высмотрела на занятиях студенческого научного общества. У нее было необыкновенное чутье на таких, как он — жадных до денег и умеющих не интересоваться, откуда эти деньги берутся. Такой же была и Тамара Коченова, не зря же Ольга положила глаз на нее с первой же встречи. Оба они, и взрослая Тамара, и юный сосунок Сережа, умели не быть любопытными и с удовольствием позволяли обманывать себя, если это сулило хороший заработок. Таких, как они, Ольга Решина про себя называла «профессиональными слепцами». Люди умеют не видеть очевидного, чем и зарабатывают себе на жизнь. Тоже работа, и не хуже других, между прочим.

Сереже она напела какую-то ерунду, объясняя, почему нужно срочно и под большим секретом узнать кое-что у Оборина, но по глазам мальчишки видела, что он ей не верит. Ни одному слову не верит. Она и сама чувствовала, что получилось у нее не очень-то убедительно, не гладко. Видно, не привыкла Ольга к таким нервным перегрузкам, целый месяц голова занята убийствами, трупами, ложью, деньгами. Сдавать стала. Короче, не поверил ей мальчик Сережа, но надо отдать ему должное, вопросов не задавал, на явных неувязках не заострялся, и Ольга поняла, что он хоть и не верит ей, но и правду знать не хочет. Не нужна ему правда. Ему деньги нужны. И поди знай, как лучше... Может, если бы знал все как есть, то и старался бы больше.

То, что еще несколько дней назад казалось Ольге Решиной простым и понятным, с каждым часом представало все более сложным и почти безвыходным. Тупик.

Надо во что бы то ни стало уговорить мужа отдохнуть хотя бы несколько дней. Лакреол никуда не убежит, он уже готов. Нужно убрать Александра из отделения. Тогда Ольга посмотрит его бумаги, наведет в них «порядок», кое-что уберет, кое-что добавит — одним словом, сделает так, что выспавшийся и отдохнувший доктор Бороданков, придя в клинику, сразу увидит, в чем он ошибался, и во второй раз получит сорок четвертый вариант лакреола. За эти несколько дней Оборин должен умереть. И до того, как умрет, он должен рассказать Сереже все, что узнал от Тамары о событиях в Австрии, а главное — назвать людей, которым он об этом говорил. Вот такая триединая задача. И если она, Ольга Решина, ее не выполнит, не жить ей на собственной вилле и не быть миллиардершей. Вся ее последующая жизнь до глубокой старости зависит от ближайших нескольких дней.

* * *

Настроение у осени резко изменилось. Ей надоело делать вид, что лето еще хозяйничает в городе, а она — так, на минутку в гости зашла. Еще вчера над московскими улицами сияло солнце, уже прохладное, но все еще яркое, и желто-красные цвета деревьев и кустов вызывали ощущение праздника, а уже сегодня налетел невесть откуда взявшийся шквальный ветер, нагнал облаков, словно задернул занавес перед сценой, на которой горделиво красовалось уходящее лето. Ветер за одну ночь покончил с веселыми красками, оборвав все листья и свалив их на землю грязно-коричневым покрывалом.

Настя обычно мало обращала внимания на погоду, потому что одевалась всегда одинаково, предпочитая куртки с капюшоном, джинсы, свитера и кроссовки, за исключением особо торжественных случаев, а на ее настроение погода не влияла. Иногда она могла даже не заметить, что идет снег или дождь, потому что, идя по улице, полностью погружалась в свои мысли и приходила в себя только тогда, когда в обуви неизвестно почему оказывалась вода или талый снег.

Направляясь в Южный округ к Славе Дружинину, она пересаживалась из троллейбуса в метро, с линии на линию, но делала это автоматически. Голова ее была занята информацией, которую сообщили Коротков и Игорь Лесников.

Итак, Николай Саприн, разведен, образование высшее, закончил Высшую школу КГБ, работал в центральном аппарате. Имеет мать и сводную единоутробную сестру Ирину. Первую ненавидит, вторую обожает. Сестра находится в США с мужем, ждет ребенка и испытывает значительные материальные трудности. Мать нагло обманула ее, присвоила московскую квартиру дочери и ее мужа, денег не отдает, живет с молодым мужем, третьим по счету. Муж, похоже, изо всех сил тянет деньги из стареющей супруги. Николай предпринимал попытки заставить мать отдать Ирине деньги за квартиру, но безуспешно.

А Короткову позвонил какой-то участковый и сообщил, что в кооперативном гараже по такому-то адресу в боксе номер 6, хозяином которого является некто Оборин Юрий Анатольевич, стоит машина, которая по инициативе Короткова попала в неофициальный список разыскиваемых автомобилей. Та самая машина, которая была зарегистрирована на имя Тамары Михайловны Коченовой, стояла перед ее домом, а потом неизвестно куда исчезла, хотя сама Тамара из командировки не возвращалась. Коротков пообещал немедленно заняться этим Обориным, разыскать его и все выяснить.

Но это было вчера поздно вечером, а сегодня к полудню стало понятно, что Оборин пропал. То есть не совсем пропал, но найти его крайне сложно. Его никто не искал, никто не обеспокоился его отсутствием, потому что, как оказалось, он всех предупредил о своем «уходе в подполье» для работы над очередным разделом диссертации. Правда, где именно он собирается осесть, Оборин никому не сказал, но это было вполне понятно. Какой же смысл обнародовать свое убежище, если хочешь, чтобы тебя никто не нашел и не вызвал на кафедру?

Как и где искать Оборина, было совершенно непонятно. Его легко можно было пристегнуть к делу об убийстве Карины Мискарьянц как человека, в квартире которого пряталась Тамара Коченова, но легче от этого никому не становилось. Да, есть все основания объявлять розыск Оборина, а искать-то его кто будет? Коротков с Лесниковым? У них работы выше головы. А больше некому, даже если ориентировки о розыске Оборина будут лежать в каждом отделении милиции. Потому как у милиционеров, работающих в отделениях, тоже забот и хлопот — мало не покажется, а любви и уважения к сыщикам с Петровки давно уж нет.

Дойдя до нужного ей отделения в Южном округе, Настя с огорчением узнала, что Славы Дружинина на месте нет, хотя он и обещал быть в это время у себя. По крайней мере так он сам сказал, когда Настя позвонила ему перед выездом.

— Что поделаешь, — развел руками дежурный по отделению. — Срочный вызов. Вы ж знаете, мы себе не хозяева.

— Это точно, — вздохнула Настя. — Ладно, если Слава появится, передайте ему, что я приезжала. Попробую завтра его поймать.

— Передам обязательно, — пообещал дежурный.

Настя вышла из отделения милиции и грустно побрела в сторону метро. Порывы ветра швыряли ей в лицо мелкие капли дождя, которые противно и больно кололи щеки и лоб. Настя никак не могла привыкнуть к новой сумке, ей все казалось, что она вот-вот соскользнет с плеча и упадет прямо на тротуар. Сумку она придерживала рукой, и из-за этого идти ей было неудобно. Почему-то в этот момент все соединилось воедино: и пережитый недавно страх от нового столкновения с конторой, и обида на тех, кто не верит Гордееву и ей и затевает по первому же сигналу служебное расследование, и злость по поводу зря потраченного времени на поездку в Южный округ, и досада на неудобную сумку. Все слилось в один комок, который вдруг встал в горле и заставил слезы выступить на глазах. Настя почувствовала, что теряет самообладание и сейчас расплачется прямо на улице, на виду у прохожих.

Она сморгнула слезы, стиснула зубы и огляделась в поисках подходящей скамеечки, на которой можно было бы отсидеться. Такая скамеечка нашлась метрах в пятидесяти, возле одного из подъездов многоквартирного дома. Почти ничего не видя от застилавших глаза слез, она добралась до спасительного места, достала платок, закрыла лицо и несколько раз судорожно всхлипнула. Настя знала, что это поможет мышцам горла разжаться, она начнет нормально дышать и успокоится. Так и получилось, все-таки опыт борьбы со слезами у Насти Каменской был солидным.

Почувствовав, что губы уже не сведены судорогой, она сделала глубокий вдох, задержала дыхание, медленно выдохнула, снова вдохнула, и так несколько раз. Слезы высохли, и Настя полезла за сигаретами. Только сейчас она поняла, что скамейка была мокрой от мелкого моросящего дождя, а следовательно, и джинсы Настины теперь тоже будут мокрыми. Но принимать меры предосторожности и подкладывать полиэтиленовый пакет было уже поздно, поэтому она решила оставить все как есть. Закурила и углубилась в мысли о Николае Саприне.

Несомненно, ему очень нужны деньги для сестры. Его мать сказала, что он где-то их находит и отправляет Ирине. Но вот любопытная деталь: убив Веронику Штайнек-Лебедеву, Саприн остался на территории Австрии, имея на руках документы, позволяющие лично ему получить в нескольких банках огромные суммы наличными. Он мог бы получить эти деньги и решить одним махом все проблемы, в том числе и проблемы своей сестры. Но он этого не сделал. Он вернулся в Москву, а через неделю люди Денисова в Австрии и Нидерландах сообщили, что им вернули наличные на всю сумму, обозначенную в платежных документах, плюс оговоренные проценты. Это означало, что Саприн снимал деньги со счетов, как и должно было быть, если бы он честно расплачивался с Вероникой за архив ее покойного мужа, и оставлял эти деньги людям Шоринова там, на месте. Эти люди через неделю деньги вернули с процентами, создав у Денисова полную иллюзию честно проведенной операции. Разумеется, нельзя было вернуть Денисову документы, у него сразу возникла бы масса вопросов о том, почему не понадобились наличные, если архив все-таки приобретен. Но почему Саприн, сняв со счетов деньги, не положил их в собственный карман? Почему? Его связывают с Шориновым теплые доверительные отношения и он просто не мог кинуть ему такую подлянку? Или Саприн почему-то боится Шоринова и не смеет проделывать подобные фокусы, потому что знает: Михаил Владимирович все равно достанет его, где бы он ни был. Или в России есть женщина, которая слишком много значит для Саприна. Он не мог украсть деньги и скрыться в неизвестном направлении, ибо прекрасно понимал, что Шоринов в первую очередь возьмется именно за эту женщину, чтобы попытаться найти вора. Или...

Настя не успела додумать до конца полный перечень причин, по которым убийца Николай Саприн мог проявить честность и порядочность, потому что на противоположной стороне улицы увидела Славу Дружинина, который не спеша двигался в сторону отделения милиции. Она обрадованно вскочила, подхватила на плечо длинный ремень новой сумки и пошла следом за ним. Сперва она хотела было догнать его и окликнуть, но почему-то не сделала этого, хотя и сама не смогла бы объяснить, почему.

Через несколько минут Дружинин скрылся за стеклянной дверью, а буквально следом за ним в отделение вошла Настя. Она снова была погружена в свои мысли, поэтому не посмотрела в сторону дежурного. Если бы она повернула голову чуть вправо, то увидела бы, что лицо дежурного внезапно перекосилось и побледнело, и это, несомненно, навело бы ее на некоторые мысли. Но она этого не увидела, и потому уверенно пошла по лестнице на второй этаж, где находился кабинет Славы Дружинина, не подозревая, что совершает чудовищную ошибку.

* * *

Едва Дружинин вошел в кабинет, где, кроме него, сидели еще двое оперативников, как зазвенел внутренний телефон.

— Слав, она идет, — послышался недоумевающий голос дежурного. — Прямо следом за тобой.

— Вот блин! — прошипел Дружинин и тут же бросил трубку, услышав, как открывается дверь. — О, Анастасия, а я боялся, что опоздал и тебя подвел. Пришлось срочно отлу-

читься, но я постарался побыстрее управиться, чтобы к твоему приходу успеть. Только что вошел.

— Я знаю, — кивнула Настя. — Я уже приходила, мне дежурный сказал, что тебя срочно вызвали. Слава, я тебя долго не задержу. Мне опять нужны материалы по тем трем изнасилованиям, помнишь? Ну те материалы, которые я у тебя брала, когда вы Жору Стукалкина обмывали.

— А в чем дело? — насторожился он. — Зачем они тебе?

— У меня кое-что не сходится, — объяснила Настя. — Хочу проверить.

— Что у тебя не сходится? — продолжал допытываться он.

Этот визит ему не нравился. Каменскую он знал давно, она часто брала в отделении всякие материалы, всегда отдавала их в целости и сохранности и в точно оговоренный срок. Поэтому, когда она утром позвонила и сказала, что хочет к нему подъехать, он был уверен, что она снова собирается просить какие-то материалы по убийствам и изнасилованиям. Но внутренний голос подсказывал ему, что лучше бы им не встречаться. В конце концов, если ей нужны материалы, которые есть у любого сыщика или у дежурного, то она их и возьмет, не у Дружинина, так у другого опера. А вот если ей нужен конкретно Дружинин, то это может быть связано только с ТЕМ делом, и говорить о нем с Каменской Славе Дружинину ну ни капельки не хотелось. Поэтому он, пообещав ей по телефону быть на месте, тут же спустился на первый этаж и предупредил своего давнего дружка Генку, работавшего дежурным по отделению.

— Я пойду к Светке, чайку попью. Как только Каменская отвалит отсюда, позвони, вот телефон.

Светка была любовницей Дружинина, и главное ее достоинство состояло в том, что жила она в десяти минутах ходьбы от отделения, поэтому к ней так удобно было заскакивать перекусить, выпить чаю, а также и за другими надобностями.

Света была на работе, и Дружинин, открыв дверь своим ключом, с удовольствием выпил горячего чаю, намазывая черносмородиновый джем на толстые ломти свежего белого хлеба. Полежал полчасика на диване, подремывая, потом включил телевизор и посмотрел середину какого-то фильма, но так и не понял, в чем там суть. Наконец позвонил Гена.

— Она ушла, — сообщил он. — Я сказал, что тебя срочно вызвали и когда ты вернешься — неизвестно. Она просила передать, что завтра снова будет тебе звонить, попробует договориться о встрече еще раз.

После этого сообщения Слава успокоился. Раз собирается звонить завтра, значит, сегодня ждать его не будет и можно спокойно возвращаться. И надо же — такой прокол! А ведь он специально выждал двадцать минут после Генкиного звонка, не выходил из дому, чтобы случайно не встретиться с Каменской. От отделения до метро — минут семь пешком, ну от силы десять, если идти медленно. Он взял время с запасом, ждал двадцать минут, выходя из подъезда, был уверен, что Каменская уже едет в поезде метро в сторону центра, а она... Ну надо ж так неудачно!

— Так что у тебя не сходится-то? — спросил он.

— Количество людей, которых вы опрашивали, когда выехали на место происшествия. Достань, пожалуйста, свои записи, давай быстренько еще раз проверим, и я поеду.

«Так и есть, — мелькнуло в голове у Дружинина. — Она что-то почуяла. Но что? Какой я молодец, что свои материалы все заново переписал! Пусть смотрит».

Он открыл сейф и достал тонкие папки.

— Что конкретно ты хочешь?

— Меня интересует изнасилование девочки в строящемся доме.

Он протянул ей одну из папок.

— На, смотри. Что там может не сходиться?

— У тебя в списке выявленных свидетелей было девять человек, а я почему-то внесла в компьютер данные только о восьми, а девятого забыла, — сказала она, листая материалы. — Вот он, этот список. Странно.

Она подняла глаза на Дружинина, и он невольно поежился, хотя точно знал, что уличить его не в чем.

— У тебя тоже восемь. А где же девятый?

— Их и было восемь. — Он изо всех сил постарался взять

себя в руки и даже сумел пожать плечами и удивленно улыбнуться. — Почему ты решила, что их должно быть девять?

— Потому что я, прежде чем вносить фамилии и адреса в компьютер, отмечала эти адреса на карте Москвы. И по изнасилованию девочки в строящемся доме у меня значится девять точек, а это означает, что в списке было девять очевидцев.

— Откуда же взялся девятый? Может, ты его выдумала? У меня записаны только восемь.

— Вот и у меня записаны только восемь, а точек девять. Ума не приложу, откуда она взялась. Я так надеялась, что это результат моей рассеянности, что у тебя в списке девять человек, просто я кого-то не записала. Значит, это скорее всего адрес очевидца по какому-то другому делу и я, когда отмечала его на карте, неправильно поставила номер. Вот растяпа! Теперь у самой головная боль, и у тебя время отняла.

Дружинин почувствовал огромное облегчение оттого, что все так легко обошлось. Он вспомнил фильм «Семнадцать мгновений весны», когда Штирлиц голосом Ефима Копеляна думал вслух о том, что лучше всего запоминается последняя тема, затронутая в разговоре. Нужно перевести беседу с Каменской в другое русло, чтобы в случае чего честно отвечать, мол, разговаривали о том-то и о том-то, а вовсе не о том, что она одного свидетеля потеряла.

— Слушай, а как ты с этой информацией в компьютере работаешь? — спросил Дружинин, сделав заинтересованное лицо. — Адреса, фамилии... Ну записала ты их, а дальше что?

— А что хочешь. Вот, например, тебя интересует, сколько раз выявлялись и опрашивались свидетели из числа лиц, работающих в универмаге «Москва» на Ленинском проспекте. Включаешь контекстный поиск, записываешь слово «Ленинский», и компьютер тебе по очереди предъявит всех, кто в твоем списке работает на Ленинском. Можно еще проще, если списки адресов и фамилий сделаны отдельно и в алфавитном порядке.

— Это как? Вручную расставлять, что ли? Тогда какой смысл возиться? Вручную и карточки можно расставить, зачем компьютер для этого покупать?

— Ну почему вручную? — удивилась Настя. — При помощи рабочего словаря. Элементарно.

— Не понял.

Он действительно не понял, при чем тут рабочий словарь, поэтому брови приподнялись вполне естественно и в голосе недоумения было в самый раз, без перебора.

Каменская кивнула на стоящий в углу компьютер.

— Твой? — спросила она.

— Наш общий. Из дежурной части забрали. Когда им новое оборудование поставили, мы этот стянули. У нас же писанины до чертовой матери, сама знаешь. Когда на машинке стучишь, другие работать не могут. А на компьютере тихонько набиваешь, никому не мешаешь, текст получается чистый, без опечаток и перебивок. Да и переделать в случае чего несложно. Вот и пользуемся.

— Так вы что, такой дорогой машиной пользуетесь как пишущей машинкой? И все? — неподдельно изумилась Каменская.

— Ну почему... — смутился Дружинин.

— Понятно, значит, еще и в игры на нем играете. Включай свой агрегат, покажу тебе, как рабочим словарем пользоваться, чтобы делать алфавитные списки.

Дружинин включил компьютер, по темному полю экрана побежали строчки и символы, потом на голубом поле засветились две панели с каталогами.

— Вы бы хоть версию поновее поставили, — вздохнула Каменская. — Бить вас некому.

— А эта что, старая?

— Конечно.

— Откуда ты знаешь? Здесь же нигде не написано, — пытался поддеть ее Дружинин, который уже совсем расслабился, уведя разговор далеко от пропавшего девятого свидетеля.

— У тебя на обеих панелях корневые каталоги. В более новых версиях корневой каталог остается только на правой панели, а на левой — файлы из текущего каталога. Ты разве не знал?

— Нет, — честно признался он. — А чем отличается корневой каталог от текущего?

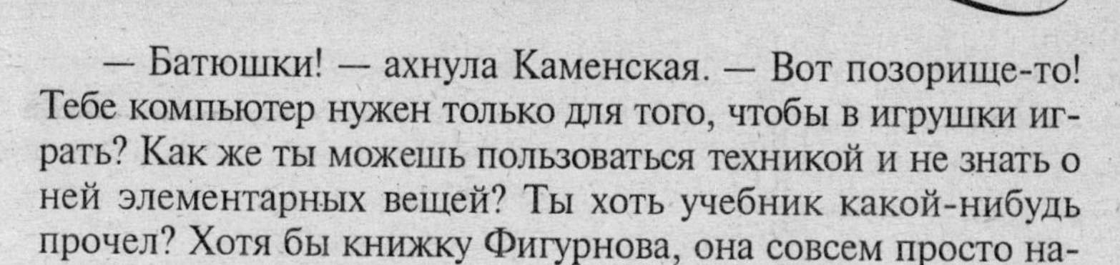

— Батюшки! — ахнула Каменская. — Вот позорище-то! Тебе компьютер нужен только для того, чтобы в игрушки играть? Как же ты можешь пользоваться техникой и не знать о ней элементарных вещей? Ты хоть учебник какой-нибудь прочел? Хотя бы книжку Фигурнова, она совсем просто написана, для начинающих.

— Некогда мне читать, — огрызнулся Дружинин, раздосадованный таким оборотом дела. — Все вы там, на Петровке, больно грамотные, а мы уж так, мы академиев не кончали.

Каменская подняла на него глаза, и он впервые заметил, какие они светлые и прозрачные. Или раньше они такими не были? Ему показалось, что на ее лице мелькнуло какое-то странное выражение, но оно исчезло прежде, чем Дружинин успел это осознать.

— Не ерничай, пожалуйста, — спокойно ответила она. — Если я тебя раздражаю, то я могу уйти. Так будешь учиться работать с рабочим словарем?

— Буду, — буркнул он. — Давай показывай.

Когда минут через пятнадцать Каменская наконец ушла, Слава Дружинин с удивлением обнаружил, что рубашка под мышками потемнела от пота. А он и не подозревал, что так нервничает и напрягается.

* * *

Мать Юрия Оборина, Татьяна Алексеевна, приятная женщина с умело закрашенной сединой и гладким, почти лишенным морщин лицом, не скрывала своего испуга, когда к ней пришли из милиции насчет сына.

— Он сделал что-нибудь противозаконное? — с ужасом спросила она.

— Нет, Татьяна Алексеевна, — поспешил успокоить ее Коротков. — Просто он нам очень нужен как свидетель, а разыскать его мы никак не можем. Он куда-то уехал, а куда — никто не знает.

— Уверяю вас, недалеко, — облегченно рассмеялась Оборина. — Он так делал уже два раза, когда готовился к кандидатским экзаменам и когда писал первую главу. Вы знаете,

11 Зак. 670

это совершенно необходимая мера. У них на кафедре к аспирантам относятся как к дармовой рабочей силе. Никто не хочет напрячься лишний раз, все самое трудное спихивают на аспирантов, потому что те — безмолвные, безотказные, зависимые. Им же свою диссертацию на кафедре нужно будет обсуждать, так что ссориться ни с кем нельзя, а то на защиту никогда не выйдешь. Сейчас Юра собирался заняться второй главой диссертации, специально приезжал к нам, предупреждал, чтобы не беспокоились, что он недели на две-три исчезнет. Сказал, к приятелю на дачу поедет, пока еще не очень холодно. И представьте себе, за то время, что он уехал, дня не проходит, чтобы кто-нибудь с его кафедры не попытался найти Юру у нас. То у них профессор какой-то в санаторий уехал и нужно, чтобы Юра провел семинарское занятие вместо доцента, который, в свою очередь, пойдет читать лекцию вместо профессора. То у них начинается инвентаризация и они хотят включить Юру в комиссию, чтобы он ходил по кабинетам, занавески измерял и стулья считал. То еще что-нибудь. Нет, он делает совершенно правильно, что скрывается на какое-то время, иначе он диссертацию не напишет.

— Татьяна Алексеевна, у вас есть ключи от квартиры сына? — спросил Коротков.

— Конечно. Вы хотите их взять?

— Я хочу вас попросить, чтобы вы пошли туда вместе со мной. Вы хорошо знаете своего сына, его вещи, его привычки. Может быть, посмотрев, каких вещей не хватает, то есть определив, что именно он взял с собой, нам с вами удастся хотя бы приблизительно понять, как далеко и как надолго он уехал.

— Пожалуйста, — с готовностью согласилась Оборина.

К сожалению, визит в квартиру Юрия Оборина ничего нового не добавил. По вещам, которых в квартире не оказалось, можно было предположить, что уехал Юрий действительно ненадолго и предполагал вернуться до наступления холодов, потому что все теплые вещи были на месте. Кроме того, было очевидно, что уехал он не на дачу и вообще не за город: коробка с недавно купленными кожаными ботинками была пуста, а две пары кроссовок мирно стояли на полке для обуви под вешалкой. Более того, уезжал он не поспешно, без нервов и суеты, потому что взял с собой любимую ложечку и любимого стеклянного мышонка. Если верить Татьяне Алексеевне, Юрий всегда брал их с собой, когда уезжал больше чем на два-три дня. Человек, который впопыхах бросает вещи в чемодан, потому что ему в затылок дышит беда и он хочет побыстрее скрыться, вряд ли окажется настолько предусмотрительным, что не забудет о двух любимых сувенирах. Одним словом, похоже, что аспирант кафедры уголовного права Юрий Оборин ни от кого не убегал, никакая опасность ему не угрожала, никто его не похищал. Сидит себе в тихой норке и научный труд пописывает. А ведь найти его надо обязательно. Потому что он может знать, где Тамара. Потому что там, где Тамара, там и Саприн, который может убить ее в любую минуту. Просто удивительно, почему он до сих пор этого не сделал? Или уже сделал?

* * *

Арсен с грустью смотрел на оплывшее лицо Натика Расулова, своего многолетнего помощника по кадрам. Когда-то, лет пятнадцать назад, когда контора только становилась на ноги, Натик был тридцатипятилетним крепким мужиком, пронырливым, оборотистым, подозрительным. Он умел выискивать нужных Арсену людей, проводил предварительную проверку их характера и образа жизни, вовремя узнавал о разных интересных событиях и фактах, шантажируя которыми можно было вербовать людей в свои ряды. Все это было пятнадцать лет назад.

А теперь Расулов отяжелел, обрюзг, у него есть все, о чем он мечтал, когда ему было тридцать пять, а новых мечтаний с годами у него не прибавилось. С фантазией у Натика всегда было трудновато, Арсен это знал. И вот сейчас Расулову уже ничего не нужно, кроме одного: чтобы не отняли то, что нажито. Неужели придется его менять на кого-нибудь помоложе? Жаль, человек преданный, проверенный, это точно. Но инициативу стал терять, хватки прежней нет, вербовщики его совсем от рук отбились, тянут на работу бог знает кого, им же процент идет от каждого завербованного. Ну надо же, с усмешкой подумал Арсен, социалистическое хозяйствование привило нам всем такое мышление, от которого мы уже до самой смерти не избавимся. Гнать количество в ущерб качеству. Обманывать руководителя, выхватывая из чужого рта жалкие гроши и совершенно не думая о том, что, когда обман раскроется, заплатить придется куда дороже. В таких случаях будущая упущенная выгода намного больше того, что наворовано мелкими порциями сегодня.

Да, нужно срочно убирать Натика и переводить всю работу с кадрами на новые рельсы. Тщательно вычистить весь механизм, проверить каждого, буквально под микроскопом посмотреть и рентгеном просветить, сделать так, чтобы те, кто уже нанят, работали как следует. Взять их в ежовые рукавицы, да покрепче. К каждому найти индивидуальный ключ. У Арсена не государственное предприятие, откуда плохого работника могут просто выгнать. Арсен своих людей не выгоняет, он знает: обижать людей нельзя, от обиды они всегда становятся мстительными и болтливыми. Если человек работает плохо, нужно суметь заставить его работать хорошо, в этом искусство быть руководителем. А выгнать всякий дурак сумеет, много ума не нужно. К сожалению, иногда случалось так, что заставить человека работать хорошо не было никакой возможности, хоть и компры на него — ковшом выгребай, а ума бог не дал. Таких приходилось убирать совсем. Но не зря же контора, которую создал Арсен, существовала как раз для того, чтобы кое-какие преступления невозможно было раскрыть.

Надо пощупать, как настроен Расулов, готов ли он без боя сдать пост и уйти на заслуженный отдых. Если готов, то и хорошо. Если же нет, если упираться начнет, тогда...

— У нас в последнее время идут постоянные накладки, — осторожно начал Арсен, не сводя глаз с Расулова. — Похоже, где-то мы ослабили контроль. Где-то у нас идет прорыв. Или в людях, или в информации. Ты сам как думаешь?

— О каких накладках идет речь? — нахмурился Натик. — Я ничего не знаю.

— Недавно люди, которых ты подбирал для наружного

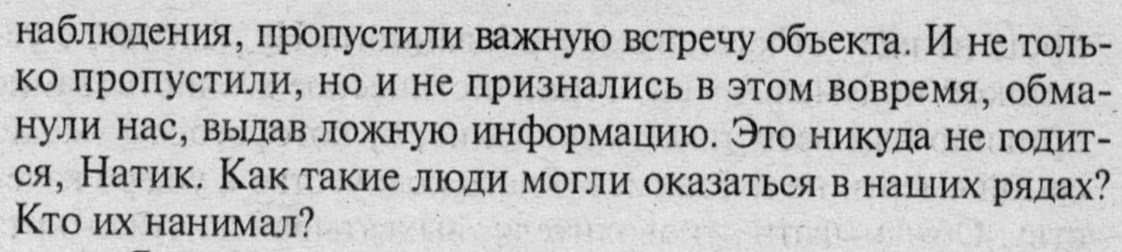

наблюдения, пропустили важную встречу объекта. И не только пропустили, но и не признались в этом вовремя, обманули нас, выдав ложную информацию. Это никуда не годится, Натик. Как такие люди могли оказаться в наших рядах? Кто их нанимал?

— Я выясню, кто их нанимал, — пообещал Расулов. — Но я говорю тебе, Арсен: этого не может быть. Они не могли пропустить передвижения объекта и не могли солгать. Я в это не верю.

— И тем не менее это факт, — вздохнул Арсен. — Я сам не поверил, когда узнал.

— Может быть, тебя обманули? — рискнул предположить Расулов.

Бровки Арсена, редкие и седенькие, взлетели вверх.

— Кто? Кто и зачем мог это сделать?

— Тоже верно, — согласился Натик. — Некому и незачем тебя обманывать. Какие еще проколы были?

— Те, кого ты набираешь в группу устрашения, тоже оставляют желать много лучшего. Они считают себя такими умными и опытными, что позволяют себе действовать без команды. Не спорю, действуют они вполне грамотно, у меня в этом плане претензий нет. Но без команды! А кому, как не тебе, Натик, знать, как опасен в нашем деле человек, позволяющий себе действовать без команды. Он одним фактом своего существования ставит под угрозу весь наш механизм.

— Что конкретно сделали эти люди?

— Один раз они имитировали покушение на кражу, разрезали сумку у нашего объекта. Объект испугался, что едва не лишился денег и служебного удостоверения. Конечно, испуг был нам на руку. Но самовольные действия! В другой раз твои люди залезли в квартиру объекта и сделали так, что объект об этом узнал. Тоже грамотно, но ведь их никто не посылал. Натик, мне больно говорить об этом, но похоже, что с годами ты утратил чутье, ты перестал руководить своим аппаратом. Может быть, ты устал? Может быть, ты нуждаешься в отдыхе?

Расулов помолчал, покрутил в пальцах малахитовые четки, с которыми никогда не расставался.

— Я ценю твою заботу о моем здоровье, Арсен, — наконец произнес он, — и ценю твою деликатность. Ты прав, мне пора на покой. Приводи того, кто меня заменит, я передам ему все дела. У тебя есть человек на примете?

— Виктор, — ответил Арсен, тщательно скрывая охватившую его радость от столь удачного разрешения трудной проблемы. — Витя Тришкан.

— Что ж, — Натик пожевал губами, что-то прикидывая и словно пробуя собственные мысли на вкус, — неплохой выбор. Он молод, энергичен, предан делу. Но я хочу, чтобы ты понял, Арсен: если у меня случаются проколы с кадрами, то только лишь потому, что у Виктора случаются проколы с информацией. Моя задача — определить круг вопросов, ответы на которые я хочу получить, прежде чем приму решение о вербовке. На основании ответов на поставленные мной вопросы я составляю мнение о характере человека, о его способностях и склонностях. Но ответы на мои вопросы мне приносит Виктор, поскольку именно он отвечает у нас за информацию. И если я принял неверное решение, значит, информация, поступившая от Виктора, оказалась некачественной. Это я говорю не для того, чтобы оправдаться, и не для того, чтобы разжалобить тебя. Я ухожу от дела, это решено. Но вряд ли Виктор окажется лучше меня. И потом, если он сядет на кадры, кто займется информацией?

— А вот об этом я хотел как раз попросить тебя, — улыбнулся Арсен. — Считай, что это твое последнее задание. Найди мне человека, который заменит Виктора, и тогда я уйду на заслуженный отдых следом за тобой.

— Ты? — вытаращил глаза Расулов. — Ты оставишь дело? Но оно же погибнет без тебя.

— Не погибнет, — усмехнулся Арсен. — Не погибнет, если во главе его будет стоять тот, кого я хочу на это место поставить. Человек жесткий, четкий, обладающий ясным умом, аналитическими способностями и превосходной памятью, человек, который никогда не забывает причиненного ему зла и не умеет прощать. Майор милиции, образование университетское, юрист. Тринадцать лет практической работы, в том числе оперативной.

Расулов долго смотрел в окно, а пальцы его, мерно пере-

биравшие четки, словно жили своей отдельной жизнью. Наконец он перевел глаза на Арсена.

— Каменская, — сказал он, и в голосе его не было слышно вопросительных интонаций. — Что ж, это хорошее решение. Но невыполнимое.

— А это мы еще посмотрим, — холодно улыбнулся Арсен, помолчал и повторил совсем тихо: — Еще посмотрим.

* * *

Несмотря на усиливающуюся слабость и непонятное недомогание, проснулся Юрий Оборин в превосходном настроении. Ночью ему приснилось, что идет заседание совета, на котором он, Оборин, защищает свою кандидатскую диссертацию. Во сне Юрий полностью произнес десятиминутное вступительное слово, в котором изложил актуальность постановки проблемы, цели и задачи исследования, основные результаты и выводы, а также положения, выносимые на защиту. Проснувшись, он понял, что все формулировки, над которыми он ломал голову столько дней, наконец отточились и выкристаллизовались, общая схема работы стала понятной, логичной и стройной, и отныне можно просто садиться и писать текст, практически не останавливаясь и ни над чем не задумываясь.

Когда Сережа принес в девять часов завтрак, Юрий с отвращением посмотрел на тарелку. Там лежали хрустящие поджаренные гренки из белого хлеба, которые еще вчера он с таким удовольствием намазывал маслом и джемом. Сегодня вид горячего хлеба положительных эмоций у него не вызывал. Вяло поковырявшись своей любимой привезенной с Кипра ложечкой в баночке с йогуртом, он залпом выпил микстуру и попросил принести чай вместо кофе.

— У меня сильная тахикардия, — объяснил он Сереже. — Не хочу провоцировать.

Позавтракав, Оборин уселся за работу и так увлекся, что страшно удивился, когда услышал, как щелкнул замок. Оказывается, уже три часа, и медсестра Юля принесла обед. Она была такая цветущая и сияющая, что Юрий невольно залюбовался ею.

— Наверное, ваш муж доволен, что вы теперь по ночам не дежурите, — заметил он, глядя, как Юля расставляет на столике тарелки и приборы. — Вы и выглядите совсем по-другому.

— Надо думать, — откликнулась медсестра. — Ночные дежурства замужним женщинам противопоказаны, особенно если у них ревнивые мужья. Бессонная ночь — просто детский лепет по сравнению с тем, что приходится выдерживать дома. Слава богу, с моим мужем в этом плане проблем нет.

— Вам повезло, не то что Ольге.

— Ольге? — обернулась к нему Юля. — Ну что вы, Александр Иннокентьевич — милейший человек. Насколько я знаю, он ни разу за всю супружескую жизнь не устроил Оле ни одной сцены. Неужели она вам жаловалась на мужа?

— Нет, — ответил Оборин внезапно пересохшими губами. — Я имел в виду не медсестру Решину, а одну свою знакомую. Ее тоже зовут Ольгой.

Глава 17

— Чем порадуешь?

— Да ничем, все тихо более или менее.

— Что значит — более или менее? Что-то произошло?

— Пока ничего серьезного. Так, мелочь. Та женщина с Петровки, которая брала в Южном округе материалы, откуда-то вспомнила, что было девять свидетелей, и очень удивляется, почему их осталось всего восемь. Ездила к моему человеку в отделение, пыталась выяснить, в чем дело.

— Выяснила?

— Ну что ты. Парень надежный, он все свои бумажки заново переписал, моей фамилии там нет и не было никогда. Он той женщине бумажки показал, у него тоже восемь свидетелей, а она ему про какую-то карту твердит, дескать, прежде чем в компьютер данные вносить, точки с адресами свидетелей на карте поставила. Вот на карте у нее получилось на

одну точку больше. Но ты не беспокойся, она думает, что сама по рассеянности что-то напутала.

— Смотри мне. Ты — мое алиби. И ты должен быть чист, аки ангел.

* * *

Эдуард Петрович Денисов до сих пор находился в Москве, хотя в родном городе его ждали неотложные дела. Кое-какие дела у него, разумеется, были и в Москве, но отнюдь не ради них оставался он в столице. Он хотел своими глазами увидеть, как будет доведено до конца дело с поисками убийц Лили и маленького Филиппа. Часами сидел он в кресле в своей роскошной квартире на четырнадцатом этаже, которую купил специально в прошлом году, ибо терпеть не мог гостиницы, смотрел в холодное осеннее небо и думал, как же могло так получиться, что одной рукой он пытался найти тех, кто убил Лилю, а другой — покрывал убийц, делая их недоступными для правосудия. И не только для правосудия, но и для самого себя.

Он знал, что у Анастасии на работе неприятности из-за контактов с ним, ведется служебное расследование, даже, кажется, кто-то из работников ГУВД полетел в его город, чтобы проверить ее рассказ об убийстве в санатории. Тогда он спросил ее:

— Я могу чем-то помочь вам?

— Нет, спасибо, — грустно ответила она. — Если случится так, что вас начнут спрашивать обо мне, не надо ничего скрывать, хорошо? Я рассказала им все как есть, мне стыдиться нечего.

— Как скажете, — откликнулся Денисов.

Сегодня утром он позвонил племяннику жены Мише Шоринову.

— Как твое гениальное лекарство? — поинтересовался Эдуард Петрович. — Уже запустили производство?

— Нет еще. — Голос Шоринова был злым и раздраженным. — Что-то у них не клеится. Но обещают, что вот-вот.

— Обещают, — хмыкнул в трубку Денисов. — Знаем мы

эти обещалки, сколько раз накалывались. Твое счастье, что деньги быстро вернул, а то представляешь, какие проценты бы уже накатили! Ты же уверял меня, что после покупки архива запуск производства — вопрос нескольких дней, а уж скоро месяц будет.

— Ну дядя, — промямлил Михаил Владимирович, — не всегда все получается так, как планируешь.

— Конечно, конечно, — миролюбиво согласился дядюшка. — У меня, Мишенька, дело к тебе есть. Нужен человек, имеющий навыки поисковой работы, хорошо знающий Москву и правоохранительную систему. Желательно, чтобы он имел загранпаспорт и многократные визы в две-три страны Западной Европы. Есть у тебя такой?

— У меня? — растерялся Шоринов. — Что вы, дядя, откуда?

— А ты подумай как следует. Деньги плачу хорошие, ему — много, тебе — чуть поменьше, за хлопоты и посредничество, но тоже прилично. А вот тот парень, который нашел архив... Он бы мне вполне подошел. Свяжи-ка его со мной.

— Его нет в Москве, дядя, я же вам говорил, он поехал следом за девушкой, чтобы успокоить ее, объяснить...

— Ну, это когда было! — небрежно бросил Денисов. — Он уже давно должен был вернуться.

— Нет, его до сих пор нет в Москве.

— Слушай, Михаил, ты что-то темнишь. — Голос Эдуарда Петровича вмиг стал холодным и подозрительным. — Почему он до сих пор не вернулся? Насколько я понял из твоих слов, девушка была напугана необычно большой суммой наличными и подумала, что на ее глазах и с ее участием происходит нечто преступное, поэтому по возвращении в Москву она возомнила себя опасным свидетелем, испугалась, что ее захотят уничтожить, и удрала. Твой парень выяснил, куда она уехала, и поехал следом за ней, чтобы все ей объяснить и успокоить. Я правильно излагаю?

— Да, — дрогнувшим голосом подтвердил Михаил Владимирович.

— Потом ты откуда-то узнал, что девушку разыскивает милиция, и подумал, что если милиция имеет к ней претензии, то девушка, дабы облегчить свою участь, может поделиться со славными стражами порядка информацией о проживающей в Нидерландах вдове профессора Лебедева и о том, что некий господин Шоринов в Москве задумывает присвоить авторские права на изобретение Лебедева, а несчастная вдова останется при пиковом интересе и ничего за научное наследие покойного мужа не получит. Кроме, конечно, того миллиона, который ей заплатил Шоринов, поскольку совершенно очевидно, что если он по архиву сумеет восстановить препарат, изобретенный Лебедевым, то получит поистине сказочные прибыли, из которых, как человек непорядочный, вдове он не даст ни копейки. Ты, Миша, такого расклада побоялся, судиться с вдовой за авторские права тебе неохота, и ты попросил меня свести тебя с людьми, которые помешают милиции найти девушку и предъявить ей свои претензии. Я правильно тебя понял? Так все было?

— Да, — снова подтвердил Шоринов.

— Тогда объясни мне, почему твой молодой человек до сих пор не вернулся?

— Может быть, он еще не нашел девушку, — неуверенно высказал предположение Шоринов.

Гипотеза не выдерживала никакой критики, о чем Эдуард Петрович не замедлил сообщить племяннику:

— Голубчик, он, как я понял, еще в Москве точно знал, где она. Иначе чего ж было огород городить с идущей по следу милицией. Если бы он не знал, где девушка, то и милиция этого не знала бы. Так почему он не вернулся?

— Не знаю, — наконец твердо сказал Михаил Владимирович. — Может быть, ему там нравится, решил пожить немного, отдохнуть. Телку нашел и залег с ней в койку. Может, даже с Тамарой, она девушка красивая.

— Вот это другой разговор, — обрадовался Денисов. — Значит, так, Мишенька. Парня своего вызывай сюда немедленно. У меня есть для него задание, очень срочное и очень конфиденциальное. Подчеркиваю, срочность здесь такая, что за нее я плачу особо. Поэтому, если ты сумеешь достать своего парня и сделать так, чтобы завтра, а лучше сегодня к вечеру он был в Москве, ты лично за свои старания получишь от меня тридцать тысяч баксов. Ему же, если он сумеет прилететь сюда в указанные сроки, — пятнадцать тысяч. Но, разумеется, только при том условии, если он возьмется за мое задание. Если же он просто приедет, а работать на меня не станет, то и не получит ничего. Я оплачивать его приватные прогулки не намерен. Задача понятна?

— Скажите хоть, какого рода задание, — робко попросил Михаил Владимирович.

— Я же сказал тебе — поисковая работа. Больше тебе пока знать не нужно. Действуй, Мишенька.

* * *

В самолете Саприн безуспешно пытался заснуть, но ему, к сожалению, попалась жутко говорливая соседка — дама слегка за сорок, которая тут же «запала» на его красивое синеглазое лицо и всеми силами старалась Николая очаровать. Он вполуха слушал бесконечную болтовню попутчицы, стараясь вовремя кивать и подавать короткие, но необходимые реплики, дабы не казаться невежливым, а сам размышлял над срочным вызовом Дусика. Что бы это означало? Дусик сказал, дело не терпит отлагательства, причем до такой степени, что только лишь за один приезд в Москву в течение суток Саприн получит пятнадцать тысяч долларов. Интересно, а как же Тамара? Впрочем, раз люди, которые взяли дело в свои руки, велели Тамару пока не трогать, чего ж зря время терять? Можно пока на чем-нибудь другом заработать.

Самому Саприну такой поворот казался наилучшим. Убивать Тамару ему совсем не хочется, она хорошая баба, деловая, собранная, обязательная, покладистая и лично ему ничего плохого не сделала. Он взялся за ее устранение только ради того, чтобы заработать денег для Иринки. Но если подворачивается возможность добыть необходимую сумму, не трогая Тамару, то это же только лучше! Может быть, запрет на ликвидацию Тамары Коченовой продлится достаточно долго, и Николай успеет заработать денег не только для сестры, но и для себя, чтобы забрать Катю и уехать вместе с ней в те же Штаты. Жить одной большой семьей в двух соседних домах с

Иринкой и Леонидом, вместе растить детей и никогда не видеть ненавистную суку-мать и ее поганого педераста-муженька.

Чем ближе подлетал самолет к Москве, тем чаще мысли о срочном вызове, деньгах и новом задании отступали на задний план, уступая место мыслям о Кате. Катеньке. Катюше. Николай так сильно хотел ее увидеть, что даже сам удивлялся. Он и не подозревал, что способен на такую сильную влюбленность. Интересно, Дусик ей сказал, что Николай должен прилететь? Нет, наверное, дурак ревнивый. Сегодня утром, когда Николай звонил ей в обычное время, с восьми до девяти утра, она разговаривала с ним, как обычно, ни словом не обмолвившись о том, что Дусик собирается его вызвать в Москву. Потом, около полудня, прибежал пацаненок, сын одной из телефонисток на почте, и сказал, что дядю писателя ровно через полчаса вызывает на переговоры Воронеж. Саприн в Москву звонил только Кате, а с Шориновым связывался через человека в Воронеже.

Получив от воронежского абонента указание срочно прибыть в столицу на таких-то и таких-то условиях, Саприн хотел было тут же перезвонить Катюше, но подумал, что может попасть со своим звонком не вовремя. Наверняка волосатый Дусик сидит сейчас у Кати и ждет сообщения от человека из Воронежа о том, удалось ли застать Саприна и передать ему указание и что Саприн при этом ответил. Конечно, он сидит сейчас в Катиной квартире, где же еще. Николаю хорошо известна его манера не вести скользкие разговоры ни с работы, ни из дома.

Но уж в Домодедове он не смог удержаться и все-таки позвонил Кате. Теперь уже можно, даже если там сейчас Дусик, это не страшно. Он прилетел и отзвонился, что прибыл по вызову. Нормально.

— Алло, — услышал он ее нежный и почему-то настороженный голос.

— Это я, — сказал он хрипло и откашлялся. — Я не вовремя?

— Нет, я одна. Ты прилетел?

— Догадалась? Или Дусик предупредил?

— Конечно, предупредил. Он же с моего телефона тебя вызванивал.

— Я могу приехать?

В трубке повисло молчание, которое показалось Саприну долгим и недобрым.

— А как ты с Дусиком договорился? — спросила она наконец.

Ответ Николаю совсем не понравился. Неужели она продолжает дорожить своими отношениями с этим жирным боровом? Боится его разгневать, не хочет будить ревность?

— Если тебя это волнует, — сухо сказал он, — я могу позвонить ему домой и сообщить, что прилетел. Полагаю, он в любом случае назначит нашу встречу у тебя, больше все равно негде, учитывая, что сейчас уже почти девять вечера.

— Хорошо, позвони ему, — ответила Катя. — Как он скажет, так и будет.

Саприну показалось, что из пластмассовой телефонной трубки веет арктическим холодом. Он резко нажал на рычаг, опустил в щель еще один жетон и позвонил Шоринову.

* * *

Ему достаточно было трех минут, чтобы понять, что он обманывал сам себя красивой сказкой о любви прелестной девушки, сочетающей в себе черты одновременно жены и матери. Все оказалось совсем не так.

Шоринов был настроен вполне благодушно, и это было первым, что насторожило Саприна. Николай был готов к подспудным, тщательно завуалированным проявлениям ревности со стороны Дусика, но совершенно не ожидал, что проявлений таких не будет вовсе. Ни разу не поймал он на себе косого взгляда, брошенного Дусиком исподтишка. Ни разу не уловил в его голосе злых интонаций. Не может быть, чтобы он ни о чем не догадывался! Ведь он чуял запах паленого еще тогда, когда ничего не было, когда Николай и Катя только взглядами обменивались. Почему же он теперь так спокоен?

— Молодец, что сумел быстро добраться, — довольным

голосом говорил Дусик. — Сейчас Катерина нам ужин изобразит, а мы с тобой пока позвоним.

Катя вежливо поздоровалась с Априным и тут же ушла на кухню. В ее взгляде Николай не увидел ни тепла, ни смущения, ни радости. Черт возьми, что здесь происходит?

Он чуть замешкался в прихожей, надеясь, что, когда Дусик уйдет в комнату, Катя выглянет из кухни и скажет ему хоть одно ласковое слово, но маневр оказался напрасным. Саприн слышал, как шумела вода, звякали тарелки, что-то шипело на плите. Судя по всему, Катя и не пыталась улучить момент, чтобы объясниться. Когда Николай вошел в комнату, Шоринов уже разговаривал по телефону.

— Да, прилетел. Конечно, как договорились. Он готов работать. Хорошо, я записываю. Юридический факультет, кафедра уголовного права, аспирант. Зовут Юрием. Да. Да. А зачем он вам? Конечно, я понимаю. Не беспокойтесь, в кратчайшие сроки найдет. Понял. Всего доброго.

Шоринов положил трубку, растерянно повертел в руках листок из блокнота, на котором что-то записывал во время разговора, потом медленно скомкал его и швырнул в пепельницу. По лицу его расплылась довольная улыбка.

— Ну, Николай, нам с тобой сам черт люльку качает. Хотел бы я знать, зачем ему этот парень понадобился.

— Кому — ему и какой парень? — спросил Саприн, который не разделял непонятного восторга Дусика.

— Человек, который просил вызвать тебя, хочет, чтобы ты нашел одного парня. Сделать это нужно срочно, чем быстрее, тем лучше. Фамилии и адреса этого парня он не знает, известно только, что он аспирант юрфака и зовут его Юрием. Оплата твоей работы зависит от скорости. Если ты найдешь этого Юрия за сутки, получишь семьдесят тысяч баксов, если за неделю — только десять. Смекаешь?

— Ну, положим, за сутки-то я его точно не найду, — пожал плечами Саприн. — Если бы дело было только в том, чтобы выяснить его фамилию и адрес, то вряд ли ваш знакомый стал бы платить за это такие бешеные бабки. Судя по всему, этот аспирант или живет не дома, или вообще в бегах. Потому и оплата такая высокая.

— Правильно мыслишь, — одобрительно кивнул Шоринов. — И как ты думаешь, сколько времени тебе понадобится, чтобы его найти?

— Трудно сказать. Если он просто живет не дома, а у бабы или у друзей, то дня за три-четыре я его, конечно, выцарапаю из берлоги. А вот если он в бегах или прячется, то и недели может не хватить. Кстати, если мне понадобится больше недели на поиски, то сколько я получу?

— Э, голубчик, об этом и речь не шла, — покачал головой Михаил Владимирович. — Я рекомендовал тебя как специалиста экстра-класса, для которого и недели-то много. Ты же понимаешь, разве стали бы предлагать тебе такие огромные деньги, если бы я не сказал, что ты самый лучший специалист, а потому и самый дорогой?

— Ну спасибо, — усмехнулся Саприн. — Выходит, я по вашей милости могу остаться вообще без гонорара, если не найду этого парня за неделю. Какого лешего вы лезете, куда вас не просят! Зачем вы делаете мне рекламу? Хотите комиссионными разжиться? Получите процент с моего гонорара?

— Тихо, тихо, — Шоринов примирительно поднял руки и весело улыбнулся. — Не кипятись, Николай. Все не так, как ты думаешь. Парня ты найдешь, даже и не сомневайся. Хочешь — за сутки, хочешь — за три дня. Но при одном условии.

— При каком?

— Гонорар — пополам.

— Не понял.

— А я объясню. Видишь ли, мне совершенно случайно, я подчеркиваю — совершенно случайно известно, кто такой этот парень и где он в данный момент находится. Совершенно случайно. Ну, совпадение такое. Я мог бы, между прочим, сказать об этом своему знакомому десять минут назад по телефону, когда он диктовал мне задание для тебя. Мог бы. Но не сказал. Потому что я хорошо к тебе отношусь и хочу дать тебе заработать. Но не совсем, как ты понимаешь, бескорыстно. Я скажу тебе, где парень, а ты за это отдашь мне половину гонорара. Не хочешь делиться — ищи его сам, дело твое. Только не забудь предварительно посчитать, что получится.

Парень спрятан надежно, ты его не то что за неделю, за месяц не найдешь. Стало быть, получишь за свои труды максимум штуку, а то и меньше. Согласишься поделиться со мной — найдешь его в течение суток и заработаешь тридцать пять тысяч. Разницу чувствуешь? А теперь решай.

— Не понимаю я вашей доброты. То, что я должен с вами поделиться, мне понятно. И я считаю это вполне справедливым. Но вам-то зачем со мной делиться, а? Скажите своему знакомому, что я нашел для него этого аспиранта, возьмите гонорар и положите себе в карман. Целиком, а не половину. Почему вы так не хотите сделать?

— Потому что мой знакомый умнее, чем ты думаешь, — откликнулся Дусик. — Он просил вызвать для этого задания тебя, я сказал, что ты приехал, а где гарантия, что он не захочет вручить гонорар лично тебе? Ты приходишь к нему, он вручает тебе конверт, а ты ему с ясными невинными глазками говоришь, что ты вообще ничего не сделал и ничем такой награды не заслужил. И тогда мой знакомый глубоко задумается над вопросом: если ты, специалист по поисковой работе, этого аспиранта не искал, значит, я, Шоринов, и без того знал, где он. А откуда же я это знал? У меня, видишь ли, есть свои собственные секреты, и маленькие, и большие, и делиться ими направо и налево я вовсе не собираюсь. В том числе и факт своей осведомленности об этом аспиранте я бы не хотел предавать огласке. А ты можешь, не моргнув глазом, меня подвести. Ведь может такое быть?

— Вполне, — усмехнулся Саприн, который наконец понял всю примитивную комбинацию. Шоринов при всей своей феерической жадности все-таки мог проявлять достаточную осторожность и думал о том, чтобы не попасться. Половиной гонорара он, таким образом, просто-напросто покупал молчание Саприна на тот случай, если состоится личная встреча Николая с богатым знакомым Дусика. Видно, отношения у Дусика с этим знакомым такие, что обман и мошенничество не допускаются. — А что будет, если я откажусь от этой работы?

— Тогда совсем плохо. — Шоринов сокрушенно вздохнул. — Мой знакомый обещал заплатить тебе пятнадцать тысяч за то, что ты примешься за выполнение задания в течение суток. Ты понял? То есть если ты в течение суток прилетишь в Москву, но от задания откажешься, то этих пятнадцати тысяч ты не получишь. Он не намерен оплачивать твои приватные прогулки, он сам так сказал.

— Ясно. Стало быть, выбора у меня нет, — констатировал Саприн. — Что ж, будем считать, что мы договорились.

— Ну вот и славно. Катерина! Как там с ужином?

— Все готово! — послышался из кухни Катин голосок.

За столом Николай старался не смотреть на Катю, чтобы не наталкиваться каждый раз на ее равнодушно-приветливое лицо. Он никогда не видел ее такой. С того самого дня, когда Саприн впервые перешагнул порог этой квартиры, между ними сразу же возникло то волнующее напряжение, которое неизбежно приводит к бурному роману. И Катино лицо в присутствии Саприна могло быть оживленным, нежным, взволнованным, грустным — каким угодно, только не равнодушным.

Когда они доедали приготовленную в гриле рыбу, в кармане у Шоринова запищал пейджер. Михаил Владимирович посмотрел на него и нахмурился.

— Мне нужно позвонить. Катя, налей мне чаю, пусть пока остывает.

Он вышел из кухни, оставив их вдвоем, и Николай понял, что должен использовать внезапную паузу для прояснения ситуации. Он поймал Катину руку и прижал к своей щеке.

— Я так соскучился, — пробормотал он, проводя губами по ее шелковистой коже.

Катя осторожно высвободила руку и стала собирать со стола грязные тарелки.

— Перестань, Коля, — спокойно сказала она, почти не понижая голос, и это больше, чем что бы то ни было, убедило Саприна в том, что он проиграл. Она не понижает голос, она не боится быть услышанной Дусиком. Значит, между ней и Шориновым все решено, а Саприн — лишний. Но почему? Почему? Что изменилось за то время, пока он был в отъезде?

— Ты подумала о том, как мне устроить твою жизнь наилучшим образом? — спросил Саприн как ни в чем не быва-

ло. — Мы, кажется, договаривались, что ты подумаешь и скажешь, что я должен сделать.

— Да, я подумала. Лучше всего, если мы с тобой прекратим всякие отношения за спиной у Дусика.

— Почему, Катюша? Что случилось?

— Ничего не случилось. Просто мы не подходим друг другу. Коля, давай не будем тянуть резину и объяснимся раз и навсегда. Тебе нужна женщина-мать. Может быть, ты сам этого не понимаешь, но я-то не слепая, я это прекрасно вижу. А мне муж-сын не нужен. Я накушалась этого удовольствия по самое горло. Тебе нужно, чтобы я квохтала над тобой, махала крыльями, облизывала, убаюкивала. А мне не нужен муж, над которым нужно квохтать и махать крыльями, понимаешь? Мне надоело. У меня детства нормального не было, я всем была за мать, и братьям, и сестрам, и родителям. И мне нужен муж-отец, который бы меня баловал, на руках носил и не заставлял ничего делать. А с тобой я опять попаду в ту же кабалу...

— Но, Катюша, я ведь обещал тебе, что быт тебя не заест, — поспешно возразил Саприн. — Я прекрасно могу ухаживать за собой сам, готовлю, стираю, убираю квартиру. Я только хочу, чтобы ты была со мной.

— Не обманывай себя, Коля, — тихо сказала она. — Может быть, ты и вправду не будешь заставлять меня стоять у плиты или у ванны с бельем. Но ты будешь ныть, плакать и страдать и требовать, чтобы я тебя утешала. А я этого не хочу. Мне это неинтересно.

— Значит, ты твердо решила, что остаешься с Дусиком?

— Пока — да.

— Что значит — пока?

— Пока не отдохну, не наберусь сил для следующего рывка. Все, Коля, обсуждать больше нечего. Если ты готов ждать еще несколько лет, мы сможем вернуться к этому разговору.

— А что будет через несколько лет? Дусик тебя бросит? — спросил Саприн с неожиданной злобой.

— Ну, положим, бросить меня он может и гораздо раньше, — рассмеялась Катя. — Просто через несколько лет у меня, я надеюсь, пройдет отвращение ко всему, что связано с материнской опекой. Тогда я с удовольствием выйду за тебя замуж. Но не раньше.

Николай открыл было рот, чтобы сказать какую-то колкость, когда в кухню вернулся Шоринов. Они пили чай в тягостном молчании. Михаил Владимирович, видимо, был озабочен какими-то неприятностями и сидел, погрузившись в хмурую задумчивость. Саприн был совершенно убит произошедшими в Кате переменами и хотел только одного — поскорее уйти отсюда. И только одна Катя, казалось, чувствовала себя спокойно и комфортно.

* * *

Арсен начал слегка нервничать из-за того, что операция по вербовке Каменской затормозилась. Первоначально он планировал провести все быстро и безболезненно, играя на нежелательности огласки ее связей с известным мафиози Денисовым. А потом начались сплошные осложнения. Виктор почему-то до сих пор не мог выяснить, кто же это перешел дорогу Арсену и известил руководство ГУВД о связи Каменской с Денисовым. И это беспокоило старика, пожалуй, больше всего остального. Трудно было придумать обстоятельства, которые помешали бы Вите Тришкану узнать то, что он хочет узнать. И уж если у него ничего не получается, значит, в дело вступила сила, намного более могущественная, чем сама контора. Что же, у Арсена появились конкуренты? Этого еще не хватало!

Сегодняшнюю встречу с Виктором он начал именно с этого вопроса.

— Ты выяснил, кто послал фотографии на Петровку?

— Пока нет, к сожалению.

— Почему так долго? — недовольно поморщился Арсен. — Я не вижу, в чем проблема.

— Я делаю все, что в моих силах. Думаю, в самое ближайшее время вопрос прояснится.

— Хорошо. Постарайся побыстрее. Я должен понять, кто вставляет мне палки в колеса. Без этого я не смогу нормально работать. Из-за этой истории с Денисовым мы остановили

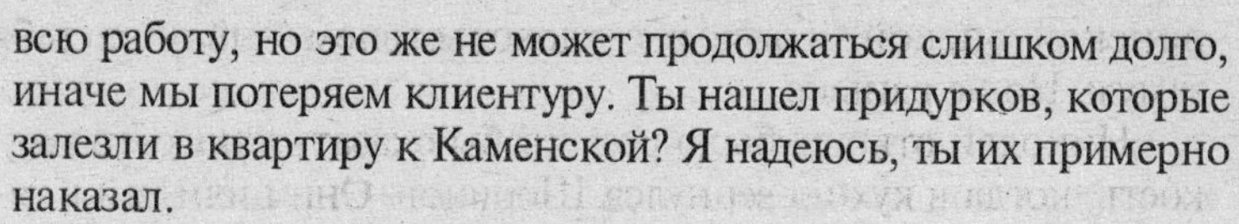

всю работу, но это же не может продолжаться слишком долго, иначе мы потеряем клиентуру. Ты нашел придурков, которые залезли в квартиру к Каменской? Я надеюсь, ты их примерно наказал.

— Арсен... — Виктор запнулся.

— Да? Что ты хочешь мне сказать?

— Никто не признается. Они клянутся, что не заходили к ней в квартиру.

— Хорошенькое дело! — фыркнул Арсен. — Сначала они упустили ее, когда Каменская ходила в ресторан с Денисовым, но хотя бы признались в этом, когда ты их припер к стенке. А теперь они уже настолько обнаглели, что считают себя умнее всех, мало того, что действуют самовольно, так еще и полагают, что об этом никто не узнает. Я не понимаю, Витя, что происходит в нашей организации? Я не понимаю! Откуда взялись эти люди? Кто их нанял на работу? Куда вы смотрели?

— Их нанимал Расулов, — заметил Тришкан. — Это его участок.

— Виктор! — Арсен впервые за весь разговор повысил голос. — Ты знаешь, какая самая страшная ошибка? Считать себя умнее других. Или других — глупее себя, что одно и то же. Ты знаешь, когда игра проиграна? Нет, дорогой мой, не тогда, когда она окончена и ты видишь неутешительный для себя результат. Игра проиграна уже в тот момент, когда ты хотя бы на долю секунды допустил, что твой противник не такой умный, как ты сам. Как только ты позволил себе такую мысль, вероятность ошибочных, неправильных действий с твоей стороны возрастает многократно. И это неминуемо ведет к проигрышу. Что ты на меня так смотришь? Ты не понимаешь, какая связь между моими рассуждениями и виной Расулова? А я тебе объясню. Не хотел я заводить этот разговор, Витя, потому что люблю тебя, знаю тебя много лет и безусловно доверяю тебе. Но раз уж к слову пришлось, то скажу. Людей нанимал Расулов, но решение он принимал на основе той информации, которую собрал ему ты. Ты, Витя. И если Натик привел к нам людей глупых, самонадеянных, халтурщиков и бездельников, то ты виноват в этом не меньше.

А может быть, и больше. Но ты молод и не очень опытен, я тебя прощаю за недостатки в работе. А вот за другое простить не могу. Ты пытался подставить Расулова, выпятить его вину, надеялся, что о твоей вине я и не вспомню. Вот это, Витенька, непростительно, это грех большой. Ты решил, что ты умнее и Расулова, и меня. Что еще ты узнал о Каменской?

Переход был настолько резким и неожиданным, что Тришкан оторопел и даже не сразу понял, о чем его спрашивает Арсен.

— О Каменской?

— Ну да. Я же поручал тебе найти на нее хоть что-нибудь, на чем ее можно зацепить. Ты обещал, кстати, проверить, не состоит ли она в интимных отношениях со своим начальником Гордеевым.

— Я проверил, Арсен. На нее абсолютно ничего нет. Она совершенно чиста.

— Так не бывает. — Арсен поджал тонкие губы, всем своим видом выказывая недовольство. — Ты плохо ищешь, Витя, ты не стараешься. Кстати, ставлю тебя в известность, что Расулов уходит в отставку. Тебе придется заменить его.

На лице Виктора мелькнуло такое явное торжество, что Арсен не смог сдержать усмешку. Как же, как же, мальчишка, поди, думает, что это по его своевременному сигналу, который в былые времена называли просто наветом, Расулова отстранили от дела, и теперь Виктор будет заниматься и кадрами, и информацией, иными словами — станет вторым человеком в конторе после Арсена. И если у него в руках будут и кадры, и информация, то понятно, что именно он, Тришкан, станет преемником старика. Сейчас, размечтался!

— Ты займешься кадрами, будем надеяться, что у тебя это получится более удачно, чем работа с информацией. А на информацию я подыщу другого человека.

Удар попал в цель и оказался даже более болезненным, чем ожидал Арсен. Виктор буквально позеленел на глазах.

— Вы недовольны моей работой? — спросил он дрогнувшим голосом.

— Ну, как тебе сказать... Конечно, совершенства в мире нет, но к нему надо стремиться. Ты не смог выяснить, кто настучал на Каменскую. Ты не можешь найти мне ничего, на чем ее можно зацепить. Ты до сих пор не выяснил, почему Денисов ведет с нами двойную игру. Ты даже не можешь сделать такую элементарную вещь, как выяснить, кто из наших людей в нарушение инструкции заходил в квартиру Каменской. Не многовато ли для столь непродолжительного промежутка времени? Если так и дальше будет продолжаться, мы не сможем выполнить ни одного заказа. Поэтому попробуй взять под себя кадры, а на информацию я посажу кого-нибудь другого.

— Каменскую? — быстро спросил Виктор, и Арсен снова усмехнулся про себя. Ох, боится мальчик, что Каменская его переплюнет, встанет на более высокую ступень и будет им руководить. Ох, боится! Готов даже перейти на кадры и признать, что со своим участком не справился, если Каменская займет позицию не выше, чем его собственная. Конечно, по лицу Витиному и без микроскопа видно, что от одного упоминания о Каменской его всего передергивает. Ничего, пора его на место поставить, пусть знает, что ему еще учиться и учиться.

— Нет, сынок, о своих планах в отношении Каменской я тебе уже говорил. Она должна будет заменить меня. А на твой участок Натик подберет человека.

— Вы так говорите, будто совершенно уверены в успехе, — заметил Виктор как ни в чем не бывало, и Арсен по достоинству оценил его выдержку и самообладание. — Ваши переговоры с Каменской продвигаются?

— И да, и нет, — хихикнул Арсен. — С одной стороны, взять ее мне пока нечем. Ее, конечно, можно запугать, но это путь непродуктивный. Запугивание хорошо для целей одной конкретной операции. Сделай то-то и то-то, иначе я с тобой или твоими близкими сделаю каку и бяку. Заставить человека длительное время сотрудничать можно только двумя путями — убеждением в своей правоте и угрозой разглашения какой-то тайны, которая не потеряет актуальности еще много лет. А страх перед физической расправой, как показывает жизнь, эффективен только на короткие сроки. На долговременную перспективу он не срабатывает. Тайны у Каменской

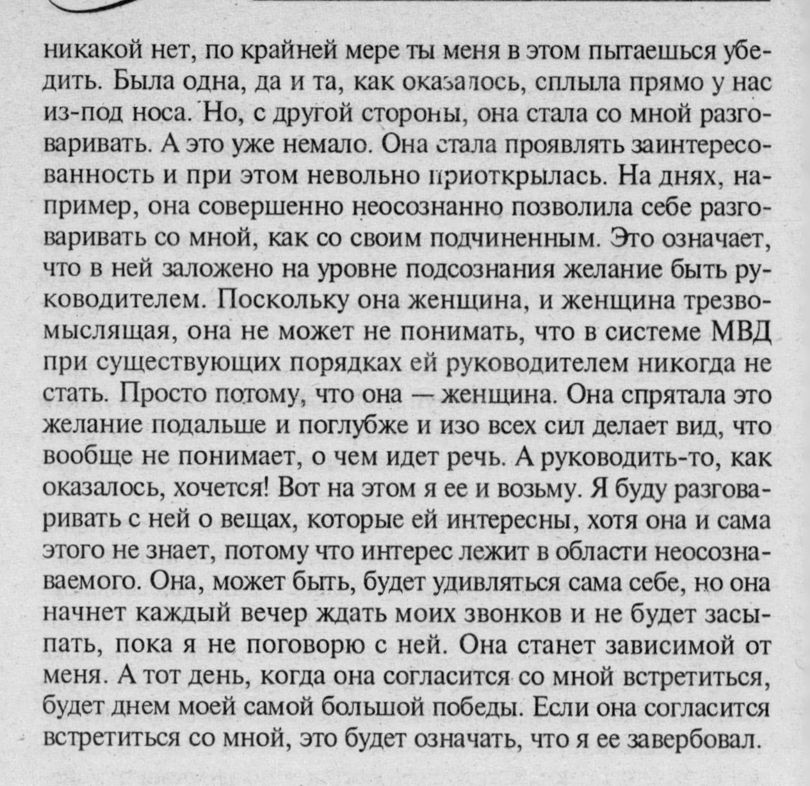

никакой нет, по крайней мере ты меня в этом пытаешься убедить. Была одна, да и та, как оказалось, сплыла прямо у нас из-под носа. Но, с другой стороны, она стала со мной разговаривать. А это уже немало. Она стала проявлять заинтересованность и при этом невольно приоткрылась. На днях, например, она совершенно неосознанно позволила себе разговаривать со мной, как со своим подчиненным. Это означает, что в ней заложено на уровне подсознания желание быть руководителем. Поскольку она женщина, и женщина трезвомыслящая, она не может не понимать, что в системе МВД при существующих порядках ей руководителем никогда не стать. Просто потому, что она — женщина. Она спрятала это желание подальше и поглубже и изо всех сил делает вид, что вообще не понимает, о чем идет речь. А руководить-то, как оказалось, хочется! Вот на этом я ее и возьму. Я буду разговаривать с ней о вещах, которые ей интересны, хотя она и сама этого не знает, потому что интерес лежит в области неосознаваемого. Она, может быть, будет удивляться сама себе, но она начнет каждый вечер ждать моих звонков и не будет засыпать, пока я не поговорю с ней. Она станет зависимой от меня. А тот день, когда она согласится со мной встретиться, будет днем моей самой большой победы. Если она согласится встретиться со мной, это будет означать, что я ее завербовал.

* * *

Александр Каменский «принял» синий «Москвич» у Алексея Чистякова и поехал следом за Тришканом в район Шарикоподшипниковых улиц. В одном из маленьких темных переулков «Москвич» остановился, Тришкан вошел в какую-то неприметную дверь. Отсутствовал он минут тридцать. Александр в точности следовал указаниям сестры — из машины не выходить, никуда не соваться и ничего не выяснять. Позавчера он точно так же ехал за Тришканом, только в другой части города, и ждал его минут сорок, а когда рассказал об этом Насте, та сказала:

— Похоже, он ездит на встречу с кем-то. Санечка, если еще раз такое случится, после окончания встречи не уезжай

за ним следом, а попробуй дождаться, когда выйдет кто-нибудь еще. Посмотри, что это за птица.

Поэтому сегодня Александр не тронулся с места, позволив синему «Москвичу» спокойно уехать восвояси, и стал терпеливо ждать, когда из неприметной двери выйдет тот, к кому приезжал Тришкан.

Спустя несколько минут после отъезда Виктора дверь открылась и на улице появился крепкий среднего роста парень лет двадцати пяти. Парень на мгновение остановился, окинул взглядом переулок и решительно направился к новенькому «Мерседесу», припаркованному неподалеку. Александр прикинул и решил, что, пожалуй, подождет еще. Парень никак не тянул на роль человека, к которому серьезные мужчины, работающие в милиции, ездят поздними вечерами на тайные свидания.

Прошло еще минут десять, и на улицу вышел пожилой человек. Зябко кутаясь в плащ, он неторопливым шагом двинулся вдоль переулка в сторону освещенной трассы. Александр собрался уже было завести двигатель, чтобы потихоньку тронуться следом, но решил немного подождать, пока старик отойдет подальше. В тот момент, когда он счел, что расстояние между ними уже вполне достаточное и можно начинать движение, не боясь спугнуть, человек в плаще вошел в телефонную будку. Каменский посидел в задумчивости несколько секунд, потом все-таки тронулся, проехал мимо стоящего в будке старика, выехал на трассу и притормозил. Он рассудил, что если старик заметил машину и опасается преследования, то лучше проехать мимо и скрыться.

Достав из кармана радиотелефон, он позвонил сестре. Занято. Снова набрал номер. Снова занято. Он оглянулся, выискивая такое место, с которого можно было бы заметить выходящего из переулка старика, не бросаясь при этом ему в глаза. Место такое нашлось, но для того, чтобы к нему подъехать, пришлось произвести ряд хитрых маневров. Заняв наконец удобную позицию, Александр снова набрал телефон Насти. На этот раз номер оказался свободен, но в ту же секунду он увидел старика. Тот шагал по-прежнему неторопливо, засунув руки в карманы плаща и втянув голову в плечи.

— Алло, — послышался в трубке Настин голос.

— Это я, — быстро произнес Каменский, не сводя глаз с щуплой фигурки, то и дело сливающейся с темнотой.

— Откуда ты звонишь?

— Из машины. Я, похоже, вижу сейчас того, с кем встречается твой «Москвич». Ехать за ним?

— Погоди. Кто это?

— Старикашка лет под семьдесят. Может такое быть?

— Может. Откуда он взялся?

— Тришкан зашел в какое-то заведение, пробыл там около получаса, потом уехал. Я остался ждать, кто оттуда выйдет. Сначала вышел парень, такой, знаешь ли, крутоватый, я его пропустил. Потом вышел этот старичок и прямиком направился в автомат. Я кинулся тебе звонить, а у тебя все время занято было. Вот сейчас он из автомата вышел и идет к троллейбусной остановке. Мне ехать за ним?

— Ни в коем случае. Он тебя сразу заметит. Спасибо тебе, Санечка. Поезжай домой.

* * *

Настя повесила трубку и перевела дыхание. Вот, значит, он какой, этот приятный баритон. Старикашка лет под семьдесят. Но хитер. И осторожен. Поздним вечером по полупустым улицам его не выследишь, не засветившись. Правильно она сделала, что отпустила Сашу домой. Ей голыми руками эту контору все равно не свалить. Но сделать так, чтобы они перестали к ней цепляться, она сможет. Этот старик затеял с ней игру амбиций? Пожалуйста. После ее ответного хода у него надолго пропадет желание с ней соревноваться.

Но прежде чем делать этот ответный ход, нужно понять, что за интрижку сплел Виктор Тришкан. Почему так получилось, что он фотографировал ее с Денисовым, а старик ничего об этом не знает? Зачем Тришкан послал фотографии на Петровку? Двурушничает? Работает еще на кого-то?

И какое отношение ко всему этому имеет девятый свидетель, чьи координаты кто-то стер из ее компьютера?

* * *

Среди множества дел, которыми занимался Игорь Лесников, было и дело об убийстве депутата Государственной Думы Самарцева. Круг подозреваемых удалось очертить довольно быстро, но у всех оказалось алиби. Следователь, которому было поручено расследование, решил действовать в двух направлениях одновременно: искать новых фигурантов и тщательно перепроверить алиби уже имеющихся.

Прежде чем начинать грандиозный поход по всему городу в поисках фактов, удостоверяющих или опровергающих выдвинутые подозреваемыми алиби, Лесников, как обычно, пришел к Коле Селуянову.

— Помоги маршрут составить, — попросил он. — Вот адреса самих подозреваемых, вот места, где они якобы были в момент убийства. А вот это — адреса людей, которые их там видели.

— Конечно, — театрально вздохнул Селуянов, — как маршрут составить — так я, а как вкусную еду кушать — так сами.

Селуянов уже давно развелся с женой, жил один, а поскольку готовить не умел совершенно, то вопрос о домашней стряпне был для него болезненным. Он постоянно ходил голодный, потому что не только не умел вкусно готовить, но и не умел есть невкусную еду.

Он положил перед собой бумажки с адресами, в которых ориентировался безошибочно даже без карты.

— Вот эти, — он поставил карандашом галочки напротив четырех адресов, — в одном районе, начать можно с них, тем более что из центра туда удобно добираться. Вот смотри, сначала этот адрес, на улице Мошела, потом перебираешься сюда, на Миклухо-Маклая, потом на Профсоюзную и дальше повернешь направо и доберешься до Нахимовского. С этим районом все. Потом вернешься снова на Профсоюзную...

За три минуты он составил для Лесникова оптимальный маршрут, который охватывал все нужные ему адреса.

— И что я буду иметь за мою сказочную доброту?

— Что хочешь, — скупо улыбнулся Игорь.

— А что у тебя за адрес на Больших Каменщиках?

— Человек, вместе с которым подозреваемый в день убийства ездил за город дачу смотреть.

— Тогда у меня к тебе просьба будет. Где-то на этой улице есть человек, который был свидетелем по делу об изнасиловании или убийстве. Я не знаю точно, о каком преступлении идет речь, но свидетель такой должен быть. Поспрашиваешь?

— О чем речь? Конечно.

* * *

До улицы Большие Каменщики Игорь Лесников добрался только к вечеру. В соответствии с составленным Селуяновым маршрутом это был один из последних адресов, где ему надо было побывать. Лесников устал и был чертовски голоден, поэтому, прежде чем идти на квартиру к некоему Голубцову, он заскочил в первую попавшуюся забегаловку и второпях проглотил пару сосисок с кетчупом и маринованным огурцом. Еда была убойная, даже при желании причинить желудку максимальный вред трудно было бы подобрать что-либо более удачное. Сосиски были переперченные, а огурцы состояли, казалось, из сплошного уксуса. Приступ гастрита Игорь себе обеспечил и с чистой совестью отправился навещать гражданина Голубцова.

Тот, по счастью, оказался дома и принял Лесникова вполне дружелюбно.

— Но ведь меня уже следователь допрашивал, — удивленно говорил он. — И я ему все рассказал о том, как мы с Дроздецким ездили за город. Разве этого не достаточно?

Дроздецкий был одним из подозреваемых в убийстве депутата Самарцева. При первой же беседе с работниками милиции он заявил, что в день убийства вместе со своим знакомым Голубцовым ездил за город. Голубцов это подтвердил, но теперь следовало проверить все еще раз.

— Видите ли, — мягко начал Игорь, — для нас, работников милиции, этого более чем достаточно. Но ведь речь идет об убийстве депутата Государственной Думы, а это означает, что к делу будет приковано внимание журналистов, которых

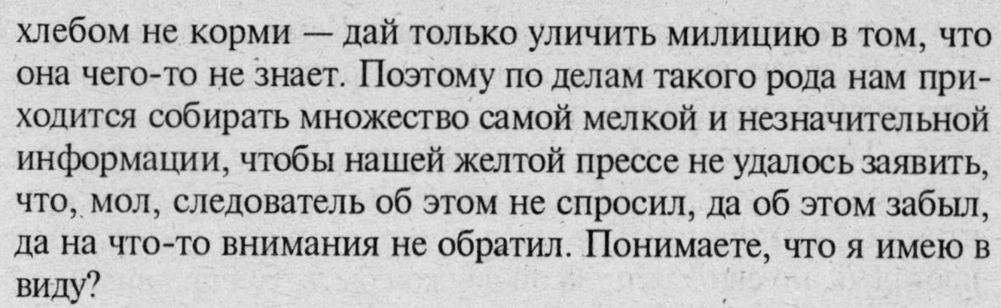

хлебом не корми — дай только уличить милицию в том, что она чего-то не знает. Поэтому по делам такого рода нам приходится собирать множество самой мелкой и незначительной информации, чтобы нашей желтой прессе не удалось заявить, что, мол, следователь об этом не спросил, да об этом забыл, да на что-то внимания не обратил. Понимаете, что я имею в виду?

— Конечно, конечно, — торопливо согласился Голубцов. — Спрашивайте, пожалуйста.

— Итак, вы утверждаете, что в день, когда произошло убийство депутата Самарцева, вы ездили за город. Когда точно это было?

— Это было... — Голубцов на мгновение задумался. — Это было в субботу, 7 октября.

— Поездка планировалась заранее?

— Не то чтобы заранее... — Он пожал плечами. — Накануне, в пятницу, мне позвонил Дроздецкий и сказал, что готов поговорить со мной о покупке моей дачи, но предварительно хотел бы ее посмотреть. Он спросил, удобно ли мне будет съездить с ним на дачу в субботу. Я ответил, что пока не знаю, это будет ясно только в субботу ближе к обеду. На следующий день часов около двенадцати дня мне стало понятно, что вторая половина дня у меня свободна, и я сам позвонил Дроздецкому и сказал, что можно ехать.

— Куда вы ему звонили? Домой или на службу?

— Домой. Какая ж служба в субботу.

— Продолжайте, пожалуйста.

— Мы договорились встретиться, я подъехал к площади Восстания, Дроздецкий меня уже ждал. Он пересел в мою машину, и мы поехали. Чего ж зря бензин жечь на двух тачках.

— В котором часу это было?

— Мы договаривались встретиться в половине третьего. Насколько я помню, я приехал минут на пять раньше...

И так шаг за шагом, минута за минутой. К концу разговора Лесников хотел только одного — прийти домой и лечь спать. Проверка алиби — одна из самых сложных задач, требующая точности и скрупулезности. Впоследствии каждое слово этого Голубцова надо будет сопоставить с показаниями

Дроздецкого и решить, считать алиби доказанным или нет. При этом следует иметь в виду, что у добросовестных людей показания об одном и том же событии обязательно должны различаться, но степень этих различий не должна превышать предел допустимого. Когда различий слишком много, это так же подозрительно, как и тогда, когда их слишком мало или нет вовсе.

— В котором часу вы вернулись в Москву?

— По-моему, часов около девяти. Мы вместе доехали до площади Восстания, где Дроздецкий оставил свою машину. Попрощались, он пересел в свой автомобиль, и мы разъехались. Вот и все.

— Хорошо, Василий Викторович, спасибо вам за помощь. А теперь еще несколько вопросов, не относящихся к делу. Вы позволите?

— Прошу, — широко улыбнулся Голубцов.

— Скажите, Василий Викторович, вы давно живете в этом районе?

— Да уж лет двадцать.

— Многих, наверное, знаете?

— Конечно.

— Вам никто не рассказывал недавно об изнасиловании и убийстве?

— О каком изнасиловании? — не на шутку испугался Голубцов. — Почему мне должны были рассказывать?

— Да вы не волнуйтесь, — поспешил успокоить его Лесников. — Просто нам известно, что где-то на вашей улице живет человек, который был свидетелем, его даже милиция опрашивала сразу после преступления. Понимаете, он дал очень ценные показания, следователь хочет с ним поговорить, а тот работник милиции, как назло, растяпой оказался, бумажку с адресами потерял. Вы представляете? Теперь тех свидетелей по всему городу разыскиваем. А милиционер помнит, что этот человек живет на Больших Каменщиках, только ни номера дома, ни фамилии нет. Вот беда!

— Нет, — покачал головой Голубцов, — не слышал. Но вы оставьте свой телефон, если что узнаю — позвоню.

— Вот спасибо.

Игорь быстро черкнул на листке номер телефона и протянул хозяину квартиры.

— Всего вам доброго, Василий Викторович. Приятно было познакомиться.

* * *

Едва закрыв дверь за Лесниковым, Василий Викторович Голубцов ринулся к телефону.

— Они меня ищут! — в панике заговорил он, когда Дроздецкий снял трубку. — Они приходили ко мне.

— Тихо, тихо, давай по порядку. Кто к тебе приходил?

— Опер с Петровки. Твое алиби проверял.

— Ну и что? Ты все ему рассказал, как мы договаривались?

— Да, слово в слово. А потом он спросил, не знаю ли я человека на нашей улице, который был свидетелем по делу об изнасиловании.

— А ты что?

— Сказал, что не знаю.

— Ну и умница. Чего ты паникуешь-то? Ты не знаешь, и никто не знает. Улица большая, домов на ней много. Не дергайся, спи спокойно. Твой парень из Южного округа бумажки все уничтожил?

— Говорит, что все.

— Ну вот и славно. Как было сказано в одном бессмертном произведении? Нет бумажки — нет и человека.

* * *

Однако словами из знаменитого романа Дроздецкий только пытался успокоить своего приятеля Голубцова. Убийство депутата было следствием коллективно принятого решения, роль исполнителя возложили на Дроздецкого, человека весьма богатого, но не особо искушенного в организационных вопросах. Вместо того, чтобы позаботиться об алиби заранее, Дроздецкий позвонил Голубцову уже тогда, когда первые

слова следователю были сказаны и хода назад не было. Голубцов был мужиком надежным и никогда не подводил. И надо ж было такому случиться, что именно в тот день он находился по каким-то своим делам в Южном округе и оказался неподалеку от того места, где было совершено преступление. И не просто оказался там, а еще и видел каких-то парней, которые приставали к девочке. Конечно, менты записали его координаты. И это сводило на нет все алиби Дроздецкого, который не моргнув глазом заявил, что ездил в день убийства депутата за город вместе с Голубцовым смотреть дачу. Ситуация сложилась пиковая, и выхода из нее было только два. Или менять данные следователю показания, или убирать Голубцова из милицейских бумажек. Второе оказалось более предпочтительным, ибо первое просто не имело смысла.

Каким же образом менты докопались до свидетеля на Больших Каменщиках? Ладно, не в том суть. Плохо, что Голубцова могут узнать и милиционеры, и другие свидетели. Раз уж до улицы добрались, то и до человека дотянутся. Значит — что? Правильно, нужно сделать так, чтобы узнавать в случае чего было некого. Показания Голубцов дал какие нужно, а больше в нем надобности нет. Слова из романа, конечно, правильные, но слова из жизни — еще вернее. А по жизни-то, а не по книжкам, один крупный политик так говорил: «Нет человека — нет проблемы» Вот то-то и оно.

Глава 18

Когда Михаил Владимирович Шоринов позвонил Ольге, та уже спала крепким сном, положив голову на согнутую руку мужа. Услышав трель телефонного аппарата, она моментально проснулась и испуганно схватила трубку, опасаясь, что Бороданков услышит звонок.

— Алло, — произнесла она едва слышным шепотом.

— Ты можешь говорить? — услышала она голос Шоринова.

— Подожди минуту, я выйду в другую комнату.

Она осторожно вылезла из-под одеяла, нащупала очки на

тумбочке возле кровати, взяла телефон и потащила его за собой в гостиную. С самого начала она была противницей параллельных аппаратов, установленных по всей квартире, как у большинства их знакомых. Она предпочитала один аппарат на длинном десятиметровом шнуре. Всю жизнь Ольга Решина совершала поступки, находящиеся за пределами одобряемых обществом моральных норм, и это приучило ее быть осторожной и избегать ненужного риска.

В гостиной было холодно. Саша вечером много курил, и, укладываясь спать, они оставили окно открытым, чтобы проветрить комнату. Ольга поежилась, включила бра над креслом и завернулась в брошенный на диване мягкий клетчатый плед.

— Что случилось, Миша? — наконец спросила она.

— Как дела с Обориным?

— Ты что, охренел? — возмутилась Ольга. — Ты звонишь мне в первом часу ночи, чтобы спросить об Оборине?

— Именно так. И я очень надеюсь, что ты мне ответишь.

— Никак. Пишет диссертацию и уверенными шагами движется к финалу. Дня три-четыре ему осталось, и все. Может быть, ты объяснишь мне...

— А узнать удалось что-нибудь?

— Нет. Пока не удалось.

— Черт! Ладно, Оля, ситуация меняется. Оборина нужно отправить домой немедленно.

— Почему?

— Потому что его ищет один очень влиятельный человек.

— Пусть ищет. — Ольга зевнула. — Все равно ведь не найдет, чего беспокоиться.

— Ты не поняла. Нужно, чтобы он его нашел.

— Зачем? — насторожилась она. — Что-то изменилось?

— Как тебе объяснить... — замялся Шоринов. — Одним словом, человек этот очень сильный и очень богатый. Я не знаю, зачем ему понадобился наш аспирант, но могу догадаться. Оборин же специализируется на преступлениях в банковской сфере, а этот человек связан с сетью крупных банков. Вероятно, ему срочно нужен квалифицированный юрист, который хорошо разбирается в проблеме. Молодой, который

12 Зак. 670

еще чего-то хочет добиться в этой жизни и заработать приличные деньги. Я знаю, что он нанял одного из лучших специалистов и поручил ему разыскать Оборина. Смею тебя уверить, Оленька, это специалист такого класса, что он найдет и клинику, и ваше отделение, и умирающего аспиранта. Нам с тобой это надо?

— Нет, — испуганно откликнулась Ольга. — Совершенно не надо.

— Вот поэтому пусть уходит домой. Пусть его спокойно найдут. В конце концов, он ведь все равно скоро умрет, и даже лучше, если это произойдет не в отделении. Он ведь умрет?

— Да, я надеюсь, — рассеянно сказала она, судорожно придумывая повод, под которым можно будет завтра же отправить Юрия домой.

Ольга знала, что действие лакреола имеет два этапа, две фазы. На первом этапе человек чувствует себя с каждым днем заметно хуже, но если прекратить прием препарата, то ухудшение прекращается тоже. Улучшения, конечно, не наступает без специального лечения, но и хуже не делается. На втором же этапе происходят так называемые необратимые изменения, когда прекращение приема лакреола уже практически ничего не меняет. Самочувствие продолжает ухудшаться, хотя и не так быстро, как под воздействием лекарства, и человек умирает. Первая фаза обычно длится от четырех до семи суток в зависимости от возраста и состояния сосудов и сердца, вторая фаза — от сорока восьми до восьмидесяти часов. Так было с первыми модификациями лакреола. Новые варианты, разработанные после получения архива профессора Лебедева, действовали более мягко, удлинив первую фазу до восьми-десяти суток, а вторую — до пяти-семи суток. Весь вопрос состоял в том, в какой фазе на сегодняшний день находится Оборин. Если во второй, то можно безбоязненно отпускать его домой. Через несколько дней он скончается. А если в первой? Сереже пока не удалось ничего узнать, и если отпустить Оборина домой и оставить его живым, то он превратится в мину замедленного действия.

Она выключила свет в гостиной и вернулась в спальню. Стараясь двигаться как можно тише, поставила телефон на

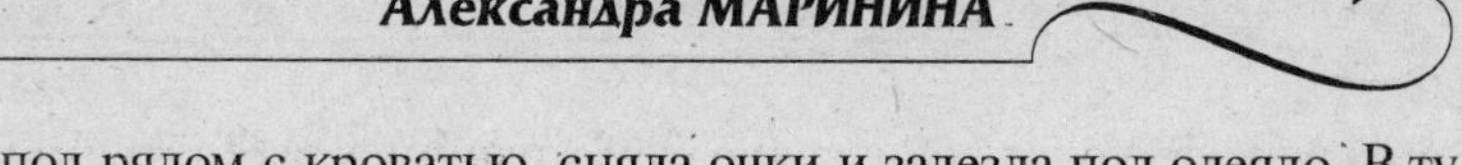

пол рядом с кроватью, сняла очки и залезла под одеяло. В ту же секунду вспыхнул свет — муж включил лампу у изголовья.

— Кто тебе звонил? — спросил он, и в его голосе Ольга не услышала ничего хорошего для себя.

— Шоринов, — ответила она как можно спокойнее.

— Что ему нужно в такое время? О любви решил поговорить на ночь глядя?

Бороданков потянулся за сигаретами, закурил и откинулся на высоко подложенных под спину подушках.

— Перестань, Сашенька, — сказала Ольга как можно мягче. — Ты же прекрасно понимаешь, что роман с Михаилом давно в прошлом. С тех пор как мы с тобой женаты, я поддерживаю с ним только приятельские и деловые отношения.

— Значит, звонок был деловой? — хмыкнул он.

— Конечно, милый.

— И что случилось? Почему такая срочность?

— Сашенька, не забивай ты себе этим голову. Ты талантливый ученый, ты должен работать над лакреолом, а мы с Михаилом обеспечиваем организационную сторону, чтобы ты не отвлекался на всякие глупости.

— Оля, у меня возникает ощущение, что за моей спиной что-то происходит. Вы с Шориновым что-то от меня скрываете?

— Ох, Саша, да что мы можем от тебя скрывать? Откуда эта подозрительность?

— И все-таки. Раз он звонит тебе по ночам, значит, возникают какие-то осложнения. Почему я ничего не знаю об этом?

— Потому что тебе и не нужно знать. Ты должен работать над лакреолом, а мы с Михаилом для того и существуем, чтобы бороться с осложнениями. Ну Сашенька, пожалуйста...

— Я хочу знать, о каких осложнениях идет речь.

— Ну хорошо. Для того чтобы выкупить архив у вдовы Лебедева, Михаилу потребовались большие деньги наличными. У него таких возможностей не было, и он обратился к своему знакомому, который дал ему требуемую сумму под очень высокие проценты. Поскольку с запуском производства у нас пока перспективы неясные, когда будет поступать прибыль — непонятно, а проценты капают, Михаил начал искать возможность вернуть долг. Он хочет вложить деньги в такое предприятие, которое даст быстрый оборот и большой навар. Но ты же сам понимаешь, Сашенька, что без риска и без нарушений ничего не получится. То и дело возникают осложнения.

— Я не понимаю, — с раздражением откликнулся Бороданков, резким движением гася сигарету в пепельнице. — Почему нужно непременно нарываться на осложнения? Когда лакреол будет готов, твой Михаил станет единоличным и единовластным его производителем, монополистом. Он начнет зарабатывать на этом такие деньги, что спокойно отдаст любой долг с любыми процентами и даже не заметит ущерба. Почему нельзя подождать немного и сделать все законно? Почему непременно нужно лезть в авантюры?

— Потому что долг растет, он с каждой неделей становится все больше. Тебе не понять. Это не наш карман. Если бы долг с процентами нужно было отдавать лично тебе из нашего собственного семейного бюджета, ты бы рассуждал иначе. И потом, какое право мы с тобой имеем решать за Михаила, как ему поступать? Ведь это он финансирует весь проект, он полгода безропотно давал нам деньги на то, чтобы отделение могло функционировать, он оплатил работу человека, который ездил по всей Европе в поисках вдовы Лебедева, он, наконец, оплатил архив. А что мы с тобой для него сделали?

— Он получит всю прибыль от производства лакреола. Он же миллиардером станет.

— Вот именно, Сашенька, получит и станет. Будущее время, к тому же неопределенное. А мы с тобой от него уже получили все, что он нам обещал. Поэтому мы должны быть к нему терпимы. И если его что-то тревожит и он считает нужным обсудить это со мной, мы с тобой должны с этим считаться, даже если это нам неудобно.

Она старалась следить за своими словами, чтобы не дай бог не обидеть Александра, не провести ненароком разделительную полосу между «ты» и «я», между ним и собой. Этому соблазну часто поддаются во время ссор и просто тяжелых разговоров, не замечая, как полоса становится все шире и глубже, и если только что, ну вот пять минут назад ее можно было просто перешагнуть, то сейчас уже и противоположного берега не видно. Нет, Ольга, искушенная и в соблазнении мужчин, и в поддержании с ними хороших отношений, за шириной полосы следила тщательно, употребляя всюду, где только уместно, слова «мы с тобой». Мы с тобой. Мы муж и жена. И что бы ни случилось — мы вместе. В здоровье и болезни. В беде и в радости. В нищете и богатстве. Но главным образом, конечно, в богатстве. И в славе. Все остальное соблюдалось только для того, чтобы не сорвались с крючка эти две золотые рыбки. Хотя в глубине души Ольга Решина отлично понимала, что никакой страстной любви она к мужу не испытывает, как не испытывала ее и раньше. Но Бороданков был мужчиной, которого она сама себе выбрала, которого терпеливо ждала долгие годы, окучивая и пропалывая, поливая и удобряя, как грядку с экзотическими цветами. Она вложила в этого мужчину свою молодость, силы, душу. Она поставила цель и добилась ее. И обсуждать сейчас правильность постановки этой цели она вовсе не намерена. Александр Иннокентьевич Бороданков, доктор медицинских наук, профессор — ее личное, персональное завоевание. И теперь у нее есть новая цель — стать женой нобелевского лауреата Бороданкова. Поэтому она будет любить своего мужа, холить его и лелеять, оберегать от неприятностей и всячески помогать в работе, чтобы в конце концов добиться своей цели. И если для этого нужно совершить преступление — что ж, она готова. Она на все готова.

* * *

Оборин второй день валялся в постели, вставая только для того, чтобы поесть или сходить в туалет. Мозг работал как заведенный, но диссертация перестала интересовать Юрия.

Он понял, что Ольга его обманула, и только слабость и дурнота мешали прорваться наружу клокотавшей в нем ярости.

Вчера, когда медсестра Юля случайно проговорилась, что муж Ольги — сам профессор Бороданков, Оборин испытал такое чувство, будто его облили ведром ледяной воды. Так бывало всегда, когда ему внезапно открывалась неприятная правда. Весь день он потратил на то, чтобы вспомнить все мельчайшие детали, касающиеся его отношений с Ольгой. Историю их знакомства. Ложь про ревнивого мужа, который знаком со всеми сотрудниками отделения и непременно узнает, если Ольга будет встречаться с Обориным. Почему нельзя было прямо сказать, что муж работает в том же отделении? Это выглядело бы куда более убедительным, чем сказки про знакомство с персоналом.

На этой мысли Оборин запнулся, потому что понял: в этом что-то есть. Сказать ему правду о муже было бы намного разумнее и проще. Муж действительно знаком со всеми в отделении и в любую минуту может узнать, что жена не находится на дежурстве, а убежала на свидание. Почему же Ольга пошла по более сложному пути? Найдя ответ на этот вопрос, он поймет и все остальное.

К обеду Оборину показалось, что ответ найден. Правда о работающем в отделении муже могла помешать только в одном случае: в случае, если Ольге непременно нужно было заполучить в отделение Юрия. Но зачем? Муж должен быть ревнивым, поэтому встречаться им возможности нет. Единственный вариант, который, кстати, придумал сам же Оборин, — это клиника, где работает Ольга. Но и этот вариант отпадает, если там каждый день находится ее муж. Значит, факт наличия мужа рядом надо скрыть. Но из этого неумолимо вытекает, что Оборин почему-то обязательно должен был появиться в отделении. И к решению, которое казалось ему самому остроумным и оригинальным, его подвели за ручку, как маленького ребенка — к витрине с игрушками.

Разгневанный обманом, он мыслил четко и последовательно. Первое время он чувствовал себя здесь прекрасно, потом Ольга сказала, что нужно скрыть это от доктора, иначе не будет оснований здесь находиться. И сразу же после этого

Юрий стал чувствовать себя хуже. Ему что-то подмешивают в микстуру. Значит, микстуру он больше пить не будет, с этим понятно.

Потом появился Сережа, напичканный знаниями о шахматных партиях и делающий какие-то совершенно идиотские ошибки. Оборин стал вспоминать сыгранные с Сережей партии, но вместо этого почему-то все время вспоминал о Тамариной машине. Образ зеленых «Жигулей» настойчиво возникал перед глазами каждый раз, когда он припоминал, о чем шел разговор в тот момент, когда Сережа делал очередной дурацкий ход и одним махом проваливал вполне приличную партию, которую можно было бы достойно и не теряя лица свести вничью.

Весь вчерашний день Юрий Оборин провел в тяжких раздумьях о том, кому же понадобилось и зачем устраивать этот грандиозный обман. Он понимал, что влип в какую-то темную историю и связано это с внезапным появлением и исчезновением Тамары Коченовой. Чего ж там Томка намудрила такого? Видно, что-то серьезное.

После одиннадцати снова пришел Сережа, неся шахматную доску. Юрий чувствовал себя не хуже, чем вчера, микстуру, которую приносили в обед и в ужин, выливал в раковину, но предусмотрительно сказался нездоровым и даже извинился за то, что будет играть, лежа в постели.

Он решил поставить эксперимент, чтобы проверить собственные догадки, которые казались ему самому вполне логичными, но столь же невероятными. «Я заставлю его сделать ошибку точно на двадцать пятом ходу. Не раньше и не позже, именно на двадцать пятом. Если мне это удастся, значит, моя догадка верна», — сказал сам себе Оборин.

Сегодня он играл белыми и строил партию таким образом, чтобы к двадцать пятому ходу позиции черных оказались заметно сильнее. Поддавки устроил, иными словами. И с легкостью дал себя втянуть в затеянный Сережей разговор о странностях любви и непредсказуемости женщин, стараясь при этом не забывать считать ходы, поскольку играли они по-любительски, без часов и без записи.

— Расскажи мне о своей невесте, — попросил Оборин.

— Неужели вам интересно? — удивился Сережа.

— А почему нет? Ты же все время расспрашиваешь меня о моих женщинах, значит, тебе интересно. Вот и мне тоже.

— Ну что вы, Юрий Анатольевич, сравниваете, — рассмеялся юноша. — Я вас расспрашиваю, как подмастерье расспрашивает мэтра. Впитываю ваш опыт, учусь у вас. А вам что толку от моей Аленки?

— Толку никакого, тут ты прав, — согласился Юрий, отметив про себя, что Сережа сделал семнадцатый ход. — А тебе может оказаться полезным. Помнишь старый анекдот о том, как муж пришел в милицию подавать заявление об исчезновении жены? Милиционер его просит перечислить приметы, и муж говорит, мол, маленького роста, ноги кривые, волосы реденькие, глаза косят, зубы железные наполовину, голос визгливый. Перечислял, перечислял, а потом махнул рукой и говорит: «Да ну ее, гражданин начальник, не ищите вы эту дуру, черт с ней».

Сережа хохотал так заразительно, что Оборин на какое-то время даже усомнился, а прав ли он, подозревая мальчишку в участии в заговоре. Только люди с чистой совестью умеют хохотать так весело и самозабвенно. Впрочем, эксперимент на то и задуман, чтобы это проверить.

До двадцать второго хода Оборин терпеливо слушал, какая чудесная Аленка, какая добрая, умная и красивая. У него оставалось три хода для того, чтобы реализовать свою задумку. На двадцать третьем ходу он «неосторожно» открыл своего ферзя, и Сережа, конечно же, немедленно кинулся атаковать. Двадцать четвертым ходом Оборин пожертвовал коня, после чего преимущество черных на доске стало очевидным даже младенцу. И наконец на двадцать пятом ходу он «открыл» своего короля, создав по меньшей мере две возможности для Сережи объявить шах. Это был решающий момент, к которому Оборин тщательно подготовился: шах белому королю можно было объявить, сделав ход либо слоном, либо ферзем. Оба решения были ошибочными, а оба таких соблазнительных хода вели к катастрофическим последствиям для черных, ибо две эти фигуры были краеугольными камнями обороны, выстроенной для защиты черного короля, и перемещение их по доске далеко вперед создавало такую брешь в обороне черных, сквозь которую мог пролезть даже живой слон, а не то что шахматный. В принципе такой исход можно было легко предвидеть, если просчитать ситуацию хотя бы на три-четыре хода, что было бы под силу даже не очень умелому новичку. И вот, сделав свой двадцать пятый ход, Юрий Оборин зевнул и заявил:

— Слушай, у тебя внутри не слиплось от такого количества сиропа? Уж больно сладко, даже подозрительно.

— Но она такая, Юрий Анатольевич, я ничего не выдумываю. Она действительно замечательная девушка.

— Ладно, жених, давай будем заканчивать разгром немцев под Полтавой. Я, видно, и впрямь сегодня не в форме, на доске черт-те что устроил. Ставь мне мат в три хода, и буду отдыхать. Что-то мне последнее время нездоровится, старею, наверное.

— Да что вы, Юрий Анатольевич, в ваши-то годы! — искренне возмутился Сережа. — О какой старости вы говорите? Побойтесь бога.

— А что ты думаешь, — уныло вздохнул Оборин. — Вот ко мне недавно моя бывшая подружка забегала в гости, Тамара, ну помнишь, я как-то тебе про нее рассказывал. Так у нее за четыре месяца два сердечных приступа было, даже «скорую» вызывали. Она тоже все удивлялась, мол, молодая совсем, тридцать лет только-только исполнилось, а врач, который со «скорой» приезжал, сказал ей, что здоровье люди набирают только до семнадцати лет, а уж начиная с восемнадцати в основном теряют. Правда, у Томки жизнь беспокойная, нервная, вечно она в какие-то передряги попадает...

Сережа сделал свой двадцать пятый ход, конечно же, объявив Оборину шах ферзем, после чего получил мат в четыре хода.

Спал Оборин крепко, но не благодаря душевному спокойствию, а скорее от слабости, и проспал до самого завтрака, который принес все тот же Сережа. По его лицу похоже

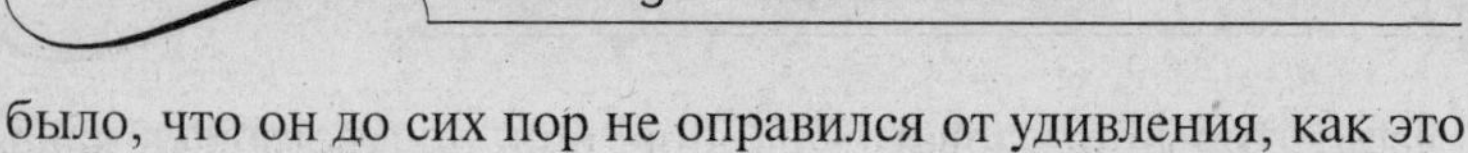

было, что он до сих пор не оправился от удивления, как это ему удалось сдать такую партию, да еще так молниеносно.

— Кто тебя сегодня меняет? — как бы между прочим спросил Юрий, когда юноша поставил на стол поднос с едой и приборами.

— Ольга Борисовна. А что?

— Просто интересно. Никак я ваш график не уловлю. Вчера была Юля, сегодня Ольга, а завтра будет эта... Ну, как ее... Ну дети-то у нее все время болеют.

— Марина, — подсказал Сережа. — А они у нее опять болеют. Они же погодки, в один садик ходят, так что если в садике заводится инфекция, то оба сразу цепляют.

— А что же муж? Почему бы ему с детьми не посидеть? Боится феминизироваться?

— Не знаю, — улыбнулся Сережа. — Он вообще немного странный, весь в себе. С ним, наверное, просто опасно малышей оставлять. Знаете, есть такие люди, которые не понимают разницу между малышом и взрослым. Вот Петя как раз такой.

— Ты с ним знаком?

— Конечно, он же здесь работает, в лаборатории.

Дождавшись, когда Сережа наконец уйдет, Оборин медленно встал, прислушиваясь к себе. Голова слегка кружилась, но не сильнее, чем вчера и позавчера. Ноги были ватными, и при каждом шаге его бросало в жар, словно он не собственное тело перемещал в пространстве, а нес пятидесятикилограммовую тяжесть, да еще в гору. Собрав все силы, Юрий заставил себя встать под контрастный душ, начал с горячей воды, которую поворотом ручки делал то чуть прохладнее, то чуть теплее, и минут через пятнадцать, когда холодная вода уже была ледяной, а горячая — кипятком, почувствовал себя гораздо лучше.

Аппетита не было, но он заставил себя съесть все подчистую, выпил две чашки крепкого горячего и очень сладкого чаю, микстуру вылил в раковину и улегся «болеть». О диссертации он и думать забыл. Самое главное сейчас — набраться сил и придумать, что делать дальше.

Сразу после десяти часов прибежала Ольга. Она нагнулась, чтобы поцеловать Оборина, и он почувствовал, какая прохладная у нее кожа, как вкусно она пахнет осенью и свободой. Впервые за все время пребывания в отделении он остро ощутил собственную несвободу.

— Юрочка, у меня хорошие новости! — защебетала она. — Муж вчера вечером срочно уехал в командировку на два месяца. Представляешь, сколько свободного времени у меня будет для встреч с тобой! По ночам будет работать Сережа, а я только днем, раз в три дня. Все остальное время — наше! Юрка, ты представляешь, какая удача! Собирай свои вещи, скажи Александру Иннокентьевичу, что идешь домой, и начнем новую жизнь.

— Интересно, — нахмурился Оборин, — а как же я объясню Александру Иннокентьевичу свое желание уйти?

— Господи, да ничего ты не должен ему объяснять! Ты находишься здесь до тех пор, пока нуждаешься в помощи, чтобы закончить творческую работу, понятно? Работу закончил — все, свободен, как птица в полете. Хочешь — оставайся, хочешь — уходи, на все твоя воля.

— И он меня так спокойно отпустит? — отчего-то засомневался он.

— А чего ему тебя держать? Зачем ты ему нужен? Конечно, отпустит. Когда я уйду, вызови его и скажи. Вот и все.

— Отлично, — улыбнулся Оборин. — И ты обещаешь, что будешь все свободное время проводить со мной?

— Обещаю. — Она снова поцеловала его, засунув руку под одеяло и погладив мускулистые крепкие бедра. — Кстати, почему ты лежишь? Ленишься? Или плохо себя чувствуешь?

— Ленюсь, — ответил он, стараясь говорить как можно убедительнее.

Он побоялся признаться, что плохо себя чувствует. А вдруг Ольга под этим предлогом захочет дать ему какую-нибудь отраву или, еще хуже, сделать укол? По крайней мере никто не контролирует, как он пьет микстуру. А с другими лекарствами этот номер может не пройти.

— А как твоя диссертация?

— Прекрасно. Осталось совсем немного — и вторая глава готова.

— Ну что ж, — Ольга ласково провела ладонью по его лицу, — тем лучше. Дописывай скорее, и займемся друг другом. Идет?

Она снова склонилась над ним и поцеловала, на этот раз долго и умело, так что у Оборина дух захватило. Когда она ушла, он долго смотрел на обшитую деревом дверь, что-то прикидывая в уме, потом решительно нажал кнопку вызова врача. Доктор Бороданков появился минуты через три.

— Слушаю вас, Юрий Анатольевич, — встревоженно сказал он. — Что-то случилось?

— Ничего, Александр Иннокентьевич, все в полном порядке. Хотел поблагодарить вас за великолепный уход и режим и предупредить, что завтра я хочу вас покинуть.

— Вот как? — удивился врач. — А почему? У вас же, насколько я помню, оплачено двухнедельное пребывание. Прошло только десять дней.

— Я закончил свою работу, так что теперь могу с чистой совестью возвращаться домой.

— Но мы не сможем вернуть вам деньги за четыре дня, — смутился Бороданков. — Наши финансисты на это не пойдут...

— И не нужно, — махнул рукой Оборин. — Не будем мелочными. Все в порядке, Александр Иннокентьевич. Мне осталось чуть-чуть подправить текст, как говорится, концы зачистить, так что сегодня я еще с большим удовольствием поработаю здесь, а завтра после завтрака хотел бы уйти домой. Это возможно?

— Ну разумеется. Вы можете уйти в любой момент, хоть ночью. Вы же знаете мой принцип: самый лучший режим — тот, который человек установил себе сам. Организм сам знает, когда и что ему делать, когда есть, когда спать, когда работать, когда гулять. Ни в коем случае нельзя его насиловать, навязывая ему кем-то придуманный режим. Что ж, Юрий Анатольевич, я искренне рад, что пребывание у нас дало тот самый результат, на который вы и рассчитывали. Глава написана, работа завершена, примите мои поздравления. Когда

надумаете нас покинуть, вызовите дежурную медсестру, она проводит вас до выхода.

— Да я и сам не заблужусь, — засмеялся Оборин. — Я же помню, как вы меня сюда привели.

— Тогда вы должны помнить, что у нас все двери на замках, — весело заметил Бороданков. — Чтобы любопытные журналисты не совали сюда свои длинные носы.

* * *

Выйдя из палаты Оборина, Александр Иннокентьевич поспешил к себе в кабинет. По пути он заглянул в комнату медсестер. Ольга сидела, склонившись над журналом, и старательно что-то записывала.

— Олюшка, зайди-ка ко мне, — позвал он.

Когда они вошли в его кабинет, Бороданков быстро запер дверь на задвижку, схватил жену на руки и закружил по комнате.

— Мы на правильном пути! Оленька, мы на правильном пути! Оборин собрался уходить. Он успел закончить работу до того, как начались необратимые изменения. Он первый, кто закончил работу и завтра уйдет отсюда.

— Завтра?

Ольга вырвалась из объятий мужа и одернула белоснежный короткий халатик, высоко открывающий красивые ноги.

— Почему завтра? — спросила она, нахмурившись.

— А почему нет? — в свою очередь спросил Бороданков.

— Но... — Она осеклась. — Я хочу сказать, если он закончил работу, то может уйти сегодня. Почему нужно ждать до завтра?

— Ему так удобнее, — пожал плечами Александр Иннокентьевич. — Он сказал, что хочет еще поработать над текстом, вылизать его. Вполне понятно. Что тебя так удивило, я не понимаю. В конце концов, у него оплачено еще четыре дня.

— А как он себя чувствует?

— Не жалуется. Послушай, что мы ему даем? Какой вариант?

— Был сорок седьмой, а последние два дня — пятьдесят первый.

— Отлично! Просто отлично! — Бороданков потер руки, снова схватил жену в охапку и расцеловал в обе щеки. — Конечно, этот юрист чувствует себя неважно, это невооруженным глазом видно, хоть он и не жалуется. Но у него по истечении десяти дней еще достаточно сил для того, чтобы уйти. Это значит, что сорок седьмой и пятьдесят первый варианты наиболее близки к тому, что мы ищем. Мы уже на пороге, Оленька, осталось совсем немного. Еще чуть-чуть, еще одно усилие, еще один рывок — и мы с тобой победители. Ты понимаешь? Мы с тобой — победители!

— Да, Саша, — повторила она шепотом, глядя прямо в глаза мужу. — Мы с тобой — победители.

Она прижималась к нему все крепче, не отводя глаз от его лица, и уже через минуту Александр Иннокентьевич лихорадочно расстегивал на ней халатик, под которым ничего не было, кроме чисто символических кружевных лоскутков и тоненьких шнурочков, призванных обозначать дамское белье. Он обожал такие моменты, когда Ольге удавалось зажечь его в самых сложных и неподходящих условиях. Бесшабашна только неопытная молодость, а с возрастом начинает мешать все, даже легкий шум, даже запах, не говоря уж о людях, которые постоянно ходят мимо двери. И если Ольга могла спровоцировать его на занятия любовью среди бела дня в рабочем кабинете, где не было удобной широкой кровати и чистого белья, значит, он еще — ого-го! Он еще может. Потому что он — победитель.

* * *

Едва отдышавшись после бурного любовного экспромта, Ольга отправилась к Оборину. Юрий по-прежнему лежал на кровати, и ей даже показалось, что он не пошевелился с того момента, как она ушла от него утром. Похоже, у него сильная слабость, но он почему-то не хочет говорить об этом. Вот и Сашу ввел в заблуждение. Конечно, Саша видит, что Оборин

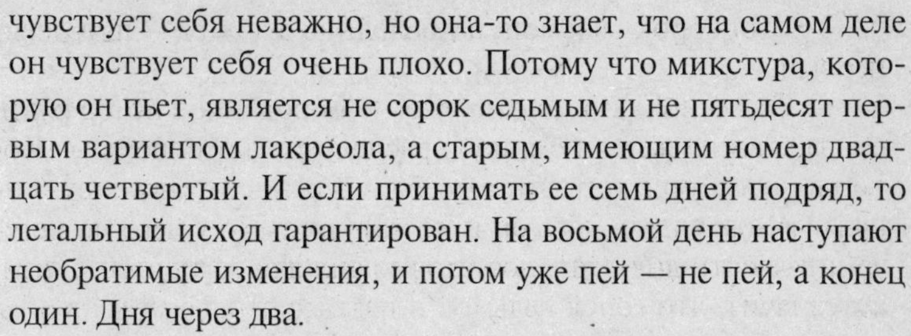

чувствует себя неважно, но она-то знает, что на самом деле он чувствует себя очень плохо. Потому что микстура, которую он пьет, является не сорок седьмым и не пятьдесят первым вариантом лакреола, а старым, имеющим номер двадцать четвертый. И если принимать ее семь дней подряд, то летальный исход гарантирован. На восьмой день наступают необратимые изменения, и потом уже пей — не пей, а конец один. Дня через два.

— Бороданков сказал мне, что ты хочешь выписываться завтра, — начала она без всяких предисловий.

— Да, — подтвердил Оборин. — А что тебя беспокоит?

— Но мне казалось, мы договорились... — Она растерялась. — Мой муж уехал...

— Оленька, милая, но ведь ты сегодня целый день работаешь. Ты пробудешь здесь до десяти часов вечера. Так какой же мне смысл уходить домой? Здесь я по крайней мере знаю, что ты рядом, что я могу нажать кнопку звонка и позвать тебя. Мне все равно нужно еще немного поработать над текстом, так уж лучше здесь. А то я ведь знаю себя: сейчас явлюсь домой, начну звонить по телефону, заниматься всякой ерундой, общаться с друзьями, с родителями. В результате главу я до полного блеска не доведу, а завтра начну разрываться между тобой и текстом. Зачем это нужно? Ты согласна?

Она уже вполне овладела собой и сообразила, что и как нужно сделать, чтобы заставить его вернуться домой сегодня же.

— Конечно, милый.

Она расстегнула халатик и прилегла рядом с ним на кровать, которая была достаточно широкой для сексуальных упражнений.

— Я понимаю, для тебя главное — твоя работа, твоя диссертация, — мурлыкала она, положив его руку себе на грудь и нежно поглаживая живот Юрия. — Но я, честно признаться, надеялась, что мы уже сегодня ночью сможем быть вместе. А так целая ночь пропадет. Жалко же!

Ее рука скользнула ниже, и Ольга внезапно поняла, что

Оборин действительно очень плохо себя чувствует. В первый раз за все время он не среагировал на ее ласки.

— Что с тобой? — озабоченно спросила она. — Ты действительно нездоров? Хочешь, я приглашу кардиолога, чтобы посмотрел тебя?

— Все в порядке, Оленька, не волнуйся. Ну подумаешь, не встал у меня, так сразу уже кардиолога приглашать? Дело житейское.

Она поднялась с кровати, застегнула халатик и присела в стоящее рядом кресло. Взяв Оборина за руку, стала тихонько поглаживать его пальцы, то и дело поднося их к губам и целуя.

— Господи, Юрочка, какой же ты глупый! — тихонько говорила она. — Чувствуешь, что у тебя нет сил, нет желания — так и скажи. Не нужно этого стесняться, это действительно абсолютно житейское дело. А ты мне начинаешь сказки рассказывать про текст, который надо подправить. Дай слово, что не будешь больше морочить мне голову.

— Даю, — усмехнулся Оборин.

— Дай слово, что никогда не будешь пытаться любить меня через силу.

— Не буду.

— Дай слово, что сегодня ты будешь ночевать дома.

— Но я же объяснил тебе, что не хочу сегодня уходить отсюда. Я хочу быть поближе к тебе.

— Ты можешь уйти вечером, когда кончится мое дежурство. Хочешь, уйдем вместе? И поедем к тебе.

Ольга знала, что ни за что на свете не поедет домой к Оборину. Да и как она могла бы поехать, когда Саша здесь? Но нужно было во что бы то ни стало вытащить его из клиники и отправить домой. Миша велел обеспечить его присутствие в квартире до истечения суток. До двадцати четырех часов. И она готова была пообещать все что угодно, только чтобы выполнить это условие.

— Я же вижу, ты боишься, что вечером снова будешь плохо себя чувствовать. Знаешь что? Давай так: ты дописываешь свою вторую главу и уходишь сегодня домой, ночуем мы каждый у себя, а завтра прямо с утра я приеду к тебе, привезу про-

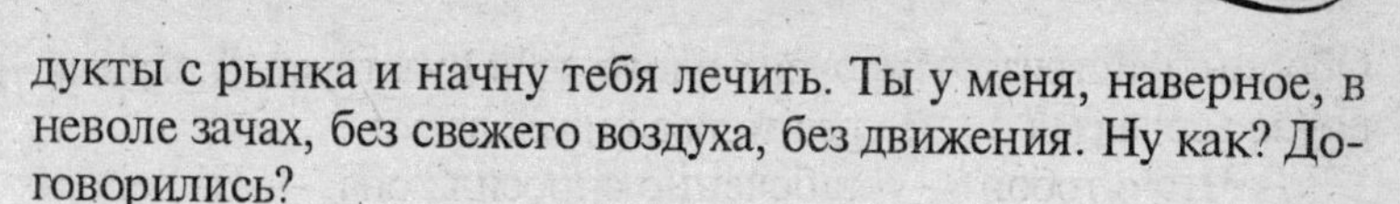

дукты с рынка и начну тебя лечить. Ты у меня, наверное, в неволе зачах, без свежего воздуха, без движения. Ну как? Договорились?

— Договорились, — слабо улыбнулся Оборин. — Так и сделаем.

* * *

Николай Саприн получил неожиданную передышку. Дусик-Шоринов сказал, что искомый аспирант юрфака будет доступен контакту попозже к вечеру. Как только он окажется дома, можно будет звонить заказчику и докладывать, что человек найден. Стало быть, день у Николая оказался относительно свободным, поэтому первое, что он сделал, — попытался поговорить с Катей.

— Тебе удобно разговаривать? — спросил он, когда она сняла трубку.

— Вполне, — спокойно ответила Катя. — Я сейчас одна.

— Можно мне приехать?

— Давай лучше обсудим все, что ты хочешь, по телефону.

Это сразу обнадежило Саприна. Не хочет его приезда, не хочет его видеть наедине — значит, боится, что не справится с собой. Значит, в ее душе живет еще теплое чувство к нему, и нужно обязательно постараться его возродить, чтобы вернуть Катю.

— Это серьезный разговор, Катюша, и его не ведут по телефону. Почему ты не хочешь, чтобы я приезжал?

— Потому что через час приедет Дусик, он только что звонил.

Это был серьезный удар, но Николай снес его стойко.

— Хорошо, тогда поговорим по телефону. Ты помнишь, что я делал тебе предложение?

— Да, помню.

— И что ты мне ответишь?

— Ничего.

— То есть ты мне отказываешь?

— Да, отказываю.

— Я могу узнать, почему?

— Можешь. — Она вздохнула, словно переводила дыхание. — Вчера я уже все тебе сказала. Мне надоело быть матерью. И потом, я не хочу ломать свою жизнь.

— Но почему, Катюша, ради бога, почему? — чуть не закричал Николай. — Почему выйти за меня замуж означает сломать свою жизнь? Что такого ужасного я тебе предлагаю? Я хочу, чтобы ты ушла от Дусика и уехала со мной в Штаты, где живет моя сестра с мужем. Почему это означает, что твоя жизнь будет сломана? Твоя жизнь останется точно такой же, как сейчас. Ты будешь сидеть дома, читать книжки, смотреть видик, гулять.

— Если я выйду за тебя замуж, мне придется идти работать, чтобы содержать свою семью. Ты забыл, что у меня большая семья? Ты забыл, что у меня мать — инвалид, и пятеро братьев и сестер, и отец, который вот уже двадцать лет продыху не знает от тяжелой работы? Тебе удобно этого не помнить, потому что это не твоя семья и не твоя боль. Ты знаешь, сколько денег нужно на то, чтобы их содержать? Когда мои добрые доверчивые родители нас всех рожали, была еще советская власть и многодетная семья могла хоть на что-то рассчитывать, хоть на какую-то помощь со стороны государства, тем более что отец вкалывал на Севере, получал всякие надбавки, мама тоже не планировала получить инвалидность, она работала в парикмахерской, была первоклассной мастерицей, к ней со всего города ездили дамочки голову делать, за месяц записывались. Конечно, платили они ей по личной таксе и не через кассу, и нам должно было хватать. А что получилось? Я хочу, чтобы мои родители жили достойной жизнью, а мои братья и сестры получили такое образование, которое вытащит их из нищеты. Поэтому я не допущу, чтобы они шли работать, окончив школу. Они обязательно во что-нибудь впутаются, потому что не умеют пока бороться с соблазнами. Но для того чтобы они учились, а не охраняли коммерческие палатки по ночам, я должна жить здесь, а не в Штатах, и с Дусиком, а не с тобой.

— Сколько денег он дает тебе на семью?

— Две тысячи долларов каждый месяц.

Две тысячи! У него аж дыхание перехватило. Такую сумму

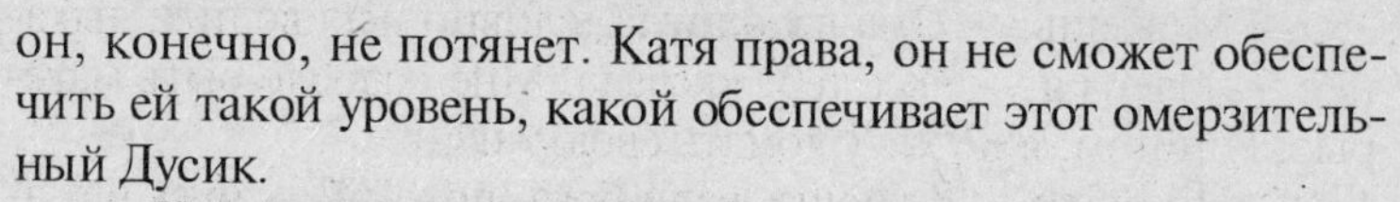

он, конечно, не потянет. Катя права, он не сможет обеспечить ей такой уровень, какой обеспечивает этот омерзительный Дусик.

— Но ведь ты его не любишь, — продолжал упрямо Николай, все еще надеясь поколебать ее твердость.

— Не люблю, — легко согласилась Катя. — Но это ничего не означает. Я и тебя не люблю пока. Разница только в том, что тебя я наверняка полюбила бы, причем полюбила бы горячо и нежно, если бы мы продолжали встречаться. А Дусика я так любить никогда не буду. Но я очень благодарна ему за все, что он для меня сделал, и предана ему. И я буду с ним до тех пор, пока он сам меня не выгонит.

— А что будет, когда самый младший из твоих братьев закончит свое образование? Ты сможешь бросить Дусика, если вы к тому времени еще будете вместе?

— Коля, пойми, если к тому времени Дусик меня еще не выгонит, я останусь с ним столько, сколько он захочет. Если он на своих плечах вытянет мою семью из нищеты, он будет иметь право распоряжаться моей жизнью, как сочтет нужным. Это же так просто, Коля. Это же самые элементарные законы долга и благодарности. Неужели тебе в детстве этого не объясняли?

Нет, ему не объясняли. Просто он видел, что понятия долга, обязанности и ответственности совершенно разные у матери, которую он ненавидел, и у отчима, которого обожал. Но отчим просуществовал в Колиной жизни так недолго, что разобраться в этих сложных вопросах мальчик не сумел. И сейчас, слушая Катю, он чувствовал, как сердце разрывается на части от горя и безысходности, и ему хотелось кричать: «А я? А как же я? Как же моя любовь? Моя жизнь?»

Он сидел возле телефона, слушал Катю и с ужасом осознавал, что не понимает ее логики. И даже не догадывался, что до тех пор, пока в его голове рождаются эти вопросы, до тех пор, пока он думает о том, что же теперь будет с ним самим, с его любовью, с его жизнью, — до тех пор, пока вопросы эти не исчезнут из его души, он так ничего и не поймет.

Глава 19

Старший оперуполномоченный МУРа Николай Селуянов свои дни рождения любил и исправно отмечал, несмотря ни на что — ни на состояние кошелька, ни на состояние души. В этот раз праздник пришелся на будний день, но Колю это не смутило, и переносить торжество ему и в голову не пришло.

— Вечером едем ко мне, — заявил он Короткову и Лесникову с самого утра. — И слышать ничего не хочу ни о каких срочных делах. Аську не забудьте.

Особенность селуяновских дней рождения состояла в том, что он никого не приглашал с мужьями и женами. По крайней мере с тех пор, как развелся. Но на него не обижались, понимая, что сыщику, которому, если очень повезет, выпадает не больше двух полноценных выходных в месяц, так вот этому сыщику сложно и некогда поддерживать в квартире такой порядок, чтобы не стыдно было приглашать много гостей.

— Ага, готовить опять мне, — хмыкнул Коротков.

— Жить захочешь — приготовишь, — философски заметил Селуянов. — Могу и я сам чего-нибудь сварганить, но вы же передохнете, как мухи, от моей кулинарии.

— Слушай, — подал идею Игорь Лесников, — а давай Анастасию на кухню зарядим. Она же все равно пока не работает. Пусть приедет к тебе пораньше, к нашему приходу все приготовит. А?

Идея была шумно поддержана. Коротков взял ключи от квартиры Селуянова, сел в машину, съездил за Настей и привез ее на просторную кухню, в которой, кроме мебели, ничего подходящего не было.

— Из чего готовить-то? — спросила она, окидывая взглядом пустой холодильник.

— Вот тебе деньги, сама купи, что считаешь нужным. Мы часам к семи приползем, — ответил Коротков. Потом подумал и предусмотрительно добавил: — Бог даст.

До семи часов Настя занималась организацией дня рождения. Готовить она не любила, но ради Селуянова решила

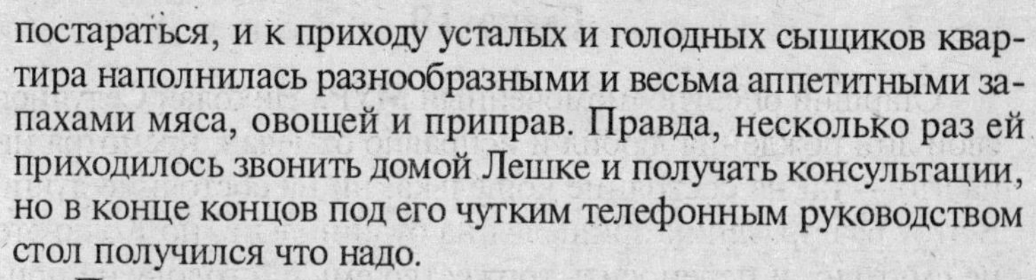

постараться, и к приходу усталых и голодных сыщиков квартира наполнилась разнообразными и весьма аппетитными запахами мяса, овощей и приправ. Правда, несколько раз ей приходилось звонить домой Лешке и получать консультации, но в конце концов под его чутким телефонным руководством стол получился что надо.

Первым это заметил Коротков, который в Настиной семье был частым гостем. Оглядев приготовленные закуски, он тут же залез ложкой в миску с салатом.

— Да это же фирменное блюдо Чистякова! — прошепелявил он с набитым ртом. — Аська, тебе ни в жизнь такое не приготовить. Признавайся, как все было.

— Да так и было, — вздохнула она покаянно. — Чего теперь скрывать.

— Поросенок ты, Каменская, — с чувством заметил Селуянов. — Если уж мы его не пригласили, так ты бы хоть не советовалась с ним, что и как готовить. Он же обидится.

— Кто обидится?

От такого чудовищного предположения Настя даже нож из рук выронила.

— Чистяков обидится? — переспросила она, поднимая упавший нож. — Да вы что, граждане. Чистяков — человек с нормальной психикой, он все прекрасно понимает.

— Давай все-таки позовем его, — предложил Селуянов. — Правда, неудобно как-то получилось.

— Позови. — Настя пожала плечами. — Мне даже лучше, он потом меня домой на машине отвезет, а так мне придется на метро да на автобусе плюхать.

Вопрос с Настиным супругом был решен быстро, и застолье началось. Первый тост, как водится, подняли за именинника, второй — за его родителей. К третьему тосту разговор перешел в привычное русло производственного совещания.

— Саприн приехал, — сообщила Настя. — Но вот что странно: он почему-то не ищет Оборина, хотя, по моим сведениям, взялся за задание Денисова.

— А что он делает? — поинтересовался Коротков.

— Представь себе, сидит дома. Причем проигнорировать задание он, по идее, не может, уж больно деньги хоро-

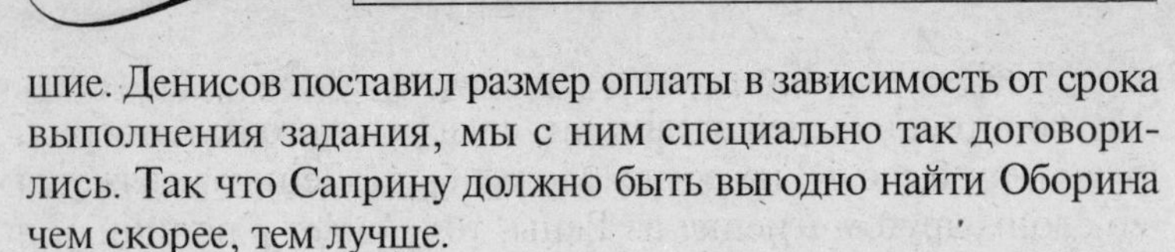

шие. Денисов поставил размер оплаты в зависимость от срока выполнения задания, мы с ним специально так договорились. Так что Саприну должно быть выгодно найти Оборина чем скорее, тем лучше.

— И как ты это объяснишь? — спросил Лесников, который ежедневно выслушивал от Гордеева нарекания за то, что убийство Карины Мискарьянц с места не сдвигается.

— Объяснений может быть множество. В частности, Саприн может точно знать, где находится Юрий Оборин, но не может его достать. Зато знает, когда и где он в ближайшее время появится. Конечно, он заинтересован в том, чтобы войти в контакт с Обориным и доложить о выполнении задания как можно быстрее, поэтому его бездействие можно объяснить двумя причинами. Либо Оборина действительно невозможно достать там, где он сейчас находится, и Саприну это прекрасно известно, поэтому он даже не пытается дергаться. Либо Оборин должен появиться в зоне видимости в самое ближайшее время. В самое ближайшее. В любом случае, коль уж у нас с вами нет ни сил, ни времени искать Оборина, подождем, пока Саприн нас к нему сам приведет.

— Востра ты, мать, чужими руками жар загребать, — покачал головой Селуянов. — Мало тебе служебного расследования, никак ты не уймешься со своим Денисовым. Авантюристка несчастная.

— Ну какая же это авантюра, — возразила Настя. — Это точный расчет на легендарную жадность Шоринова. Его поманили дурными деньгами — и он Саприна в Москву вызвал, про Коченову забыл. Он вообще про все забывает, когда деньги видит. А Саприну деньги нужны, причем, как выяснилось, срочно, его сестра скоро рожать должна, так что за поиски Оборина он, по моим расчетам, должен был взяться с превеликим удовольствием. И я была бы последней дурой, если бы не попросила Денисова все это организовать. Без его помощи мы бы Саприна и Оборина искали до морковкина заговенья.

— И чего дальше? — спросил Селуянов, отхватывая ножом изрядный кусок запеченной свинины.

— А дальше посмотрим, — неопределенно ответила она. —

Арестовывать Саприна мы все равно не можем — не за что. На территории нашей страны он ничего эдакого не натворил, о чем нам было бы известно. Может быть, Денисов свяжется со своим другом Кнепке из Вены, тот пойдет в полицию, и дальше все потечет по официальным каналам, если австрийская полиция захочет, конечно. Посольство, МИД, Интерпол и так далее.

— А если его спровоцировать на что-нибудь, чтобы был повод арестовать?

— Коля, перестань играть в Робин Гуда, — поморщился молчавший до этого Игорь Лесников. — У нас висит Карина Мискарьянц, и нам нужно найти ее убийцу. А это совершенно точно не Саприн. Оставь его в покое.

— Кстати, Игорек, а как убийство депутата? Прояснилось что-нибудь? — спросила Настя.

— Пока на том же месте. Ни тпру ни ну, — вздохнул Лесников. — Давайте выпьем.

— За что пьем? — с готовностью откликнулся Коротков, разливая спиртное по рюмкам.

— За прекрасные, чудесные, необыкновенные случайности, благодаря которым нам удается хоть что-то раскрывать, — хмуро пошутил Игорь. — Я, например, нутром чую, что депутата убил Дроздецкий, но доказать не могу. Алиби железное. А представьте себе, как было бы здорово, если бы оказалось, что на АТС, которая обслуживает территорию, где живет Дроздецкий, в день убийства была какая-нибудь поломка. Дроздецкий и его приятель Голубцов в один голос утверждают, что Голубцов позвонил Дроздецкому домой и назначил время встречи и поездки на дачу. А оказалось бы, что этого никак не могло случиться, потому что все телефоны в том районе в тот день не работали. Уже можно было бы разговаривать предметно. Но бог, я чувствую, мне такую замечательную случайность не пошлет, и буду я колупаться с убийством депутата Самарцева до седых волос.

— Как ты сказал? — вдруг переспросила Настя. — Как фамилия человека, с которым Дроздецкий ездил за город?

— Голубцов Василий Викторович. Ты его знаешь?

— Да, — ответила она странным изменившимся голосом. — Голубцов. Конечно, Голубцов. Живет на Больших Каменщиках. Все, Игорек, Дроздецкий — твой.

Лесников поставил полную рюмку на стол и внимательно посмотрел на Настю.

— Не шутишь?

— Не шучу. Бери в оборот Славку Дружинина из Южного округа. Он слабый, он расколется. Голубцов попал в свидетели по делу об изнасиловании девочки как раз в тот день, когда якобы ездил на дачу с Дроздецким. И он попросил Дружинина убрать его имя из всех документов. А Дружинин попался. Вот черт! Хороший же парень! И опер толковый. Жалко, что продался.

— Насчет Дружинина не ошибаешься? Уверена?

— Уверена. Ребята, изучайте компьютер как следует, а то и вы попадетесь.

— Господи, ну и шутки у тебя! — замахал руками Коротков. — Типун тебе на язык. А при чем тут компьютер?

— Дружинин залез в мою квартиру и стер из компьютера фамилию Голубцова. Но у него на работе в машине стоит старая версия «Norton», при включении на обеих панелях появляются корневые каталоги, а ему и в голову не пришло проверить, какая версия стоит у меня в компьютере, просто потому, что он вообще в этом не разбирается. При той версии, с которой он привык работать, невозможно при включении компьютера определить, с какими файлами работал пользователь перед тем, как выключить машину. Но Славка ничего в компьютере не понимает, кроме того, как его включить, как набирать текст в «лексиконе» и как в «морской бой» играть. На всякие глупости типа каталогов на панелях он и внимания не обращает. А у меня на левой панели идет текущий каталог, то есть тот, с которым работали перед выключением. То-то Лешка и удивился: на машине два дня подряд работал только он, а при включении на левой панели оказались мои файлы. Если бы Дружинин был чуть-чуть грамотнее, он бы запомнил, что было на панели, когда он включил машину, и вернул бы все в исходное состояние. А он книжками пренебрегает. Результат, как видите, печальный.

— Все это замечательно, — заметил Лесников, — а дока-

зывать-то как будем? Ведь Дружинин не дурак, чтобы признаваться.

— Как доказывать — я придумаю, не бери это в голову, — пообещала Настя. — Ведь вы меня для этого держите.

— Да уж, конечно, не для того, чтобы ты нам еду готовила, — встрял Селуянов. — Чего-то твой благоверный долго не едет.

Внезапно Настя расхохоталась. Сыщики недоуменно переглянулись, потом молча выпили и дружно покачали головами. Нет, никогда им не понять Анастасию Каменскую. И как у нее голова устроена?

* * *

Сидя в машине рядом с Алексеем, Настя молча курила, уставившись невидящими глазами куда-то в окно. Она вспомнила о Дружинине и снова рассмеялась.

— Ты чего? — повернулся к ней Леша. — Смешинка в рот попала?

— Ага. — Она отерла выступившие от смеха слезы. — Вспомнила, как отчитывала своего старикашку из конторы за то, что его люди ко мне в квартиру залезли. Господи, каким голосом я с ним разговаривала!

— А что смешного? — не понял Чистяков.

— Да это вовсе не его люди сделали. Но я это только сегодня поняла, а гнева праведного сколько было! Представляю, какой шорох у них в конторе поднялся из-за этого. Нарочно не придумаешь.

— Ну ничего, извинишься перед ним за недоразумение, — пошутил он. — Сегодня, поди, опять на ночь глядя позвонит.

— Еще чего! — фыркнула Настя. — Извиняться я перед ним буду, как же. Да я его этими домушниками доставать буду до полного изнеможения. И еще что-нибудь такое же изобрету, мало ему не покажется. На Тришкана накапаю. Еще и навру чего-нибудь.

— Ася, уймись, — умоляюще произнес Чистяков. — Уймись, я тебя прошу. Сыщицкий азарт — это, конечно, здорово, но не хватит ли тебе неприятностей? Давай мы с Сашей выследим твоего старика, узнаем, где он живет, ты выяснишь, кто он такой, и дальше пусть работают официально. Не лезь ты к нему, не трогай его.

— Не лезть?

Она стала серьезной, повернулась боком и уставилась на мужа в упор.

— Не лезть? — повторила она уже совсем другим голосом. — Ты уже забыл, как мы с тобой сидели взаперти и молили судьбу, чтобы с дочкой Ларцева ничего не случилось? Ты забыл, как ее похитили и неделю держали на лекарствах и она едва не умерла? Ты забыл, что ее отец стал инвалидом? Тогда я ничего не смогла сделать с этой чертовой конторой, потому что жизнь девочки была важнее всего и любое мое неосторожное движение могло привести к необратимым последствиям. А сегодня у меня руки развязаны. И знаешь, почему? Потому что им от меня нужно что-то другое. Не какое-то конкретное действие, которого они могли бы добиться от меня, начав угрожать, например, тебе, или Дашке, или, что еще хуже, маленькому Санечке. Можешь не сомневаться, у них есть полный перечень моих родственников и близких, на страхе за которых меня можно взять голыми руками. Этому странному старику зачем-то нужна я как таковая. Я не знаю, что ему от меня нужно. Но я знаю одно: я их ненавижу. Но уничтожить их у меня силенок не хватит. И не думай, пожалуйста, что вам с Санькой удалось бы выследить старика. Не строй напрасных иллюзий, солнышко, он нам не по зубам. Как только он заметит слежку, через два часа меня пригласят опознавать труп, твой или Сашин. Он — зубр, умный, хитрый, опытный и невероятно опасный. Единственное, что я могу попытаться сделать, это внести смуту в ряды противника и тем самым хоть чуть-чуть его ослабить. А заодно отбить у него охоту дышать мне в затылок.

— И ты знаешь, как это сделать?

— Пока не очень, только в самых общих чертах. Но я буду пробовать. Во всяком случае убийцу Карины Мискарьянц он мне отдаст сам.

* * *

Дома Настя сразу переоделась в теплый махровый халат, но спать не ложилась, хотя было уже двенадцать.

— Чего ждем? — спросил Алексей, который вставал рано, и глаза у него уже слипались.

— Ты ложись, Лешик, я еще посижу, подумаю. Все равно этот тип звонить будет, разбудит.

— Думаешь, позвонит?

— Куда он денется. — Настя безнадежно махнула рукой. — Его ночные звонки стали уже доброй традицией.

— Ну смотри.

Леша забрался в постель и какое-то время мужественно пытался читать новый детектив, но очень скоро глаза его закрылись, а книжка упала на пол рядом с диваном. Настя на цыпочках подошла к нему, укрыла, погасила свет и вернулась на кухню, плотно прикрыв за собой дверь.

Итак, что она имеет на сегодняшний день? Только догадки. Опрос родственников тех людей, которые занимались творческой работой и умерли в течение последних нескольких месяцев, показал, что некоторые из них незадолго до скоропостижной кончины лечились в клинике, где работает Ольга Решина. Можно предположить, что именно там, в этой клинике, шла работа над восстановлением препарата профессора Лебедева. Хорошему следователю, вероятно, удастся доказать вину врачей и привлечь их к ответственности. Но для этого нужны сильные доказательства, и много. Соваться в клинику сейчас бессмысленно, если отделение считается санаторным, или, как принято говорить, кризисным, то смертность в таком отделении не может пройти мимо внимания главврача. Смертность там при нормальном положении вещей должна быть минимальной, а то и вовсе нулевой. Раз главврач не забил тревогу, значит, он в деле. Поэтому разговаривать с ним нельзя, они сразу же утопят все концы. Дальше... Есть еще патологоанатом. Если с причинами смерти какие-то проблемы, он тоже должен был забеспокоиться. Раз молчит, значит, и там все в порядке. Как же их зацепить? Как добыть доказательства их преступной деятельности? Пожалуй, пока никак, грустно констатировала Настя. Доброволь-но никто не расколется, дураков нет. Вывелись все.

Теперь Оборин. Судя по всему, действительно где-то сидит и тихонько пишет диссертацию. Он был в контакте с Тамарой Коченовой после ее возвращения из Австрии, это совершенно ясно, и забрал в свой гараж ее автомобиль с неисправной сигнализацией. Но почему же контора его не тронула? Ведь даже несчастную Карину они заставили умолкнуть навсегда, потому что Карина знала, куда уехала Тамара. Почему же они не тронули Оборина? Или все-таки тронули? Купили его молчание? Нет, не получается. Если бы контора вышла на Оборина как на человека, который что-то знает о Тамаре, они не допустили бы, чтобы ее машина стояла у него в гараже. Они слишком осторожны и предусмотрительны, чтобы допустить такой промах. Ведь именно через машину Коченовой милиция вышла на Оборина как на человека, связанного с Тамарой. Они должны были это предвидеть. Что же произошло? Нужно как можно быстрее постараться это понять, потому что Оборин вот-вот появится, и к этому моменту должна быть выработана линия поведения в отношении него...

Звонок прервал ее напряженные размышления. Настя взглянула на часы — без четверти час. Поздновато. Старичок начал себе позволять вольности.

— У вас грустный голосок, Анастасия Павловна, — ласково сказал он. — Неприятности одолели?

— Одолели, — призналась она. — Между прочим, если вам небезразличны мои трудности, мы могли бы заключить с вами сделку. Вы ведь пытаетесь уверить меня, что мы с вами — друзья. Вот и докажите это.

— Всегда готов, — благодушно отозвался баритон. — Ваши условия?

— Условия простые. Мне нужно раскрыть убийство Карины Мискарьянц. И я уверена, что вы можете мне помочь.

— Может быть, может быть. А что взамен?

— А взамен я скажу вам, кто послал моему руководству фотографии, на которых я запечатлена с Денисовым. Вам же наверняка хочется это узнать.

Пауза была такой долгой, что Настя испугалась, уж не сделала ли она ложный выпад.

— Вы правы, — наконец произнес старик. — Мне действительно хочется это узнать. Но, дорогая моя, разница между вами и мной в том, что я это и без вас узнаю, а вот вы свое убийство без моей помощи не раскроете. Так что же, будем дальше торговаться?

— Будем, — твердо ответила Настя. — У меня есть что вам предложить в обмен на убийцу Карины.

— Предлагайте, — великодушно разрешил старик.

— Поскольку в отношении меня и без того ведется служебное расследование, лишнее нераскрытое убийство ничем катастрофическим мне не угрожает. Свой строгий выговор я и так получу. Но если вы мне не поможете, если вы не сдадите мне убийцу Карины Мискарьянц, то я напишу докладную записку руководству, в которой будет указано, кто, когда и при каких обстоятельствах фотографировал меня с Денисовым. И тогда уже в отношении этого человека начнется служебное расследование, потому что моему руководству безумно захочется узнать, из каких таких соображений сотрудник органов внутренних дел следил за мной, фотографировал меня и послал свои снимки в ГУВД, да еще и анонимно. Хотите?

— Это сделал ваш сотрудник? — В голосе старика зазвучало неподдельное изумление.

— Это сделал ВАШ сотрудник. Фамилию назвать или сами догадаетесь?

Снова повисла пауза, на этот раз еще более долгая и тягостная.

— Я понимаю, догадаться вам трудно, — прервала молчание Настя. — Среди ваших людей слишком много сотрудников милиции, чтобы можно было сразу сообразить, кто из них так вам напакостил. Но вы подумайте до завтра, я не тороплюсь. Спокойной ночи.

— Спокойной ночи, — ответил баритон, уже обретший прежнюю уверенность и самообладание.

* * *

Никогда еще время не текло для Юрия Оборина так быстро. Вечер неумолимо приближался, повода оттягивать свой выход из клиники не было, а он так и не разобрался в происходящем. И чем дальше, тем больше его одолевал страх. Здесь, в клинике, ему хотели причинить вред, и только чудом он вовремя спохватился и перестал пить отраву. Но зачем нужно, чтобы он возвращался домой? Может быть, и там его ожидает смерть?

В половине десятого снова пришла Ольга. Она так нервничала, что даже не могла этого скрыть.

— Ну все, Юрочка, моя смена заканчивается. Будешь собираться?

— Знаешь, я что-то плохо себя чувствую, — сказал он. — Может, мне имеет смысл переночевать здесь? А завтра встретимся, как и договаривались.

— Ну Юра! — Ольга надула губки и отвернулась. — Я так настроилась завтра пораньше утречком прибежать к тебе... Я уже все придумала, праздник хотела нам с тобой устроить, а ты...

— Хорошо, хорошо, Оленька, — поспешно согласился он. — Завтра утром я буду дома. Обещаю. Сейчас соберусь потихонечку и поеду.

— Правда? — обрадовалась она. — Честное слово?

— Честное слово, — улыбнулся Оборин.

— Так я предупрежу Сережу, что ты будешь уходить?

— Конечно, предупреди. А то уснет ненароком, мой звонок не услышит.

Ольга чмокнула его в щеку и упорхнула. Оборин встал с кровати и начал, не торопясь, перебирать бумаги. Да, он уйдет отсюда сегодня вечером, но сделает это так, как считает нужным. Интересно, где его поджидают неприятности, дома или по дороге из клиники? Домой он в любом случае пока не вернется. А что касается дороги, то вполне возможно, шахматный гений Сережа должен будет кого-то уведомить о том, что Оборин покинул клинику. И тогда его будут «встречать». Может быть, конечно, никто Сережиного сигнала не ждет, просто стоит человек неподалеку от клиники и спокойненько поджидает шатающегося от слабости Оборина. Может быть. Вероятность — пятьдесят на пятьдесят. Но если шанс все-таки есть, пренебрегать им не стоит.

Он методично разбирал рукописи, раскладывая в разные стопки чистовики, черновики, рабочие записи, статистику, расчеты. Следует оставить здесь все ненужное, не тащить с собой лишний груз, сил совсем нет. И непременно нужно найти в палате что-нибудь тяжелое, но небольшое, чтобы в руке умещалось. Оборин внимательно осмотрел свои вещи, и взгляд его остановился на плоском разборном дорожном утюге. Он горько усмехнулся собственной наивности: дурак, поверил Ольге, хотел хорошо выглядеть перед ней, не ходить в мятых рубашках, утюг с собой притащил. Что ж, все равно пригодилось. Пластмассовую ручку вместе со шнуром он сунул в сумку, а плоскую металлическую часть положил под подушку. Кажется, все. Попробовал сумку на вес — она показалась ему неподъемной. Надо же, как он ослабел. Но он должен вырваться. Он должен.

Без четверти одиннадцать заглянул Сережа.

— Юрий Анатольевич, вы готовы? Ольга Борисовна предупредила, что вы будете уходить. Я вас провожу.

Оборин в изнеможении опустился на кровать.

— Знаешь, Сережа, что-то сил у меня нет. Устал, пока собирался. Ты не мог бы принести мне поесть? И чаю крепкого и сладкого. Подкреплюсь перед дорогой, заодно мы с тобой последний блиц сыграем на прощание. Отдохну немного и поеду.

— Конечно, Юрий Анатольевич. Холодная отбивная с салатом пойдет? Или бутерброды принести?

— Давай отбивную, и хлеба побольше.

Через десять минут Сережа вновь появился с подносом и шахматной доской. Оборин сидел на кровати, рядом он предусмотрительно поставил журнальный столик, на котором рядом с тарелкой и чашкой уместилась доска. Сереже ничего не оставалось, как сесть в кресло напротив.

От вида еды Юрия затошнило, но он заставил себя изобразить аппетит и старательно впихивал в себя мясо, салат из свежей капусты с морковью и изюмом, хлеб и запивал все это горячим чаем. Потянувшись в очередной раз за стаканом, он слишком низко опустил руку и задел локтем фигуры, которые посыпались на пол.

— Ох, прости! — огорченно воскликнул он. — Какой я растяпа!

— Ничего, я соберу, — тут же с готовностью откликнулся Сережа, вскакивая.

Он присел на корточки и начал собирать раскатившиеся по полу фигуры. Оборин на мгновение зажмурился, собираясь с духом, потом быстро достал из-под подушки металлическую плашку и изо всех сил опустил ее на доверчиво подставленный затылок. Сережа без звука повалился на пол, задев ножку стола. Шум падающих тарелок и доски с оставшимися фигурами показался Оборину грохотом, на который должно сбежаться все отделение. Но ничего не произошло.

Он склонился над парнем и обшарил карманы его халата. Там было только два ключа, оба в виде ручек, которые насаживались на торчащие из замков штыри. Судя по сечению, форма у этих штырей была разная. Такие ручки-ключи Юрий видел у проводников в поездах дальнего следования, ими открывались двери вагонов и купе.

Оборин присел на несколько секунд, чтобы унять бешено колотящееся сердце, потом взял сумку и осторожно вышел из палаты. В коридоре он огляделся — никого. Только двери по обе стороны. Попробовал ключи, один из них подошел к его двери. Он аккуратно повернул ручку и с удовлетворением услышал знакомый щелчок. Оглядывая коридор, он с досадой обнаружил, что не помнит, в какой стороне выход. Но путь направо был короче, чем налево, и он решил сначала двинуться туда. Оборин шел медленно, стараясь шагать бесшумно, но его тяжелое дыхание казалось ему оглушительно громким. Проходя мимо одной из дверей, он услышал голоса и замер. Господи, только бы никто не вышел! Здесь и спрятаться-то негде, пустой прямой коридор, под ногами мягкая дорожка, сверху яркая лампа, вот и весь интерьер.

Добравшись до конца коридора, Юрий с отчаянием понял, что выбрал неправильное направление: за дверью в конце ко-

ридора оказался туалет. Обливаясь потом, он повернул назад, с ужасом думая о том, что сейчас снова придется проходить мимо двери, за которой кто-то есть. В первый раз ему повезло. А во второй?

Обратный путь по коридору показался ему дорогой на Голгофу, такой же страшной и тяжелой. Сумка весила, ему казалось, целую тонну, а шум шагов и дыхания чудился громовым грохотом. Вот она, эта опасная дверь. Оборин с трудом сдержался, чтобы не ускорить шаг. Нельзя торопиться, его могут услышать.

— Петр, зови Серегу чай пить, — послышался голос из-за двери.

Оборин помертвел. Вот все и закончилось. Сейчас невидимый Петр выйдет в коридор...

— Он с юристом в шахматы играет, — ответил другой голос. — Проиграет в очередной раз, тогда и придет чай пить.

Юрий перевел дыхание. Кажется, обошлось. Петр — это муж медсестры Марины, что ли? Ничего себе, семейственность развели. Ольга с мужем, Марина с мужем. Тесная компания. Что же у них тут творится?

Он собрался было идти дальше, как снова послышался голос:

— Снова чашки немытые остались. Ну что за свинство, ей-богу! Петька, я тебя убью когда-нибудь за это.

— Я сейчас вымою, не ругайся.

Юрий снова замер. Неужели Петр сейчас отправится в туалет мыть чашки? Тогда все пропало. До него донеслось звяканье посуды и шум воды. Слава богу, в комнате у лаборантов была раковина. Оборин снова двинулся вперед. Вот наконец дверь на лестницу. Заперто. Он поискал глазами замочную скважину, но не обнаружил ее. Что за чертовщина? Деревянная панель была абсолютно гладкой, на ней не было ничего, кроме круглой ручки.

Голова закружилась, и Оборин в изнеможении привалился к стене. Неужели все напрасно? Он не сможет выйти отсюда без посторонней помощи. Мог бы и раньше догадаться. Не такие уж они дураки. Да нет, не может этого быть. Нужно только поискать как следует.

13 Зак. 670

Он взял себя в руки, стараясь стряхнуть охватившее его отчаяние, и еще раз внимательно осмотрел дверь. Конечно, вот провода. Электрический замок. А где же рычаг, который приводит его в действие? Вот он, за оконной шторой. Черт возьми, их тут целых два.

Оборин по очереди нажал обе кнопки. В первый раз ничего не произошло, при втором нажатии раздалось тихое жужжание. Он судорожно схватился за ручку и потянул на себя, дверь тяжело поддалась, и Юрий понял, что она была стальной. Он выскользнул на лестницу и осторожно притворил ее. Снова жужжание и мягкий щелчок. Путь назад отрезан. Теперь если что не так, вернуться он не сможет.

Ступенек не было, и Оборин с недоумением подумал, как же он будет спускаться вниз. Разве что на лифте. Он нажал кнопку вызова, и через несколько секунд кабина остановилась перед ним. Но дверь не открывалась. О господи! Он исступленно дергал за ручку, но ничего не получалось. Все, он попался. Назад хода нет, вперед — тоже. Ему захотелось плакать.

Ноги подгибались от слабости, он поставил сумку на пол и сел на нее. Сидеть было неудобно, что-то больно впивалось в ягодицу. Ключ. Ну конечно же, второй ключ, который он машинально сунул в задний карман брюк. Наверное, еще от какой-нибудь палаты. Оборин собрался уже было переложить его в сумку, как уперся взглядом в отверстие под ручкой двери лифта. Из отверстия торчал штырь. Дрожащими руками он попытался приладить ключ к штырю, боясь поверить в удачу. Ничего не получалось. Форма штыря не совпадала с отверстием. Он снова обессиленно опустился на пол, оперевшись на стоящую рядом сумку локтями. Опять навалилось глухое отчаяние. Не везет.

А если попробовать второй ключ, тот, что от его палаты? Мелькнула сумасшедшая мысль о том, что, может быть, у них всего две разновидности замков, поэтому достаточно всего двух ключей, чтобы открывать все двери?

Да, на этот раз все получилось. Он всегда знал, что самое главное — не падать духом. Нужно надеяться до последнего. Только тогда можно рассчитывать на удачу, на благосклонную помощь судьбы. Он уже шагнул в лифт, как вдруг в голову ему пришла мысль о стальной двери, ведущей из отделения на лестницу. Оборин открыл «молнию» на сумке и достал крошечный перочинный ножик. Поискав глазами провода, он быстро и аккуратно перерезал их. Потом закрыл дверь лифта и поехал вниз. На первом этаже он снова не смог открыть дверь лифта, но на этот раз паника не успела охватить его раньше, чем он сообразил, что здесь тоже нужен ключ. Единственное отличие состояло в том, что на втором этаже ключ требовался, чтобы войти в лифт, а на первом — чтобы выйти. Ловко они придумали, мысленно похвалил Оборин, уйти из отделения можно, только имея ключи, а войти в него вообще нельзя, даже если ключи у тебя есть. Для того чтобы войти в отделение, нужно, чтобы тебя там ждали. Если никто тебя специально не встречает, то и в лифт на первом этаже ты не войдешь, а в самом крайнем случае — войти-то войдешь, а на втором этаже из него не выйдешь.

Он оказался прав: удача приходит только к тем, у кого не опускаются руки. Входная дверь открылась легко, и беглого осмотра было достаточно, чтобы убедиться: она тоже имела электрический замок. Значит, вторая кнопка возле двери, ведущей из отделения, предназначалась для управления дверью на первом этаже. Перерезанный им провод был скорее всего именно от нее. На всякий случай он и здесь перерезал провод, после чего вышел на улицу и всей тяжестью привалился к двери снаружи. Щелчок, язычок замка мягко вошел в косяк. Вот и все, теперь не так-то легко будет выйти отсюда.

Холодный осенний воздух, наполненный дождевыми каплями, показался ему райским бальзамом. Юрий сделал глубокий вдох, голова сразу закружилась, да так сильно, что на мгновение потемнело в глазах. Нет, ни за что, ведь он уже сделал это, он вырвался из клиники, нельзя сдаваться, когда победа уже так близко. Нельзя. Он должен идти. Но куда? Неважно, куда-нибудь, только подальше отсюда и от собственного дома. Спрятаться, пересидеть какое-то время.

Нет, неправильно. Не прятаться и не сидеть, а идти в милицию. Рассказать про непонятные темные дела, творящиеся в отделении, пусть они разберутся. Да, вот так будет правильно.

Он добрел до выхода из парка, окружавшего клинику, и направился к метро. Ему казалось, что удача прибавила ему сил, что чувствует он себя вовсе не так уж плохо, как думал, лежа на кровати. Может, это правда, что бездействие и страх лишают человека сил, а когда начинаешь что-то делать и медленно двигаться к победе, то открывается второе дыхание. Свобода пьянила его, удача, добытая собственными руками, вселяла веру в свое могущество и непобедимость. Он даже прибавил шаг и начал улыбаться сам себе.

Спустившись в подземный переход, он довольно бодро зашел в метро и, остановившись у окошечка кассы, стал рыться в кошельке в поисках тысячной купюры, чтобы купить жетон. Сначала он даже не понял, что происходит. Купюры в кошельке были разного цвета, но на всех стоял один и тот же номинал — 200...

— Молодой человек, — донесся до него голос откуда-то издалека. — Молодой человек, вы меня слышите?

Он с трудом открыл глаза и увидел милиционера в форме и женщину, которые оказались почему-то не перед ним, а как бы сверху. Потом он сообразил, что лежит, а эти двое склонились над ним.

— Молодой человек, — настойчиво окликала его женщина, — вам «неотложку» вызвать или у вас есть лекарство?

— Двести, — пробормотал Оборин одеревеневшими губами. — Почему все время двести?..

— Слышь, Шурик, тут рядом больница есть, может, туда позвоним? — спросила женщина, обращаясь к милиционеру. — А то «скорую»-то мы до утра ждать будем. Они теперь сам знаешь как ездят. Смотри, парень белый совсем, как бы не помер.

Оборин из последних сил напряг голос.

— Пожалуйста, — заговорил он умоляюще, — только не в больницу. Пожалуйста. От сердца что-нибудь... Это у меня бывает. Устал. Перенервничал. Корвалол или что-нибудь...

— А может, он пьяный? — вдруг предположил милиционер. — А ну дыхни.

Оборин послушно дыхнул. Милиционер повел носом и поморщился.

— Вроде не пахнет. Нельзя, чтоб он тут валялся. Непорядочек. Давай-ка, мужик, решай, или ты поднимаешься и топаешь отсюда, или я позвоню в больницу, тут рядом, буквально в двух шагах, пусть они тебя забирают.

— Я сейчас в медпункт позвоню, — сказала женщина в черной форме с эмблемой в виде скрещенных серебряных молоточков.

— Еще чего! — недовольно фыркнул милиционер по имени Шурик. — Уже без двадцати час, а если он за десять минут не оклемается, что мы с ним делать будем? Сидеть тут с ним до утра вместо того, чтобы домой идти? Нет уж, пусть или валит отсюда, или я его в больницу сдам.

— Я пойду, — снова забормотал Оборин. — Спасибо вам за заботу, извините, что упал, я не хотел... Случайно... Уже все в порядке, все прошло.

Не чуя под собой ног, он с трудом дотащился до эскалатора и не видел, как женщина-контролер, сочувственно покачав головой, снова зашла в свою будочку и сняла телефонную трубку.

— Рая? Там парень едет вниз, у него, кажется, с сердцем плохо. Ты посмотри, чтобы он на пути не свалился. Нет, не пьяный, Шурка понюхал. Да ну его, ты что, Шурку не знаешь? Для него ж люди — грязь. В коричневой куртке, бледный такой, видишь его? Ага... Ага, он. Ты не гони его, пусть на лавочке посидит, накапай ему чего-нибудь от сердца. А то не дай бог что...

Сердобольная контролерша оказалась права. Оборин действительно вышел на платформу и уселся на первой же скамейке. Грудь словно сдавило чем-то тяжелым, в глазах то и дело темнело, и он совсем не мог думать о том, куда же ему ехать в таком состоянии, где ночевать и как добраться до милиции. Но ему не нужна была такая милиция, где работали Шурики, тупые, ленивые и безжалостные. Такая милиция его не поймет и ему не поверит. Ему нужна другая милиция, самая лучшая, где работают умные и добрые сыщики, про которых пишут в книжках. Такая милиция, какой в реальной жизни не бывает. Дурак, наивный дурак! На что он рассчитывал, убегая из клиники? На то, что первый же попавшийся милиционер окажется добрым, умным и внимательным, терпеливо выслушает его сбивчивый рассказ и тут же поднимет всех на ноги и кинется разоблачать преступную шайку врачей? Сейчас, дожидайся. Они все такие, как этот чертов Шурик. Уходи отсюда со своей бедой, непорядочек, нельзя здесь находиться. Или ты пьяный, и я тебя задерживаю до протрезвления, или ты больной, и я сдаю тебя врачам от греха подальше. А если ты не пьяный и не больной — вали отсюда в темпе вальса, чтобы я тебя больше не видел. Что у тебя? Беда? У всех беда, всем жить тяжело. Обидели тебя? Всех обидели. В лекарство отраву подмешали? А это, парень, тебя глючит, у тебя мания преследования, стало быть, ты все-таки больной, и сдам я тебя поскорее в ту самую больницу... Господи, ну почему все так!

Он зажмурился и почувствовал, как из-под плотно сжатых век текут слезы.

— Ты что, сынок? — услышал он рядом ласковый голос. — Стряслось что? Или обидели тебя?

Чья-то рука тронула его за плечо, и аспирант Юрий Оборин, двадцати девяти лет, взрослый сильный мужик, вдруг ткнулся лицом в чью-то грудь и всхлипнул. Нездоровье, страх и напряжение последних двух дней совершенно истощили его нервную систему.

— Поплачь, сынок, поплачь, — говорил все тот же голос. — Это хорошо, что ты можешь плакать. Я вот не могу. И хотела бы, да не получается.

— Простите.

Юрий отвернулся и отер лицо руками. Ему было стыдно, и он боялся повернуться и посмотреть на женщину.

— Простите, — еще раз повторил он.

Из тоннеля донесся грохот приближающегося поезда. Он собрался было встать, но покачнулся и снова сел.

— Пойдем-ка, сынок, в мою конурку, я тебе капелек накапаю, у меня всякие есть, и от сердца, и от нервов тоже. Куда тебе такому-то ехать.

— Некуда, — внезапно сказал Оборин. — Ехать мне некуда. Оттого и плачу.

Глава 20

К десяти часам вечера Николай Саприн занял позицию неподалеку от дома Оборина и стал терпеливо ждать. Еще тогда, когда Дусик-Шоринов назвал адрес, Саприну почудилось нечто знакомое. Теперь же, подойдя к дому и даже поднявшись на третий этаж, чтобы посмотреть расположение квартиры и определить, куда выходят окна, он был совершенно точно уверен: это та самая квартира, где он однажды уже побывал и где живет парень, забравший машину Тамары. Вот это номер! Он ведь имени этого парня не знал, а после встречи в аэропорту с матерью Тамары просто назвал Шоринову координаты людей, которые могут вывести на Тамару и на него самого — двух девочек из «Лиры», Танечку и Ларису, Карину Мискарьянц из «Лозанны», а также молодого человека, адрес назвал и тут же забыл о нем, в голове и без того проблем навалом. Тогда по крайней мере понятно, откуда Дусику известно местонахождение Оборина. Конечно, известно, он ведь должен был им заниматься. «Совершенно случайно известно»! Как же, жди.

Но Дусик крутит что-то. Уж больно здорово все у него получалось: деньги огромные и дармовые прямо с неба готовы упасть, а он при этом боится проко́лоться и собирается даже делиться этими деньгами. Что-то не так. Непохоже на него. Хотя, впрочем, можно понять, если он хочет откупиться от него, чтобы Николай Катю не трогал. Тьфу, бред какой-то, зло подумал Саприн.

Однако где же Оборин? Дусик пообещал, что вскоре после десяти вечера парень явится домой. Уже половина двенадцатого, и если до полуночи богатенький знакомый Дусика не получит возможности связаться с Обориным по телефону, размер гонорара плавно сползет с семидесяти тысяч баксов до шестидесяти. Соответственно доля самого Саприна будет уже не тридцать пять тысяч, а только тридцать.

Без десяти двенадцать Николай зашел в будку телефона-автомата.

— Михаил Владимирович, как я должен это понимать? Оборина до сих пор нет дома.

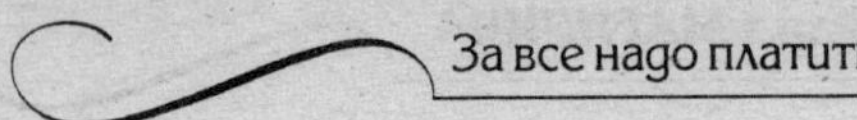

— Как нет? — не на шутку испугался Шоринов. — Ты уверен?

— Я не больной, — сердито отозвался Саприн. — Если я говорю, что его нет, значит, его нет. В подъезд он не входил, и окна темные. Он не мог появиться раньше, а потом уйти куда-нибудь?

— Нет-нет, — торопливо заговорил Шоринов. — В десять часов он еще был... Ну, впрочем, неважно, где, но не дома. Это совершенно точно.

— И сколько я должен ждать? Вы, Михаил Владимирович, от жадности затеяли черт знает что, а в итоге вся ваша комбинация может прогореть. Через десять минут мы с вами обеднеем на пять тысяч, вы этого не забыли? Может быть, вы все-таки скажете мне, где Оборин, и я попробую связаться с ним, пока двенадцати еще нет. Надо спасать положение.

— Подожди... Перезвони мне через пять минут.

— Михаил Владимирович, мы теряем время. А вместе с ним и деньги. Перестаньте крутить и вилять наконец.

— Через пять минут, — сказал Шоринов и бросил трубку.

Саприн почувствовал, как закипает от ярости. Вот всегда с этим гребаным Дусиком что-то не так. Всегда в последний момент что-то происходит, как это было с Вероникой Штайнек. Планировали, рассчитывали, готовились, а потом в одну секунду Шоринов все изменил, и они до сих пор из этого дерьма выпутаться не могут. Пять минут. Что ему эти пять минут? Небось опять что-то комбинирует, выкручивает... Сволочь волосатая.

Он снова набрал номер. Дусик схватил трубку сразу, еще первый сигнал не прозвенел до конца.

— Ну и что вы мне скажете?

— Коля, там какая-то накладка вышла... Надо ждать.

— Значит, так, уважаемый Михаил Владимирович. Я буду ждать столько, сколько нужно, но имейте в виду: вы мне должны тридцать пять тысяч. И ни копейкой меньше.

— Но, Коля...

— Я сказал. В том, что я до сих пор не нашел Оборина, виноваты только вы. Вы сами мне вчера сказали, что знаете, где он. Вот и нужно было его там достать. Чего вы темнили?

Чего выдуривались? За все надо платить, Михаил Владимирович. Вот вы мне и заплатите. Я буду ждать Оборина до семи утра. Если он не появится, я приеду к Кате и буду сидеть у нее до тех пор, пока вы не придете и не отдадите мне мои деньги. Где и как вы потом будете искать этого парня, меня не интересует. И имейте в виду, если вы опять начнете крутить, я просто расскажу Кате, чем вы занимаетесь вместе со своими чудесными врачами. И про Австрию расскажу. Мне терять нечего, Катя все равно мне отказала, вы же знаете. Но после моего рассказа она и вас пошлет в неведомые дали, это уж будьте уверены. Она нищая и зависимая, это верно, но она далеко не дура.

— Ты что, угрожаешь мне?

— А как же. Вы ж по-другому не понимаете. Так не забудьте, я жду Оборина только до семи утра. Потом ищите его сами.

Саприн вышел из телефонной будки и вернулся в подъезд, из которого наблюдал за домом, где живет Оборин. Но он почему-то был совершенно уверен, что тот не появится. Если бы все шло так, как задумывал Дусик, парень бы уже был дома. Значит, сорвалось. Что-то не связалось, как задумал Штирлиц, злорадно ухмыльнулся про себя Николай. Теперь ясно, что Дусик Оборина потерял. Ну и дурак. Все равно он свои деньги из Дусика вытрясет. Но до семи утра он, конечно, подождет, как и обещал.

Представления о чести, хоть и весьма своеобразные, у Николая Саприна были. Раз обещал — сделает. И если бы его спросили, почему он не сбежал после убийства Вероники вместе с деньгами, он бы совершенно искренне ответил, что ему это и в голову не пришло.

* * *

А Юрий Оборин сидел в маленькой комнатушке — служебном помещении Раисы Васильевны, пил сладкий чай и понемногу приходил в себя. Раисе он сказал, что его жена выгнала из дома, и этого оказалось достаточно, чтобы пробудить в ней безграничное сочувствие. Убивать надо этих стерв, которые заводят себе любовников и не ценят таких славных мужиков, как Юрий. Ну как можно на ночь глядя выгонять человека из дома, если у него сердце больное? Души у нее нет.

Раиса Васильевна потихоньку привела врача из метрополитеновского медпункта, и та сделала Оборину какой-то укол, от которого ему стало значительно лучше. В комнатке у Раисы он чувствовал себя в безопасности, ему стало спокойно, и голова снова заработала в полную мощь. Уже через несколько минут Юрий пришел к выводу, что если Ольга и ее компания озабочены поисками Тамары Коченовой, то в этом должен быть какой-то криминал. А коль есть криминал, то в милиции непременно есть человек, который в курсе проблемы. Задача Оборина — как можно быстрее этого человека найти.

— Где ж ты ночевать-то будешь? — спрашивала его Раиса. — Если ехать куда надумаешь, так надо прямо сейчас, через две минуты последний поезд пойдет, потом уж не уедешь.

— Не знаю, — вздохнул Юрий. — Родители в отпуске, а ключей от их квартиры у меня нет.

— Хочешь, переночуй у меня, — предложила женщина. — Я с дочкой живу, но она девочка добрая, возражать не будет. А то, глядишь, она тебе и понравится, бросишь свою шлюху. Дочка у меня хорошая.

— Сколько лет? — с улыбкой поинтересовался он.

— Девятнадцать. Двадцать скоро стукнет.

— Рано вы ее сватаете, пусть погуляет еще. Замуж всегда успеет.

— Да ты не бойся, — засмеялась Раиса Васильевна, — я пошутила насчет дочки. Но насчет ночевки я серьезно. Вот сейчас последний поезд провожу, порядок наведу на платформе, и домой. Я здесь недалеко живу, пешком минут двадцать. Может, жене твоей тебя и не жалко, а мне вот, дуре старой, жалко. Как же ты ночью-то?

— Спасибо, — внезапно решился Оборин. — Если вы меня приютите на ночь, я буду вам очень благодарен.

Через час он уже был в крохотной однокомнатной квартирке Раисы Васильевны. Постелили ему на полу, между диваном, на котором спала сама Раиса, и раскладным креслом, на котором лежала ее дочка. Девушка уже крепко спала, когда они пришли, и спросонок даже не поняла, когда мать принялась объяснять ей про неожиданного гостя.

— Да-да, — сонно пробормотала она, поворачиваясь на другой бок, укутываясь потеплее и снова засыпая.

Спать Оборин не мог. Он лежал на полу на мягком матрасе, закинув руки за голову, и напряженно размышлял, куда идти утром, что делать и как найти того единственного сотрудника милиции или прокуратуры, который мог бы ему помочь.

* * *

Арсен в эту ночь тоже мучился бессонницей. Ах, Виктор, Виктор! Какой же он дурак! Надо же, как он испугался конкуренции. Теперь понятно, почему он твердит, что Каменская чиста, что на нее ничего нет. Глупости это, всегда что-нибудь есть. Но Виктор боится, он не хочет давать Арсену в руки оружие против девчонки. Что ж, понять его можно, но простить — нет. Арсен выпестовал его, вскормил, привел в контору, которая дает Виктору зарабатывать такие деньги, какие ему и в самых сладких снах не снились. А он? Действует за спиной и во вред. Кусает руку кормящего. То, что в работе ошибается, стерпеть можно. Молодой, научится, опыта наберется, заматереет. А вот то, что с гнильцой оказался, вот это уже плохо. Врет, интригует. На кого же тогда полагаться, если самые близкие, самые доверенные оказываются предателями, готовыми всадить нож в спину?

Арсен прожил жизнь достаточно долгую и сложную, чтобы научиться смотреть на ситуацию со стороны. Да, свою организацию он создавал из любви к искусству. О деньгах он тогда не думал, зарплата офицера КГБ позволяла вести вполне достойную по советско-застойным меркам жизнь, а потребности у него всегда были умеренными. Но высшее наслаждение он получал только тогда, когда мог манипулировать людьми. Дергать за невидимые ниточки, проводить хитроум-

ные комбинации и с затаенной улыбкой смотреть, как люди совершают поступки, будучи уверенными, что это они сами так решили, и не догадываясь, что кто-то за их спиной все уже давно за них предрешил и на много дней вперед распланировал.

Если существуют люди, совершающие преступления, то существуют и те, кто их раскрывает. Примитивно. Можно помогать одним и мешать другим. Можно идти работать в правоохранительную систему и мешать преступникам уклоняться от правосудия. Но можно ведь и наоборот. Можно мешать правоохранительной системе и помогать преступникам. Какая, в сущности, разница? Зато удовольствия — море. Видеть, как сыщики и следователи пыхтят, стараются, ночей не спят в попытках найти виновного, а преступление не раскрывается. Ну никак. Что ж тут поделаешь? Жизнь, ее нормальное течение. Даже в государстве с самой совершенной и квалифицированной полицией всегда остаются нераскрытые преступления. Где-то больше, где-то меньше, но они есть всегда. Никогда так не было, чтобы их не было, каламбурил про себя Арсен. Ему было неинтересно видеть, как преступление «замазывалось», а виновный «отмазывался» по звонку из руководящего кабинета. Он считал, что это грубо, неинтеллигентно, а главное — всегда есть опасность, что вскроется. Высший пилотаж — сделать так, чтобы все искренне думали: это преступление мы раскрыть не можем, мы сделали все что в наших силах, кто сумеет лучше — пусть сделает.

Но за все надо платить, это Арсен понимал четко. Создавая хорошо законспирированную организацию, он сознательно шел на то, что информация будет проходить с задержками. И был готов к тому, что ограничение личных контактов неизбежно приведет к снижению контроля за людьми. Когда не можешь лично следить за всем и всеми, готовься к тому, что начнется халтура и безалаберщина. Вот оно и случилось. Что ж, организация просуществовала достаточно долго, чтобы принести Арсену на старости лет чувство глубокого удовлетворения, незабываемые минуты тихого восторга от удачно проведенной комбинации, прекрасные мгновения от ощущения своей незримой всесильности. Ну и достаточно. Чемпи-

он должен уйти с арены раньше, чем его потеснят более молодые и сильные. Стыдно уходить вторым после того, как ты был первым. Все в жизни нужно делать вовремя.

Но прежде чем он уйдет, он доведет до конца начатое дело. Он сломает строптивую гордячку Каменскую и этим поставит красивую жирную точку на своей многолетней деятельности.

* * *

Суточная смена в дежурной части ГУВД Москвы близилась к концу, шел девятый час утра, и усталость, казалось, висела в операционном зале, как табачный дым. От нее было трудно дышать. В десять утра заступит новая смена, придут бодрые выспавшиеся люди, и какое-то время в воздухе будет незримо витать исходящая от них энергия. Но это только через два часа...

Одна из девушек, работавших в службе «02», сняла наушники и подошла к дежурному по городу подполковнику Кудину.

— Василий Петрович, у нас Тамара Коченова в розыске числится?

Кудин молча открыл сейф и достал толстенную папку, в которую были подшиты все ориентировки о розыске пропавших или скрывшихся. Полистав ее несколько минут, с шумом захлопнул.

— Нет такой. А зачем тебе?

— Только что был звонок по 02. Лиц, интересующихся местопребыванием Коченовой Тамары Михайловны, просят позвонить. Номер продиктовали.

Девушка протянула Кудину бумажку с номером телефона.

— Давай! — Кудин сладко зевнул и потянулся. — Разберемся. Иди на место, не отлынивай.

Но до конца смены разбираться ему было некогда. Начало рабочего дня — самое время для того, чтобы обнаружить, что ночью угнали машину, или ограбили магазин, или в кустах лежит человек, кажется, мертвый, или кто-то вечером ушел и до утра не вернулся. Кудин сунул бумажку в карман кителя и до конца работы о ней не вспоминал.

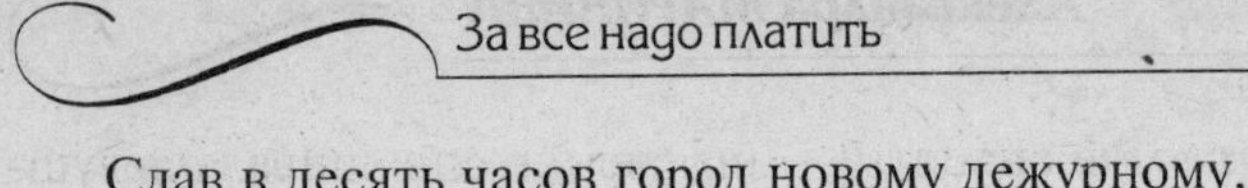

Сдав в десять часов город новому дежурному, он переоделся в гражданское и не спеша двинулся через внутренний двор к воротам, когда навстречу ему попался Игорь Лесников.

— Привет! — бросил на ходу Игорь. — Как сутки?

— Обычно, — вяло отмахнулся Кудин. — Всех убили, никого не посадили. Сами живы — и слава богу! Тебе счастливо день отработать.

— Спасибо! — крикнул Игорь уже на бегу.

— Эй, погоди! — вдруг спохватился Кудин. — А Анастасия будет сегодня?

— Нет. Она же отстранена, ты забыл?

— Забыл. Ну ладно, тогда потом.

После, спустя несколько часов, Игорь Лесников уже не вспомнит, почему он не побежал дальше к подъезду, а остановился. Это не было ни озарением, ни голосом интуиции, ни подсказкой свыше. Просто капитан Лесников был очень серьезным человеком. И кроме того, он дважды испытал на собственной шкуре, что такое служебное расследование, поэтому переживал за Каменскую больше всех. После полковника Гордеева, разумеется.

— Вася, — окликнул он Кудина, — а что Каменская? Зачем она тебе?

— Да звонок с утра был какой-то странный. Я хотел ей сказать, она же у вас обожает всякие загадки разгадывать. Может, ей для умственной гимнастики пригодилось бы.

— Что за звонок?

— Да ерунда, Игорь.

— Что за звонок, Вася?

— Мол, если кто интересуется Тамарой Коченовой, чтоб позвонили. Телефончик оставили...

* * *

Юрий Оборин сидел в квартире Раисы Васильевны и учил ее девятнадцатилетнюю дочку Светлану карточной игре под названием «джокер».

— А что мне сносить? — огорченно спрашивала девушка. — Мне все карты нужны, ненужной ни одной нет.

— Нужно уметь жертвовать, — смеялся Юрий. — В этом вся хитрость игры. Отдавать ничего не хочется, но нужно обязательно. Твоя задача — снести такую карту, при которой жертва будет минимальна.

— Так я какую ни положу — ты сразу заберешь и выложишь свою комбинацию. Хитрый какой!

— А ты рискуй. Если боишься, что я заберу, постарайся всунуть мне как можно больше лишних карт. Тогда я выложу комбинацию, которая пойдет мне в плюс, а на руках останется балласт, который пойдет в минус. Думай, рассчитывай. Карты — это не игра, карты — это жизнь. Поэтому в них так полезно играть.

Он не успел закончить свою нравоучительную сентенцию, как зазвонил телефон. Светлана сняла трубку, потом протянула ее Оборину.

— Кажется, это тебя.

— Алло, — произнес Оборин сразу севшим от волнения голосом.

— Вы звонили нам по поводу Тамары Коченовой? — услышал он.

— Да-да. Видите ли...

— Представьтесь, пожалуйста, — перебили его.

— Моя фамилия Оборин.

— Юрий Анатольевич?! Господи, наконец-то! Где вы? Мы вас ищем уже который день...

* * *

Михаил Владимирович Шоринов с трудом сдерживал дрожь, которая то и дело сотрясала его. Оборин смылся из клиники, причем таким способом, который недвусмысленно говорил: он догадался. Может, не обо всем, но догадался. И что же теперь? Мало того, что они потеряли обещанные Эдуардом Петровичем деньги, так они еще и Оборина потеряли. Впрочем, не они. Он. Только он, Шоринов. Потому что сидящий перед ним с нахальной усмешкой на лице Саприн хочет свою долю получить во что бы то ни стало. Считает, что Шоринов сам во всем виноват, так пусть расплачивается.

Ольга в панике, звонит каждые полчаса, спрашивает, не появился ли Оборин. Почему же все сорвалось? Ведь все шло так гладко, Оборин «клюнул» на Ольгу, влюбился, сам захотел лечь в клинику и лежал там в полное свое удовольствие, писал диссертацию и медленными верными шагами двигался к траурному концу. Все было так хорошо. Что же случилось? Какой бес в него вселился?

— Михаил Владимирович, — говорил между тем Саприн, — я жду, когда вы отдадите мне деньги. Мы же с вами договорились, что я выхожу из игры. Мне надоели ваши дурацкие выверты. И искать Оборина я не буду.

— Да получишь ты свои деньги, — раздраженно ответил Шоринов. — Ты только о деньгах и думаешь. Подумал бы лучше, как нам теперь выпутываться.

— Вам, — спокойно поправил его Саприн. — Вам, а не мне. Мне, между прочим, ничего не угрожает. Никто меня за убийство не разыскивает, потому что в России об этом убийстве ничего не известно. Не забывайте, я взялся за Тамару только потому, что мне нужны деньги, а вовсе не потому, что спасал свою шкуру. А теперь вы мне надоели, и я не хочу больше помогать вам выкручиваться. Вас жадность губит, Михаил Владимирович, отсюда все ваши неприятности. Короче, давайте тридцать пять тысяч, и я уберусь отсюда.

— У меня нет таких денег, — вздохнул Шоринов. — Ты что, шутишь? Я при себе такие суммы не держу.

— Катя! — неожиданно крикнул Саприн. — Иди сюда, пожалуйста.

Из кухни прибежала Катя, которая в одиночестве пила кофе, оставив мужчин наедине с их непонятными проблемами.

— Катюша, Михаил Владимирович хочет, чтобы я рассказал тебе...

— Выйди отсюда!!! — заорал Шоринов, не владея собой. — Убирайся!

— Ты что, Дусик? — недоуменно спросила Катя. — Вы же сами меня звали.

— Я сказал: вон! Иди на кухню.

Лицо Кати как-то незаметно изменилось, в одно мгновение превратившись из удивленно-обиженного в холодное и жесткое.

— Я тебе не собака, — с тихой яростью сказала она. — Дай мне денег, я поеду к своим. Завтра у отца день рождения, нужно купить продукты. Я не хочу, чтобы вы свои разборки у меня на нервах устраивали.

Шоринов вытащил бумажник и швырнул ей несколько стотысячных розовых купюр. Купюры разлетелись по полу. Саприну стало неловко, он нагнулся и принялся их собирать.

— Не надо, Коля, — спокойно сказала Катя. — Дусик не тебя хочет унизить, а меня. Не лишай его этого удовольствия.

Саприн подчинился, молча протянув ей уже собранные купюры и покорно сев на место. Он видел, как Катя, стоя на коленях, собирает разбросанные по полу деньги, и чувствовал, как его охватывает непонятная и доселе не испытанная боль. Боль поднималась откуда-то из груди, наплывала на глаза, лоб, затылок, мешала дышать. Боже мой, он так ее любил!

Катя собрала наконец все деньги, достала из шкафа брюки и свитер и вышла из комнаты.

— Михаил Владимирович, — твердо произнес Саприн, — извинитесь перед ней. Вы ведете себя по-хамски. Так нельзя, она не виновата в ваших неприятностях.

— Обойдется, — бросил Шоринов. — Не барыня. За те деньги, которые я ей даю, может и потерпеть. Думай лучше, где Оборина искать.

— Сами обойдетесь, — злобно прошипел Николай. — Редкая вы сволочь все-таки.

Он резко поднялся и вышел в прихожую, где Катя уже застегивала куртку. Лицо ее было белым и словно неживым.

— Катюша, — мягко начал он, — прости нас. Я не должен был позволять ему кричать на тебя, но...

— Да пошел ты, козел! — бросила она ледяным тоном и изо всех сил хлопнула дверью.

* * *

Василий Викторович Голубцов встал в самом радужном настроении, принял душ, побрился, позавтракал и уселся за работу. Работал он редактором в одном крупном издательстве, рукописи брал на дом и на службу являлся не чаще одного раза в неделю. Он был неплохим стилистом, поэтому ему давали на редактирование переводные любовные романы, от которых его постоянно тошнило. Он неоднократно просил хоть какие-нибудь боевики или триллеры, но старший редактор был непреклонен, объясняя, что авторы боевиков пишут примитивно и просто, поэтому их и переводить несложно. А любовный роман — штука тонкая, автор обычно претендует на некоторую литературность, поэтому после переводчика текст нужно тщательно редактировать. Голубцов вздыхал, но только до того момента, как приходилось расписываться в ведомости за гонорар. Платили в издательстве более чем прилично. А главное — была масса свободного времени, которое можно было потратить на зарабатывание денег самыми разными способами.

Он успел отредактировать почти десять страниц, когда телефонный звонок заставил его закрыть папку с рукописью и начать одеваться. Позвонила жена, которая с утра уехала навестить свою мать, и с ужасом в голосе сообщила, что у тещи Голубцова сломался телевизор и старая женщина в панике, потому что смотрит все утренние, дневные и вечерние сериалы, и просто невозможно представить, как она проживет без этого хотя бы один день. Зная капризный и несносный характер любимой тещи, Василий Викторович безропотно собрался ехать. Он отвезет в Крылатское, где живет теща, небольшой цветной телевизор, который летом они используют на даче, а на зиму забирают в город. Тещин же «ящик» быстренько отвезет в мастерскую, где работает знакомый мужичок, который сделает все в лучшем виде. День, конечно, пропал, но с престарелыми родственниками нужно считаться.

Одевшись, он положил телевизор в огромную сумку, в которой при желании мог бы поместиться средних размеров подросток, спустился вниз, запихнул сумку на заднее сиденье машины и отправился в путь от улицы Большие Каменщики в район Крылатского. Настроение у него было по-прежнему хорошим, Василий Викторович вообще был оптимистом и во всем умел находить положительные стороны.

Недалеко от проспекта Маршала Жукова он не успел проехать на зеленый свет, хотя ему очень хотелось прорваться через перекресток. Он уже собрался было нахально проскочить на красный, но справа на большой скорости стал выезжать «КамАЗ», и Голубцов резко затормозил, больно ткнувшись грудью в руль. Выматерившись про себя, он дождался зеленого сигнала и рванул вперед. Подъезжая к следующему перекрестку, где тоже горел красный свет, он собрался было остановить машину и начал жать на тормоз, когда загорелся зеленый. Непонятная тревога кольнула Голубцова, что-то в поведении машины ему не понравилось, но он шел в потоке и на раздумья времени не было. На следующем перекрестке он снова не успел на зеленый. Но машина почему-то не остановилась. Пешеходы вышли на перекресток и спокойно отправились на противоположную сторону, слева и справа поперек его пути двинулись ряды машин, а автомобиль Голубцова несся вперед, как будто тормозов у него не было. Впрочем, теперь это соответствовало действительности. После резкого торможения несколько минут назад заблаговременно и заботливо поврежденный Дроздецким механизм вышел из строя. От страха Василий Викторович ослеп и оглох, судорожно крутя руль и пытаясь объехать возникающие на его пути препятствия, но усилий этих хватило только на несколько секунд. Перед лобовым стеклом мелькнуло искаженное ужасом женское лицо, потом раздался визг, скрежет и грохот. Все было кончено.

* * *

День, который начался так хорошо, повернулся совсем другой стороной. С самого утра Настю обрадовал Игорь Лесников, сообщив, что нашелся Оборин. А буквально через два часа стало известно, что в районе проспекта Маршала Жукова произошла страшная авария, в которой пострадало больше

десятка человек. В том числе Василий Викторович Голубцов, свидетель по делу об убийстве депутата Самарцева, и некая Екатерина Мацур, любовница Шоринова. Настя с грустью вспомнила шутку Лесникова о случайностях, которые помогают хоть иногда раскрывать преступления, и подумала, что не менее часто эти самые случайности раскрывать преступления мешают. Без Голубцова доказать ложь Дроздецкого и Славы Дружинина практически невозможно. Они оба будут молчать, понимая, что теперь им ничего не угрожает. Нужно будет очень долго и упорно трудиться, чтобы расколоть Дружинина. Но вряд ли удастся.

К вечеру она вдруг почувствовала невероятную усталость. «Надо заканчивать, — думала она, — у меня больше нет сил тянуть этот воз, у меня иссякает фантазия, у меня пропал кураж. Я больше не хочу заниматься этим делом. Пусть Денисов через своего друга-банкира добивается, чтобы австрийские власти потребовали выдачи Саприна. Пусть делают что хотят. Если Денисов и его австрийский друг сработают достаточно грамотно, у нас будут основания разговаривать и с Саприным, и с Шориновым. А так все бесполезно. Против врачей у нас все равно ничего нет. Не доказать».

В одиннадцать вечера позвонил брат Александр.

— Настюша, Тришкан отправился на свидание. Мне ехать за ним?

— Обязательно. И как только они встретятся, немедленно звони.

Через двадцать минут Саша позвонил снова.

— Я стою возле кинотеатра «Урал».

Настя и Алексей подхватились и вприпрыжку сбежали по лестнице вниз.

* * *

Разговор с Виктором был тяжелым как никогда. Арсен не стал открывать ему свои карты. Зачем? Парень все равно не понимает самого главного. Он не понимает смысла, он не понимает интереса. Поэтому и принятого Арсеном решения он не поймет.

— Что по Каменской? Что ты сумел выяснить? — спрашивал он, изо всех сил делая вид, что всерьез интересуется ответом, хотя прекрасно понимал, что ответ будет прежним: за ней ничего нет.

Ему захотелось подразнить Виктора.

— Я чувствую, что она поддается, — говорил он, доверительно понижая голос. — Она с каждым днем делается все мягче. Я уверен, еще немного — и она сама захочет встретиться со мной. Так что готовься, Витенька, скоро у тебя будет новое начальство. Но я, разумеется, не брошу вас на произвол судьбы, буду помогать советами и вообще... У нее опыта, конечно, нет, но она девочка способная, она быстро научится.

Он видел, как Виктор скрипел зубами, и посмеивался про себя.

— Вам первое время трудно придется, — продолжал Арсен как ни в чем не бывало. — Проверка показала, что с кадрами у нас совсем плохо, надо проводить кардинальную перестройку, чтобы люди заработали как следует. С информацией тоже все неладно. Моя вина — доверился помощникам, недоглядел. Но вы с Каменской молодые, сильные, вы сможете вдвоем все наладить. Я чувствую, нет, я уверен, что под ее руководством организация оживет, засверкает новыми красками, заиграет. Не грусти, Витенька, сейчас мы проходим полосу кризиса, но свежая кровь свое дело сделает.

Ему казалось, что Виктор хочет убить его прямо здесь за такие слова. И испытывал какое-то странное усталое удовлетворение.

Он допил свой коньяк и поднялся.

— Сегодня я ухожу первым. Пойду исполню вечерний романс нашей девочке. А ты посиди минут пятнадцать, потом пойдешь.

Арсен надел плащ, аккуратно застегнул его на все пуговицы и вышел на улицу. Было совсем темно, но он хорошо знал, где здесь поблизости есть телефон. Зайдя в будку, он опустил в прорезь жетон и набрал номер. Длинные гудки удивили его. Первый час ночи, где она гуляет? Может быть, спит и не слышит? Или любовью с мужем занимается и поэтому не снимает трубку?

Дверь будки открылась, и он услышал за спиной тихий вкрадчивый голос:

— Меня нет дома, вы напрасно звоните.

Он даже не нашел в себе сил резко обернуться. Медленно повесил трубку на рычаг и только потом повернулся всем корпусом.

— Это вы, — констатировал он. — Что ж, я рад. Вы оказались даже хитрее, чем я думал. Вы все-таки меня выследили.

— Не буду скрывать, это вышло случайно, — ответила Каменская. — Только благодаря вашему Тришкану. Без его ошибок я бы до вас никогда не добралась. Отдаю вам должное.

Они так и стояли: он — в телефонной будке, она — на тротуаре. И рядом никого не было.

— Вы не можете меня арестовать, — сказал Арсен. — У вас против меня лично ничего нет.

— А я и не буду пытаться вас арестовывать. У меня действительно ничего нет против вас. Мое знание никому не нужно, если оно не подкреплено доказательствами. Вы обещали мне убийцу Карины Мискарьянц. Вы не забыли?

— Я помню. Но должен вам сказать, что наш торг не окончен. Я теперь и без вас знаю, кто и зачем послал ваши фотографии в ГУВД. Так что эта информация никакой ценности не имеет. Более того, я принял меры, чтобы ваша докладная, которой вы пытались меня напугать, не принесла моим людям ощутимого вреда. Предлагайте что-нибудь другое.

— Хорошо. В обмен на убийцу Карины могу рассказать вам, что произошло у вашей конторы с Денисовым. Ведь вы же не можете этим не интересоваться.

— Вы правы, — сказал Арсен и в этот момент услышал приближающиеся шаги. Самые обычные шаги. Но он слишком хорошо их знал.

— Рассказывайте, — произнес он спокойно, хотя внутренним зрением уже увидел все, что произойдет через секунду.

Он видел себя лежащим на мокром осеннем тротуаре, видел бледное лицо Каменской, склоненное над собой, видел

всепоглощающую тьму и яркий призывный свет где-то вдалеке.

— Говорите же, — повторил он.

Мощный удар толкнул его назад. Он сильно ударился головой о висящий на стене телефонный аппарат и только потом ощутил жгучую, непереносимую боль в груди, услышал чей-то крик и топот чьих-то ног. Каменская подхватила его, не давая упасть, и он жалкой тряпкой повис у нее на руках. Потом Арсен почувствовал, что его держат более сильные руки и осторожно укладывают на тротуар.

— Все, девочка, — просипел он. — Конец.

— Кто убил Карину? — слышал он ее голос. — Скажите мне. Вы обещали. Кто ее убил?

— Нет, — произнес он чуть слышно. — Нет. Не скажу.

Он собрал все силы, чтобы улыбнуться ей. Что ж, то последнее дело, которое он себе наметил, у него не получилось. Но и у нее ничего не получится.

Он лежал на мокром осеннем тротуаре, видел бледное лицо Каменской, склоненное над собой, потом устало и облегченно закрыл глаза и увидел всепоглощающую тьму и яркий призывный свет где-то вдалеке.

* * *

— Давайте знакомиться. Моя фамилия Лесников, Игорь Валентинович...

Саприн поднял на него усталые глаза и молча кивнул. Вот и кончились самые долгие и самые страшные сутки в его жизни.

...Утром Катя ушла, хлопнув дверью, и Николай почувствовал себя совсем скверно. Ему было стыдно и за себя, и за Шоринова. Стыдно и противно. Он же понимал, что все это из-за него. Если бы тогда Шоринов не узнал, что он ночевал у Кати, у них не испортились бы отношения и Дусик не стал бы ее унижать, да еще при посторонних. Швырнуть ей деньги и смотреть, как она собирает их, ползая на коленях... Гадость какая! Мерзость!

Вернувшись в комнату, он быстро подошел к рассевшемуся на диване Шоринову и грубо схватил его за руку.

— Все, Михаил Владимирович, хватит дурака валять. Давайте деньги, и я с вами расстанусь. Пока по-хорошему.

Видно, лицо его было искажено злобой до такой степени, что Шоринов счел за благо не конфликтовать. Он открыл шкаф, в котором висела Катина одежда, сдвинул вешалки с платьями в сторону и нагнулся над вделанным в стену маленьким сейфом.

— На, живоглот! — Он протянул Саприну пачку стодолларовых купюр. — За горло меня берешь, а помощи от тебя никакой. Знал бы, что ты такой, не стал бы с тобой связываться.

Николай не ответил. Демонстративно пересчитал деньги, сунул их в бумажник и ушел, не попрощавшись. Спустился вниз, сел в машину и уже собрался было отъезжать, когда увидел, как из гастронома напротив выходит Катя в своей белоснежной длинной куртке, неся в руках две полиэтиленовые сумки с продуктами. Ему очень хотелось выскочить из машины и подбежать к ней, схватить в охапку, поцеловать, попросить прощения и не отпускать до тех пор, пока она не улыбнется и не простит его. Катя уходила все дальше, в сторону метро, и он медленно поехал следом, боясь выпустить ее из поля зрения и в то же время отчетливо понимая, что разговаривать с ней бесполезно. Она все решила. Зачем ее терзать? Да и себя тоже.

Она шла метрах в ста впереди Саприна, и он видел, как она подошла к перекрестку, постояла несколько секунд и шагнула на проезжую часть. Откуда-то справа вдруг вырвался автомобиль, делая неловкие судорожные маневры, и Саприн увидел, как белая куртка подлетела вверх и упала прямо под колеса другого автомобиля. Визг, грохот...

Он едва нашел в себе силы подойти к месту аварии. Даже издалека было видно, как в сплошном месиве соединились по меньшей мере пять машин. Над проспектом поплыл надсадный гул клаксонов, и Саприну захотелось зажать уши руками. Он лишь мельком взглянул на то, что еще минуту назад

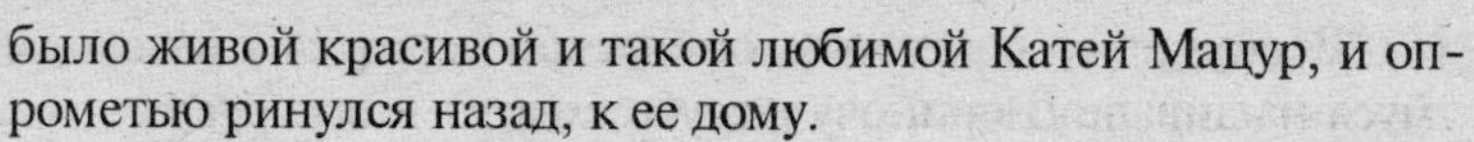

было живой красивой и такой любимой Катей Мацур, и опрометью ринулся назад, к ее дому.

Шоринов еще не ушел. Николай ворвался в квартиру, втолкнул его в комнату и резким ударом швырнул на диван.

— Катя... — задыхаясь, произнес он. — Она погибла... Сволочь, это же из-за тебя. Из-за тебя она ушла из дома.

— Как погибла? — в ужасе переспросил Шоринов. — Почему?

— Авария. Кто-то вылетел на красный свет. Ты во всем виноват, ты, ты!

Первый же нанесенный им удар полностью лишил Михаила Владимировича способности сопротивляться. Саприн бил его исступленно, ожесточенно, не видя ничего вокруг, кроме ненавистного лица. Он словно раздвоился. Одна его часть смотрела со стороны и говорила: «Ты не мужчина, Саприн. Ты не дерешься с противником, ты просто его избиваешь, пользуясь тем, что ты моложе и сильнее». Другая же часть, ослепшая и оглохшая от горя и ненависти, молотила рыхлое слабое тело, изливая с каждым ударом всю накопившуюся боль и отвращение. К Шоринову. К самому себе. К своей жизни.

Наконец он сумел взять себя в руки и остановиться. Долго смотрел на валяющегося на полу Дусика, сплевывающего кровь из разбитого рта, молча повернулся и ушел.

Николай уехал к себе домой, долго стоял под душем, оттирая мочалкой руки, потом лег на диван и отвернулся к стене. Он не знал, сколько времени пролежал без движения. И не знал, что сотрудники милиции, наблюдающие за его передвижениями, уже получили сигнал о том, что в квартире трагически погибшей Екатерины Мацур находится избитый до полусмерти Михаил Владимирович Шоринов. Им не понадобилось много времени, чтобы сопоставить факты и сообразить, кто его избил.

Саприна задержали около полуночи. Просто пришли к нему домой и позвонили в дверь. Он и не думал сопротивляться. После проведенной на ногах ночи, после гибели Кати и расправы с Дусиком у него уже ни на что не было сил. Он ведь не был суперменом, он был самым обыкновенным человеком, может быть, чуть более ловким и опытным, чуть более сильным и выносливым, но все равно самым обыкновенным. Он так же, как и все, мог испытывать страх, боль, горе, он точно так же уставал и точно так же отчаивался. И после всего, что он пережил за последний день, у него уже не было ни сил, ни желания от кого-то убегать. Он даже не дослушал до конца то, что ему говорили вошедшие в квартиру работники милиции, которые заломили ему руки за спину, едва он открыл им дверь.

— Вы задерживаетесь в порядке статьи 122 уголовно-процессуального кодекса...

— Поехали, — перебил он милиционера. — Сам все знаю.

Его привезли на Петровку. И вот теперь красивый оперативник со строгим лицом говорил ему:

— Моя фамилия Лесников, Игорь Валентинович...

* * *

Они все сидели у Насти в кабинете — она сама, Алексей, Саша, Коротков и Селуянов. Виктора Тришкана задержали сразу же после того, как он стрелял в Арсена: Настина поездка к кинотеатру «Урал» была подстрахована надежно. Чистяков и Александр Каменский писали объяснения, остальные — рапорта. Гордеев по телефону велел написать пока гладенькую историю о том, как дружная компания вышла погулять и как Настя спросила у находящегося в телефонной будке пожилого мужчины, нет ли у него лишнего жетона для автомата. А в это время в старика кто-то выстрелил, и доблестные мужчины, конечно же, не упустили негодяя.

— Не трепаться до поры, — строго сказал Виктор Алексеевич. — Я сейчас приеду, будем разбираться. Тут дело тонкое, как бы не напортить самим себе. И Тришкана пока не трогайте, пусть в камере посидит. Я с ним сам разговаривать буду.

Они старательно выписывали легенду о телефонном жетоне, то и дело переговариваясь, чтобы согласовать детали.

— Аська, как ты думаешь, зачем он это сделал? — поднял голову Юра Коротков. — Может, он в тебя хотел попасть?

— Черт его знает! — откликнулась Настя. — Может, и в меня. Только глупо это. Зачем я ему? Ну, устроил он мне сладкую жизнь с этой служебной проверкой, крови попортил, шефу своему свинью подложил. А в чем смысл?

— Господи, Асенька, ты как с луны свалилась, — сказал ее муж. — Ты забудь на минутку о криминале и посмотри на ситуацию чисто по-житейски. Зачем люди делают гадости своим начальникам?

— Чтобы их свалить, — ответила она.

— Правильно. А зачем они делают гадости одновременно еще кому-то?

— Чтобы этот кто-то не занял освобождающееся место.

— Ну вот, умница, можешь ведь соображать, когда захочешь, — похвалил ее Чистяков.

— Лешка, ты что, всерьез думаешь, что этот старик готовил меня себе на замену? Бред полный!

— Пожалуйста, предлагай другое объяснение. Я с удовольствием его приму, если ты сможешь его придумать.

— Придумаю, — зловеще пообещала Настя. — Можешь не сомневаться. Твоя версия не выдерживает никакой критики.

— Между прочим, не так уж глупо, — заметил Селуянов. — Я бы не стал с ходу отметать. Народ, вода закипела, кому чай наливать?

— Мне кофе, — тут же откликнулась Настя. — И надо бы Игорю чайку отнести, он там небось замучился с Саприным. И кстати, Саприну тоже нужно чаю дать.

— Ага, а пиццу из ресторана? Твоя жалостливость, Каменская, порой граничит с безумием.

— Коля, он же человек. Да, плохой, да, убийца, но он же живой человек. Два часа ночи. Ты не забывай, Игорь с ним разговаривает. Какой разговор у них может получиться, если Лесников будет пить чай в свое удовольствие, а Саприн будет смотреть жадными глазами? Ведь об убийстве в Австрии речь пока не идет. Саприн избил Шоринова в состоянии сильного душевного волнения, вызванного гибелью девушки, которую он любил. Это официальная версия, которой он придерживается. Сам Шоринов это подтверждает. И у Игорька нет никаких оснований его жестко давить. Он его должен мягко раскалывать. А потому, Коленька, не жмись, наливай две чашки и тащи в соседний кабинет. И еще спасибо скажи, что Саприн не начал права качать, что Лесников с ним беседует в ночное время.

— Имеет право, — пожал плечами Селуянов. — Это же сразу после задержания.

Но две чашки чаю все-таки налил.

* * *

Прошел месяц, и двое представителей австрийской полиции увозили из Москвы Николая Саприна. Он так и не признался в убийстве, совершенном на шоссе, ведущем в Визельбург. Зато призналась Тамара Коченова. Ей объяснили, что если вина Саприна будет установлена, если будет доказано, что об убийстве он заранее ничего не говорил, то ей грозит ответственность за недонесение о тяжком преступлении, но оказание помощи следствию будет должным образом оценено, так что все обойдется легким испугом. Коченова подумала, прикинула и дала показания. Она устала бояться.

Но об архиве профессора Лебедева и о разработке бальзама все молчали как заговоренные. Даже Тамара не сказала о нем ни слова. И на вопрос, зачем же в таком случае Саприн убил Веронику Штайнек-Лебедеву, она повторяла снова и снова:

— Он не хотел платить.

— За что платить?

— Я не знаю. Это не мое дело. Меня наняли для помощи Саприну в качестве переводчицы. Но с Вероникой он разговаривал без меня, она же русская.

Ни на йоту не отступила от своих показаний, как ни бились следователь и оперативники. Шоринов, естественно, от всего отказался. Да, с Саприным он знаком, но в Австрию его не посылал, а Тамару вообще в глаза не видел. Саприн говорил, что ему нужно ехать в Вену по делам, и просил найти ему толковую помощницу-переводчицу. Шоринов обратился к своей знакомой Ольге Решиной, которая порекомендовала Коченову. Вот и все. Круг замкнулся на Саприне.

Но был еще Эдуард Петрович Денисов, который знал достаточно много и при желании мог дать в руки следствия хоть какие-то козыри.

— Не смей, — оборвал Настю полковник Гордеев, когда она только заикнулась об этом. — Близко к нему не подходи. Мало тебе досталось?

Но упрямство Анастасии Каменской могло соперничать только с ее безграничной ленью. Она все-таки поехала к Денисову, который еще был в Москве.

— Анастасия, я сделал все что мог, — ответил он. — Кнепке добился, чтобы австрийская полиция вернулась к этому делу, я передал им все материалы, собранные Тарадиным. Что еще вы от меня хотите?

— Эдуард Петрович, Саприн ни за что не признается в убийстве, но его все равно осудят на основании показаний Коченовой. Вы свою задачу выполнили, убийца вашей Лили и ее сына найден. Но у меня-то другая задача. У меня полтора десятка, если не больше, человек, которых убили Ольга Решина и ее муж Бороданков. Я ничего не могу доказать до тех пор, пока не предана огласке история с препаратом. У меня есть только Оборин, но экспертиза не обнаружила в его организме никаких отравляющих или ядовитых веществ. Сердечная мышца в плохом состоянии, сосуды изношены, но нет никаких оснований обвинять кого бы то ни было в том, что его чем-то травили. Понимаете? Мне не добраться до этих врачей. Что может сказать Оборин? Что любовница его обманула и скрыла, что ее муж работает с ней вместе? Тоже мне, криминал. Что мальчик Сережа делал глупые ходы в шахматных партиях, когда речь заходила о студенческих романах Оборина? Полный бред. Что Оборин, находясь в кризисном отделении, стал хуже себя чувствовать? Субъективно. Нет ежедневных кардиограмм, нет врачебных наблюдений, нет заключений кардиолога и хирурга на момент его поступления в отделение и на момент ухода оттуда. Есть записи, что Оборин лег в отделение, предъявляя жалобы на головные боли, быструю утомляемость, тахикардию, частые головокружения, слабость. С чем лег, с тем и вышел. И никому трогательные истории о его неземной любви к Ольге Решиной и прекрасном самочувствии не нужны. Это пустое сотрясение воздуха.

— И чего вы хотите? Вы же сами сказали, что ничего нельзя сказать.

— Я хочу, чтобы поднялся скандал. Я хочу, чтобы выплыла история с архивом и с нарушением авторских прав. У нас нет в Уголовном кодексе статьи о краже интеллектуальной собственности, но журналисты пока еще не перевелись. Вы мне поможете? Вы расскажете о том, как ваш племянник одалживал у вас миллион долларов на покупку архива профессора Лебедева, и о том, что он вам при этом говорил об умирающих в отделении людях?

Денисов покачал головой.

— Не требуйте от меня невозможного. Я не могу позволить себе быть втянутым в скандал.

— Значит, пусть люди умирают, пока Бороданков ищет формулу?

— Я все понимаю, Анастасия, — тихо и твердо сказал Денисов. — И поверьте, меня это не оставляет равнодушным. Но есть вещи, которые для меня важнее. Я не могу. Простите меня. Я отдал вам сына, вы помогли найти убийцу Лили. Мы в расчете.

**ВСЕ РОМАНЫ АЛЕКСАНДРЫ МАРИНИНОЙ:
ЖИЗНЬ НАСТИ КАМЕНСКОЙ
ОТ «СТЕЧЕНИЯ ОБСТОЯТЕЛЬСТВ» ДО НАШИХ ДНЕЙ**

СТЕЧЕНИЕ ОБСТОЯТЕЛЬСТВ
ИГРА НА ЧУЖОМ ПОЛЕ

УКРАДЕННЫЙ СОН

УБИЙЦА ПОНЕВОЛЕ

СМЕРТЬ РАДИ СМЕРТИ

ШЕСТЕРКИ УМИРАЮТ ПЕРВЫМИ

СМЕРТЬ И НЕМНОГО ЛЮБВИ

ЧЕРНЫЙ СПИСОК
ПОСМЕРТНЫЙ ОБРАЗ

ЗА ВСЕ НАДО ПЛАТИТЬ

ЧУЖАЯ МАСКА

НЕ МЕШАЙТЕ ПАЛАЧУ

СТИЛИСТ
ИЛЛЮЗИЯ ГРЕХА

СВЕТЛЫЙ ЛИК СМЕРТИ

ИМЯ ПОТЕРПЕВШЕГО НИКТО

МУЖСКИЕ ИГРЫ

Я УМЕР ВЧЕРА

РЕКВИЕМ

ПРИЗРАК МУЗЫКИ

СЕДЬМАЯ ЖЕРТВА

КОГДА БОГИ СМЕЮТСЯ

Литературно-художественное издание

Маринина Александра Борисовна

ЗА ВСЕ НАДО ПЛАТИТЬ

Издано в авторской редакции
Художественные редакторы *А. Стариков, С. Курбатов* («ДГЖ»)
Художник *А. Хромов* («ДГЖ»)
Технический редактор *Н. Носова*
Компьютерная верстка *В. Фирстов*
Корректор *Г. Гагарина*

В оформлении использованы фотоматериалы *В. Майкова*

Подписано в печать с готовых монтажей 30.10.2002.
Формат $84\times108^{1}/_{32}$. Гарнитура «Таймс».
Печать офсетная. Усл. печ. л. 21,84. Уч.-изд. л. 21,0.
Доп. тираж 5000 экз. Заказ № 1607.

ООО «Издательство «Эксмо».
107078, Москва, Орликов пер., д. 6.
Интернет/Home page — www.eksmo.ru
Электронная почта (E-mail) — info@eksmo.ru

Отпечатано с готовых диапозитивов
в полиграфической фирме «КРАСНЫЙ ПРОЛЕТАРИЙ»
103473, Москва, Краснопролетарская, 16